L'HOLOCAUSTE OUBLIÉ

CHRISTIAN BERNADAC

L'HOLOCAUSTE OUBLIÉ

LES PERSÉCUTIONS
LES CAMPS DE CONCENTRATION

PRESSES SÉLECT LTÉE
1555 Ouest, rue de Louvain
Montréal, Qué.

Dépôt légal:

Bibliothèque Nationale du Québec
Bibliothèque Nationale du Canada
Premier trimestre 1981

ISBN: 2-89132-479-X
G1224

— *Nous [1] nous attendons chaque jour à être gazés. Nous sommes dans ce maudit Kommando depuis quatre mois bientôt. Et nous ne pouvons pas refuser de faire ce travail. Ils nous écorcheraient vifs... Sous nos yeux ils couperaient en morceaux nos enfants... Alors nous les brûlons. Moi qui vous parle, j'ai brûlé ma femme, je l'ai bien reconnue; elle avait les yeux ouverts. Ils étaient pleins d'une tristesse indicible, d'une épouvante sans nom... Heureusement elle était morte... car souvent nous les brûlons vivants. Ils sont seulement sans connaissance. Le gaz n'agit pas également sur toutes les victimes... et maintenant c'est notre tour... Vous, vous êtes jeune, vous êtes aryen, vous avez des chances de sortir vivant... bien que nous ayons brûlé aussi des Polonais, des Russes, des Français... et des tsiganes, mais de ceux-là personne ne parle... Lorsque vous sortirez d'ici... je vous le demande : parlez, racontez, écrivez, criez pour que tout le monde sache ce qui se passe ici... pour qu'il mette fin à cela et pour toujours. Jamais, jamais cela ne doit se renouveler... nulle part et pour personne.*

---

1. **Témoignage** anonyme de l'un des membres du « Kommando spécial » des crématoires d'Auschwitz, recueilli au block 13 par Georges Wierzbicki. (*Deux ans dans les camps de concentration nazis*. Marthe-Hélène Bernard, Editions du Déporté, 1958.)

ANSA

Dans [1] les derniers jours de septembre [2], Lucette la Cannoise « toucha » une bien étrange compagne de châlit. Notre Kapo polonaise, la « boiteuse », la présenta au block rassemblé en hurlant :

— « C'est une ordure de tsigane. Elle vient d'Auschwitz. Il est interdit de lui parler. Si elle vous parle elle sera pendue. Si vous lui parlez, cinquante coups et pas de soupe pendant trois jours. Compris? »

Et l'interprète, après avoir traduit le discours de notre « maître », ajouta en s'adressant à Lucette :

— « Fais attention, elle ne plaisante pas. Elle risque sa place et les S.S. le lui ont dit. D'ailleurs la tsigane ne restera qu'un mois. Fais attention la nuit surtout, « la boiteuse » t'aura à l'œil et c'est une vicieuse. »

Ansa, nous devions apprendre son nom trois jours plus tard, était une tsigane originaire de l'Allemagne du Nord, elle pouvait avoir une trentaine d'années. Tout en elle était noir : les yeux, la peau, les cheveux; un véritable morceau de cuir luisant. Grande, mince, un peu voûtée, elle maniait la pelle et la pioche « avec assurance et élégance ». Elle baissait toujours les yeux. Lucette, sans lui parler, lui fit cadeau d'une cuillère au manche brisé. La tsigane fit un simple signe de la tête et ferma les yeux pour la remercier. Une Polonaise lui trouva une gamelle et la mère Louise, la Normande, un fichu...

---

1. **Témoignage** inédit d'Hélène Rabinatt, Lausanne.
2. 1944.

Frédérique, la Belge, profita d'une sieste des deux Aufseherinnen après la pause de la soupe aux orties pour se rapprocher d'Ansa qui creusait dans la dernière tranchée. Notre « Kapote » s'abritait de la pluie sous le grand tas de planches de la première tranchée. Même en se penchant elle ne pouvait voir Frédérique et Ansa. Je crois que je n'ai jamais eu plus peur de ma vie. Même aux heures de l'évacuation ou des bombardements. Appuyées sur leur pelle, comme dans un salon, Frédérique et Ansa bavardaient sans la moindre crainte. Cette inconscience me crispa sur la pioche. A tout instant les S.S. pouvaient sortir de la baraque, la Polonaise se relever... Au bout d'une bonne trentaine de minutes, Frédérique s'éloigna de la tsigane qui avait repris son travail. Frédérique, le visage comme apaisé, détendu — je ne lui avais jamais vu au Kommando une telle expression paisible — n'arrivait plus à détacher ses yeux de la silhouette fine d'Ansa...

— « Alors? qu'est-ce qu'elle a fait? »
— « Dis nous? »
— « On veut savoir. »
Frédérique répondit à toutes celles qui l'interrogeaient :
— « Plus tard! Plus tard! »

Le soir même, dans le fond du block alors qu'Ansa et toutes les femmes exténuées par leur journée de travailleur de force s'étaient endormies, Frédérique la Belge nous raconta, à Lucette et à moi, l'histoire d'Ansa. « Ansa, la dernière tsigane d'Auschwitz. » Ce récit m'a bouleversée au point de m'arracher des larmes. C'est la seule fois où j'ai pleuré en déportation. Cela n'a rien à voir avec « l'émotion » ou la « sensiblerie »... Des larmes de rage. Des larmes de haine. Aujourd'hui encore, lorsqu'il m'arrive de croiser dans les rues de notre siècle une tsigane « à la peau de cuir », je suis obligée de détourner le regard pour ne pas avoir à éclater en sanglots. Ansa la belle tsigane qui croyait être la dernière tsigane sur terre!

— « Ansa, dit Frédérique, est la dernière tsigane d'Europe. Tous ceux de sa race, les bébés, les enfants, les adolescents, les hommes, les femmes, jeunes ou vieux, ont été liquidés à Auschwitz. Tous. Dans la chambre à gaz. Mieux que pour les juifs. Là, pas d'hésitation... tous. Alors que les juifs, suivant les besoins, alimentaient les Kommandos de travail, les nouveaux camps, les usines, le reste, seulement le reste, passait à la chambre à gaz. Les tsiganes, en arrivant, étaient rassemblés dans un camp spécial. Un camp familial. « Le camp tsigane » — un camp à l'intérieur du camp, avec ses barbelés, ses postes de garde, sa porte. Un camp « merveilleux » pour les autres prisonniers... on leur avait laissé leurs vêtements, ce qu'ils avaient apporté en arrivant : leurs instruments de musique en particulier. Il y avait une école et une garderie pour les enfants. La nourriture n'était pas meilleure qu'à Auschwitz même, mais elle était plus abondante car elle était mieux surveillée et donc moins pillée.

— « Ansa n'avait jamais vécu dans une roulotte. Son père, un tsigane, avait épousé une citoyenne allemande et à la naissance d'Ansa, ils s'étaient installés dans une petite maison avec jardin. Le père d'Ansa était électricien dans le bâtiment. A vingt ans, Ansa avait épousé le fils — citoyen allemand — de leur voisin le boulanger. Ils avaient vécu heureux jusqu'à la guerre. Le mari d'Ansa avait commencé à livrer le pain avec une bicyclette puis ils avaient acheté une camionnette. Ils eurent deux petites filles.

— « Mon mari était soldat. Un bon soldat. Il est venu deux fois en permission. Nous avons fait de longues promenades dans les champs. La dernière fois il y avait des coquelicots et je lui ai tressé un collier de paille. Un mois après on est venu m'apporter ses papiers et un peu d'argent. Il avait été tué en Russie. Il était enterré là-bas. Il était mort officier. Il était lieutenant.

— « Un matin, il y a un peu plus d'un an, des civils sont venus à la maison. Ils avaient des revolvers. Ils criaient. Ils riaient.
— « Alors, gitane, on se cache avec la marmaille. Tu vas voir. » J'ai pu emporter des vêtements pour les petites. En prison il y avait d'autres tsiganes. J'avais gardé les papiers de mon mari sous ma jupe. Plusieurs fois j'ai dit aux gardiens — « Je suis allemande, mon mari est officier. Il est mort en Russie, il a été décoré. » Ils riaient toujours. Personne ne m'écoutait. Puis un jour, nous étions certainement plus de cent, on nous a embarqués pour Auschwitz où ils avaient rassemblé les tsiganes dans un coin du camp. Des hommes, à l'arrivée, nous ont rassuré. « Il ne vous arrivera rien. N'écoutez pas les mensonges. Ici vous serez bien. » Et ils ont donné du lait et de la bouillie de maïs à tous les enfants. Les enfants du camp ont chanté pour nous. Ils ont même réussi à entraîner quelques femmes de ma prison dans une danse. Les hommes applaudissaient. On nous a donné des couvertures, un tapis. Le lendemain je savais déjà toutes les histoires du crématoire, des convois, des chambres à gaz camouflées en douches, lorsque deux tsiganes sont venus me voir. Ils se sont assis sur le lit et m'ont interrogée. Ils étaient allemands eux aussi. Ils avaient un grand cahier noir et celui qui ne parlait pas a noté sans arrêt. Je leur ai dit : « Je ne veux pas aller au gaz avec mes

filles. » Ils ont dit : « Les tsiganes ne vont pas au gaz. Ils seront libérés à la fin de la guerre. Peut-être avant. On leur prépare une ville. Une ville pour eux avec des tramways. » Ils ont inscrit mon nom. J'ai raconté ma vie. Ils ont pris les papiers de mon mari. Après — une semaine je crois, — un officier S.S. a demandé mon numéro. Un garde m'a conduit au bureau. L'officier était debout avec sa casquette et ses gants. Quand je suis rentrée, il m'a saluée militairement. Il y avait les papiers de mon mari sur le bureau. Il m'a dit que j'avais été arrêtée par erreur, que j'avais été dénoncée. Que l'Allemagne était reconnaissante envers ses héros qui étaient morts pour la patrie. Deux autres S.S. sont rentrés. Des officiers. L'un d'eux m'a expliqué aussi que c'était une erreur. Que je n'étais pas une tsigane comme les autres puisque mon mari était mort pour l'Allemagne. Que j'allais être bientôt libérée et que je retrouverai les parents de mon mari. Mais il fallait avant que l'on vérifie à l'hôpital que je pouvais avoir d'autres enfants. J'ai dit que je ne voulais pas avoir d'autres enfants parce que mon mari était mort. Le plus grand avait préparé plusieurs papiers. Il m'a dit : « Vous resterez une semaine à l'hôpital. Ce n'est pas dangereux. Après vous ne pourrez plus avoir d'enfants. Et vous serez libre. » J'ai été obligée de signer les papiers. On m'a fait monter dans une voiture. J'ai demandé à voir mes filles. Le grand S.S. m'a répondu que des femmes avaient été désignées pour s'occuper d'elles. On m'a mis dans une grande salle où il y avait des jeunes et des vieilles, surtout des juives et seulement quelques tsiganes. Ça sentait la mort. J'avais peur. Une infirmière m'a expliqué comment se passerait la stérilisation. J'ai pleuré. Je ne voulais plus. J'ai crié. On m'a battue. Je me suis traînée vers la porte. Une gardienne m'a assommée. On m'a attachée sur une chaise. J'ai été opérée le lendemain. Une véritable opération. On m'a ouverte et recousue. J'ai pleuré pendant plusieurs jours. Puis j'ai retrouvé mes filles au camp tsigane. Elles avaient beaucoup maigri. Elles allaient à l'école alors je suis redevenue calme. Nous étions toutes trois vivantes et pas malades. Surtout pas malades. Je ne voulais pas revenir là-bas où j'avais été torturée. Les tsiganes qui s'occupaient de notre camp sont venus me voir en me donnant une vingtaine de lettres écrites fin sur des petits morceaux de papier. Il y en avait pour toutes les villes. « Puisque tu vas être libérée, tu dois porter ces messages. » J'ai accepté. Ils ont caché les papiers sous les semelles, à l'intérieur de mes chaussures. Et j'ai attendu. J'ai attendu. J'ai attendu. Un jour on m'a appelée à nouveau aux bureaux. Le grand officier S.S. — à l'hôpital on l'appelait « docteur » — m'a dit que l'on avait vérifié l'adresse de mes beaux-parents. Que c'était vrai. Qu'ils étaient prêts à me recevoir. Il m'a demandé surtout de ne rien dire de ce qui se passait à Auschwitz. Les juifs, les gaz, les bûchers, le crématoire, tout cela c'était des histoires. J'ai dit que c'était des histoires. Il m'a dit qu'on allait vérifier à l'hôpital si j'étais guérie. J'ai dit que je ne voulais pas y aller. Il m'a dit : « C'est obligatoire sinon vous ne serez pas libérée. » On m'a conduit à l'hôpital. Les médecins m'ont gardé deux jours. Il y avait d'autres tsiganes qui avaient été stérilisées comme moi. Elles disaient : « Dans deux jours on est libre. Ils nous donneront de l'argent. » Puis je suis revenue au camp tsigane. Les hommes qui s'occupaient de nous ont dit : « Maintenant il faut attendre. » J'ai attendu l'hiver et le printemps. A l'été, un matin, on a demandé mon numéro. On m'a conduit chez le photographe puis on m'a enfermée dans une cellule. Je suis restée dans le noir plus d'une semaine, peut-être deux. Puis un autre officier est venu. Il m'a dit : « Tu as de la chance. Tu es la dernière tsigane vivante d'Auschwitz. » Je ne comprenais pas. Il riait. Il a dit : « Il n'y a plus de camp tsigane. Tous les tsiganes sont passés par la cheminée. Il ne reste que toi... » Alors seulement j'ai compris. J'ai crié. « Mes filles, mes filles, je veux voir mes filles. Je veux retourner au camp tsigane. » Je me suis jetée sur lui. Je me suis accrochée à sa veste. Je pleurais, je hurlais. Ils ne pouvaient avoir fait ça. Tout le camp tsigane. Et mes pauvres petites filles qui avaient tant souffert. Deux prisonniers sont rentrés. Ils m'ont relevée. L'officier a dit : « Tu seras bientôt libre. Tu pourras retourner chez toi. Mais tu ne dois pas parler. » Je pleurais. Je ne l'écoutais pas. Il m'a giflée. Il ne riait plus. Il m'a dit : « Si tu parles, tu iras au gaz. » Cela m'était égal. Cela m'était égal. J'ai dit : « Emmenez-moi au gaz. Mon mari est mort. Mes filles sont mortes. Je veux aller au gaz. » Il est sorti. Les prisonniers m'ont calmée. Il est revenu. Il a dit : « Tu n'iras pas au gaz. Tu vivras pour ton mari. Pour le souvenir de ton mari. Pour aider tes beaux-parents. Peut-être tu pourras te remarier... » J'ai dit : « Je ferais ce que vous voudrez. » Il a dit : « Tu seras bientôt libérée. Mais avant tu vas aller travailler pendant un mois dans un camp. Pour oublier. Tu ne devras rien dire à personne. Si tu parles tu ne seras pas libérée... » Et je suis partie pour Ravensbruck avec un convoi de femmes. A Ravensbruck un officier qui avait les papiers de mon mari m'a donné une tablette de chocolat. Il m'a dit : « Il ne faut pas parler. Rien. Pas l'opération. Je vais te mettre dans un bon Kommando... »

Ansa, qui croyait être la dernière tsigane survivante est restée une quinzaine de jours avec nous. Nous avons, Frédérique, Lucette et moi, demandé à toutes les femmes des blocks par l'intermédiaire des anciennes et de quelques responsables politiques, surtout des Russes et des communistes, de ne pas adresser la parole à Ansa et surtout de ne pas lui répondre si elle parlait ou posait des questions. Il y allait de sa vie. Elle devait « sortir » pour témoigner. Nous avions — c'est surtout Lucette — organisé une véritable solidarité autour d'elle; même les Polonaises ont accepté de nous donner chaque jour, pour elle, deux pommes de terre et une ration de pain. Un jour, les Russes ont apporté des gâteaux secs et un demi-saucisson. Ansa, ce jour-là, a pleuré.

Elle est partie. Je reverrai jusqu'à ma mort son dernier geste, son dernier regard vers nous. Elle s'est retournée. Elle a fermé deux fois les yeux. Elle a levé légèrement sa main droite. Puis elle a fermé le poing. Elle ne souriait pas. Il y avait un peu de soleil. La peau de son visage brillait comme de l'ébène. Frédérique a murmuré « Bonne chance Ansa ». Je crois sincèrement qu'elle a été libérée. J'ai appris par la suite que plus de cent tsiganes d'Auschwitz, toutes stérilisées au block 10, avaient été épargnées lors de la liquidation du camp tsigane d'Auschwitz.

LE SOLEIL DE GENTHIN

Seule [1] Française au milieu de mille Russes, Polonaises, Tchèques et Yougoslaves, je me sentais vraiment perdue. Peu à peu les choses se sont arrangées mais je dois certainement ces « amitiés » qui se sont révélées plus à ma fonction, ma position, qu'à ma personnalité. Je ferai cependant une exception qui m'a révélé un peuple que je ne connaissais pas, que je n'imaginais pas et qui a probablement plus souffert en déportation que les autres nations, parce que ses représentantes ne comprenaient pas cet univers concentrationnaire avec ses lois, ses incertitudes, ses invraisemblances, ses crimes, sa haine et que pour elles, la notion de « liberté » représentait une autre valeur que pour nous, habituées depuis sans doute des millénaires à une vie sédentaire sans de trop grandes improvisations.

Les tsiganes n'étaient que sept à Genthin, toutes jeunes. Dix-huit à vingt-cinq ans. Toutes sept originaires de Yougoslavie. Elles roulaient de camp en camp depuis plus de trois ans. Décharnées, hallucinées, ahuries, elles vivaient pratiquement en communauté, repliées sur elles-mêmes, rejetées, cela va sans dire, par l'ensemble des autres détenues comme une vermine particulièrement néfaste. Dès qu'il y avait un vol on accusait les tsiganes, comme on les

---

1. Témoignage inédit docteur Suzanne Weinstein (voir *Les Médecins de l'Impossible,* chapitre XXVII; *Kommandos de Femmes,* chapitre II. Même auteur, même éditeur). Suzanne Weinstein, médecin déporté du Kommando de Genthin où mille femmes fabriquaient des cartouches à l'usine SICVA, a réussi l'exploit, grâce à l'aide d'un médecin civil allemand et de son infirmier, de maintenir en vie l'ensemble du Kommando. Genthin, le seul « camp sans morts » de l'histoire de la déportation féminine. Le docteur Hansen réalisa la même « performance » dans un camp d'hommes : Mauthausen.

rendait responsables des appels prolongés pour retard, des réveils anticipés, en un mot de tous les désagréments supplémentaires inventés pour nous affaiblir, nous humilier. Les premières à dénoncer les tsiganes étaient bien entendu leurs « compatriotes » yougoslaves. Je savais, en les regardant dans les rangs, qu'elles ne tiendraient plus longtemps. Leur survie pouvait s'évaluer en semaines et non plus en mois comme pour le reste du Kommando. Trop méfiantes pour se présenter à l'infirmerie, c'était à moi de me débrouiller pour les y faire entrer. L'une après l'autre. Mais l'affaire était urgente.

Je m'explique mal, encore aujourd'hui, l'intérêt que j'ai porté soudainement à ces jeunes femmes. Peut-être parce que j'étais la seule Française du camp et que malgré mon lit, la satisfaction d'avoir obtenu des médicaments, de pouvoir enfin faire mon métier, j'étais quand même désespérée d'être seule, de me trouver seule; peut-être oui, j'ai imaginé que si je n'étais plus médecin mais une simple détenue moyenne, une déportée ordinaire perdue au centre de ces mille femmes qui luttaient pour ne pas être balayées, écrasées, broyées, j'aurais rapidement succombé, baissé les bras, abandonné. Les tsiganes de Genthin devaient être à la frontière du désespoir et du renoncement. Et puis, surtout, j'étais révoltée par ce mépris, cette méchanceté, cette injustice des autres... de toutes les autres.

Je persuadai la Kommandante — ce ne fut guère difficile tant elle avait peur des épidémies — que j'avais constaté sur les jambes de plusieurs prisonnières des plaies en plaques graves, qui, si elles n'étaient pas soignées énergiquement, pourraient contaminer l'ensemble du camp. Normalement on devrait isoler ces « cas » mais il n'était pas question de compromettre le bon fonctionnement de l'usine. Je pouvais enrayer l'épidémie si on me permettait de garder au Revier deux malades pendant trois jours qui seraient remplacées par deux autres et ainsi de suite. En un mois le problème serait réglé.

La Kommandante que j'avais su étonner par mes premières interventions chirurgicales, me faisait, je crois, confiance. Elle répondit : « Commence demain. » Je lui tendis une feuille de papier qui portait vingt numéros matricules. Elle plia la feuille sans la regarder et la glissa dans une poche. Si elle avait appelé les vingt numéros j'aurais frisé la catastrophe car sur les sept tsiganes, trois seulement avaient les jambes rongées par des plaies. Les autres détenues étaient polonaises et russes.

Pommades, pansements, vitamines, piqûres de calcium, le

repos surtout, accomplirent de véritables miracles. En un mois
« l'épidémie » était arrêtée et mes vingt « protégées » remontées.
Un véritable miracle, je le répète, comme on ne pouvait en voir
qu'en camp de concentration. L'une de mes consœurs de Ravensbrück m'avait dit un jour : « Toutes ces femmes sont tellement privées de médicaments qu'un quart de cachet d'aspirine agit sur ces
organismes affaiblis avec violence. Un véritable remède de cheval
qui vous réveillerait un mort. » Elle exagérait à peine. La plus
jeune des tsiganes, Rally, la plus affaiblie, la plus démoralisée des
sept « profita » de trois « tournées ». Elle resta neuf jours au
Revier. La Kommandante dut s'en apercevoir mais elle ne dit
rien. Un soir Rally me fit appeler par une Polonaise. Je la trouvai
assise sur son lit, les jambes en tailleur, souriante, détendue peut-
être pour la première fois depuis de longues années. Elle me tendit
une petite croix de cuivre :

— « C'est pour vous, me dit la Polonaise. Les tsiganes font
des croix avec le cuivre des cartouches. Elle dit que ça porte
bonheur. »

La tsigane riait. Elle me parlait et je ne comprenais pas. La
Polonaise, malgré de nombreuses phrases répétées, traduisait difficilement.

— « Qu'est-ce qu'elle dit?

— « Elle dit que tu es le soleil, la vie, son père et sa mère.
Qu'une femme comme toi ne peut que connaître le bonheur, la
joie, la fortune, l'amour jusqu'à la fin de ses jours. Elle prie chaque
matin et chaque soir pour toi, pour ta famille, pour ceux que tu
aimes. Pour elle tu es comme sa mère. Tu es sa mère. Elle répète
le soleil. Le soleil. »

Et Rally m'embrassa la main. Jamais quelqu'un ne m'avait
remercié ainsi. Cachée derrière mon armoire à médicaments, j'ai
sangloté la plus grande partie de la nuit. J'ai senti en surveillant
dans leur lit les six autres tsiganes qui ne sont restées que trois
jours, que si nous avions pu bavarder, nous comprendre, elles
auraient prononcé à peu de chose près, les mêmes mots que
ma petite Rally.

Quinze jours plus tard, au retour de l'équipe jour de l'usine,
les sept tsiganes se sont présentées à la porte du Revier. La Polonaise leur a ouvert la porte.

— « Nous voulons voir docteur Suzanne. »

Lorsque je suis arrivée, je ne compris pas cette agitation des
tsiganes. Deux, assises par terre, retiraient leurs bas; les cinq autres
se contorsionnaient, jupes remontées aux épaules.

— « Mais qu'est-ce qu'elles font? »

Et en prononçant cette phrase j'aperçois, au milieu du groupe, un tas de pommes de terre qui grossit à chaque mouvement des tsiganes. Un kilo de pommes de terre, deux, cinq, probablement quinze kilos de pommes de terre, une montagne, là, à leurs pieds, dans l'entrée du Revier, lorsqu'elles eurent rabaissé leur robe... Et elles riaient, riaient. Celle qui était probablement la plus âgée fit un pas vers moi et après une profonde respiration :

— « Pour les malades du Revier... »

Et elle recula vers la porte. Elle avait prononcé cette phrase, elle qui ne parlait pas un seul mot de notre langue, en français. C'était au tour de Rally de s'avancer vers moi. Elle me tendit un paquet. Je reconnus le papier d'emballage de la cartoucherie. Elle dit :

— « Pour toi madame Suzanne, merci, avec notre cœur. »

Rally parlait français, c'était merveilleux.

Emue, tremblante, désemparée — les jambes me manquaient — j'ouvre le paquet et je découvre l'une de ces écharpes en laine crue que les paysannes yougoslaves portaient en arrivant au camp; parfois sur la tête ou les épaules, le plus souvent autour de la taille. Dans la pointe, une tsigane avait brodé en rouge ce simple mot qui, croyez-moi, au camp, avait retrouvé toute sa véritable signification : « Merci. » Le « merci » de ces femmes qui pour la première fois, peut-être, depuis l'arrachement à leur tribu, avaient trouvé un peu de chaleur, un peu d'amitié, un peu d'amour. Mes yeux baignaient dans un océan de larmes, je devais me cramponner pour ne pas pleurer. Au moins... pas maintenant, pas devant elles. Tout à l'heure oui, au creux de mon armoire à pharmacie. Rally avait déjà la main sur la poignée de la porte. Rally pleurait. Je me précipitai dans ses bras pour l'embrasser. Les autres femmes me serraient, me touchaient... puis comme une volée de moineaux, elles ont disparu courant vers leur block.

Jamais, tout au long de ma vie — sauf en retrouvant les miens à la fin de la guerre — je ne devais vivre des minutes d'aussi intense bonheur : une émotion aussi profonde; une aussi grande vraie joie. Un souffle immense d'espérance, de foi en l'être humain.

Et mes tsiganes pour les autres, pour pratiquement tous et toutes les autres du camp sont redevenues « les ordures », « les piqueuses », « la merde ». Il n'aurait servi à rien de leur expliquer qu'elles se trompaient, que ce n'était pas vrai, que les tsiganes étaient comme toutes les autres femmes; dans beaucoup de cas, mieux, meilleures que toutes les autres femmes; qu'il fallait sim-

plement les comprendre, essayer de franchir la barrière de leur
isolement qui était certainement unique, analyser leurs souffrances,
leur incompréhension du monde dans lequel nous avions été proje-
tées et contre lequel nous étions, en général, mieux armées qu'elles.
Je crois que je suis arrivée à convaincre la Polonaise qui m'aidait
au Revier. Un jour elle me demanda des vitamines... et nous n'en
avions presque plus.

— « C'est pour qui?

— « C'est pour deux tsiganes. »

J'ai voulu croire que c'était réellement pour les tsiganes. Et
aujourd'hui je le crois encore.

Contrairement à beaucoup de déportés qui pensent que les
tsiganes étaient par leur passé, par leur fuite incessante, par leur
peu de respect des lois, des conventions, des « biens d'autrui »,
les mieux préparés à subir la déportation, je suis persuadée, au
contraire, que les tsiganes qui connurent une déportation ordinaire,
c'est-à-dire qui ne furent pas enfermés dans un camp familial,
comme le « camp tsigane » d'Auschwitz, supportèrent très mal, le
plus mal, la déportation. Un soir, Rally, qui était venue me voir
(elle avait apporté quelques pommes de terre pour les malades),
dit à la Polonaise qui nous servait — à peu près — d'interprète.

— « Ma sœur, je ne sais pas où elle est. Nous avons été
séparées dans le premier camp. Mais elle est morte. Je sais qu'elle
est morte.

— « Mais non elle n'est pas morte. Comment peux-tu le
savoir. Elle est peut-être dans un bon Kommando.

— « Non, répondit Rally, elle est morte. Elle nous disait
toujours, avant, « je suis un oiseau, je suis l'oiseau qui vole le
plus vite, le plus loin, le plus longtemps ». Papa et maman l'appelaient « l'oiseau ». Et je n'ai jamais vu un oiseau dans un camp
de concentration. Oiseau est morte. »

Suzanne Weinstein — « Le soleil » de Genthin et Hélène Rabinatt — « Ansa » — ont parfaitement compris et interprété le particularisme concentrationnaire tsigane. C'est pour cette raison que leur témoignage inédit devait prendre place en ouverture de ce dossier sur un holocauste oublié, pour ne pas dire inconnu. En recoupant l'ensemble des récits ou documents publiés sur la déportation je devais arriver à la conclusion que les tsiganes ont été rejetés par l'ensemble des déportés qui représentaient trente-deux ou trente-cinq nationalités. Il suffit pour s'en persuader de relever les quelques rares phrases qui leur sont consacrées dans les récits de survivants [1] :

— Les gitanes, ces sales voleuses lâches parmi les lâches, pleurnicheuses, couvertes de vermine...

— Un troupeau de bohémiennes, repoussantes de saleté, ignorantes, voleuses...

— Un grand tsigane voleur et menteur : comme tous ceux de sa race qui n'attendait qu'un signe des S.S. pour devenir assassin...

On pourrait multiplier ces jugements rapides publiés, je le répète, par les codétenus des tsiganes de la plupart des camps de concentration. Ils émanent en général de déportés qui se sont contentés de « raconter » leur survie quotidienne, refusant d'analyser — mais comment auraient-ils pu franchir la barrière de la communication parlée ou des différences de comportement? — ce qui leur était étranger ou qu'ils ne comprenaient pas. En une seule phrase « toute faite », ils se débarrassaient d'un problème que, par ailleurs, ils ne s'étaient jamais posé. Je dois avouer que ce fut ma première grande déception à la lecture de ces centaines de documents. Plus grave, lorsque ces lieux communs émanent de professeurs d'université, d'écrivains, de journalistes ou de prêtres. Deux exemples suffiront. Joseph Onfray, dans un livre d'une grande élévation morale [2], consacre seulement quatre lignes aux tsiganes de Buchenwald :

— On ne peut pas ne pas mentionner les gitans, des tsiganes plus que tous pilleurs et voleurs : beaucoup de jeunes enfants de douze-quatorze ans, précocement vicieux.

Professeur Paul Hagenmuller [3] :

---

1. Et l'on trouvera plusieurs de ces jugements à l'emporte-pièce dans l'ensemble des chapitres de l'ouvrage.
2. *L'âme résiste*, Imprimerie Alençonnaise, 1946.
3. *Témoignages strasbourgeois*, Les Belles Lettres, 1954.

— Les tsiganes nous parurent avoir en gros deux caracté-ristiques : la passion du vol et celle de la musique.

Professeur Charles Richet [1] :

— Quant aux tsiganes, leur disparition totale n'eût affecté dans le camp qu'un petit nombre de philanthropes déterminés...

De tels raccourcis, caricaturaux, se comptent par centaines dans les « souvenirs » de Français, Belges, Néerlandais, Allemands, Polonais, Italiens, etc. Une ligne par-ci, une ligne par-là. Toujours la même.

La seconde déception — toujours à la lecture des récits — est la constatation de l'ignorance — est-elle volontaire? — de la présence de tsiganes dans les camps de concentration. Comment imaginer qu'un déporté qui a traversé les jours et les nuits de Dachau, d'Auschwitz, de Buchenwald, de Mauthausen ou d'Ora-nienburg pendant des mois ou des années oublie de signaler la présence de centaines, de milliers de tsiganes. C'est impensable. C'est pourtant la réalité de la plupart des ouvrages consacrés à l'univers concentrationnaire : pas une ligne. Même toute faite. Silence. Oubli. Tsiganes : connais pas. Et pourtant sait-on que parmi les soixante mille déportés français morts dans les camps de concentration (si l'on excepte les déportés de la Solution finale du problème juif), quinze mille étaient tsiganes. Un sur quatre.

Sait-on enfin que le « Massacre des tsiganes » fit en Europe 230 000 victimes [2] et que la grande majorité des documents alle-mands traitant du problème de la « Solution finale », c'est-à-dire de l'extermination pure et simple, parlent de la « Solution finale des juifs et des tsiganes ». Aujourd'hui, écrire « Solution finale » signifie « Solution finale du problème juif ». Devant l'immensité du crime commis par le Reich à l'encontre des juifs européens, nous oublions — même les historiens — ces 230 000 tsiganes qui disparurent dans la fumée des crématoires ou des bûchers dressés par les Einsatzgruppen.

---

1. Professeur Charles Richet (avec Jacqueline et Olivier Richet) : *Trois Bagnes*, J. Ferenczi Fils, 1945.
2. Voir annexe 1.

UN PEUPLE EN MARCHE

Orpailleurs, forgerons, étameurs, vanniers, herboristes, maqui-
gnons, éleveurs, montreurs d'ours, forains, musiciens, danseurs,
chiromanciens, ils sont les tsiganes de nos souvenirs d'enfance.
Chacun de nous a conservé dans sa mémoire l'image enfumée d'un
campement, le cahotement d'une roulotte, l'envolée d'une robe
colorée, peut-être l'odeur des chevaux, les cris des enfants nus,
la mélodie d'une chanson dansée. Oui, les tsiganes d'une imagerie
d'Epinal, si peu renouvelée depuis cinq ou six siècles, qu'elle provoque toujours, à l'unisson, les mêmes inquiétudes, les mêmes
peurs, les mêmes mystères; pourquoi ne pas l'écrire : le même
racisme. Et s'il est vrai que depuis le début du XIXᵉ siècle, l'étude
de ce peuple en marche est devenue une science : la tsiganologie,
elle ne semble intéresser que les spécialistes du folklore, des migrations, ou de la philosophie, les ouvrages de référence, épuisant
aujourd'hui pratiquement le sujet, ne dépassant jamais un tirage
strictement confidentiel. Le terme générique de tsigane, écrit trop
souvent à tort tzigane, même par les dictionnaires, couvre toutes
les appellations de groupes, de tribus ou de communautés natio-
nales. L'origine du nom est connue :
— Une [1] appellation a fait fortune, celle d'une ancienne
secte hérétique, venue d'Asie Mineure en Grèce, les Atsinganes
dont subsistait, lorsque les tsiganes apparurent en terre byzantine,
la réputation de magiciens et de devins. C'était en grec médiéval

---

1. François de Vaux de Foletier : *Les Tsiganes dans l'ancienne France,*
Editions Géographique et Touristique, 1961. François de Vaux de Foletier est
le plus grand spécialiste français des Tziganes. Il a publié également sur ce sujet :
Mille ans d'histoire des tsiganes, Fayard, 1970.

Athinganos : la prononciation populaire était Atsinganos ou Atsinkanos [1].

Les estimations les plus récentes font état de trois à quatre millions de tsiganes dans le monde. Mais la plupart sont sédentaires. Il ne resterait que trois à quatre mille nomades. Les deux principaux groupes d'Europe occidentale sont les Rom et les Manouches.

C'est par l'étude des différents dialectes tsiganes que deux érudits allemands, Rudiger et Greelman, ont, en 1777 et 1783, « éclairci le mystère » de l'origine; la diffusion de leurs lexiques comparatifs des langages indien et tsigane a en effet, dans toute l'Europe, provoqué de nouvelles comparaisons linguistiques qui ont confirmé que les tsiganes étaient originaires de l'Inde. Depuis cette époque, et toujours par l'étude de la langue, les chercheurs ont pu établir les itinéraires de cette longue et lente migration vers l'Ouest. Chaque région traversée enrichissant le vocabulaire des tsiganes. Etablis au centre de l'Inde dès le troisième millénaire avant Jésus-Christ, les groupes qui donneront naissance à « l'entité » tsigane étaient semi-nomades comme la plupart des populations du sous-continent. Trois siècles avant Jésus-Christ un premier exode massif déplace l'ensemble des « rassemblements humains » vers le nord de l'Inde. Ils y resteront fixés près d'un millénaire avant d'entreprendre leur longue marche. Seuls les archéologues, en fouillant les premières habitations, pourront sans doute définir les raisons de l'exode. Ces déplacements de population, si fréquents dans la mise en place préhistorique de notre humanité, sont encore mal connus parce que rarement étudiés et leurs motivations ouvrent toutes les hypothèses. Il est probable que le premier transfert — centre, nord de l'Inde — ait été provoqué par une modification climatique (réchauffement et sécheresse). Les pâturages s'apauvrissant, les hommes de la cueillette et de l'élevage partent à la découverte d'une nouvelle terre sur laquelle ils se fixent. Je n'entrerai pas dans les polémiques d'indianistes qui alimentent les débats sans fin sur l'appartenance des ancêtres tsiganes aux basses castes — en particulier parias à qui sont réservés les métiers avilissants —

---

1. De là proviennent les vocables : Tchinghiane en turc, Aciganon **Cigan en** bulgare, **Ciganin** en serbe, **Cygan** en polonais, **Cykan** en russe, **Szigany** en hongrois (au pluriel : **Cziganyok**), **Cigonas** en lithuanien, **Zigeuner** en allemand et en néerlandais, **Zuyginer** ou **Zeyginer** en alsacien, **Zeginer** en suisse alémanique, **Zigenar en suédois, Cingre, Cingar** ou **Cingan** en ancien français, tsigane en français moderne, **Zingaro** en italien, **Cigano** en portugais. Le latin médiéval employant les formes **Acinganus, Cinganus, Cingerus** (François de Vaux de Foletier).

et sur les raisons de la marche vers l'Ouest. Je rappellerai, près
de nous, les gigantesques chassés-croisés indo-pakistanais au lendemain de la partition. Il y a une quinzaine d'années, j'ai pu vivre
au nord du Brahmapoutre, le long des frontières du Bouthan et
du Tibet, l'exil de centaines de milliers d'Indiens, survivants des
massacres musulmans dits « du cheveu de Mahomet ». Peut-être
les tsiganes du nord de l'Inde ont-ils été victimes d'une guerre
religieuse, des prétentions territoriales d'envahisseurs, ou plus simplement de nouvelles dégradations climatiques bouleversant habitudes de récolte et environnement. Je pencherai personnellement vers
l'hypothèse « guerre religieuse » — l'Inde s'illustra en permanence
par de tels affrontements — pour la simple raison que seuls les
tsiganes de ce que l'on pourrait appeler aujourd'hui les « castes
rejetées » ont entrepris le voyage de la sauvegarde. Mais la domination des tenants du pouvoir religieux « à imposer » s'est exercée
avec une certaine souplesse tolérante car la mise en marche d'une
partie de ce peuple par tribus ou par bandes s'est étalée sur plusieurs siècles : probablement de la fin du VIIe au Xe. Une redécou-
verte de la nomadisation, avec fixation temporaire dans les terres
d'accueil. Les tsiganes mettront trois siècles pour atteindre l'Asie
Mineure et l'Egypte après avoir essaimé en Afghanistan, Iran,
Arménie, Irak. Ils seront en Crète dès le début du XIVe siècle, en
Yougoslavie vers 1340, Roumanie 1370, Hongrie 1415. Alors là,
soudainement et sans raison apparente, la « conquête marginale »
s'accélère. La même année, des convois de roulottiers et cavaliers
apparaissent en Tchécoslovaquie, en Autriche, en Suisse. Ils atteignent l'Italie, l'Allemagne, la Pologne en cinq ans. Ils sont à
Mâcon en 1419, en Belgique et à Paris quelques mois plus tard.
L'Espagne enfin en 1425, les Pays-Bas en 1426 puis l'Angleterre
et les pays nordiques dans les trente ans suivants. L'émergence du
peuple tsigane sera accomplie en 1501, avec l'entrée en Russie.

Peuple errant, toujours sur la défensive parce que pourchassé,
le tsigane n'a pas de « mémoire » et sa vérité, sans cesse travestie
ou cachée pour échapper à l'infiltration et à la condamnation, a
subi de telles altérations, retournements qu'il serait téméraire d'ac-
corder la moindre valeur historique aux récits légendaires sur la
patrie perdue.

Cependant, en 1840, le tsiganologue russe Michel Kounavine
enregistrait, sous la dictée, deux « contes modernes ».

— « Dans ce pays où le soleil se lève derrière une montagne
sombre, il y a une grande et admirable ville, riche en chevaux.
Il y a bien des siècles, toutes les nations de la terre voyageaient

vers cette ville, à cheval, à dos de chameau ou à pied... Tous trouvaient un refuge et un accueil. Et il y avait quelques-unes de nos bandes. Le souverain de cette ville les accueillait avec faveur. Il voyait que leurs chevaux étaient bien soignés; il leur proposa de s'établir dans son empire. Nos pères acceptèrent, plantèrent leurs tentes dans les prairies fertiles. Là ils vécurent longtemps, contemplant avec reconnaissance la tente bleue des cieux... Mais la destinée et les esprits du mal voyaient avec chagrin la félicité du peuple rom. Alors ils envoyèrent des méchants cavaliers khoutsi dans ces places heureuses, qui mirent le feu aux tentes du peuple heureux, et après avoir passé les hommes au fil de l'épée, emmenèrent les femmes et les enfants en esclavage. Cependant, beaucoup s'échappèrent, et depuis ce temps ils n'osent pas rester longtemps en une même place. »

— « Il y a longtemps, longtemps, quand nos ancêtres ne savaient rien des chevaux rapides, et lorsque, comme les autres races, ils vivaient dans des maisons de bois et de pierre, une grande affliction vint à notre peuple... Traités comme des parias méprisés de l'humanité, nos ancêtres vécurent leur existence dans une crainte constante, tremblant devant chaque soldat ou fermier, parce qu'il avait le droit de tuer tout fils de notre race... De nouveaux ennemis arrivaient des hautes montagnes; ils gorgèrent de notre sang nos prairies, nos champs et nos jardins; ils croyaient que notre race allait périr. Mais « la déesse » Laki en décida autrement; elle envoya des chevaux rapides pour sauver notre peuple de la mort. Des milliers de chevaux galopaient de la montagne, et nos ancêtres les prirent pour fuir loin de l'ennemi. Le peuple rom fuit sur ces chevaux, comme fuit le cerf devant le loup. C'est pour cela qu'ils fuient, même jusqu'au jour présent, parce qu'ils sont toujours environnés par les ennemis. »

Aujourd'hui cette « version » de sang et de larmes n'est plus retenue par les « diseurs » européens du passé tsigane. Les Hongrois, Bulgares et Roumains ont adopté une légende soi-disant transmise de père en fils qui veut que les tsiganes vivaient heureux dans un pays aussi riche qu'ensoleillé. Une contrée bénie du nom de Sind dont le roi, Sep ou Dep avait deux frères... mais les musulmans arrivèrent... On devine la suite : les trois frères rassemblèrent les survivants de leur famille et prirent la route de l'exil.

*
**

Les premiers contacts établis entre les « voyageurs » et les « lettrés » des régions traversées, qui vont porter témoignage pour l'Histoire en décrivant ces rencontres, sont bien évidemment à l'origine de tous les préjugés. De ceux-là même que le xxe siècle a été incapable d'effacer. L'inventaire des pseudo-crimes tsiganes est trop connu pour y revenir en détail. Ils vont du simple larcin — poulailler et tire-bourse — à l'accusation de séquestration d'enfants et de cannibalisme. Membres de cette civilisation de l'errance qui marqua l'ensemble du Moyen Age, il était facile de porter à leur crédit les forfaits impunis des autres nomades : vagabonds, mercenaires, bandes armées, pillards, fuyards de toutes les épidémies et pourquoi pas suiveurs des routes de pèlerinage. Dans bien des cas, la rumeur prévenant, le crime suivra. N'est-il pas la conséquence logique de ce climat de peur ou d'angoisse, de méfiance et d'agressivité qui contraint le rejeté, toujours poussé plus loin dans la marginalité, à contourner lois et morale pour survivre. Nous sommes déjà, et probablement dès la première vague de la fuite, dans une atmosphère de type concentrationnaire. Il n'y a guère loin des procès, décrets, édits, persécutions, expulsions, exécutions sans preuve, crimes de protection ou préventifs, parquages, ghettos, zones protégées, aux chambres à gaz d'Auschwitz et aux scalpels des médecins expérimentateurs de Dachau et Buchenwald. Huit siècles d'« intoxication primaire » ont préparé le terrain.

Dans ce concert unanime des citoyens et des Etats, la France sut faire front commun :

Déclaration du Roy contre les Bohêmes [1] :

Louis par la grâce de Dieu, Roy de France et de Navare à tous ceux qui ces lettres verront, Salut.

Quelques soins que les Roys, nos prédécesseurs, ayent pris pour purger leurs Etats de vagabons et gens appelez Boëmes, ayant enjoint par leurs Ordonnances aux Prévots des Maréchaux et autres juges d'envoyer lesdits Boëmes aux galères sans autre forme de procès. Néant-moins il a esté impossible de chasser entièrement du Royaume ces voleurs par la protection qu'ils ont de tout temps trouvée et qu'ils trouvent encore journellement auprès des Gentilshommes et Seigneurs Justiciers qui leur donnent retraite dans leurs châteaux et maisons...

---

1. 11 juillet 1682.

Ce désordre étant commun dans la plupart des Provinces de notre Royaume...
Ordonne :
... — d'arrester et faire arrester tous ceux qui s'appellent Boëmes ou Egyptiens, leurs femmes et leurs enfants, et autres de leur suite, de faire attacher les hommes à la chaisne des forçats pour estre conduits dans nos galères et y servir à perpétuité et à l'égard de leurs femmes et filles, de les faire razer la première fois qu'elles auront été trouvées et de les faire conduire dans les hospitaux les plus prochains des lieux, les enfants qui ne seront pas en état de servir dans les galères, pour y être nourris et élevez comme les autres enfants qui y sont enfermez; et en cas que lesdites femmes continuent de vaguer et de vivre en bohémiennes, de les faire fustiger et bannir hors du Royaume, le tout sans autre forme n'y figure de procez [1].

Les premiers « reportages » français mettant en scène l'arrivée de tsiganes datent du xve siècle. Le journal anonyme d'un bourgeois de Paris, véritable documentaire d'un demi-siècle, ne pouvait passer sous silence cet événement.

« Le dimanche [2] 17 août, douze penanciers (pénitents), comme ils disaient, vinrent à Paris; c'étaient un duc, un comte et dix hommes, tous à cheval, qui se disaient chrétiens et natifs de la Basse-Egypte. Ils prétendaient avoir été autrefois chrétiens et ce n'était que depuis peu qu'ils l'étaient redevenus sous peine de mort. Ils expliquaient que les Sarrasins les avaient attaqués, mais leur foi avait chancelé; ils s'étaient peu défendus, s'étaient donc rendus à l'ennemi, avaient renié Notre-Seigneur et étaient redevenus Sarrasins.

« A cette nouvelle, l'empereur d'Allemagne, le roi de Pologne et d'autres princes chrétiens leur coururent sus et les vainquirent bientôt. Ils avaient espéré pouvoir rester dans leur pays mais l'empereur et ses alliés avaient délibéré de ne les y point laisser sans le consentement du pape, et les avaient envoyés à Rome voir le Saint-Père. Tous s'y rendirent, grands et petits, ceux-ci à grand-peine, et confessèrent leurs péchés. Le pape en délibéra avec son conseil et leur donna comme pénitence de parcourir le monde

---

1. *Recueil général des anciennes lois.* Tome XIX, Paris, 1829, publiées par Isambert, Decrusy et Taillandier.
2. Cette chronique figure dans la plupart des ouvrages historiques sur les tsiganes et en particulier dans : *Les tsiganes,* Jean-Paul Clébert, Arthaud, 1961.

pendant sept ans sans coucher dans un lit. Pour la dépense, il ordonna que tout évêque ou abbé portant crosse leur donnerait une fois pour toutes dix livres tournois. Puis il leur remit des lettres patentes de ces décisions pour ces prélats, leur donna sa bénédiction, et ils partirent.

« Ils avaient déjà voyagé cinq ans avant d'arriver à Paris. Le commun — cent ou cent vingt hommes, femmes et enfants — n'arriva que le jour de la Décollation de saint Jean; par autorité de justice, l'entrée de Paris leur fut interdite et ils furent logés à la chapelle Saint-Denis...

« Quand ils furent établis à la chapelle, on ne vit jamais plus de monde à la bénédiction du Lendit que celui qui vint les voir de Paris, de Saint-Denis et de toute la banlieue. En vérité, leurs enfants étaient d'une incroyable adresse; la plupart, presque tous même, avaient les oreilles percées et portaient à chacune d'elles un ou deux anneaux d'argent; c'était, disaient-ils, la mode de leur pays.

« Les hommes étaient très noirs et leurs cheveux crépus. Les femmes étaient les plus laides et les plus noiraudes qu'on pût voir. Toutes avaient des plaies au visage et les cheveux noirs comme la queue d'un cheval. Elles étaient vêtues d'une vieille flaussaie (étoffe grossière) attachée sur l'épaule par un gros lien de drap ou de corde; leur seul linge était un vieux roquet (blouse) ou une vieille chemise; bref, c'étaient les plus pauvres créatures que, de mémoire d'homme, on eût jamais vu venir en France. Malgré leur pauvreté, il y avait dans leur compagnie des sorcières qui, regardant les mains des gens, dévoilaient le passé et prédisaient l'avenir.

« Elles semèrent d'ailleurs la discorde dans plusieurs ménages, en disant au mari : « Ta femme t'a fait cocu », et à la femme : « Ton mari t'a trompée. » Mais le pire était que, pendant leurs discours, par la magie, par le diable ou par adresse, elles vidaient dans leurs bourses celles des auditeurs. C'est ce que l'on disait, mais je suis allé leur parler deux ou trois fois, et jamais je n'y ai perdu un denier et je ne les ai pas vues regarder dans les mains. Mais comme le peuple répandait ce bruit partout, la nouvelle en parvint à l'archevêque de Paris; il alla les voir et emmena avec lui un frère mineur, nommé le Petit Jacobin, qui sur son ordre fit un beau sermon et excommunia tous les diseurs et diseuses de bonne aventure et tous ceux qui avaient montré leurs mains. Ils durent alors s'en aller et ils se dirigèrent vers Pontoise, le jour de Notre-Dame, en septembre. »

Il faudra attendre plus d'un siècle pour obtenir de véritables révélations sur les tsiganes. Elles seront l'œuvre d'un certain Pechon de Ruby qui s'affirme gentilhomme breton ayant rompu en visière à sa famille en particulier et à tout le genre humain en général pour partager « La Vie Généreuse des Mercelots, gueux et Boesmiens ». Ce livre, comme le souligne Jean-Paul Clébert, marque la naissance en France de la littérature picaresque.

« Lors je quittai mes Gueux, et allai trouver un capitaine d'Egyptiens qui était dans le faux-bourg de Nantes, qui avait une belle troupe d'Egyptiens ou Boesmiens, et me donnai à lui : il me reçut à bras ouverts, promettant de m'apprendre du bien; ce dont je fus très joyeux. Il me nomma Afourette.

« Quand ils veulent partir du lieu où ils ont logé, ils s'acheminent tout à l'opposé et font une demi-lieue en sens contraire, puis se jettent en leur chemin. Ils ont les meilleures cartes et les plus sûres, dans lesquelles sont représentées toutes les villes et villages, rivières, maisons de gentilshommes et autres, et s'entredonnent un rendez-vous de dix jours en dix jours à vingt lieues d'où ils sont partis. Le capitaine baille aux plus vieux chacun trois ménagères à conduire, prennent leur traverse et se trouvent au rendez-vous : et ce qui reste de bien montés et armés, il les envoie avec un bon Almanach où sont toutes les foires du monde, changeant d'accoutrement et de chevaux.

« Quand ils logent en quelque bourgade, c'est toujours avec la permission des seigneurs du pays, ou des plus apparents des lieux : leur département est en quelque grange ou logis inhabité. Là, le capitaine leur donne quartier, et à chacun ménage en son coin, à part. Ils prennent fort peu auprès du lieu où ils sont logés, mais aux prochaines paroisses ils font rage de dérober et crocheter les fermetures : et s'ils y trouvent quelque somme d'argent, ils donnent l'avertissement au capitaine et s'éloignent promptement à dix lieues de là. Ils font de la fausse monnaie avec industrie; ils jouent à toutes sortes de jeux, ils achètent toutes sortes de chevaux, quelque vice qu'ils aient, pourvu qu'ils passent leur monnaie.

« Quand ils prennent des vivres, ils baillent gages de bon argent pour la première fois, sur la défiance que l'on a d'eux : mais quand ils sont prêts à déloger, ils prennent encore quelque chose dont ils baillent pour gage quelque fausse pièce, et retirent de bon argent, et adieu! Au temps de la moisson, s'ils trouvent les portes fermées, avec leurs crochets ils ouvrent tout, et dérobent linge, manteaux, argent et tout autre meuble, et de tout rendent compte à leur capitaine, qui y prend son droit. De tout ce qu'ils gagnent au jeu, ils rendent aussi compte, fors ce qu'ils gagnent à dire la bonne aventure. Ils hardent fort heureusement et couvrent fort bien le vice d'un cheval.

« Quand ils savent quelque bon marchand qui passe le pays, ils se déguisent et l'attrapent, et font cela ordinairement près de quelque noblesse, feignant d'y faire leur retraite; puis changent d'accoutrement et font ferrer leurs chevaux à rebours, et couvrent les fers de feutre, craignant qu'on les entende marcher.

« Un jour de fête à un petit village près de Moulins, il y avait les noces d'un paysan fort riche; aucuns se mettent à jouer avec nos compagnons, et perdent quelque argent. Comme les uns jouent, leurs femmes dérobent; et de vrai y avait butin de cinq cents écus, tant aux conviés qu'à plusieurs autres. Nous fûmes découverts pour quatre francs qu'un jeune marchant perdit, qui dansait aux noces, lequel avait fermé sa maison et ses coffres. Les paysans se jettent sur nos malles et nous sur leurs valises et sur leurs têtes, et eux sur notre dos à coups d'épée et de poitrinal, et nos dames à coups de couteau, de façon que nous les étrillâmes bien. Ces paysans vont se plaindre au gouverneur de Moulins. Ce qu'ayant ouï envoie vingt-cinq cuirassiers et cinquante harquebusiers pour nous charger. L'une de nos femmes qui était à Moulins nous en donna l'avertissement et il nous fallait passer une rivière, ce qui nous incommodait. Notre capitaine s'avance au grand trot, et laisse un poitrinalier demi-lieue derrière, lui enchargeant qu'aussitôt qu'il découvrirait quelque chose il nous avertît de leur nombre : ce qu'il fit. Le capitaine ordonna ce qui suit : tout le monde fut commandé de mettre pied à terre, et feindre les hommes d'être estropiés et blessés; et commande à deux femmes de se laisser tomber de cheval, et faire les demi mortes : l'une qui avait eu un enfant depuis deux jours, ensanglante elle et son enfant, et ainsi le met entre ses jambes. Le capitaine Charles saigne la bouche de ses chevaux, et ensanglante ses enfants et ses gens pour faire bonne pipée. Charles va au-devant de cette noblesse tout sanglant : lesquels, émus de pitié, se tournent vers les paysans, ayant plus envie de les charger que nous. Les uns avaient les bras au col, les jambes à l'arçon de la selle, et notre colonel qui ne manquait pas de remonter son bon droit : tellement qu'ils se retirent, et nous de piquer. Après leur retraite, croyez que tous se portaient bien, et allâmes repaître à quinze lieues de là. J'ai passé depuis par ce lieu, où je vous jure qu'encore aujourd'hui ce trait est en mémoire à ceux du pays. »

VERS LE GÉNOCIDE

Si l'Allemagne nazie accomplit radicalement le traitement du problème tsigane sans que s'élève la moindre protestation, aussi bien sur son territoire qu'en Europe occupée, on peut difficilement comprendre le silence des nations libres. Nous savons le gigantesque mouvement de protestation qui se tissa dans le monde entier contre l'euthanasie des incurables (Hitler dut en interrompre la réalisation) et contre l'extermination des juifs. Révolte qui, bien souvent, était suivie d'actes d'aide et d'accueil. De véritables réseaux de secours, chargés de favoriser la clandestinité, se constituèrent; au moins deux Etats, qui cependant n'étaient plus souverains, refusèrent de livrer « leurs juifs ».

Rien de comparable ou d'approchant dans le déroulement jusqu'à son aboutissement, de la persécution tsigane. Seulement quelques « indignations » régionales bien vite tues et des tentatives isolées « d'amitié » émanant de prêtres, de personnel sanitaire qui étaient au contact des tsiganes dans les centres de regroupement.

Pour les tsiganes qui, aujourd'hui, s'interrogent, dans le monde, sur les raisons de cette indifférence, elles sont évidentes. Les juifs, depuis des siècles, même combattus et méprisés, étaient intégrés dans la vie des cités et des nations. Les tsiganes, dans leur grande majorité, avaient refusé toute modification, mieux toute altération de leur originalité ethnique. Certainement chaque Européen connaissait, personnellement, une ou plusieurs familles juives. Qui peut, aujourd'hui, dire qu'il connaît un tsigane ou seulement le nom d'un tsigane. Mais cette explication ne suffit pas. Le préjugé, entretenu par d'incessantes répressions « officielles », a abouti à cet inquiétant paradoxe : être contre les tsiganes c'est être avec la loi. Oui, le terrain propice à la « Solution finale » était parfaitement débroussaillé lorsque le national-socialisme s'empare du pouvoir en 1933. Toutes les exactions imaginables — à l'exception des chambres à gaz — avaient été prévues, décrites, mises en œuvre par d'autres gouvernements : déportation massive en Louisiane (France, 1802), enlèvement des enfants tsiganes à leurs parents (Allemagne, 1830), expulsions armées (Grande-Bretagne, 1912), interdiction de la langue ou des vêtements tsiganes (plusieurs régions de France, Espagne, Portugal), interdiction de mariage entre tsiganes, du nomadisme; automatisation du servage (Roumanie), dissolution des mariages entre tsiganes et non-tsiganes (Hongrie), confiscation des biens, interdiction de posséder un cheval, une roulotte, d'exercer certains métiers, d'acheter une maison (Portugal). Obligation de présenter un livret anthropométrique à toute réquisition (France). Projet de marquage au fer (Hongrie, 1909) ou de stérilisation (Norvège, 1930).

*
* *

La loi contre le Danger tsigane publiée en Allemagne au mois de décembre 1939 et qui allait doter les seuls « tsiganes purs » de passeports à couverture brune (les sangs mêlés couverture bleue ciel, nomades ou vagabonds, couverture grise) est un acte racial. L'instruction de mise en application explique :

— Le but des mesures prises par l'Etat doit être la réparation raciale, une fois pour toutes, de la race tsigane (Zigeunertum) d'avec le peuple allemand (Volkstum), ensuite la prévention de mélanges raciaux et enfin la réglementation du mode de vie des tsiganes racialement purs et de métis de tsiganes.

Ces ordonnances allaient non seulement servir de référence à toutes les autorités policières allemandes, mais aussi aux services d'ordre des territoires conquis.

Lutte contre le danger tsigane

I. — 1. L'expérience acquise dans le combat contre le danger tsigane et les connaissances issues de la recherche dans le domaine de la biologie raciale ont montré que la méthode convenant au problème tsigane semble être de le traiter comme une affaire raciale... Il convient de traiter séparément les tsiganes purs et les métis.

2. Dans ce but, il est nécessaire d'établir les affinités raciales de tout tsigane vivant en Allemagne, et aussi de tout vagabond menant une vie de type tsigane.

3. J'ordonne en conséquence que tous les tsiganes, sédentarisés ou non, ainsi que tous les vagabonds menant une vie de type tsigane soient enregistrés à l'Office central pour la lutte contre le danger tsigane.

4. Les autorités policières signaleront toutes les personnes qui, par leur visage ou leur apparence, par leurs coutumes ou leurs habitudes sont à considérer comme tsiganes ou métis de tsiganes.

II. — 1. Un recensement officiel sera fait de tous les tsiganes, métis et vagabonds menant une vie de type tsigane ayant dépassé l'âge de six ans.

2. La nationalité devra être notée au fichier. Dans les cas où ni la nationalité allemande ni une nationalité étrangère n'auront pu être établies, les individus seront à classer comme apatrides.

III. — La décision finale quant au classement d'un individu comme tsigane, métis de tsigane ou vagabond de type tsigane sera prise par la police criminelle, après avis des experts.

Ces experts sont rassemblés autour de deux tsiganologues qui en s'inscrivant au parti nazi ont perdu toute objectivité : Robert Ritter et Eva Justin que les tsiganes qu'elle étudie dès 1933 ont surnommé Loli Tschai, la fille aux cheveux roux en langue romani.

Le problème fondamental des études et des rapports de ces experts — et là nous touchons le fond de la « pensée » nationale-socialiste — est de prouver que malgré leur origine aryenne, les tsiganes de race pure ont perdu cette pureté raciale originelle. Ritter et Justin ne font que reprendre le raisonnement du professeur Günther développé dans *Anthropologie de l'Europe* considéré comme la bible de l'anthropologie nazie.

— « Les tsiganes ont certes conservé quelques éléments de leur vie nordique, mais ils descendent des plus basses couches de la population de cette région. Dans le cours de leurs migrations, ils ont absorbé le sang des peuples environnants, et sont devenus ainsi un mélange racial d'Orientaux et d'Afro-Asiatiques avec des adjonctions de sang indien, moyen-oriental et européen... Leur mode de vie nomade est le résultat de ce mélange. Les tsiganes apparaissent généralement étrangers à l'Europe [1]. »

Seuls deux groupes « purs » devaient être préservés : les Sinti et les Lalleri. Trois raisons à cette exception : ils ont conservé leur pureté raciale en refusant tout amalgame, toute compromission au cours de leur vie errante et en particulier les mariages mixtes; ils sont depuis longtemps implantés en territoire allemand et peuvent être considérés comme « germanisés »; enfin, les études anthropométriques et médicales apportent la preuve qu'ils sont le « plus proche possible » de la race aryenne nordique.

— Les [2] Sinti, arrivés dès le xve siècle, et que l'on pouvait considérer comme autochtones en Allemagne. Ils étaient 13 000 en 1939, et beaucoup d'entre eux étaient musiciens. Leur nom leur vient probablement de la province du Sind, en Inde. Les Lalleri, ou Lalleri Sinti (c'est-à-dire tsiganes « muets » parlant un autre dialecte), constituaient un groupe moins nombreux, 1 017 en 1942. Ils avaient un traitement préférentiel, parce qu'on croyait qu'ils représentaient une branche des Sinti « allemands »; en fait, ils représentent linguistiquement un sous-groupe des Rom...

— Himmler alla jusqu'à organiser les préparatifs nécessaires pour l'organisation des deux groupes. Neuf représentants furent désignés le 13 octobre par l'Office de la Sécurité centrale, huit pour les Sinti et un pour les Lalleri. Les huit Sinti étaient censés travailler avec les services de police locaux, cependant que le porte-parole Lalleri était responsable devant la police de Berlin.

---

1. Autres citations analogues :
Docteur R. Körber :
— Le juif et le tsigane sont aujourd'hui très loin de nous parce que leurs ancêtres asiatiques étaient totalement différents de nos ancêtres nordiques.
Docteur Stuckart-Globke :
— D'une façon générale, seuls les juifs et les tsiganes sont d'un sang étranger à l'Europe.
Docteur Brondis :
— A part les juifs, les tsiganes sont les seuls à devoir être tenus pour membres d'un peuple étranger à l'Europe.
Tous ces extraits figurent dans de nombreuses revues consacrées aux problèmes tsiganes en particulier à Paris, Rome et Londres, dans l'étude de Miriam Novitch (Comité International pour l'Histoire de la Résistance — Prague), et dans l'ouvrage de deux universitaires britanniques, Donald Henrick et Grattan Duxon qui ont publié en 1972 *The Destiny of Europe's Gypsies*, traduit en 1974 par Jean Sendy pour les Editions Calman-Lévy (*Destins gitans*), Collection Sciences Sociales. Je regrette que ce travail scientifique n'ait pas connu auprès des lecteurs le succès qu'il méritait. *Destins gitans* est le livre fondamental — de l'origine aux législations actuelles — pour comprendre le préjugé et l'ensemble des persécutions.
2. *Destins gitans*, Donald Henrick et Grattan Duxon (déjà cité).

Autorisés à se déplacer librement, ils étaient chargés d'établir les listes de ceux qui devaient être sauvés.

Gœbbels, Bormann et Rosenberg, l'auteur du Mythe du xxe siècle qui se prenait pour le gardien de la pensée nationale-socialiste, choqués par cette « déviation », tentèrent vainement de faire revenir Himmler sur sa décision en alertant Hitler. Le 3 décembre, Bormann écrivait au chef de la S.S. :

— « Par une conversation de mon expert avec Nebe, j'ai été avisé que le traitement de ceux qu'on appelle « tsiganes purs » va être l'objet d'une réglementation nouvelle. Ils garderont leur langue et leurs coutumes traditionnelles, et seront autorisés à nomadiser librement. Dans certains cas ils feront leur service dans des unités spéciales de l'armée. Tout cela parce qu'ils n'ont pas eu un comportement asocial, et parce qu'ils ont sauvegardé des coutumes allemandes, qui doivent être étudiées, dans leur religion. Je suis d'avis que les conclusions de votre expert sont exagérées. Un tel traitement spécial prendrait le sens d'une déviation fondamentale par rapport aux mesures simultanées pour la lutte contre le péril tsigane, et ne seraient pas du tout compris par la population ni par les dirigeants subalternes du parti. Et aussi, le Führer ne serait pas d'accord pour que l'on donne à une partie des tsiganes une part de leurs libertés anciennes. Ces faits m'étaient restés inconnus jusqu'à maintenant et m'apparaissent très improbables. J'aimerais avoir des renseignements sur cette affaire. »

La réponse d'Himmler à Bormann ne figure pas dans les archives du Reichsführer S.S. Il est certain qu'elle fut faite oralement, en comité privé et qu'Himmler sut se montrer suffisamment convaincant pour réduire les arguments de ses opposants. Il est à noter que plusieurs centaines de Sinti et de Lalleri figurent dans les registres matriculaires des camps de concentration. En 1943 et 1944, Himmler avait d'autres préoccupations que la protection des « tsiganes purs » et les fonctionnaires de la Gestapo ou de la police se perdaient facilement dans les classifications établies par Ritter.

Z	pur tsigane (Zigeuner)
ZM+, ZM (+)	plus qu'à moitié tsigane
ZM	semi-tsigane (Zigeunermischling)
ZM 1er rang	moitié tsigane, moitié allemand
ZM 2e rang	moitié ZM1, moitié allemand
ZM—, ZM (—)	plus qu'à moitié allemand
NZ	non-tsigane (Nicht-Zigeuner)

Quoi qu'il en soit, cinq à six mille tsiganes d'Allemagne et
d'Autriche seront préservés de l'extermination en vertu de la loi
« sur la protection des monuments historiques » (sic). Cette bizar-
rerie juridico-administrative sous-entendait ainsi que les Sinti et
Lalleri échappaient aux lois raciales mais restaient menacés de
stérilisation, car « un monument historique est unique et l'on ne
saurait concevoir qu'il puisse se multiplier ». La décision de stérilisation a été prise bien avant la conférence de Wansee qui, en
1942, donna carte blanche à Eichmann pour le règlement de la
Solution finale du problème juif et tsigane.

Le responsable   en 1935 de la police allemande, Bader,
n'étonna guère ses confrères de la police criminelle de Copenhague
lorsqu'il leur déclara :

— « Les gitans, qui constituent un élément étranger, ne
deviendront jamais membres à part entière de la population autoch-
tone. Quiconque, en tant que gitan, trouble l'ordre public et
enfreint les lois, n'a aucune pitié à attendre. La solution de ce problème doit être cherchée dans la possibilité donnée à tous les
gitans et semi-gitans qui veulent s'assimiler et travailler de le faire.
Tous les autres doivent être traqués avec une rigueur impitoyable,
et emprisonnés ou expulsés. Il peut être bon de songer à inclure
de tels gitans dans la catégorie des personnes sujettes à la loi de
stérilisation. »

Et l'année suivante, en 1936, plus de cinq cents tsiganes
étaient expédiés à Dachau pour être rééduqués et peut-être stérilisés.

En 1938, le Gauleiter de Styrie, Portschy, écrivait au ministre
de la Justice du Reich.

— « Pour des raisons de santé publique et, en particulier,
parce que les tsiganes ont une hérédité notoirement chargée, que
ce sont des criminels invétérés qui constituent des parasites au sein
de notre peuple et qu'ils ne sauraient qu'y produire des dommages
immenses mettant en grand péril la pureté du sang de la paysan-
nerie frontalière allemande, son genre de vie et sa législation, il
convient en premier lieu de veiller à les empêcher de se reproduire
et de les soumettre à l'obligation du travail forcé dans des camps
de travail, sans les empêcher de choisir l'émigration volontaire vers
l'étranger.

— « Il n'est pas possible d'atteindre ce but complètement si
l'on veut considérer ou bien appliquer les seules lois actuellement
en vigueur. Si on les interprétait consciencieusement au sens strict
du terme, on n'arriverait à prendre que des demi-mesures en ce

qui concerne la question tsigane. Ou bien on interpréterait les lois dans un sens tellement large qu'il faudrait se résoudre *a priori* à entrer en contradiction avec leurs termes, ou bien on établirait une loi d'exception, solution qui me paraîtrait politiquement inopportune.

— « Les arguments en faveur d'une stérilisation des tsiganes peuvent, en effet, être *a priori* développés tacitement au point qu'on puisse en arriver, par la seule loi sur la prophylaxie contre la progéniture porteuse de maladies héréditaires, à une lutte efficace contre l'accroissement de la pollution tsigane. Nous devons nous servir hardiment et sans réticence de cette loi. Au moins, on ne donnerait pas prétexte à la presse étrangère de pousser de hauts cris, pour cette simple raison qu'on peut toujours, de plein droit, soutenir que cette loi sur la prophylaxie contre la progéniture porteuse de maladies héréditaires, est tout aussi valable pour les citoyens du Reich allemand. De même, le principe des pays démocratiques, selon lequel tous doivent être égaux devant la loi, est pleinement respecté.

— « Conformément au principe que dans un Etat aux mœurs élevées, et en particulier dans le Troisième Reich, seul peut vivre celui qui travaille et qui produit, les tsiganes devraient être soumis à un travail obligatoire constant en conformité avec leur nature...

*
* *

— L'origine [1] des recherches allemandes consacrées aux tsiganes remonte à Alfred Dillman, un fonctionnaire qui, en 1899, fonda à Munich un Service d'information tsigane, qui fut par la suite dénommé « Office central pour la lutte contre le péril tsigane ». Les nazis commencèrent à s'intéresser aux tsiganes en tant que race l'année même où ils prirent le pouvoir. Le spécialiste du problème tsigane qu'était le docteur Sigmund Wolf recevait constamment de longues listes de personnes dont on lui demandait d'établir la généalogie en remontant à leurs huit arrière-grands-parents. Ces demandes émanaient du Service d'information du parti ou directement de l'Office central de Munich. C'est l'année où le docteur Achim Gercke, expert en généalogie auprès du ministère de l'Intérieur, demanda au docteur Wolf de lui vendre tous ses arbres généalogiques tsiganes, et de travailler avec lui. Le

---

1. **Donald** Henrick et Grattan **Duxon** (déjà cité).

docteur Wolf refusa. A peu près à la même époque, le docteur
Gercke fonda un Centre national pour la recherche généalogique
à Berlin; il continuait à envoyer des demandes de renseignements
au docteur Wolf. En 1936 enfin, le centre de la Gestapo de Mag-
debourg finit par opérer une descente dans la maison que le docteur Wolf avait dans cette ville et finit par emporter toute sa
documentation. Le docteur Wolf devait apprendre par la suite que
sa documentation était utilisée par un docteur Ritter et il fut avisé
qu'il serait envoyé dans un camp de concentration s'il ne mettait
un terme à ses protestations au sujet de cette affaire.

— L'organisme principal du nazisme pour l'étude des tsiganes fut fondé en 1936 par le docteur Robert Ritter; un an plus
tard, cet organisme prenait le nom d'Unité de recherche sur l'hygiène raciale et la biologie des populations et était rattaché au
ministère de l'Hygiène à Berlin-Dahlem.

— L'organisme, qui existait déjà à Munich, disposait de
19 000 dossiers de tsiganes, quand Ritter commença son travail... Il
avait formé le projet de faire interroger tous les tsiganes vivant en
Allemagne de façon à établir la liste des autres membres de leurs
familles et d'établir ainsi des tableaux généalogiques complets...

— Les enquêtes généalogiques systématiques ne commencèrent qu'en décembre 1938 après la promulgation du décret pour
la Lutte contre le Danger Tsigane. En février 1941, Ritter avait
classé 20 000 personnes comme tsiganes purs ou métissés. Au
printemps de 1942, il était à 30 000 dossiers, ce qui correspond
à peu près à la totalité des populations tsiganes de la grande Allemagne.

QUAND JE RENTRAIS A LA MAISON [1]...

Quand je rentrais à la maison,
Les portes s'ouvraient,
Les portes s'ouvraient,
Devant la petite tsigane.

Je demande pardon aux tsiganes,
Qu'on m'accorde la liberté,
Qu'on m'accorde la permission,
De retourner à la maison.

Tu as frappé l'heure, mon Dieu,
Où j'ai mis le pied hors de chez moi,
Où j'ai quitté la maison,
Pour la noire Allemagne.

Je suis perdue déjà, mon Dieu,
Je n'y ai pas pris garde,
Je me suis ruinée,
Dans cette grande Allemagne.

Pourquoi, mon Dieu, pour moi,
Cette triste vie,
Si je n'ai pas de bonheur,
Au milieu de ma tribu.

Secours-moi, Seigneur Dieu,
Ne me laisse pas périr,
Laisse-moi mener encore une fois,
Une joyeuse vie.

Je demande encore pardon,
Aux nombreux tsiganes,
Qu'ils m'accordent la liberté,
De retourner chez moi.

Si je rentrais,
Je mènerais la belle vie,
Je commanderais à boire,
Pour mes bons frères.

---

1. Complainte de Rouja. Chanson tsigane recueillie en Autriche, chez les tsiganes Louari par M. Heinschink, tsiganologue viennois (Bande Magnétique d'Origine déposée aux Etudes Tsiganes).

LES ANTICHAMBRES FRANÇAISES D'AUSCHWITZ

Sur les rayonnages des salles de classement de la plupart des « Archives Départementales Françaises », d'épais dossiers attendent que les chercheurs viennent en secouer la poussière. Parfois un historien américain ou britannique étonne le conservateur de permanence en déposant une demande de lecture pour une « cote » que personne, depuis 1945, n'avait jugé utile de consulter. Les Français qui ont fait l'effort d'entreprendre cette grande tournée départementale, ne dépassent pas trois ou quatre. Trois ou quatre en trente-cinq ans. Les archives des camps de concentration français n'intéressent personne. Elles constituent un nouvel enfer dans lequel les chercheurs craignent de se brûler les doigts car il n'est pas « convenable », même aujourd'hui, de rappeler que la France se couvrit, tout au long de la Seconde Guerre mondiale, d'un réseau complet et efficace de camps de concentration sans lesquels la déportation vers les barbelés d'Auschwitz, Buchenwald, Dachau, etc., aurait été impossible. Oh! bien sûr, Argelès, Le Vernet d'Ariège, Gurs, et tous les autres ne possédaient ni chambre à gaz, ni crématoires, mais peut-on oublier, cacher, qu'ils en étaient les antichambres. Comme l'écrit le docteur Joseph Weil qui s'est attaché à étudier pour le Centre de documentation juive contemporaine les conditions d'internements des juifs dans les camps de « l'Anti-France » :

— En partie pour des motifs avouables, le plus souvent pour des raisons inavouées, on a institué une conspiration du silence autour de cet épisode pénible de l'histoire récente de France. La terrible leçon de choses risque d'être perdue pour de nombreux Français, comme pour beaucoup d'autres qui ignorent ou aiment à ignorer cette tache faite sur le renom de la France, terre d'asile séculaire.

— Aucune voix française autorisée ne s'est fait entendre pour exprimer aux victimes et à leurs familles les regrets de crimes auxquels la France fut frauduleusement associée et, élevant le débat, pour stigmatiser l'atteinte portée aux droits imprescriptibles de l'homme et du citoyen, condamner en bloc le système des camps de concentration contraires à la condition humaine, actualiser le principe de la liberté et de la dignité humaine, jadis partie intégrante et originale de la politique française. Le monde civilisé tout entier a souffert de ce silence. Dans tous les pays, on espérait cette voix de la France qui devait les libérer d'un cauchemar, symbolisé par les camps de concentration et de persécution politique anti-humains, entrés dans les mœurs des gouvernements.

— Peut-être ce message français, conforme à ce que le monde attendait de la France, eût-il plus puissamment rehaussé son autorité morale. On se libère, mais on libère aussi en donnant à la vérité l'occasion de se manifester concernant des événements graves, lors même que c'est contre son gré qu'on y fut mêlé.

Je partage cette indignation du docteur Joseph Weil qui, le premier, a souligné le rôle des camps de concentration français. Mais puis-je lui faire part d'une autre indignation, qui est la mienne cette fois, devant son silence — mais oui, une autre conspiration de silence — sur les 30 000 tsiganes internés en France, dans des camps qu'il révèle et, le plus paradoxal, le plus surprenant, le plus indigne dans cette trahison française, c'est qu'en particulier, le rassemblement et l'internement des tsiganes suivront les instructions aux préfets publiées par le *Journal Officiel* le 6 avril 1940, alors que le maréchal Pétain ne réclamera l'armistice que le 17 juin. L'Etat français était en avance sur le Reich conquérant dans le traitement de la solution — provisoirement non finale — du problème tsigane.

Si de nombreux camps étaient déjà prêts et tout d'abord ceux réservés aux Républicains espagnols qui eurent le privilège de les inaugurer, d'autres vont être rapidement créés ou aménagés. Dès la fin du mois d'août, vingt-six camps importants fonctionnent dans la zone sud et seize dans la zone nord. Une large centaine d'autres seront aménagés par la suite. Beaucoup ne sont même pas répertoriés en 1979, comme le camp de Moloy en Côte-d'Or qui ne comprenait que deux baraques — deux blocks — abritant cinquante à soixante tsiganes ou celui de Montsûrs en Mayenne improvisé dans une ferme désaffectée. Combien de Moloy ou de Mont-sûrs sur le territoire français à côté des grands camps comme Brens dans le Tarn qui comptait, le 20 novembre 1940, 3 000 internés, ou Bram dans l'Aude (même date), 3 000 « réfugiés »; Agde dans l'Hérault, 3 060; Recebedou (Haute-Garonne), 300; Gurs (Basses-Pyrénées), 13 000; Argelès-sur-Mer (Pyrénées-Orien-tales), 15 500; Chaux-d'Ane (Basses-Pyrénées), 100; Vernet (Ariège), 4 500; Les Mièles (Bouches-du-Rhône), 3 000; Septfonds (Tarn-et-Garonne), 1 000; Saint-Hippolyte-du-Fort (Gard), 1 000; Rieucros (Lozère), 1 500; Carpiagne (Bouches-du-Rhône), 4 000; Sainte-Marthe (Bouches-du-Rhône), 4 000; Garrigues (Gard), Clair-fonds (Haute-Garonne), Aigue-Blanche, Montaudran, Toulouse, Montélimar (Drôme), Mas-Boulbon (Gard), Miramas (Bouches-du-Rhône), Saint-Nicolas (Var), Langlade (Gard), dont les effec-tifs ne sont pas connus, ou Rivesaltes (Pyrénées-Orientales), en construction. Mais aussi, très vite, Barcarès, Noë, Fréjus, Bompard, Les Monts, Tourelles, Tonnerre, Saint-Maurice, Seignelay, Saint-Florentin, Vermenton, Réare-les-Touches, Drancy, Beaune-la-Ro-lande, Pithiviers, Nexon, Orléans, Poitiers, Compiègne, Lirrus, Liguy-le-Chatel, Brienon, Mérignac, La Guiche, Vénissieux, Aulus, Montreuil-Bellay, Coudrecieux, La Pierre, Carclay, Plénée-Jugon, Quimper, Moisdon-la-Rivière, Choisel, Montlhéry, Rennes, Baren-ton, Raincourt et ces dizaines de centres départementaux d'hé-bergement qui sont de véritables camps de concentration sans oublier (dès 1941) Boghari, Colomb-Béchar, Djelfa, Azemmour, Bou-Arfa, Oued-Zem, etc. Lamentable répertoire (très incomplet) d'une « participation » ouverte, sans la moindre protestation ou indignation (au moins en ce qui concerne les tsiganes). Les bons usages de la collaboration, surtout en zone sud, n'exigeaient pas une telle prévenance aux souhaits si souvent contradictoires et donc facilement « interprétables » du vainqueur. Servilité et préci-pitation administrative ont été les règles premières de Vichy.

*
* *

Avant d'examiner l'histoire de deux ou trois camps tsiganes, il me semble intéressant de lire le reportage consacré à Montreuil-Bellay par l'hebdomadaire *Toute la Vie.* C'est à ma connaissance le seul « papier » publié par la presse de la collaboration sur ce sujet. Il est signé Christian Guy.

MONTREUIL-BELLAY
Capitale de guerre des gitans

— Une roulotte de bohémien, qui passait sur la route, imprégnait toujours l'esprit d'un quelque chose de mystérieux et d'étrangement romanesque.

— C'est d'abord des hommes au visage hâlé par le vent, la bruine ou le soleil; ces hommes dont les yeux reflètent si remarquablement toutes les qualités qui distinguent leur race. Et puis, ce sont ces filles et ces femmes aux chemisiers de couleurs saugrenues, aux jupes trop longues qui leur donnent des airs de gosses qui auraient pris pour jouer les vêtements de leur mère.

— En a-t-on dit des choses, en a-t-on écrit des lignes sur leur compte. D'où viennent-ils? De qui descendent-ils? Toutes les hypothèses ont été énoncées!...

— C'est au xve siècle que l'Europe vit apparaître sur ses chemins ces errants éternels. Chassés de l'Inde vers 1400, par des bandes du conquérant tartare Timour-Lang, ils conservent encore dans leur langage tous les caractères des dialectes de leur pays d'origine.

— Mais aujourd'hui il n'est plus question pour eux de sillonner nos routes. A quelques kilomètres de ce petit bourg de Montreuil-Bellay, un camp de résidence surveillée les a tenus englobés dans l'enceinte de ses doubles haies de barbelés.

— Tout autour, c'est le magnifique panorama de la plaine angevine. Avec ses champs de blés, ses pâturages et ses ceps de vigne.

— Seulement, une fois que les yeux se sont attachés à observer les détails du camp, ils oublient bien vite l'aspect souriant des paysages d'Anjou devant ces autres plus austères.

— Dès que l'on a franchi la porte d'entrée, l'on sent nettement une atmosphère plus lourde, une atmosphère de contrainte vous peser sur les épaules. Mais on la sent beaucoup plus encore lorsqu'au bout de très peu de temps l'on se sent entouré par ces hommes, par ces femmes, par ces filles qui étaient libres, hier, de courir sur les routes et qui ne sont plus aujourd'hui que les prisonniers d'un administratif décret.

— « Vous comprenez, pour le gouvernement, ça coûte moins cher de les entretenir à ne rien faire, que de les laisser en liberté. »

— Un instant, nous avons observé l'homme qui venait de parler ainsi. Celui-ci est le directeur du camp. Il est le seul, peut-être aussi avec son second, un grand gars de 1,90 m, à pouvoir faire respecter la discipline à ceux qui passaient pour n'en avoir aucune.

— Car, le moins que l'on puisse dire, c'est que ces bohémiens avaient une bien mauvaise renommée, du moins autrefois. C'est encore le directeur du camp qui devait nous raconter que, dans le pays d'Europe centrale jusqu'au xviie siècle, il était parfaitement licite de tuer un gipsy. Plus récemment, à peine quelques années avant la guerre, toute une caravane resta bloquée entre la frontière suisse et française; aucun des deux gouvernements ne voulait les laisser pénétrer sur son territoire.

— Dans ce cas, ils seraient parfaitement bien s'il n'y avait pas les quatre côtés limités par un mur infranchissable.

— Une nouvelle fois, nous nous sommes mis à observer notre interlocuteur. Celui-ci ne manque évidemment pas d'ironie...

— « La principale chose qui manque à un prisonnier : c'est la liberté. »

— Tous ces hommes, toutes ces femmes n'ont absolument aucune situation sociale. Et pourtant, pendant la visite que nous eûmes l'occasion de faire dans le camp de Montreuil-Bellay, nous en avons rencontré de fort riches.

— L'un d'entre eux, originaire de Hongrie, y possède une ferme importante. Un autre détient au fond du grabat qui lui sert de lit pour 7 kilos d'or en barre. Une vieille femme se pare d'un collier magnifique entièrement monté avec des louis d'or. Ce collier vaut plus d'un million.

— Dans les baraques du camp, il y a largement de la place pour que chaque famille, si nombreuse soit-elle, puisse vivre dans un confort relatif. Eh bien non! Comme au temps où ils vivaient dans leurs roulottes, ces gens du voyage préfèrent s'entasser dans un angle et coucher par famille entière dans un même lit.

— Et pourtant, il en est ainsi. Ils pourraient manger convenablement dans un réfectoire spacieux et clair. Non... Il a fallu que l'on se décide à leur donner leur portion de nourriture. Ils aiment mieux allumer des feux devant leurs baraques et cuisiner dans des ustensiles de fortune.

— Car, avant toute chose, les Gitans ont essentiellement l'esprit de famille.

— C'est encore un de leurs gardiens qui nous raconte que lorsqu'il y a un malade, le reste de la famille fait cercle autour de lui, et, geint en sa compagnie.

— Cet esprit de famille se retrouve chez ce peuple, aussi

bien dans les mauvais jours que dans les bons. A ce propos, nous savons une anecdote, c'est celle de la fille d'un certain Macroumini, qui rendit fou d'amour le descendant direct du cardinal de Beatoun, primat d'Ecosse; et qui réussit à s'en faire épouser. Devenue lady Beatoun, son premier soin fut de nommer son père et ses frères gardes-chasses des terres de son mari...

— Le résultat fut qu'au bout d'un an et deux mois, il n'y avait plus un seul lapin dans les garennes, ni de faisans dans la faisanderie.

*
* *

Le décret du 6 avril 1940 qui interdisait le déplacement des nomades — appellation qu'il faudra maintenant traduire par tsigane car le décret s'adresse aux nomades titulaires d'un carnet anthropométrique, donc aux tsiganes — et leur mise sous surveillance par la police française, sera complété le 29 avril par de nouvelles instructions aux préfets signées du ministère de l'Intérieur. Ce texte servira de référence à l'ensemble des fonctionnaires de police.

Paris, le 29 avril 1940

LE MINISTERE DE L'INTERIEUR
à Messieurs les Préfets

Le décret du 6 avril 1940, publié au « J.O. » du 9 courant, page 2 600, a interdit la circulation des nomades pendant la durée des hostilités et vous a prescrit de leur assigner dans votre département une localité où ils seront astreints à séjourner sous la surveillance des services de police.

Pour répondre à diverses questions qui m'ont été adressées par plusieurs de vos collègues, je vous précise ci-après la portée et les conditions d'application de ce décret.

I. — But de la réglementation nouvelle.

Ce but est exposé dans le rapport qui précède le décret : leurs incessants déplacements au cours desquels les nomades peuvent recueillir de nombreux et importants renseignements, peuvent constituer, pour la Défense nationale un danger très sérieux; il est donc nécessaire de les soumettre à une étroite surveillance de la police et de la gendarmerie et ce résultat ne peut être pratiquement obtenu que si les nomades sont astreints à séjourner dans un lieu déterminé.

II. — A qui s'applique ce décret?

A tous individus quelle que soit leur nationalité qui sont soumis aux dispositions de l'article 3 de la loi du 16 juillet 1912 et qui, comme tels, sont ou doivent être titulaires d'un carnet anthropométrique.

Si certaines situations exceptionnelles vous paraissent réclamer un examen spécial, vous voudriez bien me les signaler sous le timbre de l'Inspection générale des services de police criminelle.

III. — Résidence des nomades.

L'article 2 du décret dispose que le préfet fixera, par arrêté, la localité où les nomades devront se rendre. La question s'est posée à ce sujet de savoir s'il convient de grouper tous les nomades d'un département en une même commune. Il vous appartient de prendre toute décision utile à cet égard.

J'estime cependant, que la réunion des nomades en une sorte de camp de concentration présenterait en général, ce double inconvénient sérieux de favoriser le regroupement des bandes que mes services ont eu parfois le plus grand mal à dissocier, de soulever de délicats problèmes de logement, de ravitaillement, de garde qui ne pourraient être résolus sans entraîner des dépenses importantes et nécessiter le renforcement des services de surveillance.

Il me paraît, en principe, bien préférable d'assigner par arrêté aux divers groupes de nomades qui stationnent dans votre département des zones de séjour et de circulation distinctes en dehors des agglomérations urbaines importantes, mais à proximité des localités sièges des brigades de gendarmerie qui pourront assurer sur ces groupes une surveillance constante et efficace. Toute modification des zones assignées devra faire, de votre part, l'objet d'une autorisation analogue, après consultation de vos collègues s'il y a lieu.

IV. — Circulation.

L'article 2 du décret stipule que les nomades sont tenus de résider dans une localité désignée par vous.

Etant donné les raisons mêmes qui ont motivé cette mesure, il convient d'entendre que les nomades, aussi bien de nationalité française que de nationalité étrangère, n'ont la possibilité de circuler librement que dans la zone qui leur a été fixée par vous. Il vous appartiendra d'apprécier s'il est possible de les autoriser à se déplacer dans un périmètre limité qui ne saurait en règle générale, dépasser celui de la circonscription de la brigade de gendarmerie chargée de leur surveillance.

Les visas de contrôle apposés par la gendarmerie et prévus au paragraphe V-1°, vaudront autorisation de circuler dans la zone déterminée par vos soins.

Il y a donc lieu d'éviter que les intéressés ne se mettent en mesure de pouvoir bénéficier du régime commun grâce à la possession de pièces d'identité quand ils sont français ou de carte d'identité d'étranger quand ils sont étrangers.

En conséquence, comme il est dit au paragraphe VII, tous les individus qui, à la date du 6 avril 1940, sont titulaires d'un carnet anthropométrique, ne doivent, sous aucun prétexte, être munis d'un autre titre d'identité quel qu'il soit.

En d'autres termes, ils ne devront jamais être admis à exciper qu'ils ont dorénavant un domicile ou une résidence pour solliciter, s'ils sont français, une carte d'identité française que celle-ci soit délivrée par vos services, par un commissariat de police ou par une mairie.

Toutefois, l'interdiction de circuler hors de zone fixée n'exclut pas absolument la possibilité pour les nomades de demander un sauf-conduit, conformément à la réglementation en vigueur. L'officier commandant la section de gendarmerie appréciera la valeur des motifs invoqués pour le déplacement envisagé et celles des justifications produites, étant entendu qu'en principe la délivrance d'un titre de circulation à un nomade aura toujours un caractère exceptionnel.

Par exemple :
— aller voir un blessé ou un malade,
— assister aux obsèques d'un parent ascendant, descendant, époux, frères et sœurs, tantes, neveux, nièces,
— se rendre à une convocation de la justice, d'un officier ministériel ou d'une autorité civile ou militaire, ou accomplir une formalité administrative.

V. — Mesures de contrôle.

1. Vous voudrez bien fixer vous-même les conditions dans lesquelles les nomades devront faire constater leur présence, la périodicité des contrôles et des visas auxquels ils seront astreints et les modalités de la surveillance.

2. Les nomades devront conserver les carnets collectifs et anthro-

pométrique dont ils sont titulaires et qui ne sauraient leur être échangés pour des récépissés de déclaration de marchand ambulant ou des carnets d'identité de forain.

3. Vous voudrez bien m'adresser à l'Inspection générale, pour chaque localité fixée comme lieu de séjour, un état des nomades astreints à y séjourner indiquant leur identité, la composition des groupes, les numéros des carnets collectifs ou anthropométriques et des plaques de contrôle spécial des voitures dont ils sont détenteurs. Les modifications seront également signalées au même service.

D'autre part, les zones de séjour et de circulation autorisées, devront être indiquées sur le carnet anthropométrique et le carnet collectif à la page mentionnant le numéro matricule.

VI. — Aucun crédit n'a été prévu pour l'application du décret du 6 avril, les assujettis ne sauraient, en effet, compter que sur du travail pour assurer leur subsistance. Vous voudrez donc bien, toutes les fois que ce sera possible, choisir les zones de séjour de telle sorte que les nomades puissent trouver, à proximité immédiate, les moyens de gagner leur vie et celle de leur famille.

Ce ne serait certainement pas le moindre bénéfice du décret qui vient de paraître, s'il permettait de stabiliser les bandes d'errants qui constituent au point de vue social un danger certain et de donner à quelques-uns d'entre eux, sinon le goût, du moins les habitudes du travail régulier.

*
**

En dépouillant l'ensemble des archives du département de la Loire-Inférieure [1] et en s'attachant à ne conserver que les documents principaux relatifs au camp de concentration de Moisdon-la-Rivière, nous avons, je pense, une idée du « traitement » que les autorités françaises réservaient aux porteurs du livret anthropométrique. Il ne s'agit là que d'un département français. Il n'est probablement pas plus exemplaire qu'un autre département. De tels rapports, études, correspondances, notes, certificats ont été accumulés dans toutes les préfectures de France [2]. Tout commence à Vannes le 14 octobre 1940 dans le bureau du Feldkommandant Von Knauer qui dicte une brève instruction au préfet du département. Et ceci se passera dans l'ensemble de la France occupée.

N° 522

OBJETS : Romanichels

Monsieur le Préfet,

— Tous les romanichels se trouvant dans le département doivent être concentrés dans un camp jusqu'au 21 octobre 1940 et doivent être surveillés par des forces de police française.

— Lors de l'organisation du camp, il faudra prévoir de la place supplémentaire, car il est prévu de réunir les camps de concentration de romanichels de différents rayons.

— La Feldkommandantur a besoin, jusqu'au 22 octobre 1940, des renseignements suivants :

1. Où un camp de concentration de romanichels a été organisé.
2. Quelle est la population du camp.
3. Quelles sont les possibilités d'augmentation de population du camp.

— Avant l'organisation, il y aura lieu de soumettre à la Feldkommandantur le règlement du camp et les ordonnances pour la garde du camp.

Le préfet répercute l'instruction sur le lieutenant-colonel commandant la compagnie de la Loire-Inférieure à Nantes.

— Comme suite à notre entretien de ce jour, j'ai l'honneur de vous confirmer que la Feldkommandantur de Nantes a décidé le rassemblement de tous les bohémiens se trouvant en Loire-Inférieure.

---

1. Classées au Comité d'histoire de la Deuxième Guerre mondiale.
2. Ces textes sont publiés pour la première fois.

— Ces derniers devront être concentrés par les soins de la préfecture de la Loire-Inférieure dans un camp où ils seront surveillés par la police française.

— D'ores et déjà, vous voudrez bien déterminer par les soins de vos brigades les communes où se trouvent actuellement ces nomades en invitant ceux-ci à demeurer sur place sous peine des sanctions prévues à l'article 33 du décret du 6 avril 1940 concernant la police des nomades (emprisonnement de un an à trois ans).

— Ces nomades resteront sur place jusqu'au moment où je vous aurai indiqué le camp où ils devront être dirigés.

Le jour même, les commandants de secteur et de brigade reçoivent le télégramme suivant signé lieutenant-colonel Pisson.

— Les opérations à réaliser sont les suivantes :

1. Immobiliser tous les nomades circulant actuellement dans le département sur le territoire de la commune où ils se trouvent.

Pour cela,

Leur notifier régulièrement la présente décision en leur prescrivant d'avoir à se présenter chaque jour à la brigade, établir un procès-verbal de cette notification.

Toute infraction à l'astreinte à stationnement qui aura été régulièrement notifiée, entraînera les recherches immédiates et l'arrestation des délinquants (procès-verbal en trois expéditions).

2. Adresser à la compagnie pour le 2 novembre une liste nominative par brigade comportant l'énumération par commune de stationnement de tous les nomades actuellement dans le département de la Loire-Inférieure.

Pendant ce temps, le sous-préfet a trouvé son « camp de concentration » et la note qui va suivre porte bien le terme de « camp de concentration » que les autorités françaises nieront toujours avoir employé en affirmant : « Il s'agissait de centres d'hébergement ou de réfugiés. »

25 octobre 1940

Monsieur le Préfet,

Comme suite à vos différentes communications téléphoniques et après accord de votre chef de Cabinet,

J'ai l'honneur de vous faire connaître que le camp de concentration pour les romanichels du département sera installé à Moisdon-la-Rivière.

Voici la façon dont j'envisage l'organisation de ce camp, organisation pour laquelle je vous serais très obligé de vouloir bien me donner votre accord.

Dortoirs.

Les lits et les couvertures seraient, dans la mesure du possible, prélevés dans les communes où ils étaient mis à la disposition des réfugiés.

Leur transport serait fait, ainsi que j'ai pu l'obtenir par les soins des autorités allemandes.

Si quelque matériel me manquait, je vous le ferais immédiatement connaître, en vous priant de vouloir bien me le faire adresser.

Cuisine.

La cuisine serait installée avec deux cuisines roulantes que j'ai pu obtenir de l'autorité allemande et une cuisinière restant du matériel des camps de réfugiés espagnols.

Eau.

L'installation qui a été tout dernièrement reprise par l'inspecteur départemental d'hygiène, serait immédiatement remontée, comme suite à notre accord téléphonique de ce jour.

Evacuation des eaux.

L'évacuation des eaux, ainsi que le service des W.-C. existant au camp de Moisdon-la-Rivière, provenant de l'ancien camp des réfugiés espagnols.

Garde.

Le camp serait entouré par des fils de fer barbelés. N'ayant pu en obtenir de l'autorité allemande, qui d'ailleurs m'a déclaré ne pas en avoir, ils seraient autant que possible prélevés dans le commerce.

Les travaux seront effectués par des corvées de P.G. français que l'autorité allemande a mis d'ailleurs à ma disposition.

Un peloton de gardes mobiles sera absolument indispensable pour la garde du camp et éviter tout incident.

Ces services et l'infirmerie seraient installés dans une partie du domaine de la Forge, nommée « Le Manoir ».

Personnel.

Il y aurait lieu de prévoir :
  un économe,
  un surveillant,
  un cuisinier et
  un aide-cuisinier.
L'autorité allemande a bien voulu mettre à ma disposition pour cela des prisonniers. La dépense à envisager serait de 12 F par jour.

Financement.

Les dépenses occasionnées par le camp, et notamment les dépenses de nourriture seraient engagées en régie directe par l'économe. Il y aurait lieu de fixer l'allocation dont il pourrait disposer par tête d'interné. Le paiement des fournitures se ferait par mémoire et serait appliqué à un article du budget que vous voudrez bien m'indiquer.

Approvisionnement.

En raison de l'emplacement du camp de Moisdon-la-Rivière situé à 5 km de toute agglomération, il y aurait lieu de prévoir un moyen de transport. On pourrait donc réquisitionner, soit une camionnette, soit une petite voiture commerciale.

Je vous serais très obligé de vouloir bien m'autoriser d'urgence à engager ces différents crédits, bien que je considère, à la suite de la communication téléphonique que j'ai eue ce matin avec M. Jacquet, que dans des limites normales il m'est permis de faire toutes les dépenses absolument nécessaires.

Très vite l'organisation est en place.

6 novembre 1940

CONSIGNES particulières pour le détachement préposé à la garde du camp de concentration de nomades de la Forge, commune de Moisdon-la-Rivière.

Organisation.

Le personnel sera logé dans la maison située à 150 mètres au sud du camp. Une popote y sera organisée...

Service.

Le personnel de garde; un gradé et neuf gendarmes seront désignés pour vingt-quatre heures tous les jours avant 18 heures. La relève aura lieu à 19 heures. Le personnel relevant, devra avoir mangé. La garde déjeunera de 11 heures à 12 heures et devra être remplacée pendant ce laps de temps par un nombre suffisant de militaires, l'effectif de la garde ne devant jamais être inférieur à sept.

Le chef de garde contrôlera les sentinelles de service par trois rondes effectuées, deux de jours, l'autre de nuit.

Consignes des sentinelles.

Sous aucun prétexte les sentinelles ne doivent abandonner leur poste. En cas de nécessité (incident, incendie, etc.) elles préviennent de la voix la sentinelle sur la face N de l'enceinte. Cette dernière sentinelle alerte le garde au moyen de la sonnerie électrique.

Emploi des armes.

Si un nomade tente de s'évader, la sentinelle qui l'aperçoit fait deux sommations : « Halte là! » puis une « Halte là où je fais feu! ». Si le nomade ne s'arrête pas ou ne rentre pas dans le camp, la sentinelle fait feu et prévient le chef de garde.

Evasion.

En cas d'évasion, le chef de détachement fait rechercher aussitôt le fugitif dans les environs immédiats du camp, prévient par téléphone les brigades de La Mailleraye, Saint-Julien-de-Vouvantes et Châteaubriant et rend compte au commandant de section.

Défense passive.

Les ouvertures seront soigneusement camouflées. Les lampes extérieures ne pourront être allumées que s'il y a nécessité absolue (rixe, tentative d'évasion, etc.).

En cas d'alerte aérienne, le personnel et les nomades gagnent les abris distincts qui devront être construits dès que possible.

Chambres de sûreté.

Deux locaux pouvant servir de chambre de sûreté seront aménagés à la partie sud du camp.

Châteaubriant, le 6 novembre 1940
Le sous-lieutenant Lodeho, commandant la section.

Le 18 novembre, annonce de la première arrivée « extérieure » par cette simple « copie conforme » portant le cachet de la préfecture du Morbihan.

— Entrevue à la Feldkommandantur avec le capitaine de gendarmerie de Pontivy et M. le chef de la première division à la préfecture du Morbihan.

— Les nomades du camp de Touboubou partiront par un train spécial qui quittera Pontivy le vendredi 22 novembre 1940 à 8 heures pour le Maine-et-Loire (Pouancé).

— L'embarquement des voitures aura lieu à partir de 7 heures.

— Prévoir les cordages, coins et calles pour l'arrimage des roulottes.

— Le capitaine de gendarmerie a été invité à se mettre d'accord avec la Kreiskommandantur et la gare de Pontivy.

Le préfet Pitton signe l'ordre de dépôt.

Le 6 décembre, le capitaine Leclercq, chef de camp, rédige son premier rapport à l'intention de l'autorité préfectorale.

Organisation matérielle.

Les nomades internés peuvent être divisés en deux catégories :

a) **Nomades possédant une roulotte soit hippomobile soit automobile.** Ils sont autorisés à loger dans leurs véhicules qui sont parqués à l'intérieur du camp. Ils sont soumis à la même surveillance et suivent le même emploi du temps que tous les autres.

b) **Nomades voyageant à pied.** Ils sont logés dans des bâtiments en maçonnerie, malheureusement très hauts et sans plafonds, ce qui en rend le chauffage pratiquement impossible.

Il existe un réfectoire muni de tables et de bancs mais c'est plus un hangar qu'un bâtiment du fait qu'il n'est pas entièrement clos. La température y est extrêmement basse et les courants d'air fort nombreux. Il sera inutilisable dans un avenir prochain, lors des grands froids.

Il n'y a pas de lavabos ni de lavoir. On s'efforcera d'améliorer cette situation en employant à cet effet les nomades susceptibles de rendre des services comme maçons, charpentiers, plombiers, etc. Des recherches sont en cours pour se procurer les matériaux indispensables.

Couchage.

Les nomades de la catégorie (a) font usage de leurs objets de couchage personnels.

Ceux de la catégorie (b) reçoivent un châlit, une paillasse garnie d'un traversin, deux couvertures chacun.

Aucune réclamation n'a été formulée à ce sujet jusqu'à présent. A retenir cependant qu'il n'y a plus actuellement que six couvertures disponibles (à part un certain nombre de couvre-pieds dits édredons américains, presque neufs ayant une réelle valeur et qu'il serait regrettable de distribuer aux nomades qui n'en prendront certainement aucun soin et les mettront très rapidement hors d'usage).

Il y a donc lieu de prévoir au plus tôt l'envoi de couvertures ordinaires.

Matériel d'ameublement.

Le personnel de garde et d'administration dispose des meubles strictement indispensables à leur besogne et à leurs besoins.

Pour les nomades, il n'y a rien, à part les bancs et tables du réfectoire. Cette pièce étant glaciale, les internés y séjournent le moins possible. Ils rentrent dans leurs roulottes où ils s'arrangent comme ils le veulent ou dans les dortoirs où ils traînent les lits près du feu, ce qui occasionne le plus grand désordre. En vue de remédier à cet état de choses, quelques bancs ont été confectionnés et il y en a quatre par dortoir. On essaiera d'en augmenter le nombre.

Chauffage.

Il existe des poêles en nombre sufisant. Mais le combustible est très difficile à se procurer. Le bois mort existant à proximité immédiate du camp a été ramassé par des corvées surveillées avec l'autorisation des propriétaires. Mais cette ressource est pratiquement épuisée. La consommation de bois pour le chauffage se révèle comme extrêmement onéreuse en raison des quantités indispensables. Il ne faut guère compter sur la houille pour le moment tout au moins. Peut-être pourrait-on envisager l'utilisation de la tourbe qui coûterait beaucoup moins cher. Des précisions seront données incessamment à ce sujet.

Ravitaillement.

Jusqu'à présent, il n'y a pas eu de sérieuses difficultés tout au moins en ce qui concerne les denrées non contingentées.

Une besogne matérielle assez considérable est à exécuter; le ramassage des cartes d'alimentation, leur pointage et leur utilisation.

En raison de l'effectif déjà présent (241 personnes à la date du 6 décembre), il est vraisemblable qu'il y aura des difficultés pour se procurer les denrées contingentées notamment le sucre, le savon, les pâtes et les matières grasses. Il n'est guère possible d'aller chercher « au détail » par achats fractionnés ces denrées indispensables. On pourrait peut-être assimiler les nomades internés (pour le ravitaillement) aux P.G. et leur faire réserver par l'organisme chargé du ravitaillement de ces derniers, les quantités correspondantes aux tickets de la carte d'alimentation.

A signaler également le nombre des nomades déclarant ne pas avoir de cartes d'alimentation. Ces déclarations ne sont pas toutes exactes, car il a été constaté que certains d'entre eux achetaient par intermédiaire, des fournisseurs venant livrer au camp des denrées contingentées, notamment du sucre, au moyen de coupons provenant de cartes d'alimentation. Un nouveau pointage est en cours, d'accord avec le commandant du détachement de gendarmerie toutes mesures utiles sont prises pour interdire ce genre d'opération et les cartes manquantes seront demandées à M. le maire de Moisdon.

Gestion.

Il n'est pas possible pour le moment de se rendre exactement compte de la situation. Aucune écriture n'existait à la date du 29 novembre. On ne sait pas exactement le montant des dépenses engagées pour le ravitaillement, ni celui des crédits prévus pour les acquitter. Il est à peu près certain que la somme de 10 F par jour par grande personne et 6 F par jour et par enfant n'est pas dépassée. Mais il y aurait lieu de bien préciser ce qui est considéré comme grande personne ayant droit à l'allocation à 10 F et quels sont les enfants qui ne peuvent recevoir que la prime de 6 F.

A la date du 6 décembre, l'effectif des rationnaires est le suivant :

Majeurs (plus de 21 ans) :

Hommes	52
Femmes	44
Total	96

Mineurs (moins de 21 ans) :

De plus de 15 ans	26
De 15 à 5 ans	81
Moins de 5 ans	39
Total	146

Ensemble 96 + 146 = 242.

Il semble qu'il pourrait être admis que tous les enfants de moins de dix ans seront décomptés comme ayant la prime de 6 F par jour et les autres personnes l'allocation à 10 F. Cette précision est indispensable pour pouvoir suivre les crédits comme il convient de le faire.

Les fournisseurs (dont plusieurs ont participé au ravitaillement du camp de la Forge lorsqu'il était occupé par les Espagnols) se sont renseignés au sujet des paiements. Certains ont manifesté quelques inquiétudes pour les échéances. Des apaisements leur ont été donnés, mais il serait désirable que les mandats de paiement ne parviennent pas avec de trop longs retards aux fournisseurs, faute de quoi, des complications ne manqueraient pas de se produire en ce sens que des gens pourraient s'impatienter et faire des difficultés pour continuer régulièrement leurs livraisons.

Service médical.

A vrai dire, l'état sanitaire n'est pas brillant : presque tous les enfants sont fortement enrhumés. Il y a eu un cas de diphtérie (heureusement isolé) et en bonne voie de guérison, deux cas de grippe parmi les grandes personnes, un cas de conjonctivite purulente.

Cinq femmes sont dans un état de grossesse avancée, l'une d'elles a dû être transportée d'urgence à la maternité de Gâtine-en-Isse le 3 décembre dans la soirée.

En outre, la propreté corporelle est dans l'ensemble plus que relative. En résumé, en l'état actuel, le camp ne peut être qu'un foyer d'épidémie.

Il serait désirable que :

1. Les nomades soient épouillés et sérieusement douchés, leurs vêtements étuvés avant d'entrer dans le camp, et de prendre contact avec la collectivité (lorsque celle-ci aura été assainie).

2. Un lavabo utilisable soit installé pour les hommes et un autre utilisable par les femmes. Un local pour douches devrait également être installé. Les internés y passeraient obligatoirement au moins une fois par semaine, à tour de rôle.

Dès à présent, les couvertures sont battues au moins une fois par semaine et chaque fois que le temps le permettra, les literies seront sorties des dortoirs et exposées au soleil.

On étudie actuellement la possibilité de se procurer un désinfectant efficace pour les latrines et pour mélanger à l'eau d'arrosage avant le balayage des dortoirs. Cette opération pourrait être prévue une ou deux fois par semaine et obligatoirement lorsqu'un cas de maladie contagieuse aurait été constaté.

La plupart des nomades n'ont pas été vaccinés contre la variole depuis de longues années; la grosse majorité des enfants ne l'a jamais été. La vaccination semble devoir être obligatoirement pratiquée au plus tôt.

Suivant les instructions de M. le docteur chef des Services d'hygiène de la Loire-Inférieure, une infirmerie a été organisée, les « suspects » y sont immédiatement isolés. Une chambre de cinq lits pour les hommes et une autre du même nombre de lits est prévue pour les femmes et enfants au-dessous de cinq ans. Peut-être serait-il bon de prévoir un local d'isolement pour les cas nettement contagieux.

Un rapport spécial sera présenté au sujet de la nourriture. A l'heure actuelle, on ne peut aller qu'au plus pressé. La nourriture est, en nature et en qualité, la même pour tous les âges. Sans tendre à exagérer le bien-être et les précautions, il semble qu'il serait prudent d'organiser une alimentation spéciale pour les moins de cinq ans parmi lesquels le docteur a constaté déjà plusieurs cas d'entérite. Une nomade choisie parmi les mères les plus propres pourrait recevoir la charge de faire cette cuisine moins grasse comportant plus spécialement des bouillies et des panades et des bouillons maigres.

L'entrée au camp de toute boisson alcoolisée (vin compris) est absolument interdite; sauf ordre contraire de l'Administration, cette mesure sera maintenue.

Le local destiné au logement des deux infirmières est évacué par l'occupant. Ces dames ou demoiselles n'auront aucun confort et leur nourriture sera assez difficile à assurer; aucune ressource dans le hameau de la Forge et il est difficile d'envisager de les faire vivre soit à l'ordinaire, soit à la popote du détachement de gendarmerie. Elles n'auront pas le temps de s'occuper de leur nourriture, même en admettant que le chef de camp se charge de les ravitailler. Il serait nécessaire de mettre un fourneau de cuisine à leur disposition ainsi qu'une nomade propre qui leur servirait de cuisinière.

Organisation du travail.

Bien que les chefs de détachement de gendarmerie soient actuellement chargés de cette organisation et bien qu'ils arrivent à occuper les nomades à des corvées intérieures ou peu éloignées du camp, il semble qu'il y aurait lieu de décider que le chef de camp sera qualifié pour organiser le travail.

En effet, les relèves périodiques relativement fréquentes constituent un obstacle à une suite indispensable dans la direction. Les corvées et les travaux actuellement sont pour ainsi dire improductifs et sont exécutés sans aucun enthousiasme par les nomades qui n'en retirent aucun bénéfice.

La constitution d'une sorte d'atelier commun présente certaines difficultés; local, genre de travail, nécessité de considérer les travailleurs comme « embauchés » donc nécessité de les inscrire aux assurances sociales, responsabilité en cas d'accident, etc.

Dans ces conditions, il semble qu'il y a intérêt à favoriser le travail familial; travaux de vannerie, réparations de chaises, mise à la disposition éventuelle de spécialistes pour les travaux d'organisation matérielle du camp.

Le chef de camp serait chargé de procurer les matières premières aux familles **contre remboursement** et de placer les objets confectionnés ou réparés (il y a déjà une commande de paniers pour le Bazar de l'Hôtel de Ville de Châteaubriant). Sur les sommes encaissées (dont comptabilité régulière serait tenue) il serait prélevé :

1. le montant des matières premières fournies,
2. un pourcentage qui semble pouvoir être fixé à 10 % au profit de l'Administration.

Outre qu'un travail rémunérateur pourrait alléger les charges de l'Administration, tout en occupant utilement et agréablement les internés, il faciliterait le maintien de la discipline en permettant à l'autorité chargée de la police du camp de disposer de sanctions légères mais efficaces, telles que corvées supplémentaires infligées aux travailleurs qui, pendant ce temps, ne pourraient réaliser aucun gain, et amendes par retenue sur les grains réalisés.

Des propositions concrètes seront incessamment soumises à M. le sous-préfet de Châteaubriant.

Examen des droits à allocations diverses.

Pour ce qui est de :
— **Allocations militaires,**
— **Allocations pour familles nombreuses,**
il semble que les internés étant nourris, le service des dites allocations doit être purement et simplement suspendu.

Il reste cependant à régler perception des primes d'allaitement, des pensions ou retraites diverses. La question n'a pas un caractère d'urgence, car, dans la plupart des cas il y a lieu de procéder au changement d'assignation de paiement, ce qui demande un certain délai.

Dix jours après l'expédition de son premier rapport, le capitaine Leclercq recevait les « instructions » du préfet de Loire-Inférieure. Les « jugements » sur les tsiganes portés dans ce texte, en particulier dans le chapitre réservé aux « obligations au point de vue social et moral » mériteraient de figurer dans une anthologie.

INSTRUCTIONS POUR LE CHEF DE CAMP
des nomades de la Forge en Moisdon-la-Rivière.

Le camp de concentration des nomades installé à La Forge en Moisdon-la-Rivière, a été créé par un arrêté préfectoral en date du 7 novembre 1940 sur injonctions des autorités occupantes.

Cet arrêté a été notifié aux intéressés qui ont rejoint (ou continueront à rejoindre) le camp soit librement soit sous escorte de la gendarmerie.

Chapitre premier
OBLIGATIONS MATERIELLES OU REGLES DE GESTION

A) Directives d'ensemble.

1. Assurer aux internés des conditions matérielles d'existence **humaines** tant pour l'installation que pour la nourriture et pour l'hygiène générale et personnelle.

2. Ne jamais perdre de vue un seul instant que la situation actuelle de la France exige de **tous** ceux qui administrent directement ou indirectement les deniers publics un souci constant d'économie. Par conséquent il faut s'acharner à :
— éviter toute dépense qui ne serait pas indispensable,
— réaliser au moindre prix les installations diverses,
— chercher les marchandises et denrées les plus convenables aux meilleures conditions de prix. En aucun cas ne se laisser entraîner à dépasser les prix limites fixés par l'Administration.

B) Examen des différentes obligations d'ordre matériel.

Ces directives s'appliquent aux différents points principaux de la gestion administrative qui sont :
1. **L'organisation matérielle.**

En raison du très court délai qui s'est écoulé entre la date de notification de l'arrêté préfectoral ordonnant la concentration et l'arrivée des premiers contingents d'une part, et en raison de la mauvaise saison d'autre part, l'organisation matérielle du camp n'a pu être complètement réalisée.

Le chef de camp doit donc se préoccuper de la mise au point encore nécessaire et à ce sujet il lui est recommandé :

a) de ne pas hésiter à exécuter immédiatement les menus travaux réalisables par les moyens dont il dispose sur place,

b) de ne pas faire perdre de temps aux autorités supérieures en présentant des projets séparés et incomplets. Ses propositions ne doivent pas se borner à indiquer le but recherché ou les travaux à exécuter mais bien mentionner les moyens d'exécution et les dépenses à engager éventuellement.

c) d'établir un programme des améliorations à réaliser par ordre d'urgence,

d) de bien conduire les travaux et ne jamais entreprendre un nouvel ouvrage au détriment d'un autre travail en cours : une chose commencée ne doit jamais être abandonnée même provisoirement, ce qui entraîne toujours des pertes de temps et d'argent.

Un matériel important de couchage, d'ameublement sommaire et de réfectoire et cuisine est à la disposition du camp. Le chef de camp doit donc veiller à sa bonne conservation et à son entretien.

Il ne faut pas se dissimuler que les habitudes de malpropreté, de négligence et de désordre des nomades occasionneront des pertes ou des détournements que le chef de camp a la stricte obligation de réduire autant que la chose est possible et de sanctionner. En outre, dans sa gestion il doit prévoir une marge d'amortissement pour le matériel perdu, détourné, mis hors d'usage ou dévalorisé.

2. L'alimentation.

Aux directives générales qui précèdent s'ajoute l'obligation absolue de respecter et de faire respecter par **tous** (par le personnel administratif et par le détachement de gendarmerie) les prescriptions de **rationnement.** Il serait inconcevable que des gens qui travaillent et produisent soient rationnés et que les nomades qui constituent une charge pour l'Etat et la collectivité bénéficient d'un régime préférentiel. Si des dérogations familiales (d'ailleurs fort difficiles et très rares) ne peuvent pas compromettre le succès des mesures adoptées pour éviter une crise de ravitaillement, des dérogations s'étendant à une collectivité de plus de 300 personnes peuvent avoir et auraient certainement de sérieuses répercussions.

En demeurant strictement dans les limites dont il s'agit, le chef de camp doit assurer aux nomades une nourriture saine, suffisante et aussi variée que possible. Il lui appartient de régler les achats au mieux de l'intérêt de l'Etat et de la commune de Moisdon. Cette dernière ayant les inconvénients de la présence du camp, il est logique qu'elle en retire les rares avantages qui consistent à donner à prix égal la préférence aux commerçants de la commune. Il y a lieu d'éviter de créer des jalousies, et à cet effet, pas de « monopole ». S'il y a plusieurs commerçants du même corps d'état, il faut les faire fournir aux mêmes prix (s'ils y consentent) à tour de rôle et aussi équitablement que possible, c'est-à-dire pendant un temps sensiblement égal.

Dans les détails d'exécution du service d'alimentation, le chef de camp ne perdra jamais de vue que les nomades ont par tempérament la manie de la rapine, celle du gaspillage et de la réclamation.

En conséquence, puisque par suite des circonstances il a été indispensable de confier aux nomades eux-mêmes les soins de cuisine, les aliments, les cuisiniers devront être très soigneusement choisis et surveillés. Il faudra veiller à ce qu'il n'y ait pas de favoritisme dans les distributions. A cet effet, dès que possible, le réfectoire sera clos et chauffé pour éviter que les aliments soient transportés dans les dortoirs et roulottes. La distribution aura alors lieu par plats et non par famille comme actuellement. Veiller également à ce qu'aucune denrée ne soit détournée, notamment au moment de l'épluchage de légumes ou au moment des distributions. En ce qui concerne le gaspillage, vérifier très fréquemment les trous à ordures ménagères, les récipients à eaux grasses et si on constate un excès d'issue, diminuer les quantités de vivres; ne laisser à la disposition des cuisiniers que les quantités de denrées nécessaires à un repas ou à la rigueur à une journée; ne jamais laisser « taper dans le tas ». Au besoin, proposer à l'Administration supérieure une prime à allouer aux cuisiniers en cas d'économies sérieuses pour les encourager.

Le chef de camp se tiendra en liaison avec le docteur chargé de la surveillance et du service médical. En cas de nombreuses consultations pour maux de ventre, d'estomac ou d'intestins il prendra immédiatement les directives du praticien pour enrayer le mal qui, presque toujours, aura sa cause dans une alimentation défectueuse.

Au point de vue alimentation, les nomades internés doivent être classés en trois catégories qui correspondent sensiblement aux catégories admises par le ravitaillement général; adultes (tous les internés de plus de 13 ans) et la catégorie dite J2 ou J1 (enfants de 3 à 13 ans).
— enfants de 3 à 13 ans,
— enfants de 1 à 3 ans,
— enfants de moins de 1 an.

Pour la première catégorie (adultes et enfants de plus de 13 ans), la nourriture courante peut convenir) sauf indication contraire du docteur).

Pour la seconde catégorie, il y a lieu de rechercher une alimentation moins « grosse » bien que substantielle. Ne pas hésiter à demander conseils et directives au médecin.

Pour les tout petits (moins de 1 an) encourager la nutrition au sein par les mères, faire veiller à l'époque du sevrage et réaliser une sorte de « goutte de lait », ce qui paraît possible sans grands frais.

Donc, dans le plus bref délai possible organiser trois régimes d'alimentation distincts, en prenant toutes les précautions et dispositions nécessaires pour que les aliments plus fins aillent bien à ceux qui en ont besoin et ne soient pas consommés en « supplément » ou en « desserts » par les parents ou voisins.

3. Service médical.

Le chef de camp n'a pas (sauf nécessité absolue et urgente) à intervenir personnellement dans les détails d'exécution du service médical, qui est assuré par un docteur et plusieurs infirmières désignés par le service d'hygiène départemental.

Mais son action doit se faire sentir :

1. Dans le dépistage des maladies contagieuses en signalant immédiatement au docteur tous les cas douteux.

2. Dans le détail matériel de l'organisation du service.

Dans le détail matériel de l'installation des locaux.

Dans le détail matériel du personnel spécialisé.

Dans le détail matériel de la ponctualité et la régularité des malades pour se présenter à la consultation aux heures fixées par le médecin.

— Exactitude pour la réception des soins et médicaments prescrits.

— Approvisionnement de la clinique en médicaments suivant les indications et demandes du médecin.

En résumé, liaison et entente constante avec le personnel médical avec obligation de faciliter et permettre la tâche particulièrement ingrate.

Une attention toute spéciale doit être apportée à la surveillance des femmes enceintes qui, soit par ignorance, soit par crainte d'être éloignées momentanément de leur famille ne se déclarent qu'à la dernière minute. Il vaut mieux envoyer les futures mères quelques jours avant leur délivrance à la maternité plutôt que de risquer un accouchement à l'infirmerie qui, malgré toutes les dispositions prises ou à prendre, demeurera un milieu suspect. En tout cas, jamais un accouchement ne doit se produire dans une roulotte ou encore moins dans un dortoir.

Plus encore que pour les autres parties du service médical, **liaisons et ententes étroites** avec le personnel médical et avec la sage-femme de la maternité.

Isoler (et sur ordre du médecin traitant évacuer) les contagieux **graves** sur un hôpital. Sans attendre la visite du docteur, isoler immédiatement dans le local prévu à cet effet les malades suspects.

Ne pas oublier que la loi exige que toutes les maladies épidémiques doivent être signalées sans aucun retard aux Services d'hygiène et se rappeler que les autorités allemandes attachent une très grosse importance à cette déclaration immédiate. Un oubli ou une négligence peuvent avoir de très sérieuses conséquences et attirer de graves ennuis et complications.

4. Hygiène générale.

Veiller chaque jour par des inspections inopinées et à des heures variables, à la propreté générale du camp. Attention toute spéciale aux latrines et cuisines.

Enlèvement très fréquent des eaux grasses, surtout l'été. Incinération quotidienne des ordures ménagères.

La propreté ne va pas sans ordre. L'exiger dans les dortoirs, dans les roulottes et plus encore aux cuisines.

S'efforcer de réaliser une installation de douches et exiger qu'elle soit utilisée régulièrement et par tout le monde. Le contrôle de la propreté corporelle peut être fait par la gendarmerie et le chef de camp. L'infirmière veillera à celle des femmes.

Dès que la température et les circonstances le permettront, une installation d'épouillage et d'étuvage des vêtements sera réalisée.

Chapitre II

OBLIGATIONS DU CHEF DE CAMP AU POINT DE VUE SOCIAL ET MORAL

Les obligations du chef de camp au point de vue social et moral sont peut-être plus importantes encore que les précédentes.

Il y a tout d'abord un gros danger social à éviter. Les nomades sont par atavisme amoraux. Ils n'ont pas eu besoin d'être l'objet d'une propagande pour devenir ce qu'ils sont; des êtres vivant en marge de la société, ayant pour la plupart déjà subi des condamnations qui ne les ont nullement corrigés, aimant par-dessus tout leur indépendance et leur liberté, très attachés à leurs coutumes.

Il est évident que leur « concentration » leur pèse horriblement; ils la considèrent comme une punition imméritée. Leur rassemblement permet et favorise les conciliabules à surveiller. Une inaction serait dangereuse parce qu'elle permettrait l'échafaudage des combinaisons d'évasion ou d'organisation de rapines diverses ou braconnages qu'il faut dépister ou éviter.

En outre, il faut prévoir le moment où la liberté leur sera rendue et prendre toutes les mesures nécessaires pour que ces gens nuisibles (parce que vivant dans l'ignorance des lois et des règles les plus élémentaires d'une société civilisée) ne s'aigrissent, ne prennent la société en grippe, en un mot ne deviennent pas des révoltés, par conséquent des gens dangereux toujours prêts à recevoir des directives extrémistes voire même à devenir des meneurs ou tout au moins des éléments de troubles et d'anarchie organisée.

Par une action personnelle et constante, le chef de camp peut et doit prévenir ce danger. Son attention doit être constamment en éveil; il doit sentir les moindres réactions des internés, renseigner très exactement les autorités supérieures et ne jamais hésiter à demander des directives s'il se trouve embarrassé.

En se conformant strictement aux règles qui lui ont été tracées pour l'accomplissement de ses obligations d'ordre matériel, il pourra éviter **partiellement** le danger ci-dessus. Ce n'est pas suffisant. Son autorité personnelle devra tendre à **imposer** d'abord son autorité, puis à la faire accepter volontairement, enfin à faire apprécier cette autorité. Donc triple rôle : chef, guide, soutien.

Le chef. — Dans toute collectivité, un chef responsable est indispensable. Il ne suffit pas qu'il soit nommé par les autorités; il faut qu'il soit reconnu par ses subordonnés. La mentalité toute particulière des nomades, jaloux de leur indépendance et de leurs traditionnelles libertés, empêche « à priori » une soumission volontaire immédiate et il faut que le chef s'impose pour commencer. Il le fera en menant lui-même une vie sans défaillance aucune, en donnant l'impression qu'il n'y a pas de brèche par où il peut être attaqué. Il doit être un exemple vivant et réel de discipline, de tenue, d'exactitude et de travail. Il faut qu'il sache qu'il est constamment observé et jugé. Sous ces conditions, il peut et doit être d'une fermeté rigide avec ses administrés en évitant absolument les brutalités et les vexations inutiles. Il ne faut pas hésiter à sanctionner les fautes commises en tenant compte de leur gravité, du mobile qui les a provoquées et des circonstances dans lesquelles elle ont été commises.

Les sanctions à appliquer sont :
— la remontrance en particulier,
— la remontrance publique,
— l'exécution des corvées supplémentaires qui peut accompagner les deux premières,
— la privation du cidre d'ordinaire,
— le refus de toute faveur pendant un temps déterminé,
— l'amende (lorsque les nomades pourront être employés à des travaux rémunérés),

— l'isolement en dehors des heures de travail,

— l'isolement complet avec travail plus pénible obligatoire,

— l'isolement complet avec travail plus pénible obligatoire et mise au régime alimentaire.

Ces sanctions devront être appliquées avec fermeté mais avec prudence et discernement. Elles pourront être levées et même devront l'être dès que le chef de camp aura l'impression certaine que le coupable regrette et comprend sa faute. Evidemment ne jamais punir sans avoir averti une fois.

Parallèlement à l'action définie ci-dessus, il y a lieu de ne jamais laisser les internés dans l'oisiveté. Il est indispensable de les occuper à des travaux utiles dont ils sont les premiers à bénéficier (aménagements intérieurs du camp, améliorations, etc.). Cette question de l'organisation du travail est des plus importantes. Il y a lieu de s'efforcer de trouver le moyen d'intéresser les nomades à leur travail en prenant toutes mesures propres pour les obliger à reconnaître d'eux-mêmes que le travail seul peut leur permettre d'arriver à une existence acceptable. Il ne faut pas se dissimuler que cette tâche est difficile et ingrate. Pendant longtemps les nomades essaieront de surprendre la bonne foi et la confiance de leurs surveillants et chercheront à exploiter toutes les occasions pour justifier ou motiver des sorties du camp (par exemple pour aller vendre le produit de leur industrie ou chercher ou reporter un travail commandé). Un peu de vigilance et d'attention permettront d'éviter cet écueil.

C'est précisément à ce moment que le responsable du camp devra être un **guide** en même temps qu'un chef. Il profitera de toutes les occasions pour faire sentir d'abord, comprendre ensuite à ses administrés qu'il connaît leurs besoins et recherche leur intérêt personnel tant qu'il est compatible avec l'intérêt de la collectivité.

Peu à peu il faut donner la certitude aux internés que s'ils obéissent de bon cœur, ils en retirent des avantages. A cet effet, s'armer de patience et ne jamais refuser un conseil demandé, examiner tous les cas qui se présentent et s'attacher à faire obtenir satisfaction à tous ceux qui présentent des requêtes acceptables ou bien fondées. Le chef prend une autorité incontestable dès qu'il parvient à faire aboutir ce que les nomades considèrent comme leurs droits ou leur dû, et qui parfois est fort long à leur être accordé normalement, et sans appui.

Dès lors, il a accepté la **confiance** de ses administrés, son autorité est acceptée. Il lui reste à la faire apprécier.

Pour cela, jamais il ne devra hésiter à rendre immédiatement les services qui lui seraient demandés dans la mesure compatible avec l'intérêt du service. Son intervention près des malades et l'intérêt qu'il portera aux enfants (en évitant de se laisser duper) auront certainement les meilleurs résultats. Tout en restant ferme et inflexible devant les fauteurs de trouble et de désordre, il peut et doit persuader et prouver aux nomades que toute vraie misère retient son attention et qu'il s'emploie utilement et efficacement à la soulager.

Ces trois stades demandent évidemment du temps; mais lorsqu'ils auront été franchis, la besogne du chef ne sera pas terminée. Sa préoccupation constante aura été de prévoir et de préparer l'avenir, c'est-à-dire le moment de la libération. **Eviter de remettre des révoltés** en circulation est déjà un résultat. Il est incomplet. Dans l'intérêt général, il serait désirable que les nomades sortent du camp « améliorés ».

La tâche paraît impossible à première vue. Mais si le chef de camp a rempli la première partie de ses obligations morales et sociales, il ne doit et ne peut pas se décourager. Certes le manque d'instruction des nomades qui sont totalement illettrés dans la proportion de 98 %, leur atavisme, leurs traditions sont des obstacles formidables. Ils ne sont pas infranchissables.

Tout en étant un **chef,** un **guide** et un **soutien,** le responsable doit se convaincre que près des nomades il représente la **loi** et la **société.** Il peut leur faire comprendre peu à peu que la **loi** punit le coupable mais aussi protège le faible; que la **société** exige souvent quelques légers sacrifices, mais qu'elle les rend très largement en donnant des garanties mêmes matérielles que les coutumes et la tradition des « tribus » ne leur a jamais procurées et une sécurité dont ils n'ont aucune idée.

Ce but, dont l'importance à venir n'est pas à démontrer, peut être atteint en suivant les directives ci-après :

1. **Inculquer aux individus l'idée de la dignité personnelle.**

a) Propreté corporelle (l'imposer) d'abord, la maintenir par la suite, au besoin l'exiger jusqu'à ce qu'elle devienne une habitude.

b) Mise décente. — Les habits peuvent être misérables tout en étant propres et raccommodés.

c) Attitude correcte vis-à-vis des autorités qui, elles-mêmes, se tiennent correctement pour parler aux intéressés.

d) Faire sentir que le mensonge et la dissimulation sont des circonstances aggravantes en punissant beaucoup plus sévèrement les fautes nettement établies mais niées que les autres. Démontrer que le mensonge ne sert à rien et que c'est facile, en se tenant en contact permanent avec les nomades qui se « vendent » d'eux-mêmes ou les uns les autres.

e) Faire sentir progressivement les inconvénients de l'ignorance où croupissent les internés, noter et aider les velléités qui se présenteront d'apprendre à lire et à écrire, par la suite, possibilité d'organiser des cours.

f) Faire sentir également que le travail — quel qu'il soit — n'est jamais déshonorant, ni avilissant. Encourager les industries familiales et surtout les velléités de se consacrer aux travaux agricoles (entente avec les fermiers avoisinants).

2. **Inculquer puis développer l'esprit de famille.**

a) Pour commencer, brider si besoin est, l'habitude des parents d'exploiter et de dépouiller leurs enfants et surtout les plus petits à leur profit.

b) Exiger que les parents traitent humainement leurs enfants et que ces derniers respectent leurs parents.

c) Veiller à la propreté des intérieurs et créer l'émulation dans le sens d'une amélioration en récompensant par de menus plaisirs les familles qui se tiennent le plus proprement.

d) Faire sentir qu'une famille est solidaire dans les bons comme dans les mauvais moments.

3. **Inculquer puis développer l'idée de la possibilité et de la nécessité de la société,** en organisant le camp comme un hameau civilisé et policé où chacun contribue dans toute la limite de ses moyens à l'amélioration du sort de la collectivité, en faisant bien sentir **pratiquement** que tout effort est fructueux non seulement pour l'intérêt général, mais encore et surtout pour celui qui le produit.

Ces recommandations paraîtront peut-être un peu minutieuses, mais l'Administration est faite de détails dont aucun ne doit être négligé.

Gendarmerie nationale
2ᵉ Légion
Compagnie de la Loire-Infér.
Section de Châteaubriant
Camp de Moisdon-la-Rivière

Moisdon-la-Rivière,
le 17 décembre 1940.
Rapport de l'adjudant David, commandant le détachement de gendarmerie sur la situation de certains nomades.

L'examen des situations des individus internés au camp de Moisdon, a fait apparaître certains forains ayant un domicile ou une résidence fixe. Parmi ceux-ci, il y en a qui sont dans une situation aisée. Tel est le cas des forains :

1. DEBARRE François, né le 14 mars 1877 à Vienne (Isère), domicilié 14, rue de l'Eau-Courante à Lorient, ainsi qu'en témoigne un certificat de résidence délivré par le commissaire central de Lorient en date du 12 octobre 1940. Cet homme est aisé; il possède un manège et une loterie foraine valant 70 000 F et l'intéressé m'a montré 80 000 F en billets de banque. Il est père de deux enfants, une fille et un garçon. La fille est veuve et tient un commerce de mercerie à Lorient; le fils possède un cinéma sonore et parlant à Saint-Brieuc.

Debarre François est honorablement connu dans tout le Morbihan et le Finistère ainsi qu'en font foi les certificats des maires de Locminé, Commana, Pont-Scorff, Briec, Lampaul, Loctudy et Bénodet. Cet homme déclare n'avoir jamais été condamné.

2. CHEVALIER Archange, né le 30 octobre 1891 à Villabernier (Maine-et-Loire), résidant à Belz (Morbihan) ainsi qu'en témoigne un certificat de résidence du maire de cette localité en date du 4 juillet 1940. Interné au camp de Moisdon avec sa femme et ses dix enfants : Louise 30 ans, Marie 25 ans, Jeanne 20 ans, Madeleine 18 ans, Félix 16 ans, Emilie 14 ans, Albertine 12 ans, Archange 6 ans, Olga 10 ans, Madeleine 1 an.

La famille Chevalier possède un tir et un cinéma ambulant et deux autos, possède également 3 000 F en argent liquide et le père déclare n'avoir jamais été condamné.

3. RENAUD Joseph, rémouleur, né le 24 juin 1894 à Chantenay (Loire-Inférieure) et y résidant 15, rue Paul-Bert, depuis douze ans, ainsi qu'en fait foi un certificat de résidence délivré le 22 novembre 1940 par le commissaire de police du 7e arrondissement de Nantes.

Cet homme est atteint d'angine tuberculeuse, mais peut cependant travailler. Il déclare avoir été condamné pour vol en 1931. Ancien paveur de rue, ne possède aucune ressource, mais vit au jour le jour de son métier de rémouleur, est interné au camp depuis le 23 novembre 1940.

4. SIEGLER Paul, né le 6 juin 1895 à Châtellerault (Vienne), demeurant 2 bis, rue Féty à Vannes (Morbihan) ainsi qu'en fait foi un certificat de résidence délivré le 22 novembre 1940 par la mairie de Vannes. Cet homme exerce la profession de marchand de cordes et fréquente les foires et marchés aux alentours de Vannes.

Cet individu m'a montré 10 000 F en billets et possède de la marchandise pour une valeur de 10 000 F. En plus, il est propriétaire d'une voiture-auto avec remorque en bon état. Interné au camp depuis le 2 novembre 1940 avec sa femme et six enfants : Victoire 18 ans,

Marie 17 ans, Catherine 16 ans, François 14 ans, Emile 12 ans, Ernestine 8 ans.

Siegler déclare avoir été condamné plusieurs fois pour chasse et pêche en temps prohibé.

De ces quatre individus, seul Debarre François, 63 ans, peut sans inconvénient être libéré. Cet homme n'est à charge de personne et peut vivre sans travailler. Quant à Chevalier et Siegler, bien qu'ayant des ressources, s'ils étaient libérés, ils seraient obligés de reprendre leur vie errante pour subvenir aux besoins de leur nombreuse famille.

La Forge en Moisdon-la-Rivière,
7 janvier 1941.

NOTE

à l'attention de Monsieur le Sous-préfet
au sujet du chauffage

Par note n° 41/M du 2 décembre dernier, il a été rendu compte des besoins du camp de concentration en combustible (charbon et bois).

La température actuelle entraîne l'obligation de faire l'impossible pour faire chauffer les locaux et pour procurer du bois et du charbon aux nomades autorisés à occuper leurs roulottes moins glaciales que les dortoirs et locaux communs.

Les gros fournisseurs de bois sont en carence. Ils affirment ne plus trouver de bois à acheter ou invoquent les difficultés de circulation pour ne pas transporter le peu de bois qu'ils réussissent à se procurer. Par ailleurs, il semble impossible d'autoriser les nomades à se procurer du bois en fagots en le payant « comptant » aux paysans voisins, cela créerait des jalousies qui dégénéreraient trop facilement en rixes et en bagarres.

Le 6 janvier courant, il n'y avait plus, à 10 heures du matin, que le bois strictement nécessaire à la cuisson des aliments du repas de midi. Par des expédients, il a été possible d'assurer la cuisson du repas du soir et un semblant de chauffage des locaux communs. Aujourd'hui les mêmes expédients seront employés. Peut-être recevra-t-on les quatre cordes de bois annoncés par la sous-préfecture (à condition que la circulation soit possible). Il n'empêche que sous quatre jours au maximum, la même situation se reproduira.

Tant qu'il sera à son poste actuel, le chef de camp s'arrangera pour faire face aux exigences immédiates, même en faisant personnellement les avances indispensables pour obtenir les fagots de « dépannage » indispensables. Mais ce n'est là qu'une solution de fortune et il est indispensable que l'Administration intervienne de toute urgence pour éviter des accidents graves et des incidents qui seront sérieux et très regrettables.

Le capitaine Leclercq, chef de camp.

Le 14 janvier 1941, le préfet recevait une lettre que lui expédiait anonymement une internée du camp tsigane.

— Je ne sais si réellement vous êtes au courant de la vie que nous subissons dans ce camp, au point de vue des travaux manuels que nous endurons par force majeure et surtout avec la nourriture si minime que nous avons, au point de vue chauffage; des fois deux jours, trois jours sans boire, si bien que nos forces physiques et nos forces morales commencent à nous abandonner. Je ne vois pas pourquoi dans ce camp de Moisdon-la-Rivière, nous n'avons pas le même régime qu'aux départements limitrophes qui nous entourent : la Sarthe, la Vienne et la Mayenne, et nous n'avons plus rien pour nous habiller et nous avons nos hommes qui nous demandent bien des choses et nous n'avons pas d'argent pour leur envoyer.

Le préfet transmet la lettre au sous-préfet qui en établit une copie pour information au capitaine Leclercq. Ce dernier, « touché » par ces attaques, croit devoir se justifier.

— Je vous avouerai, tout d'abord, que je ne suis nullement surpris de cette communication. Je l'attendais depuis près de dix jours, car l'auteur qui n'a pas eu le courage de la signer me l'avait annoncée. Je vous en donnerai l'identité à la fin de la présente lettre. Si vous le permettez, nous examinerons maintenant les différents chefs de réclamations.

1. Travaux manuels endurés par force majeure.

Il est bien évident qu'il est impossible et inadmissible de laisser les internés croupir dans une oisiveté complète. Les hommes et jeunes gens susceptibles physiquement de travailler sont employés aux corvées générales du camp (nettoyage, réparations des chemins de ronde et d'accès; débitage, approvisionnement en eau potable, etc.). Ces travaux ne suffisent pas à occuper tout le monde pendant le temps ouvrable, conformément à vos directives, j'encourage par tous les moyens le travail familial. A cet effet, j'ai personnellement acheté de mes propres deniers pour 300 F d'osier que je mettrai à la disposition des nomades quand ils consentiront à faire avec cet osier des objets **vendables** de la forme et de la nature des paniers ou malles qui me sont demandés par des commerçants de Nantes ou de Châteaubriant et non de paniers de leur façon qu'ils entendent aller colporter, ce qui est absolument contraire à vos directives. Pour mémoire, je n'ai pu trouver de l'osier autrement qu'en le payant comptant et la facture que j'ai produite à ce sujet ne m'est pas encore remboursée (dossier no 90 du bordereau no 98/M du 16 courant).

Les femmes (sauf les mères de famille allaitant un enfant ou ayant une surveillance à exercer sur leur trop nombreuse progéniture) ne sont employées qu'à des travaux extrêmement légers comme l'épluchage des légumes.

Il n'y a que les « fortes têtes » qui soient astreints à des travaux pénibles et encore sans exagération : la moindre marque de repentir entraîne immédiatement la cessation de la punition.

2. Nourriture minime.

L'effectif étant de 308 rationnaires (dont 103 enfants de 5 à 15 ans et enfants de moins de 5 ans), il est effectivement distribué chaque jour 123 kg de pain, 250 kg de pommes de terre ou 18 kg de haricots, 10 kg d'oignons, plus des légumes verts en quantités suffisantes pour faire une soupe saine et très acceptable.

Tous les deux jours il est consommé 39 kg de viande et en sus chaque mercredi et chaque samedi une distribution de saucisses ou de boudins (un peu plus de 19 kg à chaque distribution) a lieu. Ces précisions facilement contrôlables établissent que les nomades reçoivent plus que largement les rations prévues par l'Administration pour le commun des mortels qui subit les restrictions imposées à tous par les circonstances actuelles.

Vous avez pu vous rendre compte de la qualité et de la quantité de nourriture lors des inspections inopinées dont vous avez bien voulu m'honorer. Il m'est désagréable de constater qu'il est insinué à la préfecture qu'aucun contrôle n'est exercé ce qui est manifestement contraire à la vérité. En tout cas, sauf ordres formels et écrits des autorités supérieures, les règles du rationnement continueront à être strictement appliquées [1].

3. Distribution de bois.

Il est exact que vers le 10 janvier les distributions de bois ont été raréfiées. Il y avait d'abord cas de force majeure : la circulation était impossible et le bois indispensable n'a pu arriver au camp avec toute la régularité voulue. Il est à remarquer que les services de la sous-préfecture se sont efforcés de sortir le camp d'embarras. Vous n'ignorez pas combien le ravitaillement en combustible présente de difficultés et je crois inutile de revenir sur le point déjà signalé plusieurs fois des conséquences **désastreuses** qui ont résulté et qui résulteront encore des retards apportés au règlement des factures. Ni vous ni personne de la garde ou de l'administration du camp ne peut être tenu pour responsable de cet état de choses.

D'autre part, les distributions de bois ont été diminuées intentionnellement et au su des nomades par **punition** : certains d'entre eux avaient volé de nuit cinq lits de bois et plusieurs poteaux du « séchoir » pour les brûler. Il était indispensable de mettre un terme à ces pratiques et pour le principe le bois a été supprimé aux heures les moins froides pendant les quelques jours nécessaires pour découvrir les coupables.

Il y a lieu de noter que malgré un dépistage très sévère, il n'est pas constaté de cas de maladie due au froid (quelques rhumes sans gravité, pas un cas de bronchite grave, pas de congestions, pas de pieds gelés ou d'extrémités gelées).

4. Jours sans boire.

Aucune denrée n'étant détournée, il y a lieu de remarquer que chaque trois jours, il entre au camp comme il est facile de le contrôler : trois pièces de cidre de 200 litres. Le cidre est distribué deux fois par jour.

L'entrée du vin et de l'alcool est formellement et **effectivement** interdite au camp. Sauf ordre formel, cette mesure sera maintenue.

5. Forces physiques défaillantes.

L'état sanitaire général fait l'objet d'une surveillance constante de

---

1. (Note C.B.). Il est probable qu'à Moisdon comme dans la plupart des camps de concentration, la hiérarchie et le personnel de cuisine retenaient pour leur propre usage ou la revente une part importante de la nourriture réservée aux internés. Pour le camp du Vernet d'Ariège, un ancien gardien m'a avoué que certains jours, ce pourcentage « détourné » atteignait cinquante pour cent.

la part de tous : personnel de garde et d'Administration. M. le docteur Bourigault vient chaque jour au camp et donne sans aucune difficulté toutes les consultations qui lui sont demandées. Mlle Fignon, infirmière D.P.L.G. se tient **effectivement** à la disposition de tous les nomades et n'hésite pas à se déranger même en pleine nuit ou en cours de repas pour aller prodiguer ses soins et ses conseils. Le choix de M. le docteur Faivre a été, en ce qui concerne cette infirmière, particulièrement heureux.

L'examen du cahier de consultations médicales tenu régulièrement au jour le jour, sans ratures ni blancs, signé chaque jour par le médecin traitant peut faire constater que la moyenne des consultations est de 14 soit 5 % et que les constatations faites ont entraîné en tout et pour tout sur 2 mois 15 journées d'exemption de travail et 3 hospitalisations. Ces dernières, d'ailleurs ont été rendues indispensables par la mauvaise volonté des malades eux-mêmes qui refusaient avec obstination de prendre les soins prescrits.

6. Abandon des forces morales.

Etant donné que les forces morales des nomades devraient, par souci élémentaire de la vérité, être qualifiées « forces amorales » ou « immorales », il semble que la société n'ait pas trop à se plaindre de l'abandon ou de la diminution des dites forces. Les directives qui ont été suivies jusqu'à présent paraissent devoir être maintenues. Tous ordres ou instructions qui pourraient intervenir à ce sujet seront immédiatement appliquées.

7. Régime moins favorisé imposé aux nomades à Moisdon-la-Rivière.

Pour éclairer l'Administration préfectorale, des précisions sont indispensables au sujet des régimes qui sont en usage dans les autres camps de concentration. Il est évident que ce qui suit est la traduction en termes à peu près intelligible des nombreuses lettres qui m'ont été présentées (attestations sollicitées et demandées par certains nomades).

Dans les autres camps et notamment dans le camp de La Pierre à Caudrecieux, les nomades occupent des pavillons par famille où ils sont à volonté et ne sont astreints à aucun travail, où ils ont l'eau courante, le chauffage et l'électricité. Ils entrent et sortent à volonté. Du moment qu'ils sont rentrés pour l'appel du soir, ils ont fait tout leur devoir. Au camp de Rennes, ils consomment des poulets à discrétion et ont du vin à chaque repas. Pas encore de précision sur ce qui se passe théoriquement dans le camp de la Vienne et dans celui de la

Mayenne. Mais il est certain que dans l'un ou l'autre, il y aura dancing, cinéma, casino, etc.

Je ne crois pas qu'il soit dans l'intention de l'Administration préfectorale de la Loire-Inférieure de se montrer aussi large et aussi généreuse des deniers de l'Etat.

En vous priant de m'excuser de cette défense de ma part, permettez-moi, M. le sous-préfet, de vous dire que les nomades sont traités ici avec **humanité,** peut-être avec une certaine sévérité, **mais pas une vraie misère physique ou morale** n'est ignorée et ne demeure sans secours comme vous l'avez recommandé dans vos directives. D'ailleurs si une enquête était effectuée, elle aboutirait certainement à la constatation que plus de 90 % des internés commencent à être satisfaits de leur sort... et ne voudraient plus aller rôder sur les routes.

8. Manque de vêtements.

Il est certain que les vêtements laissent à désirer. Mais dans les circonstances actuelles il est certain que les nomades ne pourraient pas renouveler leur garde-robe s'ils étaient en liberté. Des essais de distribution de vêtements et de chaussures aux enfants les plus misérables ont donné les résultats les plus décevants : les parents cédant les chaussures et habits donnés pour une bolée de cidre ou un paquet de tabac.

En vous priant d'excuser cette longue lettre, je vous demande, monsieur le sous-préfet, d'agréer l'assurance de mon respectueux et absolu dévouement.

Signé : Leclercq.

*
**

27 février 1941

Le Préfet de la Loire-Inférieure

(Cabinet du Préfet)

J'ai l'honneur de vous adresser sous ce pli, un plan schématique du camp « C » de Châteaubriant que les autorités occupantes mettent sous certaines réserves, à la disposition de l'Administration préfectorale.

L'ensemble comprend, à l'intérieur d'une enceinte en fil de fer barbelés rendant toutes évasions impossibles, trente-deux grands baraquements en bois recouverts de tôle ondulée.

Sur ces 32 baraquements, 20 sont immédiatement utilisables, 9 autres en voie d'achèvement et 3 inutilisables, n'étant pas couverts.

Il y a en outre une installation de douches et d'étuvage, un groupe de bâtiments en maçonnerie à usage de ferme (habitations et dépendances) et un autre grand bâtiment en maçonnerie à usage d'écurie.

Dès maintenant, 335 romanichels arrivent au camp. Pour faciliter la surveillance, éviter que les nomades se répandent dans le camp et y pillent tout selon leur coutume, une séparation en fils de fer barbelés a été aménagée pour délimiter la partie du camp attribuée aux nomades.

Tel que le camp est ainsi prévu, il pourra contenir :

— 500 nomades.
— 400 indésirables,
— 800 communistes.

Le Sous-Préfet.

*
* *

Châteaubriant, le 6 mars 1941

Le capitaine Leclercq, commandant de concentration de Châteaubriant
à M. le sous-préfet de Châteaubriant,

Monsieur le Sous-Préfet,

Le transfèrement du camp de concentration des nomades de La Forge en Moisdon-la-Rivière est terminé ce jour. Aucun incident sérieux ne s'est produit. Les locaux évacués ont été laissés dans le plus grand état de propreté et tout le matériel qu'il n'était pas utile d'amener à Châteaubriant et qui pouvait être laissé sur place sans risquer de détérioration a été soigneusement rangé et mis à l'abri.

La plus grosse difficulté résidait dans le transport des roulottes qu'il ne pouvait être question d'abandonner à Moisdon sans surveillance et sans entretien. Leur remorquage par automobile aurait été extrêmement long puisque pratiquement on ne pouvait disposer que de deux camions susceptibles de remorquer les véhicules dont il s'agit, à raison d'une voiture par voyage, soit au maximum 8 par jour (4 tours). Il y aurait eu une consommation d'essence absolument hors de proportion avec l'utilité de ce mouvement en cause. (Plus de 300 litres qui auraient pu faire défaut pour d'autres besoins plus pressants.) En outre la dépense aurait été de l'ordre de 3 600 F en chiffres ronds.

Ces considérations m'ont décidé à me mettre en rapport avec un cultivateur connu et estimé de Moisdon qui s'est chargé de grouper des chevaux et des conducteurs du pays lesquels ont consenti à exécuter le remorquage de toutes les roulottes moyennant le prix forfaitaire de 75 F par cheval et par jour. Les cultivateurs ayant demandé le paiement comptant et l'avance qui m'a été consentie ne suffisant pas à régler cette dépense, j'ai prié M. Bellœil de les payer immédiatement et d'établir une facture que je comprends dans le bordereau de février 1941 sous le numéro 87.

*
* *

Châteaubriant, le 9 mars 1941

Le capitaine Leclercq, chef du camp de concentration de Choisel à Châteaubriant à M. le président du Secours National pour le département de la Loire-Inférieure. Nantes.

Monsieur le Président,

Suivant les directives de M. le sous-préfet de Châteaubriant, j'ai l'honneur de signaler à votre haute et bienveillante attention, la situation lamentable dans laquelle se trouvent — au point de vue vestimentaire — les individus internés par mesure administrative au camp de concentration de Choisel installé à Châteaubriant.

A l'heure actuelle, l'effectif est de 357 personnes (nomades et indésirables) se décomposant comme suit :

Hommes 96
Femmes 69
Jeunes gens de 15 à 20 ans 32
Enfants de 5 à 15 ans 106
Enfants de moins de 5 ans 54

La plupart des hommes n'ont plus de chaussures, une vingtaine n'ont plus de vêtements, sauf des loques immondes; les femmes ne sont guère plus favorisées; quant aux enfants, une trentaine circulent pieds nus, tous sont en guenilles, d'une saleté repoussante, et faute de rechange, il est impossible de faire désinfecter et réparer les hardes de toute la collectivité.

Dès mon entrée en fonctions, j'ai demandé que des vêtements militaires déclassés soient mis à ma disposition en vue :

1. d'habiller les plus misérables,
2. de pouvoir disposer de vêtures provisoires permettant d'étuver et réparer les effets des internés.

Cette opération est indispensable et **urgente** car le milieu actuel constitue par suite de la saleté qui y règne en maîtresse absolue, un bouillon de culture propre à favoriser l'éclosion de n'importe quelle épidémie dont la population du camp ne serait pas seule à se ressentir. Plusieurs décès se sont déjà produits par suite de misère physiologique. La vermine ronge littéralement les internés.

Il m'a été objecté que les vêtements militaires déclassés étaient réservés pour le Secours National et je n'ai pu obtenir les vêtements et chaussures indispensables.

L'avis inséré dans « L'Ouest-Eclair » du 6 mars courant me donne à penser qu'il serait possible d'obtenir de votre organisation ce qui fait si gravement défaut à mes administrés.

Par ailleurs, en se plaçant au point de vue moral et social, il semble dangereux de laisser toute cette population dans une semi-oisiveté. Les hommes sont bien employés aux travaux d'aménagement du camp, mais les femmes ne font guère que les travaux d'épluchage des légumes. Elles ne peuvent ni laver, ni raccommoder les effets de leur famille faute de rechange; elles ne peuvent confectionner du « neuf » faute de ressources et de matières premières.

Dans ces conditions, il m'a semblé qu'il serait possible d'essayer de les faire concourir pour l'utilisation et la transformation des vêtements militaires comme l'indique l'avis inséré dans la presse.

La présente lettre vous sera remise par mon secrétaire M. Brellier qui vous donnera toutes les explications que vous jugerez utile de lui demander. Il m'aurait été agréable de venir personnellement vous entretenir de cette question dont l'importance et l'urgence ne sauraient vous échapper; malheureusement les nécessités du service m'interdisent de quitter mon poste ne serait-ce qu'une demi-journée. Je m'en excuse auprès de vous et je demeure persuadé que malgré cela la solution indispensable pourra intervenir sans autre délai.

(Formule de politesse.)

Signé: Leclercq.

*
**

Centre de séjour surveillé de Choisel

Compte rendu de punition infligée à une internée avec demande d'augmentation.

N° 909/M.

Nom et prénom : Siegler Ernestine, matricule 375, section « N » : nomades.

Nature de la punition : 8 jours d'internement aux locaux disciplinaires.

Motif : a provoqué un scandale en essayant de forcer la consigne d'une sentinelle qui lui interdisait de sortir de la section « nomades » sous un prétexte futile.

A grossièrement insulté le personnel de garde et a essayé d'ameuter les autres internés (demande d'augmentation).

Circonstances de la faute : le 14 juin 1941, Ernestine Siegler a voulu franchir la clôture du quartier réservé aux nomades et se rendre à la popote des gendarmes pour s'y procurer un litre de vin. La sentinelle lui a interdit le passage. Elle s'est mise à vociférer, disant que les internés n'étaient pas au bagne, que les gendarmes étaient pires que les « boches » et que les internés étaient des imbéciles et des lâches et qu'ils devraient profiter de leur nombre pour se révolter et reprendre leur liberté.

Le chef de garde étant intervenu pour essayer de la calmer, il a été grossièrement insulté, et la nommée Siegler Ernestine ne s'est tue qu'après avoir été conduite aux locaux disciplinaires où elle a immédiatement été internée.

Arrivée au camp le 5 décembre 1940, venant de la prison de Vannes où elle venait d'accomplir une peine de deux mois pour coups et blessures, la nommée Siegler Ernestine est le type accompli de la mégère qui cherche toutes les occasions et en provoque même pour faire du scandale. Elle abuse du fait que les procès-verbaux dressés à l'encontre des internés pour outrage voire même violence à la gendarmerie, demeurent sans aucune suite.

Il est à remarquer également que des indices précis montrent que cette femme et ses filles, dont il a été trop souvent question, sont des instigatrices des évasions pour lesquelles elles font une propagande très active.

Une punition exemplaire paraît indispensable.

Le chef de camp demande à ce qu'elle soit infligée.

A Châteaubriant, le 17 juin 1941
Le capitaine Leclercq, chef de camp
Signé : Louis Leclercq.

Avis de Monsieur le Sous-Préfet de Châteaubriant :

Porter la sanction à 15 (quinze) jours de prison et avertir l'intéressée qu'au cas de récidive une sanction exemplaire sera demandée à monsieur le ministre, secrétaire d'Etat à l'Intérieur.

*
**

Châteaubriant, le 22 mars 1941

Le capitaine Leclercq, chef du camp de concentration de Choisel à
M. le sous-préfet de Châteaubriant,
N° 324/M.

Monsieur le sous-préfet, j'ai l'honneur de vous rendre compte que
je me suis préoccupé de savoir les causes du mécontentement et du
mauvais esprit qui se manifestent depuis quelques jours parmi les
internés.

Le retour des beaux jours constitue évidemment une sorte d'invi-
tation au voyage que l'existence normale des internés fait aisément
comprendre. C'est au printemps qu'ils reprennent habituellement leurs
randonnées après s'être stabilisés pendant l'hiver. Leur internement leur
devient plus sensible et moins tolérable.

Mais une autre raison existe également; les nouvelles les plus
fantaisistes (telle que la remise en liberté d'internés dans les départements voisins, existence beaucoup plus agréable dans les autres camps)
sont constamment colportées dans le camp où elles parviennent de
deux manières : les visites et la correspondance.

Je vous ai demandé par ma lettre n° 321/M de ce jour de vouloir bien approuver la proposition de **supprimer** les visites ou tout au
moins à les limiter autant que possible.

Pour la **correspondance** (absolument libre jusqu'à présent), peut-
être jugerez-vous possible et utile de décider qu'à l'avenir les lettres
arrivant ou partant du camp ne seront plus acceptées qu'ouvertes et
seront visées par le chef de camp avant leur départ ou avant leur
distribution aux internés.

Cette mesure qui n'a rien d'illégal, ni d'arbitraire, pouvait être
considérée comme superflue lorsqu'il n'y avait que des nomades. Elle
semble très désirable maintenant que le camp abrite une quarantaine
d'indésirables et elle sera encore plus utile lorsque des « politiques »
seront internés. Les renseignements qui pourraient être obtenus de cette
manière feraient l'objet d'un rapport hebdomadaire qui vous serait
adressé et qui pourrait être particulièrement intéressant pour la Sûreté
générale.

Signé : Leclercq.

*
* *

Châteaubriant, le 22 mars 1941

Le capitaine Leclercq, chef du camp de concentration de Choisel à

Châteaubriant à M. le sous-préfet de Châteaubriant,
Nº 321/M.

Monsieur le Sous-Préfet,
J'ai l'honneur de vous rendre compte qu'à la suite de perquisitions faites dans les roulottes par la gendarmerie, il a été découvert, le vendredi 21 mars vers 20 heures, une carabine de précision, deux fusils de chasse en état de fonctionnement. Le samedi 22 mars 1941, sur dernier avis d'avoir à remettre sans délai toute arme à feu encore dissimulée, un revolver en mauvais état et un fusil de chasse en état de fonctionnement, ont été apportés au corps de garde.

M. l'adjudant David, commandant le détachement de gendarmerie, a dressé procès-verbal de saisie des armes dont il s'agit. Il vous le transmettra suivant la voie normale dès qu'il aura pu le clore ce qui dépend de la suite que les autorités occupantes donneront à cette affaire. Régulièrement les armés doivent être remises à la Kreiskommandantur et les autorités occupantes peuvent demander que les détenteurs des armes dont il s'agit leur soient remis, ou décider que la justice française se saisisse de l'affaire.

Conformément à vos directives, j'ai invité M. l'adjudant David à attendre vos instructions avant de remettre les armes à la Kreiskommandantur [1].

Ainsi que je vous l'ai exposé verbalement, l'état d'esprit des internés n'est pas très bon. Sans s'exagérer la portée des découvertes d'armes, il semble qu'il y aurait intérêt à faire un exemple sévère et certainement les Allemands seront plus stricts que les autorités judiciaires françaises.

D'autre part, ainsi que je vous en ai rendu compte la rumeur du camp donne à prévoir que de nouvelles armes dangereuses pourraient être introduites dans le camp soit par des visiteurs, soit dans des paquets adressés aux internés, soit par les internés qui obtiennent exceptionnellement l'autorisation de sortir du camp. Je vous demande de bien vouloir approuver la consigne suivante à donner au détachement de gendarmerie :

Visites et **sorties** absolument supprimées jusqu'à nouvel ordre.
Fouille minutieuse de tout interné ayant été en ville pour un motif quel qu'il soit ainsi que de tous les paquets arrivant à l'adresse des internés.

Nouvelles perquisitions minutieuses dans les chambrées et dans les roulottes.

---

1. Le 25 mars, le préfet de la Loire-Inférieure adressait le dossier préparé pour le capitaine Leclercq et les armes découvertes à la Kreiskommandantur (note C.B.).

Veuillez agréer, monsieur le sous-préfet, l'assurance de mon respectueux et absolu dévouement.

Signé : Leclercq.

*
**

NOTE DE SERVICE

N° 372/M.

Par application des articles 13 et 26 du règlement des centres de séjour surveillé, les nommés LASALLE Louis et NOURY Maria, qui se sont évadés dans la nuit du 29 au 30 mars 1941 et qui ont été ramenés par la gendarmerie le 1er avril 1941 dans la matinée, seront incarcérés aux locaux disciplinaires pendant **huit jours** à compter du 1er avril à 10 heures du matin jusqu'au 9 avril même heure...

II. Ils seront tenus à la disposition de M. le Procureur de la République auquel sont transmis les procès-verbaux établis à leur encontre pour recevoir application de l'article 4 du décret-loi du 18 novembre 1939 qui prévoit pour les évadés un emprisonnement d'un à cinq ans.

III. Etant donné l'état de malpropreté corporelle dans lequel ils ont été ramenés et l'impossibilité de les débarrasser par un autre moyen de la vermine dont ils sont remplis, ils seront contraints, si besoin est, de passer à la douche chaude et de se faire couper les cheveux.

Châteaubriant, le 2 avril 1941
Le chef de camp,
Signé : Leclercq.

*
**

Châteaubriant, le 2 avril 1941

Le capitaine Leclercq, chef du camp de concentration de Choisel à M. le sous-préfet de Châteaubriant,
N° 178/M.

Monsieur le Sous-Préfet,

J'ai l'honneur de vous rendre compte que les funérailles des trois enfants décédés au camp dans les conditions que je vous ai exposées téléphoniquement, ont eu lieu dans la journée du 4 courant. Le jeune

Schmitt Pierre, n° 302, décédé le 1er février 1941, a été inhumé à 10 h 30 aux frais de sa famille.

Le jeune Bengler Louis, n° 282 a été inhumé à 16 h 45. La famille se prétendant sans aucune ressource, pour éviter des lenteurs, je me suis porté garant près du menuisier, du fossoyeur, etc., du paiement des quelques frais entraînés par un enterrement. Je n'ai pas voulu recommencer l'expérience que j'ai faite à Saint-Etienne en janvier 1940 où un Marocain, décédé à l'hôpital, est resté dix jours au dépositoire, en attendant que les formalités relatives aux dépenses de ses obsèques aient été remplies.

Par précaution, dix personnes seulement ont été autorisées à suivre les convois mortuaires. Il n'y a eu aucun incident à signaler.

L'émotion causée par ces trépas rapprochés se calme lentement. Il est inutile de vous dire que les commentaires sont nombreux tant dans la population du camp que dans la population du bourg et des hameaux. Naturellement tous les bruits plus ou moins tendancieux qui circulent sont immédiatement démentis. Il n'y a pas d'épidémie.

Toutefois, la question reste entière; si des améliorations sensibles ne sont pas apportées (surtout au point de vue installation), de nouveaux décès sont inévitables. Il est très facile d'organiser très rapidement une organisation permettant d'éviter une recrudescence de la mortalité infantile. Chaque jour, presque chaque heure augmente le réel danger que je ne dois pas laisser ignorer à l'Administration. Le temps perdu ne se regagnera pas ou ne se regagnera que fort difficilement. Vous n'ignorez pas que depuis six semaines ces questions n'ont fait aucun progrès sensible. Tout le personnel du camp fait de bon cœur tout son devoir; l'infirmière et moi-même travaillons au moins douze à treize heures par jour. Presque chaque nuit, nous sommes appelés à l'aide pour les malades. Nous ne pouvons pas refuser notre intervention, mais nous avons les mains liées par le manque de moyens matériels qui sont constamment promis, mais qui n'arrivent jamais.

Il ne m'appartient pas de conclure. Mais permettez-moi de vous demander s'il y a intérêt à ce que le personnel du camp se voit obligé de quitter les lieux vaincu par le découragement et la fatigue d'autant plus grande que trop souvent, pour ne pas dire toujours, nous avons l'impression de nous dépenser tout à fait inutilement puisque tacitement les moyens de remédier à la situation peu brillante qui est la nôtre nous sont refusés.

Veuillez agréer, monsieur le sous-préfet, l'assurance de mon très respectueux dévouement.

Signé : Leclercq.

Châteaubriant, le 10 avril 1941

Le chef du camp de concentration de Choisel à M. le sous-préfet de Châteaubriant,
    N° 409/M.

Monsieur le Sous-Préfet,

J'ai l'honneur de vous rendre compte qu'en vue d'organiser un atelier de vannerie (pour lequel il y a déjà un certain nombre de commandes fermes), j'ai autorisé quatre nomades à aller, sous escorte, ramasser de l'osier sur les talus bordant la voie ferrée avec autorisation de M. le chef de gare.

Ces quatre hommes sont rentrés au camp en état d'ivresse complet, avec un peu d'osier parmi lequel étaient cachés plusieurs litres de vin. L'escorte ne peut être accusée de négligence : l'adresse des nomades est telle que la surveillance la plus active réussit toujours à être déjouée. Les sanctions nécessaires ont été prises envers les coupables. Mais il importe également de s'opposer au retour de pareils faits. En conséquence, je refuse systématiquement toutes les demandes d'autorisation de sortir pour cueillir de l'osier. Cette mesure a évidemment pour effet de priver les artisans de matière première.

Après réflexion, il m'a semblé qu'il serait peut-être possible d'organiser quelques corvées de ramassage d'osier par les Nord-Africains P.G. mis à la charge de Châteaubriant par les autorités occupantes. Je me suis entretenu de la question avec la mairie qui ne verrait aucun inconvénient à procéder de cette manière. Les corvées apporteraient l'osier au camp où je le prendrais en charge et où il serait remis aux travailleurs au fur et à mesure de leurs besoins. Il serait ainsi possible de faire travailler utilement près de la moitié des internés nomades sans avoir l'ennui de scènes d'ivresse consécutives à toutes les sorties quels qu'en soient les motifs.

Si vous voulez bien partager cette manière de voir, il vous suffirait de donner votre accord téléphonique à la mairie de Châteaubriant pour que la chose soit mise au point.

Veuillez agréer, monsieur le sous-préfet, l'assurance de mon très respectueux dévouement.

Signé : Leclercq.

*
**

Camp de concentration de Choisel
    B) N° 430/M

Compte rendu de punition infligée à un interné

Nom et prénom : LIMBERGERE Armand. Matricule 391.

Nature de la punition : huit jours d'internement dans un local disciplinaire.

Motif : « Malgré les ordres réitérés, faisait de la musique et chantait à 23 h 30. Sur l'intervention de la gendarmerie, s'est tu momentanément, puis a incité ses camarades à recommencer en déclarant qu'il « chiait sur les gendarmes ». »

Circonstances de la faute.

Le règlement intérieur du camp prévoit **silence absolu** à partir de 21 h 30. Il est difficile de l'obtenir et des plaintes ont déjà été formulées à ce sujet. Le 15 avril 1941, les internés d'une baraque faisaient grand tapage à 23 h 30 dansant, chantant et se disputant. Ceux qui avaient l'intention de dormir en étaient empêchés par ceux qui entendaient continuer leurs amusements.

Une patrouille commandée par le maréchal des logis chef Molinée, est intervenue et a imposé silence. A peine était-elle sortie de la baraque que le nommé Limbergère Armand a recommencé à vociférer et a essayé d'entraîner ses camarades en employant à l'adresse des gendarmes l'expression ordurière consignée dans le motif de punition. Arrivé au camp le 24 mars dernier, venant de la maison d'arrêt de Nantes où il subissait une condamnation pour vol, outrage et rébellion, le nommé Limbergère s'est immédiatement signalé par sa paresse et son mauvais esprit. Il appartient à la tribu Schmitt, l'une des plus remuantes et des plus nuisibles. Les réprimandes et les sanctions légères demeurant sans effet, le chef de camp demande à M. le préfet de la Loire-Inférieure de bien vouloir appliquer le règlement du 29 décembre 1940 et porter la punition infligée à une durée plus longue. Le règlement précité donne à M. le préfet la faculté de porter la punition à 15 (quinze jours).

Châteaubriant, le 16 avril 1941
Le chef de camp.
Signé : Leclercq.

*
**

Demande de renseignements concernant BOGLIONA née MULLER Victoria, née le 18 août à Moy (Aisne), famille constituée de dix personnes, dont sept enfants.

— Elle a été amenée au camp le 8 mai courant vers 9 heures

sous escorte de la gendarmerie, en provenance du lieudit « Le Petit-Saint-Jean » commune d'Orvault (Loire-Inférieure).

En ce qui concerne les motifs de son internement, je crois ne pouvoir mieux faire que de reproduire les termes du procès-verbal de la gendarmerie dont un exemplaire a été adressé par la gendarmerie (voie hiérarchique) à M. le préfet de la Loire-Inférieure.

« En exécution de la note 902/2 Cie du 8 novembre 1940 et par procès-verbal nº 174 de notre brigade (Sautron), en date du 31 avril 1941 dans lequel il ressort que les forains habitant en roulottes au « Petit-Saint-Jean », commune d'Orvault, sont sans domicile fixe et n'ont aucun moyen d'existence, que leurs grossièretés envers leurs voisins, les dégâts qu'ils commettent et le jet de leurs ordures et immondices au point de vue hygiène établissent nettement leur qualité de nomades. Ils ne se livrent d'ailleurs à aucun travail rémunérateur.

J'ai pu constater que les termes des procès-verbaux étaient rigoureusement exacts. Bien qu'apparentés avec la famille Boglioni, propriétaire de la ménagerie connue, ces internés ne présentent aucune garantie et il est certain qu'ils ne vivent que d'expédients et de rapine. Ils paraissent tout à fait à leur place parmi les nomades dont ils ont les mœurs, les coutumes, l'aspect et la mentalité.

J'estime que leur libération ne pourrait être envisagée que si leurs parents actuellement en région parisienne se portaient garants pour eux et prennent le déplacement à leur charge.

Veuillez agréer, monsieur le sous-préfet, l'assurance de mon très respectueux dévouement.

Signé : Leclercq.

*
**

Le nommé ROUET Paul, qui était interné au camp de Châteaubriant, a été hospitalisé à l'Hôtel-Dieu de Nantes, salle 22. Il doit quitter cet établissement hospitalier demain, 24 mai.

Je lui ai accordé trois jours de congé. Il devra, par conséquent, rejoindre le camp de Choisel dans la journée de mercredi 28 mai.

Vous voudrez bien aviser de ma décision le commandant du camp.

Pour le Préfet,
Le Chef de Cabinet.
Signé : Jaquet.

Châteaubriant, le 29 mai 1941

Le capitaine Leclercq, chef du camp de concentration de Choisel à monsieur le sous-préfet de Châteaubriant.

Vous avez bien voulu me transmettre copie de la lettre de M. le préfet de la Loire-Inférieure (Cabinet) aux termes de laquelle une permission de trois jours a été accordée à M. Rouet Paul, interné administratif au camp de Choisel admis à l'hôpital de Nantes (Hôtel-Dieu) sortant le 14 mai.

J'ai l'honneur de vous rendre compte que M. Rouet, qui aurait dû rejoindre le camp dans la journée du mercredi 28 mai courant, est signalé manquant aux appels du 28 mai au soir et du 29 mai 8 h 30 et 14 heures.

Son absence est signalée à la police et à la gendarmerie.

*
**

Châteaubriant, le 28 mai 1941

Monsieur le Préfet,

J'ai l'honneur de vous exposer qu'à la suite d'une méprise, ma femme et mes quatre enfants ont été internés au camp Choisel à Châteaubriant.

Ma femme ne mendiait pas, elle exerçait son métier de repailleuse de chaises et vannière. Moi-même je travaille à Château-Bougon, à l'entreprise de M. Alaric comme manœuvre, je gagne honnêtement ma vie et j'envoie de l'argent à ma femme.

J'ai recours, monsieur le préfet, à votre grande justice et à votre grande bonté et je vous demande de prescrire une enquête qui prouvera la vérité de ce que je vous écris.

Je vous le demande, monsieur le préfet, rendez-moi ma femme et mes enfants et vous pourrez compter sur l'éternelle reconnaissance de toute la famille.

Chevallier Louis
né le 16 mai 1901 à Melun
demeurant à Château-Thébaud à La Mouette
Titulaire du laisser-passer Ausweis n° 344.

Le 6 juin 1941, le préfet demande au sous-préfet de Châteaubriant, une enquête au sujet de cette lettre.
Camp de concentration de Choisel.

Châteaubriant, le 11 juin 1941

Le capitaine Leclercq, chef du camp
à monsieur le sous-préfet de Châteaubriant.

Vous avez bien voulu me transmettre copie d'une lettre adressée
à M. le préfet de la Loire-Inférieure par M. Chevallier, actuellement
interné au camp de Choisel, section nomades, pour protester contre la
mesure prise à son encontre. Vous me prescrivez de vous fournir les
renseignements sur cette requête.

1. **Situation des intéressés.** La famille Chevallier actuellement internée au camp se compose de :

BRANCARD Berthe, 40 ans, épouse du requérant.
CHEVALLIER Alphonse, 16 ans, fils du dit.
CHEVALLIER Marcel, 15 ans, fils du dit.
CHEVALLIER Claude, 9 ans, fils du dit.
CHEVALLIER Berthe, 2 ans et demi, fille du dit.

Cette famille est arrivée le 18 mars 1941 et a été internée à la
section nomades.

Le procès-verbal de la gendarmerie justifiant cet internement,
s'exprime ainsi :

« Agissant en vertu de la note n° 902/2 Cie du 8 novembre 1940
et chargée de notifier l'arrêté préfectoral en date du 7 novembre 1940,
à tous les membres d'une tribu de nomades résidant à la Mouette en
Château-Thébaud, laquelle avait loué une maison dans ce hameau en
avril 1940 et **dont le travail régulier du chef de tribu** en novembre
1940, procurant les ressources nécessaires à sa famille avait permis à
l'autorité administrative de surseoir à leur assignation à résider dans
un lieu fixé, conditions qui ne sont plus remplies en raison de la détention du chef de tribu par l'autorité d'occupation et le désœuvrement
des autres membres de cette famille, nous nous rendions au hameau
sus-indiqué et notifions ledit arrêté au sus-nommé. »

Le procès-verbal signale que les intéressés ont fait quelques difficultés pour se conformer aux ordres qui leur étaient donnés.

2. **Avis sur la suite à donner.** Les procès-verbaux ne laissent aucun
doute sur la qualité de nomades des gens qui ont été internés. Il est
à remarquer en effet que tous, sauf les plus jeunes qui n'y sont pas
astreints, sont dotés d'un carnet anthropométrique.

Le fait que le chef de tribu travaille, dans une entreprise de
Nantes, ne justifie pas la libération de toute la famille, puisque d'après
le constat de la gendarmerie, cette famille a repris en fait l'existence
des nomades.

En conséquence, la demande du sieur Chevallier ne paraît pas devoir être accueillie favorablement, tout au moins pour le moment.

*
**

Nantes, le 19 juin 1941

Le préfet de la Loire-Inférieure
à monsieur le sous-préfet de Châteaubriant.

Comme suite à ma communication téléphonique de ce matin, je vous confirme que j'ai décidé de libérer du camp de Choisel :
— BRANCARD Berthe.
— CHEVALLIER Alphonse.
— CHEVALLIER Marcel.
— CHEVALLIER Claude.
— CHEVALLIER Berthe

Femme et enfants Chevallier Louis, demeurant actuellement à Château-Thébaud.

Vous voudrez bien prendre toutes dispositions utiles pour leur mise en liberté immédiate.

M. Chevallier étant pourvu d'un emploi stable, il pourra désormais subvenir aux besoins de sa famille.

Pour le Préfet, le Chef de Cabinet
Signé : Jaquet.

*
**

IIe Légion de   Rapport du gendarme JOLY
Gendarmerie nationale   Commandant provisoire la brigade
Cie de la L.-I.
Section de Châteaubriant
Brigade de Nozay.

Les forains époux CHARNEAU qui ont loué jusqu'au 1er novembre 1941, un local, rue Alexis-Letourneau, à Nozay, ne l'ont habité que peu de temps. Ce local leur sert de débarras où ils déposent leurs marchandises, mais eux continuent à vivre en roulotte, sur le champ de foire de « Beaulieu » en Nozay (Loire-Inférieure).

Le père Charneau Léon, de santé précaire, et sa femme Dupuis Rachel n'ont fait l'objet d'aucune remarque défavorable.

Quant au fils, Eugène, il n'en est pas ainsi. Il mène une vie vagabonde, abandonnant fréquemment ses parents et passe pour être paresseux, buveur, violent et voleur. Il a fait l'objet du procès-verbal n° 247 de la brigade en date du 11 novembre 1940 pour avoir outragé publiquement le chef de brigade. Des renseignements recueillis, il résulte qu'il serait préférable d'interner les époux Charneau que de libérer le fils qui continuera ses vols.

Les époux Charneau passent pour vivre dans une certaine aisance. Cette famille se compose seulement du père, de la mère et du fils interné au camp de Châteaubriant.

**
***

Camp de Choisel, le 15 septembre 1941

M. Valenti Gueneau,
détenu sans motif au camp de concentration de Châteaubriant, à
Monsieur le préfet de la Loire-Inférieure à Nantes,
Monsieur le Préfet,

Interné sans aucun motif, comme de nombreux camarades d'ailleurs, j'ai répondu aux arrêtés que vous avez, je ne sais pour quelles raisons, décernés contre moi. J'estime avoir été un honnête homme et qui plus est un bon père de famille qui élève ses enfants dans l'honnêteté et la propreté et avec beaucoup de peine.

J'aurais cru, après les déclarations faites par le gouvernement, et en particulier par le sous-secrétariat d'Etat à la Famille, que notre tâche de chef de famille serait facilitée. Or, je suis obligé de considérer comme un crime le fait de me séparer de mes enfants et de ma femme au moment où celle-ci va mettre au monde son cinquième enfant, privant tous ceux-ci de leur seul soutien.

J'avais espéré, et cela était une bien petite faveur, puisque j'estime être arrêté arbitrairement, j'avais espéré, dis-je, qu'à l'occasion de cette naissance, nous aurions le commun bonheur d'être l'un près de l'autre quelques moments. A cet effet, je vous avais demandé une permission.

Hélas, je croyais qu'il y avait encore des cœurs humains. Je me suis trompé puisqu'on nous refuse cette consolation. Ma femme peut mourir, cela ne compte pas pour ceux qui sont entourés de toutes les affections et de tous les honneurs.

Qu'ai-je ait pour mériter un tel châtiment? Je vous demande, monsieur le préfet, de répondre nettement à ma question, car j'estime avoir droit de connaître le délit dont on m'accuse. Dans quelques jours ma femme va accoucher. L'état de dépression morale dans lequel elle se trouve peut la conduire à la tombe. L'espoir qu'elle avait de me voir à cette occasion va lui être enlevé et lui porter un coup terrible.

Qui devrais-je accuser si ce grand malheur arrivait? Et croyez-vous monsieur le préfet que c'est dans cet état qu'elle pourra donner à la France un enfant fort?

Non, il ne peut pas y avoir sur la terre des êtres aussi inhumains et j'ose espérer, monsieur le préfet, que vous reviendrez sur cette décision dont peut dépendre la vie d'une mère de famille.

C'est dans cet espoir que je vous adresse ma requête et vous prie de croire, monsieur le préfet, à mes sentiments très respectueux.

Signé : Gueneau.

*
**

27 septembre 1941

Le chef du camp de concentration de Choisel,
J'ai l'honneur de vous faire connaître que par ordre de la Feld-kommandantur de Vannes, le préfet du Morbihan doit faire conduire au camp de Moisdon-la-Rivière, quinze familles de nomades, soit 74 personnes avec leurs voitures. Le convoi, escorté par la gendarmerie de son département, arrivera à la gare d'Issé le 27 septembre prochain dans la soirée.

Les voitures (cinq automobiles et dix hippomobiles) seront transportées sur des wagons plats jusqu'à la gare d'Issé.

Vous trouverez ci-joint, la liste des intéressés et copie de l'ordre en vertu duquel la mesure a été prise.

Le Sous-Préfet.

Le capitaine Moreau, le nouveau chef de camp en cette fin d'année 1941, est prévenu de l'action en faveur des tsiganes que préparent une assistante sociale et le représentant d'une organisation humanitaire. Pour se « couvrir », il adresse au préfet un rapport sur le fonctionnement du camp — long texte sans originalité, compilation des principaux écrits de son prédécesseur — dans lequel il glisse quelques phrases qui pourront, pense-t-il, atténuer la portée des attaques.

— Les camps actuellement construits sont trop près des agglomérations et des voies de chemin de fer (évasions). De cet état de choses il résulte que les internés, malgré la surveillance aussi sérieuse qu'elle puisse être, arrivent à communiquer avec les populations, souvent trop sujettes à s'apitoyer sur le sort de ces « martyrs » (sic).

— En général, le camp fait partie des choses curieuses de la cité, d'où promenades des touristes et des indigènes; obligatoirement et en cachette des factionnaires, visiteurs et internés échangent des paroles.

— Les rapports avec l'extérieur sont trop faciles par la correspondance, les sorties pour les motifs les plus divers (visites chez les spécialistes, perception de rentes sur l'Etat, procurations, actes notariés, mariages, reconnaissance de paternité, etc.).

— Aussi bien gardés qu'ils soient, dès l'instant où ils ont franchi l'enceinte du camp, les internés causent, se font des relations, apitoient le monde sur leur sort, passent de la correspondance, lisent et ramènent des tuyaux.

— *Exemple.* Un interné accompagné d'un gendarme se rend chez le dentiste, le praticien refuse au gardien d'assister à l'opération, que se passe-t-il? Pendant ce temps, que croire?

— Se rendant chez le même spécialiste, un interné dépose une lettre dans la boîte à lettres d'un locataire de l'immeuble. Que fait ce dernier? croyant à une erreur il s'empresse de porter cette lettre, etc.

— Le médecin du camp prescrit un bain sulfureux, un gendarme accompagne l'interné, il attend à la porte; pendant ce temps l'interné écrit, laisse sa lettre dans la cabine; la lettre sera mise de suite à la poste.

— Un interné se rend chez le bandagiste, il prévient ses amis ou sa famille par lettre (c'est normal) qui dit que ceux ou celle-ci ne seront pas dans le magasin?

— Ces exemples sembleront peut-être ridicules, c'est pourtant ce qui se passe, j'en ai la preuve.

Enfin, pour conclure ce chapitre, j'ajouterai qu'il devrait y avoir des internés espions, bien au courant de la politique, astreints à une résidence forcée pour un laps de temps déterminé, dans le but de renseigner le commandant.

ORGANISATION SANITAIRE.

— Le camp devrait posséder une infirmerie-hôpital dans le but d'héberger non seulement des simulateurs mais aussi des malades sérieux et non contagieux (ces derniers devant obligatoirement être hospitalisés sur un centre hospitalier désigné par le préfet du département).

PERSONNEL.

— Pas d'infirmières débutantes; celles-ci n'ont pas la foi, s'apitoient sur le sort de ces malheureux (sic), ravitaillent, passent de la correspondance, les protègent, les encouragent à se faire porter malades, la vie de l'infirmerie étant plus agréable que celle menée dans le rang.

— A défaut d'infirmières d'opinions politiques certaines, il faut de vieilles infirmières sérieuses et blasées...

Le 8 décembre 1941, le bref rapport de l'assistante sociale principale Orgebin, est déposé sur le bureau du préfet.

RAPPORT SUR LE CAMP DES NOMADES DE MOISDON-LA-RIVIERE

A Moisdon-la-Rivière, au lieu dit « La Forge », sont incarcérés environ 300 nomades dont 150 enfants de zéro à quinze ans, hommes, femmes et enfants presque tous de nationalité française.

Le capitaine Moreau est le directeur du camp. Un peloton de gendarmes en garde l'entrée et maintient l'ordre à l'intérieur du camp. La chose n'est pas toujours aisée, car certains d'entre eux ont des délits à se reprocher.

Le fait d'être gens sans domicile fixe a été le principe, l'unique motif de l'arrestation.

Une sage-femme donne ses soins aux nombreuses accouchées. Une pièce dans une construction de pierres a été aménagée à cet effet. Une infirmière hospitalière, diplômée de l'Etat, ex-élève de l'école d'infirmières de Nantes, soigne les malades.

Si quelques familles parmi les mieux sont réunies dans une pièce avec quelques paillasses pour s'étendre le soir venu, toutes les autres sont parquées comme des bêtes dans deux grands baraquements de bois, repoussants de saleté, où jamais ne pénètrent ni le soleil ni l'air (baraques militaires type Adrian).

Dans cet immense taudis aussi sombre à midi que le soir, vivent des êtres humains. Deux ou trois caisses contenant chacune une paillasse et quelques lambeaux de couverture sont superposées les unes au-dessus des autres pour abriter une famille entière.

Les cheveux en broussaille, la figure et les mains noires, les pieds nus sur le sol boueux, le corps recouvert de quelques haillons, de pauvres enfants, innocentes victimes, s'étiolent dans cette atmosphère de vice et de saleté.

Autour du poêle allumé se pressent les plus vieux, les malades, les plus petits. *Une jeune femme tuberculeuse de retour de sana, entourée de ses petits, réchauffe ses membres douloureux et nus et sème la contagion.*

Cette description du camp ne traduit pas la compassion qu'en ressent le visiteur.

Une première solution s'impose d'urgence : envoyer vêtements et linge. Le Secours National, dans la mesure de ses moyens, fera le nécessaire sous trois jours. Mais, ces vêtements et ce linge, dans un temps relativement court sera perdu, car il n'aura pas été lavé et entretenu.

Certaines améliorations sont envisagées :
1. l'installation de douches,
2. l'installation de lavabos,
3. l'installation de réfectoires.

Il y a aussi nécessité de soustraire les enfants à ce milieu vicieux. Un problème angoissant se pose : celui de la dislocation de la vie familiale. Le sentiment maternel chez le nomade est très développé et, cette mesure prise à leur égard va à l'encontre des sentiments qu'il est un devoir de développer dans tout individu. Ne pourrait-on solutionner le cas, en créant à proximité du camp des nomades, un quartier spécial pour les enfants et les adolescents.

Dans ce camp, ou plus exactement dans ce nouveau centre de jeunesse, il y aurait :
— école pour les enfants d'âge scolaire,
— jardin d'enfants pour ceux de 3 à 6 ans,
— crèche pour ceux de 0 à 3 ans,
— création d'un ouvroir que fréquenteraient les grandes fillettes,
— atelier de bricolage pour les jeunes gens.

Les enfants, selon leur âge et leur sexe, coucheraient dans un dortoir auquel seraient annexés lavabos et douches.

Les parents seraient autorisés chaque jour, à une heure déterminée, à pénétrer dans le quartier des enfants à la condition toutefois qu'ils aient préalablement consenti à passer à la douche.

A mon avis, j'estime que seul, un ordre religieux aura assez d'abnégation et d'autorité pour entreprendre une tâche aussi lourde.

En résumé, il s'agit là de former la jeunesse élevée, jusqu'alors, dans la malpropreté physique et morale.

Cette lourde tâche ne peut être confiée qu'à une élite.

Mlle Orgebin est appuyée par les dirigeants régionaux de la Société Saint-Vincent-de-Paul qui interviennent à la sous-préfecture et auprès des différents fonctionnaires de Nantes.

Le préfet s'inquiète. Il écrit au sous-préfet de Châteaubriant.

— De l'avis de MM. Billot et Duméril qui ont vu Moisdon en hiver, cet endroit est pratiquement inhabitable en cette saison à cause de l'humidité et des crues possibles. Moisdon est d'autre part très difficile d'accès pour les provisions, les visites de médecin, etc.

— C'était pour évacuer Moisdon, à la suite de nombreux décès d'enfants, que M. Duméril avait demandé et obtenu de la Kommandantur le camp de Châteaubriant.

— Il semble que le camp soit de nouveau aussi insalubre qu'il y a un an. Des enfants y meurent et il y a des tuberculeux. Un aménagement ou un transfert semble urgent.

— Vous voudrez bien me fournir un rapport détaillé et me donner toutes précisions utiles et votre avis sur cette question.

Quant au capitaine Moreau, il est bien obligé de répondre au rapport de Mlle Orgebin. Il s'adresse au sous-préfet :

— Tout d'abord, j'attire l'attention de cette dame sur le fait que les nomades sont arrêtés pour n'avoir pas de domicile fixe, ce qui est exact mais par ordre des autorités d'occupation.

— Le camp de Moisdon-la-Rivière a été organisé, pour bien dire créé, en août 1941; les difficultés rencontrées, l'état des lieux ne permirent pas de faire de cet endroit « un modèle du genre ».

— Il fallait dans un délai minimum héberger les gens en leur donnant le confort qu'exige la vie en commun. C'est ainsi qu'un ruisseau a été contourné, permettant à des internés de laver leur linge; un lavabo a été construit, l'eau potable amenée, des baraques type Adrian montées, des literies complètes en nombre suffisant amenées du camp de Choisel, l'électricité montée, etc.

— Il est faux de dire que l'air et le soleil ne pénètrent pas dans les baraques citées plus haut; elles sont grandes, possèdent de nombreuses ouvertures et sont du modèle *réglementaire de l'armée.*

— Les caisses qui servent de lit (comme le dit si bien le rapport), sont des *lits* qu'avaient les *prisonniers français,* lits à étages, confortables, avec une paillasse, un sac de couchage et deux couvertures.

— Si les nomades, menteurs, voleurs, vicieux, cassent et brisent tout, le chef de camp n'y peut rien : pour cela il faudrait punir de prison... quel drame alors de voir une mère au cachot!...

— Si une « caisse » contient une famille entière, c'est que celle-ci le veut bien ou parce que les lits donnés en nombre suffisant ont été détruits par leurs propres soins, pour le plaisir de détruire.

— Si les couvertures manquent, c'est parce que les gosses les ont déchirées, ou la mère en a taillé un pantalon (souvenez-vous d'une de vos visites au camp).

— Si ces gens sont dégoûtants, c'est encore une fois parce qu'ils le veulent bien, ayant à leur disposition ce qu'il faut pour être propres.

— Contrairement à ce que dit le rapport, il est faux d'écrire que les baraquements sont repoussants de saleté, ils sont simplement mal rangés et manquent de symétrie.

— Pour se permettre un tel avis sur un camp habité par de semblables énergumènes, il faut connaître dans le détail la vie ordinaire de ceux-ci, la vie de roulottes où 10 à 12 personnes vivent parquées, dégoûtantes, rongées par la vermine, ne songeant qu'à parcourir les villages dans le but de voler.

— Il faudra des générations pour obtenir de ces dégénérés sans moralité et sans respect un résultat positif.

— En ce qui concerne l'instruction des enfants, la question est résolue, seulement les instituteurs ne semblent pas très disposés (je comprends cela) à venir dans cette soi-disant triste atmosphère.

— Avec votre autorisation, j'avais pour l'éducation spirituelle de ceux-ci, fait venir un prêtre, le pauvre homme a tout fait, et c'est au moment où ses efforts allaient porter leurs fruits que l'armée d'occupation s'est opposée à son entrée au camp pour les motifs que vous connaissez.

— S'il est exact qu'une mère est rentrée du sanatorium, elle n'est pas pour cela contagieuse, et seul le docteur qui la visite peut le dire.

— En résumé, j'estime que le compte rendu de l'assistante sociale est exagéré, il est plus proche du roman que de la vérité sur le genre de vie imposé aux nomades.

Le chef de camp, signé : Moreau.

Pour ceux qui ont connu ou « habité » ce camp de concentration, le « roman » de l'assistante sociale est très au-dessous de la vérité. Une modération souhaitée pour être accessible, crédible des autorités préfectorales peu disposées à l'égard des « dégénérés », des Leclercq ou Moreau.

Les conclusions du président H. Billot de la Société Saint-Vincent-de-Paul sont moins catégoriques ou définitives que celles de Mⁱˡᵉ Orgebin, mais pour qui sait lire entre les lignes :

Rapport sur le camp de romanichels de Moisdon-la-Rivière.

Comme suite au rapport qui a été fait par le Secours National sur le camp de romanichels de Moisdon-la-Rivière et à la suite de la mission que M. le préfet a bien voulu me confier, je viens donner ci-dessous mon avis.

Je ne reviendrai pas sur la description qui a été faite de ce camp; j'y suis allé deux fois; une première fois le 11 décembre et une seconde fois le 26 décembre.

Tout d'abord, il faut partir du principe que nous avons affaire à des romanichels qui vivent d'une façon particulière et contre les usages desquels il est difficile de s'insurger; toutefois j'estime qu'il pourrait être apporté des améliorations importantes tout en ne méconnaissant pas l'effort qui est fait par l'Administration envers ces déshérités.

Il y a d'abord les enfants, il serait indispensable qu'ils soient séparés, garçons d'un côté, filles de l'autre, mis en dortoirs et de faire œuvre de rééducation, tout cela dans le même camp pour qu'ils ne soient pas séparés des parents qui ne l'accepteraient certainement pas, vu le sens développé de la famille qu'ont les nomades.

Pour arriver à un tel résultat, des religieuses spécialisées sont à mon avis nécessaires. Je me suis déplacé spécialement à Paris pour parler de la question avec la Supérieure générale des Sœurs de Saint-Vincent-de-Paul, dont l'ordre serait tout à fait apte à faire une telle besogne, puisque d'après les règlements les sœurs de cet ordre ne sont pas tenues de vivre en communauté et peuvent vivre chez l'habitant.

Malheureusement, par suite du manque de sujets, il a été absolument impossible à la Supérieure générale de me donner satisfaction, et à l'heure actuelle, je ne vois pas quel ordre pourrait prendre cette charge. N'oublions pas que le camp se trouve à 60 km de Nantes, 17 km de Châteaubriant et 4 km du bourg de Moisdon, ce qui est, à mon avis, une pierre d'achoppement très importante pour une amélioration éventuelle de la vie de ce camp; quoi qu'il en soit on arriverait certainement à trouver une organisation pour prendre ces enfants en main.

Je ne parlerai pas ici de la question du vêtement ni de la chaussure qui a été résolue d'une façon complète par les soins du Secours National.

Il y a ensuite une question importante qui est celle de la nourriture. Si ces nomades ont 400 g de pain par jour, le surplus servi est nettement insuffisant; il leur est distribué une très petite portion de légumes ou autres; le jour de ma visite cette portion aurait tenu sans aucune exagération dans le creux d'une de mes mains.

Je me suis entretenu de la question avec M. le sous-préfet de Châteaubriant à qui je dois rendre hommage de son bon accueil et de son désir de voir s'améliorer le sort de ces pauvres gens.

Mais le sous-préfet qui est très ouvert à toutes ces sortes de questions et qui voudrait que personne ne souffre, m'a mis en relation directe avec M. le lieutenant Moreau commandant du camp de Choisel et du camp de Moisdon-la-Rivière.

A la suite d'un entretien extrêmement courtois avec M. le lieutenant Moreau, j'ai cru comprendre qu'une somme de *11,50 F* par jour et par tête serait allouée par l'Administration sur les frais d'occupation pour subvenir à tous les besoins du camp.

C'est donc que sur ces 11,50 F il y a les frais de P.T.T., de papeterie, d'entretien, etc. qui sont à prélever, si bien qu'à l'heure actuelle, il ne resterait qu'une somme d'environ 6,60 à 7 F par jour et par personne pour la nourriture; si on retire de cette dernière somme environ 2,80 F pour le pain, on est obligé de convenir que le solde reste bien peu élevé pour couvrir les frais de légumes, viande, pâtes, et que fatalement on pourrait être amené à penser que cette somme de 6,50 F à 7 F pourrait être encore diminuée si le camp devait supporter d'autres frais matériels.

M. le lieutenant Moreau a reconnu très loyalement que pour des gens qui ne peuvent pas recevoir de colis, la nourriture est très juste mais que l'Administration fait tout son possible, « ce qui n'est, du reste, contesté par personne ».

M. le lieutenant Moreau a proposé que si le Secours National ou toute autre œuvre de charité comme la Société Saint-Vincent-de-Paul voulait faire quelque chose pour ces nomades en attribuant une somme journalière par tête, il serait tout disposé à recevoir ladite somme pour améliorer l'ordinaire.

Personnellement, j'estime que ce n'est pas à une œuvre charitable privée d'intervenir pour nourrir de pauvres gens, mais c'est à l'Administration d'obtenir une augmentation de crédit journalier accordé par tête.

En conclusion, il apparaît urgent qu'avant de faire toute espèce de choses, l'ordinaire des nomades qui ne peuvent recevoir de colis soit amélioré, la Société Saint-Vincent de Paul ne demandant pas mieux que d'étudier à nouveau cette question avec les représentants de l'Administration si celle-ci le juge nécessaire.

Il en est de même pour le bien et la moralité des enfants en essayant d'obtenir qu'un ordre de religieuses s'en occupe, mais avant tout et pour faire œuvre utile il serait absolument indispensable que l'Administration préfectorale fasse connaître :

1. Si ces nomades doivent rester à Moisdon-la-Rivière encore quelques semaines ou quelques mois; dans ce dernier cas il serait inutile d'entamer des démarches et des frais.

2. Si l'Administration était d'accord pour ouvrir un crédit pour faire une telle œuvre et surtout pour faciliter les moyens de transport et d'aménagement nécessaires.

Compte tenu, comme dit au début de ce rapport, de la mentalité des romanichels avec ses mœurs spéciales, il est absolument nécessaire d'améliorer son sort, surtout de s'occuper des enfants, car on retrouve là le grave problème de l'enfance qui tient tant au cœur du Maréchal.

Je crois comprendre qu'il y a un camp de romanichels dans le Loiret qui serait fort bien organisé.

Nantes, le 10 janvier 1942.
Pour la Société de Saint-Vincent-de-Paul,
Le Président, signé : H. Billot.

*
**

En conclusion, et ce sera le dernier document de ce lourd dossier consacré à un camp de concentration français « ordinaire » réservé aux tsiganes — comme il en existait des dizaines d'autres sur le territoire métropolitain, — la « lettre d'adieu » du sous-préfet de Châteaubriant qui estime « qu'il n'y a pas lieu de modifier l'aménagement ni les règlements actuels du camp » et annonce le transfert des tsiganes pour le nouveau camp de concentration de Montreuil-Bellay qui deviendra suivant l'expression du journaliste Christian Guy : « La capitale de guerre des tsiganes ».

Le 21 janvier 1942.

— Vous avez bien voulu me communiquer deux notes que vous avaient fournies M. Billot et une assistante sociale du Secours National sur le fonctionnement du camp de La Forge en Moisdon-la-Rivière et vous m'avez chargé d'effectuer une enquête afin de savoir s'il y avait lieu d'apporter des modifications à l'aménagement du camp.

L'emplacement choisi par mon prédécesseur pour la création de ce camp occupé autrefois par une usine, actuellement désaffectée, comprend une vaste cour recouverte de scories et des bâtiments en très mauvais état dont la plupart ne possèdent pas de fenêtres.

Ces bâtiments furent aménagés en dortoirs et dès le 11 novembre 1940, des nomades en provenance de la Loire-Inférieure et du Morbihan furent amenés.

Le chef de camp, M. Leclercq, ancien commandant des unités disciplinaires marocaines qui travaillaient pendant la guerre aux mines de Rougé, constata rapidement qu'il était difficile de faire un camp modèle sur l'emplacement de l'ancienne usine de La Forge.

Néanmoins, un certain nombre de travaux sommaires furent entrepris ainsi qu'il ressort des rapports que je vous ai adressés le 6 décembre 1940 et 10 janvier 1941.

En janvier 1941, les P.G. français qui se trouvaient concentrés dans le camp de Châteaubriant furent transférés en Allemagne et le Gefangelenlager de Choisel devint disponible. Vous avez bien voulu à cette époque faire des démarches afin qu'il vous soit remis et transformé en camp de nomades.

Dès mars 1941, le transfert des nomades de Moisdon-la-Rivière à Châteaubriant put avoir lieu et à partir de ce moment-là, les nomades bénéficièrent de conditions de vie plus agréables.

Par la suite, le ministre de l'Intérieur vous demanda de recevoir à Choisel des internés administratifs français, et progressivement ce camp fut transformé en un centre de séjour surveillé pour indésirables français.

A partir· de ce moment, il devenait impossible de conserver côte à côte dans ùn même camp, des nomades internés par application d'une ordonnance allemande (crédits pour frais des troupes d'occupation) et des individus politiques ou indésirables internés par décision administrative française (crédits du ministère de l'Intérieur).

Il fallut donc envisager à nouveau le transfert des nomades de Châteaubriant vers Moisdon-la-Rivière. Mais afin d'éviter les inconvénients graves qui résultaient de l'inconfort total des bâtiments de l'usine désaffectée de La Forge en Moisdon-la-Rivière des travaux d'une certaine importance furent exécutés sur l'emplacement de l'ancien camp.

Un ruisseau qui inondait périodiquement la cour centrale du camp fut contourné et un lavoir aménagé dans la partie haute de ce ruisseau. Des baraques du type « Adrian » furent montées et remplacèrent les anciens dortoirs humides et impossibles à chauffer du premier camp, une cuisine fut aménagée, l'eau potable amenée au centre du camp, un lavabo construit et l'électricité montée dans les baraques.

Certes, il serait possible d'améliorer encore ce camp. Pour l'instant il n'y a pas de système de douches et l'enseignement scolaire des nombreux enfants qui s'y trouvent n'a pu encore fonctionner. Mais, dès maintenant, et contrairement au rapport de l'assistante sociale, déléguée du Secours National, les internés disposent de dortoirs chauffés et aérés munis de lits de bois du modèle de ceux qui servent aux P.G. français, d'une paillasse, d'un sac de couchage et de deux couvertures.

Les nomades sont, sans aucun doute, sales et déguenillés, mais ils ont les moyens matériels de se laver et des vêtements en nombre suffisant ont été mis à leur disposition.

Leur état de santé est bon depuis leur retour du camp de Moisdon, il n'y a eu que deux décès d'enfants en bas-âge. Les certificats médicaux prouvent que leur mort n'est pas due aux conditions d'existence du camp. Dès qu'un malade contagieux est décelé par le médecin, le malade est immédiatement transféré dans un hôpital, c'est-à-dire qu'il n'y a pas de tuberculeux.

En ce qui concerne la nourriture, elle est identique à celle du camp d'internés politiques de Châteaubriant et conforme aux règlements économiques actuels.

J'ai cependant prescrit une augmentation sensible des rations de légumes, de telle sorte que les repas sont actuellement abondants.

J'estime donc qu'il n'y a pas lieu de modifier l'aménagement ni le règlement actuels du camp.

Si des travaux plus importants ne sont pas entrepris, c'est que des pourparlers sont entamés avec le préfet du Maine-et-Loire dans le but de transférer le camp de nomades de la Loire-Inférieure à Montreuil-Bellay.

Selon une récente communication téléphonique que j'ai eue de M. Lachaze, directeur du Cabinet du préfet régional, ce transfert pourrait avoir lieu vers le 15 février 1942.

Le Sous-Préfet.

*
**

MONTREUIL-BELLAY
(Maine-et-Loire)

Sur ce camp de concentration de « regroupement », Raoul Bazin, le correspondant départemental de la commission d'Histoire de la Deuxième Guerre mondiale, a préparé une étude complète, quelques années après la fin de la Seconde Guerre mondiale. Ce travail n'a jamais été publié.

— Montreuil-Bellay est une petite ville chef-lieu de canton de 3 400 habitants qui se trouve au sud-est du département de Maine-et-Loire à 17 kilomètres au sud de Saumur.

— En 1939, la Direction des Services de l'Intendance avait projeté de faire construire au sud de cette ville, et entre la Route nationale n° 76 Angers-Poitiers par Loudun et la ligne de chemin de fer Angers-Poitiers, un dépôt de chargement d'obus. Les travaux commencés en 1939 furent arrêtés en 1940.

— Les baraquements existant abritèrent d'abord des Espagnols. Ceux-ci avaient appartenu aux troupes républicaines espagnoles désarmées au passage de la frontière française. Ils avaient été internés au camp de Gurs. Ils devaient constituer la première main-d'œuvre que se proposait d'employer l'intendance militaire. Ce dépôt de chargement d'obus ne fonctionna pas et les Espagnols se replièrent vers le sud avant l'arrivée des troupes allemandes en 1940.

— Dès le début de l'occupation, les Allemands installèrent un centre de prisonniers français. En fait ce furent des troupes coloniales qui séjournèrent là jusqu'en 1941. Les Allemands avaient complété l'organisation du camp en créant des baraquements, et en les ceinturant de barbelés.

— Vers novembre 1941, le camp fut laissé à la disposition de l'Administration française et devait servir, jusqu'en 1945, de camp destiné à recevoir les nomades de nombreux départements de l'ouest et du sud-ouest de la France. Le 1er janvier 1945, le camp de nomades fut dissous. Une grande partie des internés (tous ceux qui justifiaient d'un domicile fixe) furent libérés. Les autres furent dirigés sur les camps de Pithiviers et de Jargeau (Loiret).

— Le 20 janvier 1945, des internés civils allemands et lorrains venant des camps de Struthof et de Strasbourg arrivèrent à Montreuil-Bellay escortés par des militaires du 131e R.I. et des F.F.I. de la région de Troyes. Au nombre de 796 (105 femmes, 620 femmes, 71 enfants), ils restèrent là jusqu'au début de l'année 1946.

— Dans le cadre du décret du 6 avril 1940, le préfet de Maine-et-Loire prenait un arrêté enjoignant aux nomades qui se trouveraient sur le territoire du département à la date de la publication de l'arrêté, d'avoir à se présenter aux brigades de gendarmerie ou commissariats les plus proches. Ils devaient être astreints à se rendre dans la commune des Rairies (40 km nord-est d'Angers).

— En Maine-et-Loire, un nombre relativement restreint de nomades se groupa « aux Rairies ». Il ne semble pas que l'Administration municipale locale ait eu à ce sujet des difficultés majeures. D'ailleurs l'invasion allemande de mai-juin 1940 empêcha la mise en application de l'arrêté préfectoral.

— Les autorités allemandes d'occupation ne devaient pas tarder, après leur installation dans notre pays, à édicter un règlement visant les nomades. En effet au « Vobif » n° 19 du 7 décembre 1940 était publié l'ordonnance du 22 novembre 1940 « concernant l'exercice des professions ambulantes ».

— Mais alors que les textes réglementaires français d'avril 1940 ne concernaient que les nomades — individus français ou étrangers sans résidence fixe et n'exerçant aucune profession définie — l'ordonnance du « Militärbefchlshaber in Frankreich » interdisait aux marchands ambulants — individus français ou étrangers possédant en France une résidence fixe, exerçant une profession ambulante ou forains — individus français n'ayant pas de résidence fixe et exerçant une profession foraine — et aux nomades :

— « L'interdiction de l'exercice des professions ambulantes » dans vingt et un départements occupés français, dont le Maine-et-Loire.

— Dans une circulaire aux préfets du 23 janvier 1941, le « ministre secrétaire d'Etat à la Production industrielle et au Travail » soulignait les difficultés que la récente réglementation allemande risquait de provoquer, surtout en ce qui concerne les ambulants. Il recommandait aux préfets de demander aux Allemands des autorisations individuelles d'exercer, pour les marchands ambulants :

« L'obtention de ces autorisations individuelles paraît indispensable, notamment pour le ravitaillement de nos villages qui est effectué la plupart du temps par des ambulants...

« Ce mode de ravitaillement existe surtout en matière de denrées alimentaires et de commerce de vêtements et articles de bazar. »

— Dans le cas où ces autorisations seraient refusées, les préfets devaient, dans l'esprit de la circulaire, favoriser l'installation en boutique des marchands ambulants. Pour ce qui est des nomades, « l'application de l'ordonnance ne soulève pas de difficultés », disait la circulaire. Elle ajoutait :

— « Les forains représentent une catégorie beaucoup plus intéressante. Toutefois, il paraît difficile d'obtenir des Allemands, qui, sans doute, redoutent l'espionnage, qu'ils laissent circuler des individus qui n'ont pas de domicile fixe. »

— C'est dans ces conditions que les autorités allemandes d'occupation se sont préoccupées ou cours des mois d'octobre et début novembre 1941, de rassembler les nomades dans de vastes camps de concentration.

— Il existait effectivement, dans la plupart des départements. des camps où étaient assemblés des nomades. En créant le camp de Montreuil-Bellay, les Allemands appliquaient un plan de réorganisation d'ensemble des camps.

— Dans une note du 11 novembre 1941 adressée au préfet, délégué du ministre de l'Intérieur dans les Territoires occupés, le préfet de Maine-et-Loire faisant allusion à des renseignements obtenus auprès d'une haute personnalité allemande du District B, écrivait :

— « La réorganisation des camps... aurait pour double but d'éviter d'une part la co-habitation dans un même camp d'internés d'origine différente, d'autre part, de réduire autant que possible les effectifs de garde immobilisés dans ces camps.

« Ce résultat serait obtenu par la création des grands camps qui se substitueraient aux camps existants à ce jour, dont le grand nombre multiplie les besoins en personnel et en matériel.

« C'est ainsi que le camp de Montreuil-Bellay serait destiné à devenir un grand camp où ne seraient rassemblés que des nomades.

« Par contre, le camp de Châteaubriant serait appelé à ne recevoir que des internés politiques. »

— C'est donc le 8 novembre que le camp de Montreuil-Bellay fut remis officiellement par le maire aux différents services chargés de la gestion. Un premier convoi de 265 nomades provenant du camp de La Morennerie (Indre-et-Loire) s'installa le jour même.

— Dans les conclusions du rapport qu'il adressait le 16 novembre au préfet de Maine-et-Loire, le sous-préfet de Saumur se montrait satisfait de l'organisation du camp. Après avoir signalé la carence de l'intendance, il insistait toutefois sur l'état de santé des internés.

a) les nourrissons sont en assez bon état,

b) les enfants au-dessus de 3 ans sont très amaigris...

c) les femmes enceintes (3 à 5 et 7 à 8 mois) sont très anémiées,

d) les jeunes mères ont un état physique déficient.

— Le linge, les vêtements et les chaussures sont pour la plupart inexistants.

— Il n'y a pas de layette pour les petits...

— Au début. de décembre 1941, 212 personnes venant du Finistère arrivaient au camp de Montreuil. Le sous-préfet se plaint des « conditions lamentables du transfert ». « Beaucoup de gens n'ont pas de couvertures, pas d'ustensiles de cuisine. » De plus, 28 forains sont transférés, qui ont un domicile fixe. Le lieutenant de gendarmerie commandant la section de Quimperlé se plaint également de ce que « nombre de personnes n'entraient pas dans le cas prévu d'internement ». Sur ce point, il semble que ces mesures de rassemblement des nomades au camp de Montreuil-Bellay, imposées par les autorités allemandes, aient manqué d'unité de doctrine.

— Suivant les départements, les officiers d'administration allemands se sont montrés plus ou moins rigides ne sachant pas faire la différence entre les nomades, les forains et les ambulants. Il apparaît qu'étaient visés tous les nomades et parmi les ambulants, uniquement ceux qui sont « considérés au point de vue de la race comme étant des tsiganes ». C'est ce qui ressort d'une note adressée par le Feldkommandant de Tours à M. le Préfet de Maine-et-Loire.

— « Dans le camp de concentration de Montreuil-Bellay il se trouverait avec les tsiganes des familles qui ont exercé le métier de marchands ambulants et auraient été expulsées comme nomades de la zone côtière.

— « Au cas où ces marchands ne devraient pas être considérés au point de la race comme étant des tsiganes, ils peuvent sur demande, être libérés du camp. La condition est toutefois que les intéressés aient un domicile fixe d'où ils sont soumis par les autorités françaises à l'obligation de se déclarer. »

— Le préfet du Finistère écrivait de son côté :

— « A la suite d'ordres formels de l'autorité allemande, j'ai été appelé en décembre 1941 à faire transporter hors de mon département les individus sans domicile fixe, nomades et forains, ayant le type romani... Ces personnes ont été internées à Montreuil-Bellay. »

— L'effectif au 19 décembre 1941 se répartissait comme suit :
— Nomades 229
— Forains 210
— Internés pour mesures administratives. 9
— Prostituées 3

On peut voir quelle promiscuité pouvait exister dans le camp.

— A Montreuil-Bellay, le nombre des internés augmentait rapidement. Le 2 janvier 1942, ils étaient 418. En avril 1942, les camps de nomades de Mulsanne et Coudrecieux dans la Sarthe étaient dissous et transférés à Montreuil-Bellay. Il y avait parmi les nouveaux arrivants :

— Hommes 214
— Femmes 187
— Enfants 323

— L'effectif du camp atteignait alors 1 026 personnes (la capacité du camp était de 1 000 personnes).

Le 2 août 1942, la population détenue au camp se répartissait ainsi par nationalités :

Français 563
Belges 38
Portugais 7
Espagnols 4
Suisses 3
Luxembourgeois 1

Indéterminés 98

Total : 714

— Le 9 octobre 1942, l'effectif du camp de Barenton dans la Manche (35 personnes) était transféré à Montreuil-Bellay.

— Au cours des années 1943 et 1944, les nomades provenant des camps de Moisdon-la-Rivière (Loire-Inférieure), Monthléry (Seine-et-Oise), Poitiers (Vienne), séjournèrent au camp de Montreuil-Bellay.

— Il en vint aussi des départements des Deux-Sèvres, de la Vendée, de la Gironde, de l'Ille-et-Vilaine.

— L'effectif du camp subit des variations constantes. En effet, comme il a été dit plus haut, une fantaisie certaines présida trop souvent aux véritables arrestations dont furent victimes, en particulier, de nombreux forains qui pouvaient justifier d'une résidence. Aussi on relevait fréquemment des « libérations » importantes.

19 le 28 novembre 1942
55 le 12 décembre 1942
14 le 29 janvier 1943
66 le 19 juillet 1943,   etc.

— D'ailleurs l'effectif du camp n'était plus, le 4 octobre 1943, que de 408.

— Au sujet des « libérations », l'Administration préfectorale était assaillie de demandes. Comme toujours, dans des circonstances difficiles, il y eut des individus pour tirer parti de la situation. C'est ainsi qu'un avocat du Mans s'était spécialisé dans les « élargissements de détenus ». De connivence avec un gardien du camp, il réclamait de sérieuses provisions et n'intervenait qu'à coup sûr.

— Les autorités allemandes s'intéressèrent à la marche du camp. Outre les nombreuses demandes d'interventions que sollicitaient des internés ou des parents et amis d'internés — demandes qui faisaient l'objet de correspondance avec la préfecture, des officiers allemands passaient périodiquement au camp de Montreuil. C'est ainsi que le 19 juillet 1942, cinq officiers procédèrent à une rapide inspection.

— Le 4 avril 1943, un général allemand accompagné de cinq officiers supérieurs vint examiner les possibilités de porter l'effectif des internés à 1 500. Il donna des instructions pour désinfecter et blanchir les baraquements non occupés indiquant qu'il ferait supprimer, si besoin était, les écoles fonctionnant dans le camp. En réalité, les effectifs, alors de 730, ne furent plus jamais dépassés.

— L'entretien des camps de séjour surveillé provoqua entre l'Administration française à l'échelon départemental et national et l'Administration militaire allemande de nombreuses controverses. Il s'agissait de savoir qui devait payer le matériel du camp et la nourriture des internés.

— La question fut tranchée par une note émanant du colonel chef de la Feldkommandantur en date du 5 mars 1942 qui disait :

— « Le commandant militaire en France a décidé, par arrêté du 11 février 1942 :

— « La surveillance des nomades est une mesure politique qui incombe à l'Administration française. C'est pourquoi les frais d'internement des nomades sont à la charge de l'Administration française en tant que mesures de police prises par l'Etat français et ceci également quand l'internement a lieu sur ordonnance des Services allemands. »

— Ces dépenses étaient assez élevées. Voici les prévisions, telles qu'elles étaient établies pour le premier trimestre 1942 et pour 500 personnes :

Personnel salaires	50 000 F
Personnel indemnités	15 000 F
Aménagement intérieur	200 000 F
Hébergement des internés	540 000 F
Transports	16 000 F
Total :	821 000 F

— Les camps d'internement étaient fréquemment inspectés par des fonctionnaires français de divers services. Les préfets de Maine-et-Loire et plus fréquemment sous-préfets de Saumur se rendirent souvent à Montreuil-Bellay. L'inspection des camps, l'inspection générale de la santé procédèrent à plusieurs reprises à des inspections qui se matérialisaient par de longs et détaillés rapports.

— Des lettres contenant des accusations plus ou moins justifiées sur la vie dans le camp furent adressées au préfet du département et même « préfet délégué du ministre secrétaire d'Etat à l'Intérieur pour la zone occupée ». L'une d'elles motiva une réponse du préfet de Maine-et-Loire le 5 octobre 1942 qui donne des précisions sur l'organisation du camp.

I. — CONDITIONS D'HYGIÈNE.

— « Depuis le mois de novembre 1941, ont été installées deux salles à usage de lavabos. Dans la première, qui dessert la partie basse du camp, la moins peuplée, existe une rampe à eau, avec quarante postes d'ablutions. La deuxième, dans la partie haute du camp, compte quatre-vingts postes d'eau. La pénurie d'appareils sanitaires ne m'a pas encore permis de faire installer un lavabo dans chacun des trente-deux bâtiments du camp.

— « Un service de douches existe également, malheureusement insuffisant puisqu'il n'y a pas de chaudière pour l'alimenter en eau chaude. Dans ce but, je vais m'efforcer, une fois de plus, d'obtenir la monnaie matière nécessaire à l'acquisition d'une chaudière.

— « Une buanderie, avec trois chaudières de cent cinquante à deux cents litres, permet le lavage du linge à l'eau chaude et est largement utilisée à la satisfaction générale. Depuis l'augmentation des effectifs consécutifs à la réception des internés de Mulsanne, il a été prévu une installation double et c'est six chaudières qui seront incessamment en service.

— « Enfin, j'ai pu obtenir une étuve dont certains accessoires manquants ont pu être remplacés avec bien des difficultés et qui permet, depuis un certain temps déjà, des désinfections efficaces.

— « Un local est en outre spécialement affecté aux opérations de nettoyage et d'épouillage et des tournées de surveillance ont lieu chaque semaine dans les baraquements.

— « Certes, certains internés, notamment parmi les isolés venant de Mulsanne, ont encore des parasites et quelques cas de gale sont à signaler. Mais tout traitement n'est vraiment efficace que s'il est possible de procurer à chaque individu traité des vêtements de rechange. Or, mes appels réitérés au Secours National et aux autres œuvres ne m'ont permis, jusqu'à présent, de recueillir que des quantités de linge absolument insuffisantes. Une nouvelle demande va être tentée à ce sujet.

— « Les critiques formulées quant à l'hygiène du camp paraissent donc quelque peu excessives et, s'il serait par trop optimiste de prétendre que tout y est pour le mieux, il faut reconnaître qu'un gros effort a été fait et d'heureux résultats obtenus, malgré les difficultés de découvrir, sans bons-matières, les matériaux et appareils nécessaires.

II. — ALIMENTATION.

— « Les internés sont soumis au régime de la carte d'alimentation et reçoivent la totalité des denrées contingentées auxquelles ils peuvent prétendre suivant la catégorie dans laquelle ils sont inscrits. En particulier, ils n'ont jamais manqué de matières grasses. Pour les pâtes et les légumes secs, ils n'ont, bien entendu, que les quantités mises à la disposition du camp par l'intendance, puique ces denrées ne font actuellement l'objet d'aucune attribution de tickets, les pâtes devant être prélevées sur les cartes de pain et les légumes secs étant bloqués durant la belle saison.

— « En ce qui concerne les denrées non contingentées, la difficulté maîtresse reste dans le transport, car c'est par wagons qu'elles doivent être acheminées, et le matériel roulant est difficile à obtenir. En vue de remédier à cet état de fait, et pour permettre l'approvisionnement dans les villes voisines (Doué-la-Fontaine, Saumur, etc.), j'ai envisagé l'acquisition d'un fourgon de deux ou trois tonnes fonctionnant au gazogène.

— « On peut affirmer, nonobstant ces difficultés, qu'il est inexact de prétendre les internés dangereusement sous-alimentés. En tout état de cause il est absolument faux que des cas de scorbut se soient déclarés, à moins qu'une infirmière novice n'ait assimilé à cette dangereuse maladie trois cas de gingivo-stomatite, affection dentaire qui a été soignée en vingt-quatre heures.

III. — ETAT SANITAIRE.

— « Le service médical du camp qui comporte, entre autres, un service de consultations journalières et un service de consultations spécialisées, n'a pu dépister un seul cas de tuberculose aiguë. Seule, une internée revenue récemment de l'hôpital d'Angers, où elle a passé deux mois dans le service du docteur Denechaud pour pleurésie, fait l'objet d'une information particulière.

— « Quant aux cas de décès qui se sont produits récemment, ils ont porté sur trois internés, d'ailleurs âgés, et sont dus, le premier à l'usure, le deuxième à une néphrite aiguë, le troisième à un infarctus du myocarde.

— « Avant l'arrivée des internés de Mulsanne, trois décès avaient été enregistrés en neuf mois, malgré les rigueurs de l'hiver dans des baraquements où la pénurie de combustible pouvait paraître redoutable.

IV. — SITUATION SCOLAIRE.

— « La situation scolaire est plus difficile. Au point de vue des locaux et du matériel j'ai fait le nécessaire dès la fondation du camp et les écoles aménagées pourront fonctionner normalement dès que j'aurai obtenu de l'Inspection académique le personnel enseignant suffisant. Je pense arriver prochainement à un résultat satisfaisant en ce domaine. Mais il ne faut pas perdre de vue que le service imposé à ces fonctionnaires est un service très spécial particulièrement pénible.

V. — LOGEMENT DES INTERNES.

— « Quant à la répartition des familles dans les baraquements, il ne faut pas perdre de vue qu'il s'agit essentiellement de nomades accoutumées à vivre en tribus et dans des roulottes. Ce sont donc des tribus entières comprenant plusieurs familles, au sens où nous l'entendons, qui sont réunies et la situation morale ainsi créée est si peu grave qu'il n'y a pas eu une seule fille-mère depuis l'installation du camp car ces nomades considèrent comme ayant leur pleine valeur, même si elles ne sont pas consacrées par le mariage civil, les unions qu'ils contractent selon leurs rites. En fait, les scènes regrettables sont inexistantes et il a été tenu compte des groupements familiaux lors de la répartition des locaux.

— « D'ailleurs le nombre de baraquements ne permet pas une autre répartition et c'est sans succès que j'ai fait une tentative pour constituer des dortoirs de jeunes gens et de jeunes filles ne pouvant trouver parmi eux du personnel masculin et féminin ayant assez d'autorité pour assurer la surveillance durant la nuit, tandis que le chef de tribu détient précisément cette autorité.

VI. — LIBÉRATION DES FORAINS.

— « Leur situation particulière ne m'avait nullement échappé et cette critique n'est pas moins exagérée puisque j'ai fait constituer leurs dossiers de demande de libération et que j'ai pu procéder au relâchement de deux cent quarante internés de cette catégorie sur la population primitive globale du camp qui était alors de l'ordre de cinq cents.

— « Les quelques unités encore au camp, ou bien ont fait l'objet de refus des autorités administratives du lieu de leur domicile situé en zone côtière interdite, ou bien sont des sujets peu intéressants, à casier judiciaire chargé. Pour les autres, les libérés, il s'agissait de marchands forains pris au cours d'une rafle avec une inconcevable légèreté, dans certains départements côtiers notamment, par une gendarmerie manquant de discernement, qui ne leur avait pas laissé seulement le temps d'emporter de quoi se couvrir. Mais ils sont libérés depuis déjà des mois.

— « En conclusion, je crois que les efforts déployés sans compter, en vue de l'organisation d'un centre qui avait été pillé en 1940 et plus tard, parmi les difficultés de recrutement du personnel nécessaire (celui-ci n'a pu, les services du ministère de l'Intérieur et ceux des Réquisitions s'en rejetant mutuellement la charge financière, être payé avant la fin d'avril 1942, six mois après son entrée en fonctions) de se procurer le matériel et les matériaux indispensables, ont abouti sinon à la création du confort, du moins à rendre le camp habitable et supportable.

Le 11 mars 1943, le docteur Coulon, inspecteur général de la Santé, rendait compte de son inspection de la façon suivante :

11 mars 1943
CAMP DE NOMADES DE MONTREUIL-BELLAY
(Maine-et-Loire)

— « Ce camp a déjà fait l'objet d'une inspection, il y a un an, de la part du docteur Aujaleu, inspecteur général de la Santé et de l'Assistance qui a rédigé un rapport en date du 11 mars 1942.

— « A la date de ma visite, le 11 mars 1943, l'effectif nominal du camp était de 738, dont seulement 668 étaient présents au camp, le reste se répartissant ainsi :

Hospices : 60 (vieillards, infirmes et malades).

Détachés : 6.

Prison : 4.

— « Les 628 internés présents au camp se répartissent ainsi :

125 de 0 à 6 ans.

157 de 6 à 14 ans.

346 de 14 ans et plus.

I. — LOGEMENT.

— « Le camp comporte des baraques de deux types : les unes en fibro-ciment à double paroi, d'une capacité de 40 personnes, les autres en dur peuvent recevoir 80 personnes. Les baraques du premier type hébergent les nomades de race tsigane, les autres, les nomades et forains d'origine française. La capacité d'hébergement du camp étant supérieure à son effectif actuel, les baraques n'abritent jamais l'effectif maximum qu'elles pourraient héberger, il n'y a donc pas d'encombrement, ce qui est important étant donné que les nomades vivent par familles dans les baraques.

— « Chez les tsiganes, il n'y a plus de châlits, ceux-ci ont été détruits et brûlés par les occupants des baraques; chez les nomades français, les châlits existent encore pour la plupart : ce sont des châlits à deux étages, mais seul l'étage inférieur est utilisé actuellement.

— « Dans l'ensemble, les baraques occupées par les tsiganes sont sales : celles occupées par les nomades français le sont un peu moins.

II. — HABILLEMENT.

— « Rien de particulier à signaler, les romanichels sont vêtus de haillons. Un effort sérieux a été fait pour doter les enfants de sabots ou chaussures.

III. — ALIMENTATION.

— « Un très gros effort a été fait depuis environ six semaines à la suite des instructions précises données par M. Daguerre, préfet délégué du Maine-et-Loire, et depuis que le nouveau sous-préfet de Saumur, M. Trameau veille personnellement à leur exécution. Au cours de la période du 28 février au 6 mars, le calcul du pouvoir énergétique des rations alimentaires, d'après l'état des denrées utilisées, donne une moyenne journalière de 1837 calories pour les adultes. La proportion des différents éléments nutritifs, protéines, lipides et glucides est acceptable. Le défaut de vitamines peut aisément être amendé en utilisant crus, en salade, une partie des légumes, tels que choux, carottes ou rutabagas.

— « L'alimentation est donc actuellement satisfaisante, sous réserve que toutes les denrées figurant sur l'état aient bien été effectivement utilisées pour les internés.

— « Les enfants, comme l'avait conseillé le docteur Aujaleu, sont nourris à part, dans un baraquement. Ils bénéficient ainsi intégralement des suppléments (sucre, chocolat, lait) qui leurs sont attribués. Cette espèce de crèche est gérée par trois religieuses très dévouées.

Nous remarquerons plus loin, dans l'étude de l'état sanitaire, la très faible proportion de décès d'enfants.

IV. — MATIÈRES USÉES.

— « Depuis la dernière inspection du docteur Aujaleu, un gros progrès a été réalisé : les tranchées feuillées sont remplacées, ou en voie de remplacement, par des cabinets à plusieurs places édifiés en dur et désinfectés régulièrement au chlorure de chaux. Le service d'ordre du camp veille avec efficacité à ce que seules ces latrines soient utilisées.

V. — Hygiène corporelle - désinfection - désinsectisation.

— « Les internés disposent de lavabos couverts annexés à la buanderie.

— « Les romanichels sont très sales, ce qui n'est pas pour surprendre étant donné leurs habitudes ancestrales. Cependant, la lutte contre les poux a donné des résultats partiels. La tonte générale des enfants et des pouilleux réfractaires à l'épouillage, préconisée par le docteur Aujaleu n'a pas été réalisée. Il faut cependant arriver à un résultat total qu'il est indispensable d'obtenir, ne serait-ce qu'en vue de la prophylaxie du typhus.

— « Le dispositif de douches ne permet que les douches froides, il est donc à peu près inutilisable, et en fait inutilisé.

— « Il existe au camp une très bonne étuve à désinfection par la vapeur d'eau sous pression, de grande contenance et parfaitement adaptée aux besoins.

VI. — Etat sanitaire.

— « En raison de la mortalité observée au camp, le service médical qui était assuré à tour de rôle par des médecins praticiens de Montreuil-Bellay a été confié depuis septembre à un médecin attaché spécialement au camp, le docteur Du Pasquier, assisté de trois infirmières.

— « Une baraque est utilisée comme dispensaire de soins, deux autres servent d'infirmerie-hôpital.

— « Les vaccinations ont été réalisées normalement.

— « La mortalité a été très élevée au camp ces derniers mois. On y enregistre du 1er août au 22 février, 67 décès :

   3 décès en août.
   7 décès en septembre.
  18 décès en octobre
  14 décès en novembre.
   7 décès en décembre.
  10 décès en janvier.
   8 décès en février.

— « Voici l'âge des décédés :

Au-dessus de 70 ans 5
Entre 60 et 70 ans 15

Entre 50 et 60 ans 21
Entre 40 et 50 ans 14
Entre 30 et 40 ans 4
Entre 20 et 30 ans 2
Entre 10 et 20 ans 0
Entre 1 et 10 ans 3
Moins de 1 an 3

— « La mortalité a donc été d'environ 8 pour 100 de l'effectif et encore en ne considérant qu'une période de sept mois. Nous remarquerons que la mortalité infantile ne représente qu'une très faible part (4,5 %) de la mortalité générale, le contingent le plus élevé des décès s'observe de 45 à 65 ans.

— « On ne relève pas de maladies contagieuses épidémiques, comme cause de ces décès. Les diagnostics les plus divers et les plus imprécis sont mentionnés, mais la cause déterminante paraît bien se trouver dans le régime fortement déficitaire et carencé qui fut celui des internés avant qu'ait été récemment réalisée une amélioration importante de leur alimentation. Il faut signaler que les nomades internés de Montreuil-Bellay ne reçoivent pratiquement pas de colis d'approvisionnement alors que ceux-ci constituent dans d'autres camps un sérieux appoint alimentaire.

— « L'examen des documents qui nous ont été présentés, montre qu'une grande partie de ces décès ont eu lieu au camp même et non dans les hôpitaux comme il eût été normal.

Décédés au camp de Montreuil-Bellay .. 48
Décédés à l'hôpital de Saumur 15
Décédés à l'hôpital d'Angers 3
Décédés à l'hôpital du Mans 1

— « Quand on a vu l'équipement sommaire du baraquement tenant lieu d'infirmerie-hôpital, où n'existe pas de garde de nuit, aucune des infirmières n'assurant ce service, il apparaît comme inadmissible que l'on y conserve des malades dont l'état est grave. Ces malades doivent être évacués sur les hôpitaux de rattachement du camp, les décès survenant au camp même devant être tout à fait exceptionnels.

— « Nous en avons fait l'observation à la fois au directeur du camp et au médecin du camp. Il apparaît que ce dernier a été souvent surpris par des décès qu'il n'avait pas prévus. Il argue pour expliquer ce fait, que l'état de moindre résistance des sujets qu'il a traités est à l'origine, sinon de cas de mort subite, tout au moins d'évolution terminale mortelle très rapide des maladies. D'autre part, il prétend que la quantité d'essence allouée au camp ne permet pas les évacuations nécessaires vers les hôpitaux, il reconnaît toutefois que la plupart du temps, il n'a pas demandé ces évacuations au directeur du camp.

— « Il est évident qu'en l'occurrence, chacun doit prendre ses responsabilités, le médecin du camp doit demander les évacuations nécessaires au chef du camp, celui-ci les réalise ou non suivant ses possibilités.

— « D'autre part, l'hôpital voisin de Saumur, où se rend normalement la camionnette du camp, se refuse à prendre les malades au-delà d'un contingent qu'il a fixé à 20 lits.

— « Pour évacuer les malades sur l'hôpital d'Angers qui les prend sans difficulté, la distance à couvrir est de 120 km aller et retour, ce qui implique évidemment une dépense d'essence incompatible avec les possibilités du camp.

— « Si le contingent global de 20 lits fixé par l'hôpital de Saumur est à peu près acceptable, il n'en est pas moins vrai que la catégorisation imposée le réduit en fait à un taux beaucoup trop faible.

— « Nous avons visité l'hôpital de Saumur pour nous rendre compte de sa capacité hospitalière disponible. L'hôpital de Saumur est un bâtiment ancien mais admirablement tenu au point de vue propreté par la communauté qui constitue son personnel hospitalier. On conçoit aisément que les religieuses jugent volontiers indésirable la clientèle des nomades sales et indisciplinés du camp de Montreuil-Bellay.

— « La capacité hospitalière disponible de l'hôpital-hospice de Saumur était, au moment de notre visite, de 121 lits. « Elle permettait donc d'hospitaliser facilement les malades graves du camp de Montreuil-Bellay. Aussi M. le préfet délégué du Maine-et-Loire, à qui nous avons signalé cette situation, a-t-il pris immédiatement toutes les dispositions nécessaires pour que soit assurée, dans tous les cas, l'évacuation sur l'hôpital de Saumur, et si nécessaire secondairement sur Angers, de tous les malades graves du camp de Montreuil-Bellay.

CONCLUSIONS.

— « Nous ne reviendrons pas sur les considérations générales qu'a déjà formulées dans son rapport précédent le docteur Aujaleu. Nous signalerons que la plupart des améliorations qu'il avait préconisées ont pu être réalisées. C'est ainsi notamment :

— « 1. que l'alimentation séparée des enfants dans la crèche tenue par les religieuses a été réalisée, et que comme conséquence directe, la mortalité infantile a été faible et que l'aspect général des enfants est satisfaisant;

— « 2. que par suite de l'occupation de la totalité du camp, seul l'étage inférieur des châlits est utilisé (là où ils n'ont pas été brûlés comme dans la section occupée par les tsiganes);

— « 3. que le nombre des couvertures est actuellement suffisant;

— « 4. que des latrines ont été aménagées, ou sont en cours de l'être suivant les indications données précédemment;

— « 5. que les vaccinations ont été effectuées.

— « Par contre, il resterait à réaliser l'équipement des douches de façon à permettre leur utilisation effective. Il est absolument nécessaire d'autre part, de parfaire l'épouillage et de tondre les enfants et les adultes trop parasités.

— « La cause déterminante de la forte mortalité observée de septembre à février paraît bien devoir être l'alimentation insuffisante en quantité et en qualité qui fut celle du camp à ce moment. Les efforts énergiques du préfet délégué et du sous-préfet de Saumur ont redressé la situation et nous pouvons espérer un abaissement important du taux de la mortalité, aussi bien depuis le 1er mars, on n'a enregistré qu'un seul décès.

— « La question de l'hospitalisation des malades graves a été également réglée immédiatement.

Docteur COULON
Inspecteur général de la Santé
et de l'Assistance.

— En ce qui concerne le travail à l'intérieur du camp, il semble qu'il n'ait jamais été possible de soumettre les nomades à une occupation régulière.

— En 1942, le directeur tenta d'occuper des internés à faire des filets. Le 27 mars de cette même année, ils refusèrent de se rendre à leur travail prétextant qu'ils étaient mal nourris. Ils reprirent leur tâche par la suite mais sans grande conviction.

— En 1943, une cinquantaine d'hommes travaillèrent pour le compte des Allemands à la mise en état du terrain d'aviation de Saumur.

— En dehors de cela, hommes et femmes étaient presque uniquement occupés à des corvées dans le camp.

— Pour les enfants, trois classes fonctionnèrent, des instituteurs publics ayant été détachés. Ces maîtres connurent d'ailleurs des difficultés considérables en raison surtout de la différence du niveau des connaissances scolaires des élèves.

— En juillet 1944, la vie au camp d'internés de Montreuil-Bellay devint précaire. En raison de la situation (entre une route et une voie ferrée), de fréquentes attaques aériennes se produisirent les 4, 6, 7, 10 juillet 1944. Mitraillages et bombardements firent vingt et unes victimes dont deux tués, cinq blessés graves, quatorze blessés légers. La surveillance devint quasi impossible. A chaque alerte, hommes, femmes et enfants se ruaient sur les réseaux de barbelés entourant le camp. Dans un rapport à l'inspection générale des camps, le préfet régional écrivait le 15 juillet :

— « En tout état de cause il paraît impossible de conserver plus longtemps les 700 nomades installés et qui, pour 500 environ, se composent de femmes et d'enfants. »

— Le 10 juillet 1944, le docteur du centre de séjour surveillé écrivait :

— « Le centre présente depuis plusieurs jours un aspect lamentable. Les baraquements sont pour la plupart en très mauvais état, le réseau est en partie transformé en passoire, le matériel de couchage et de cuisine disparaît avec les internés...

— « Ce matin le camp est complètement désert, il n'est plus possible de prévoir la nourriture nécessaire pour les repas, les internés préfèrent s'en passer plutôt que de se rendre à la cuisine et par crainte de rester au camp. »

— Le 8 juillet, le capitaine Viala commandant la section de gendarmerie de Saumur rappelle qu'en raison des bombardements, les internés se tiennent prêts à franchir les réseaux de barbelés, deux ou trois fois par jour à chaque alerte, les internés se répandent dans la campagne créant des difficultés à la gendarmerie.

« D'autre part, dit le rapport, il y a lieu de souligner que chaque départ massif d'internés se solde par un certain nombre d'évasions et qu'à l'heure actuelle une centaine d'entre eux doivent être considérés comme évadés définitifs. »

— Effectivement en octobre 1944 — 210 internés s'étaient évadés du camp de séjour surveillé de Montreuil-Bellay, 511 personnes restaient, ne se livrant à aucun travail. L'état du camp était assez précaire, le directeur avait été obligé de supprimer les lits, les nomades les brûlant pour se chauffer.

— En janvier 1945, 302 furent dirigés sur le centre de Jargeau près d'Orléans, 54 sur le camp des Alliers près d'Angoulême,

172 furent remis en liberté. La liste des libérés avait été établie par le directeur du camp. Avis de ces libérations avaient été donnés aux préfets intéressés.

— « Les nomades qui, durant leur séjour au camp, n'avaient jamais respecté le matériel ont commis de sévères déprédations à leur libération — des planches de parquet ont été arrachées pour faire du feu, des carreaux cassés, des portes et installations électriques démolies. Enfin les baraques ont été laissées excessivement sales. »

*
**

COUDRECIEUX (Sarthe)

— Fin août [1] 1940, à la demande des Allemands, un camp pour les nomades est établi à Coudrecieux (à une trentaine de kilomètres à l'est du Mans), dans l'ancienne verrerie de La Pierre. On avait d'abord pensé rassembler les « bohémiens » dans les baraques de bois alors inoccupées construites en bordure de l'étang de Sillé-le-Guillaume. Puis après quelques hésitations, on finit par choisir les bâtiments de La Pierre. Presque tous les internés habitent des constructions en dur; un petit nombre seulement, 29 sur 167, le 18 janvier 1941, vivent dans les roulottes qu'ils ont amenées.

— Certains ont été arrêtés dans la Sarthe et les départements limitrophes, mais le plus grand nombre d'entre eux proviennent de la zone côtière et par la suite des camps de Corlay, de Plenée-Jugon (Côtes-du-Nord) et de Quimper, qui seront dissous. Les gendarmes ont appréhendé tous ceux qu'ils soupçonnaient de vagabondage; ils sont allés au-delà des instructions qui leur ont été données, car si on trouve, parmi les prisonniers, les coureurs de chemins accoutumés, vanniers, chaisiers, raccommodeurs de vaisselle, opérateurs de cinéma, ambulants, ramoneurs, musiciens des rues, on y remarque aussi des gens pourvus d'un domicile fixe et exerçant une profession très stable : un vacher, un ajusteur, un tailleur, un maçon, un charron, cinq journaliers, trois chauffeurs, un cultivateur, deux manœuvres. De plus, la maréchaussée a considéré comme nomades les clochards vivant en marge de la société et les petits commerçants allant de marché en

---

1. **Rapport** inédit A. Piochet (Archives départementales de la Sarthe et Comité d'Histoire de la Deuxième Guerre mondiale).

marché et de foire en foire. Et le Feldkommandant s'inquiète de cet état de choses; aussi demande-t-il au médecin départemental de se livrer au tri des véritables tsiganes. Un médecin allemand le doublera, et tous ceux qu'on sera amené à libérer devront promettre de mener une vie sédentaire et d'exercer une profession. 62 internés sont ainsi libérés de janvier 1941 à août 1942.

— Le 26 août 1940, un règlement est publié par le préfet, il a été visé le 21 du même mois par le général Adolph, Feldkommandant. Un chef de camp, un sous-chef et quatorze gardiens assurent la surveillance. Le chef est doté d'un pouvoir disciplinaire sous le contrôle du préfet à qui, le 1er et le 13 de chaque mois, il signale les incidents, et rend compte de l'état sanitaire et des sanctions infligées. Lorsqu'une évasion se produit, le chef du camp téléphone au préfet, à la gendarmerie et à la Feldkommandantur et fait effectuer les premières recherches. Un gestionnaire administre la collectivité. A son arrivée au camp, le nomade chef de famille remet les carnets anthropométriques et le carnet collectif des siens. On procède à une fouille des individus, puis à une perquisition dans les roulottes. Toute dissimulation d'armes entraîne la comparution du coupable devant un tribunal allemand.

— Les malades contagieux doivent être déclarés. Les roulottes et les chevaux qui les traînent, sont parqués dans un endroit choisi d'avance, et lors de l'inspection du commandant du camp ou des autorités civiles ou militaires, les nomades doivent se tenir près de la roulotte qui leur appartient.

— Tous les enfants de moins de quatorze ans sont astreints à fréquenter l'école tenue par un gardien. Lorsqu'il y a rixe, les gardiens sont autorisés à se servir de leur bâton — et ils n'y manquent pas — et en cas d'évasion, les gendarmes du poste voisin peuvent tirer sur les fuyards. L'évadé repris est puni de huit jours de cachot et mis au pain sec et à l'eau. Le préfet peut porter la durée du châtiment à quinze jours. Tous ceux qui provoquent de l'agitation — les meneurs — subissent les mêmes peines que les évadés.

— Les bains et les soins de propreté sont obligatoires. Le docteur Dumont, de Bouloire, aidé par un infirmier, assure le service sanitaire; il dirige les malades les moins atteints sur l'infirmerie du camp. Les nomades qui souffrent d'affections graves et de gale sont envoyés à l'hôpital du Mans ou à celui de Saint-Calais.

— Lorsqu'il se produit un décès, mention en est faite sur le registre de présence; un avis est adressé au maire de Coudrecieux, et il est établi un état des objets ayant appartenu au défunt.

S'il y a mort violente, un rapport est envoyé au préfet.

— Aucune visite n'est tolérée, le camp est interdit à toute personne étrangère.

— Les heures du lever, du coucher, de l'extinction des feux sont fixées par le chef de camp. Tous les présents valides participent aux corvées, sous peine, en cas de refus, de suppression du pain.

— Les nomades peuvent écrire et recevoir du courrier, mais la correspondance est toujours lue. Ils ont l'autorisation d'acheter des journaux, des livres et des brochures; le tout doit être paraphé par le chef du camp.

— Le mardi et le vendredi les femmes, accompagnées d'un gardien vont faire des emplettes à Coudrecieux ou à Bouloire, mais toute action commerciale leur est interdite; celles qui rentrent ivres sont privées de sortie pendant un mois.

— Les nomades peuvent se faire des dons, à condition que ces dons soient autorisés par le chef du camp.

— Les jeux d'argent et les transactions quelconques leur sont interdites.

— Un registre est tenu à jour et tous les renseignements concernant les internés y sont mentionnés. Lors de la confection de ce registre surgit une difficulté; quel nom de famille doivent porter les enfants nés hors mariage? Les Allemands tiennent pour le nom du père, mais force reste à la loi française et ils sont mentionnés avec le nom de leur mère. Le curé de Coudrecieux apporte les secours de la religion à ceux qui le désirent, et il est payé pour le faire.

— Chaque semaine, les Feldgendarmes de la Kreiskommandantur de Saint-Calais effectuent un contrôle dans le camp. Pratiquement les nomades sont voués à l'inaction. Les propositions d'une maison fabriquant des filets d'alfa pour l'armée allemande, les établissements Pierre Belon, de Rennes, ne sont pas retenues par la Feldkommandantur, on ne sait pourquoi. Les internés recevraient pour les vingt-cinq premiers filets fabriqués, 8 F par mille mailles, puis 12 F par mille mailles à partir du vingt-sixième filet.

— Au début de juin 1941, un poste de quatre gendarmes est installé à proximité du camp. Il est chargé de la répression des troubles, des enquêtes et des contrôles et de la prévention des évasions. « *Les internés sont avides de liberté, indisciplinés par nature et capables de provoquer des incidents sérieux* », dit un rapport allemand. Et en effet on s'évade beaucoup à Coudrecieux, malgré les menaces et malgré les appels auxquels il est procédé journellement. C'est d'ailleurs relativement facile. Le mur du parc du château de La Pierre qui limite partiellement le camp n'a pas plus de 2 mètres de haut, et les fils de fer barbelés de la clôture sont très écartés les uns des autres. Si une rixe réelle ou simulée, éclate, tous les gardiens se précipitent pour rétablir l'ordre, et il est aisé alors à ceux qui rêvent de liberté de quitter le camp sans être vus. Et puis, les hommes qu'on envoie dans la forêt voisine pour abattre les arbres disparaissent quand ils le peuvent. Et la Feldkommandantur demande qu'aucun nomade ne soit employé chez les cultivateurs des environs et que des travaux d'assainissement et de propreté soient entrepris à l'intérieur du camp pour occuper les gens valides, ou bien, au pis aller, qu'on constitue des commandos aux effectifs peu nombreux qui seront employés à des travaux routiers. Pour prévenir les évasions, il est nécessaire de renforcer la clôture du camp, mais la préfecture fait remarquer que le fil barbelé est introuvable, et il en faudrait cent rouleaux de 100 mètres. Conséquence, du 23 janvier 1941 au 4 août 1942, quarante-six nomades s'évadent; quelques-uns sont repris. En novembre 1941, une fouille générale amène la découverte inattendue de cartouches, d'obus de 37, mais aussi de pinces, de tenailles, de limes, c'est-à-dire d'outils capables de couper très rapidement les fils de fer barbelés de la clôture.

— La nourriture est, dans l'ensemble, convenable; les internés eux-mêmes le déclarent aux enquêteurs. Si parfois elle est insuffisante, c'est que le ravitaillement n'a pu s'effectuer normalement. La ration journalière de pain est de 275 g par personne. Tous les dimanches, distribution de viande; les jours sans viande, chaque détenu reçoit trois œufs. Mais le menu est toujours le même, et aux deux repas de midi et du soir, on distribue invariablement des pois-chiches et des pommes de terre. Pas de café le matin, mais les familles qui comptent de jeunes enfants ou des malades, se répartissent 42 litres de lait pur. Un problème préoccupant, celui de l'eau. On prend le précieux liquide au puits du château voisin, et cela n'a pas l'heur de plaire au propriétaire du domaine.

— Ce qui laisse le plus à désirer, c'est l'hygiène. Pas ou peu de distribution de savon ou de lessive. Le linge et les vêtements sont malpropres. La Kommandantur prescrit de lutter énergiquement contre les parasites; et elle donne de judicieux conseils qui ne peuvent guère être utilisés, étant donné la pénurie de toutes choses. Il faut mettre du chlorure de chaux dans les fosses d'aisance, multiplier les douches, employer du savon au xylol, désinfecter les vêtements à l'autoclave, ou les porter à une chaleur sèche de 70°. Evidemment, des bains pourraient être pris dans la baignoire et la grande lessiveuse réservée pour cet usage. Mais depuis l'ouverture du camp jusqu'au 30 mai 1941, c'est-à-dire pendant sept mois, si deux personnes ont pris un bain, c'est parce qu'elles y ont été contraintes; elles étaient couvertes de poux et leurs vêtements ont dû être brûlés. Avec le temps et l'augmentation du nombre des internés — leur nombre est de 118 le 18 novembre 1940, de 203 fin novembre, de 250 le 19 juin 1941, de 291 le 24 décembre, de 370 le 17 mars 1942 — la malpropreté du camp s'aggrave. Les cantonnements sont sales et désordonnés, la literie manque; pas de paille fraîche pour le couchage. Les objets d'ameublement et de ménage et les sièges sont absents. Les internés sont en haillons; ils manquent des vêtements strictement nécessaires. Les bâtiments du camp sont dans un état déplorable; les toits sont défectueux, les portes et les fenêtres ne ferment pas; il n'y a plus de clés, ni souvent de serrures. Les volets, les parquets des greniers ont été transformés ou brûlés. Les tuyaux de plomb, les fils électriques ont été arrachés et vendus par les nomades. Les feuilles métalliques existant ici ou ıà ont été utilisées pour réparer les roulottes. Des dépôts d'immondices s'étalent un peu partout. La nuit, pas d'éclairage. Et le 17 mars 1942, le major Fitscher, de la Feldkommandantur, qui a constaté tous ces faits met la préfecture en demeure d'y remédier.

— Les départements côtiers continuant à refouler sur la Sarthe de nouveaux internés, on projette, en juillet 1941, de créer un second camp, les nomades seraient alors rassemblés dans deux camps de chacun deux cents personnes. Ce serait l'idéal. Des officiers de la Feldkommandantur vont visiter à Conlie une propriété qui leur a été signalée, mais trouvent qu'elle ne se prête pas du tout à l'installation d'un camp d'internement. Personne ne pousse plus loin les recherches, et le camp de Coudrecieux reste plein à craquer.

— En mars 1942, une solution est enfin trouvée. Le camp de Mulsanne où étaient gardés les Français, prisonniers du Front — Stalag 203, a été libéré depuis quelque temps par le départ de ses occupants pour l'Allemagne. L'Administration préfectorale prend en charge le camp évacué. Avec l'accord des Allemands, elle décide de fermer Coudrecieux et de faire de Mulsanne un camp régional de concentration de nomades. On projette même d'en confier le commandement à un capitaine allemand. Et fin mars 1942, le camp de Coudrecieux a vécu.

— A Mulsanne, on interne avec les nomades les six filles soumises, atteintes de maladies vénériennes, arrêtées dans la Sarthe. Puis les camps de Moisdon-la-Rivière (Loire-Inférieure), de Choisel près de Châteaubriant, de Monthléry, de Rennes, de Barenton, dans la Manche, et un camp de Seine-et-Oise dont le nom ne nous est pas connu, déversent sur Mulsanne tous leurs occupants. Et le 8 juillet 1942, le camp régional rassemble 877 internés.

— Trois brigadiers et vingt et un gardes répartis en trois brigades, surveillent les détenus. Chaque brigade prend la faction à son tour pour vingt-quatre heures de 17 heures à 17 heures. Une sentinelle installée dans un mirador scrute l'ensemble du camp, une autre fait les cent pas sur la route d'Arnage, une troisième garde la porte d'entrée. Le camp, qui compte trente-cinq baraques, groupées dans l'angle nord-ouest de l'immense surface occupée par toutes les installations, est divisé en trois quartiers, chacun sous la responsabilité d'un brigadier qui y assure la distribution de la soupe (les nomades s'y présentent à la cuisine par petits groupes) et l'appel journalier au cours duquel les malades se font connaître. L'eau est ouverte de 9 heures à 10 heures et de 15 heures à 16 heures. L'allumage de feux est interdit la nuit. Les salaires journaliers des employés sont les suivants : 50 F pour l'inspecteur chef, 30 F pour un gardien, 35 à 30 F pour les administratifs, 20 F pour les aides des différents services.

— Le nombre de gardiens est insuffisant et les évasions sont tout aussi nombreuses qu'à Coudrecieux.

— La Croix-Rouge et le Secours National visitent le camp à différentes reprises.

— Les Alliés ayant commencé à bombarder des objectifs en France, les Allemands craignent des attaques aériennes sur la gare de triage, les usines Renault, les usines Gnome et Rhône, le terrain d'aviation qui sont relativement proches du camp de Mulsanne, et la fermeture de ce camp est décidée. Elle est effective à partir du 3 août 1942 : les 717 nomades présents sont dirigés sur Montreuil-Bellay (Maine-et-Loire) par cinquante gendarmes et vingt gardiens. Ils embarquent à la gare d'Arnage. Les filles soumises sont évacuées sur le camp de Raincourt (Seine-et-Oise) où les hommes sont totalement séparés des femmes : elles entreront ensuite à l'hôpital d'Orsay où l'on s'efforcera enfin de les guérir. Le camp de Mulsanne ne sera rouvert qu'en août 1944 pour recevoir, juste retour des choses, de nombreux prisonniers allemands. Toutefois, un commando de quatre-vingt-cinq nomades, venu de Montreuil-Bellay sera utilisé, fin 1942, par les usines Renault. Les hommes logeront dans l'ancien dépôt de prisonniers de guerre, à La Foucaudière, à l'entrée de la gare de triage, un des endroits de l'agglomération mancelle les plus exposés aux bombardements. Les usines Renault les renverront bientôt à Montreuil-Bellay, parce qu'ils ne pourront s'adapter au travail qu'on leur demandera.

— Que deviendront par la suite, les nomades de Montreuil-Bellay? Seront-ils voués partiellement à l'extermination? Cela, nous ne pouvons le dire.

*
**

Il est inutile, je pense, de s'attarder sur les autres archives départementales françaises concernant les camps de concentration tsiganes, nous retrouverions les mêmes correspondances, les mêmes rapports, les mêmes décisions. Une ombre, une « absence » dans cette avalanche peut être fastidieuse mais nécessaire de documents, les textes se rapportant à la déportation vers l'Allemagne, les territoires de l'Est ou Le Struthof en Alsace, des tsiganes de France. Ces archives-là qui dépendaient des autorités allemandes ou du Commissariat aux Questions Juives, ont en majeure partie été détruites. Nous ferons donc appel aux témoignages.

LES LARMES DE SANG

Ce que nous ont infligé les Allemands durant 1943 et 1944

Oh! cher peuple [1]
Je n'aime pas à me souvenir
De tant de malheur
Mon cœur se glace et pleure...

Mais je dois chanter
Les méchants désirent la guerre
Qu'ils sachent
Comme elle est terrible.

Dieu en préserve tous
De la grande misère,
De la grande épreuve,
Des larmes de sang.

Combien a souffert
Le petit enfant juif,
Le cœur d'une mère tsigane
Et l'enfant tsigane.

Dans la forêt,
Pas d'eau, pas de feu
Et la faim est grande,
Pas de tentes pour poser la tête.

Gare de faire du feu,
Un panache de fumée
Peut trahir, attirer
L'Allemand.

Comment vivre
Avec de petits enfants
En hiver, si long,
Dévêtus, déchaussés.

Un soldat arrive la nuit,
J'ai mauvaise nouvelle, il dit.
On tue tous les tsiganes.

---

1. Extrait des chants de la poétesse tsigane Papusza, traduit du tsigane en polonais par J. Ficowski; en français par M. Novitch. (Études tsiganes.)

De ma visite, ne soufflez point mot,
Je suis moi-même un vrai tsigane noir,
Que Dieu vous bénisse tous, il dit encore
Nous embrasse et disparaît.

Nous fuyons loin, loin,
Au fond de la forêt.
Toute la famille tsigane,
Une centaine d'âmes en tout.

Une autre aube se lève
Sur la sombre forêt,
Nous avons tout perdu,
Plus de roulottes, plus de chevaux.

Les oiseaux et les gosses
se lèvent tôt.
La petite rivière chante
Gaiement à l'aube.

Les enfants vont à la pêche
Et ainsi oublient, le grand
Malheur qui nous attend,
Dieu seul le connaît.

Mon chant est triste,
Qui saura sentir
Ce que ressent
Mon pauvre cœur?

Oh! pauvre de moi,
Je pleure des larmes de sang,
Douze membres de ma famille
Les Allemands ont tués...

Ils nous pourchassent,
Font la guerre aux partisans
Et nous, pauvres tsiganes,
Nous prions et pleurons.

Affamés, nous nous endormons
Les yeux grands ouverts
Sur le ciel large
Nous suivons la marche des étoiles.

Dieu, comme la vie est belle
Mais les Allemands ne nous
Laissent point vivre,
Ils nous tuent sans pitié.

La lumière erre comme mon chant.

O petite étoile,
Tu es si grande à l'aube,
Si réelle ta lumière

AVEUGLE LES YEUX DES ALLEMANDS,

Montre-leur le faux chemin,
Pas le vrai, pas le vrai,
POUR QUE PUISSE VIVRE UN ENFANT JUIF
POUR QUE PUISSE VIVRE UN ENFANT TSIGANE.

PAULO, MICHEL ET LES AUTRES...

— Ayant commencé [1] à m'intéresser aux tsiganes en 1941, et habitant alors le midi de la France, j'avais eu assez de mal à les approcher et à en tirer des renseignements linguistiques intéressants. Un voyage aux Saintes-Maries-de-la-Mer lors du grand pèlerinage des gitans, le 28 mai, ne m'avait apporté que peu de choses, et je regrettais d'avoir toujours affaire à des Caraques, dont le dialecte est proche du gitano et mélangé de français et d'espagnol, voire de provençal et de catalan. J'aurais voulu faire parler des tsiganes de l'Est, et surtout vaincre leur méfiance et faire l'étude approfondie d'un dialecte.

— J'étais loin de me douter que mes vœux allaient se trouver remplis au cours d'une captivité de deux ans où ma qualité de codétenu et les connaissances de romani que je possédais déjà, allaient me permettre de venir à bout de la méfiance traditionnelle envers le gadzo des nombreux tsiganes avec qui j'allais me trouver en rapport.

— Mon premier contact eut lieu à la caserne Boudet, annexe du fort du Hâ, prison militaire de Bordeaux, où je fus envoyé après un séjour de deux semaines dans les cachots de la forteresse de Saint-Jean-Pied-de-Port où la Gestapo m'avait écroué après mon arrestation à Orthez le 20 juillet 1943. J'y passai, dans une vaste pièce où se trouvaient déjà vingt-huit prisonniers politiques, quarante jours que le manque presque total de nourriture et la prolifération incroyable des punaises eurent

---

1. Manuscrit inédit Frédéric Max : *Le sort des tsiganes dans les prisons et les camps de concentration de l'Allemagne hitlérienne.* Archives Etudes Tsiganes.

rendu très désagréables si je n'avais trouvé la compagnie de gens intéressants. C'est là que j'ai connu Paulo Weiss, dit « Bâlo ».

— Agé de dix-neuf ans, mais fort comme un homme de vingt-cinq, Paulo appartenait à une tribu nomadisant en Picardie, Bretagne et Anjou, venue probablement de Hongrie par l'Allemagne il y a une vingtaine d'années. Paulo, qui était de son métier chanteur et acrobate (je dirai plus loin à quoi se réduisaient ses talents), avait été requis par les Allemands pour travailler à l'organisation Todt à Saint-Jean-de-Luz. Il était emprisonné pour avoir quitté son travail sans autorisation. Il avait voulu rejoindre sa famille qui se trouvait à Angoulême où un grand nombre de nomades avaient été « fixés », et occupaient un camp gardé par la gendarmerie. Je devais apprendre qu'à partir de 1941, on avait cherché à sédentariser de force les tsiganes en les parquant avec leurs roulottes dans des camps d'où ils pouvaient d'ailleurs sortir moyennant certaines formalités, ou dans des villages comme celui qui avait été créé dans la banlieue d'Arles pour les gitans de cette région. J'avais d'ailleurs remarqué aux Saintes-Maries-de-la-Mer en 1942 que le pèlerinage, qui attirait jadis des tsiganes venant de fort loin, ne groupait plus que des gitans de la Camargue, du Languedoc et de la Provence. En 1943, il devait être supprimé par ordre du gouvernement de Vichy.

— Paulo présentait un type intéressant de mentalité primitive. Les histoires qu'il racontait volontiers une fois mis en confiance, étaient comme les chansons qu'il chantait souvent, dépourvues de sens aux yeux de ses compagnons de captivité. Son vocabulaire français était très pauvre, et il donnait parfois aux mots des acceptions connues de lui seul. Malheureusement son vocabulaire romani n'était guère plus étendu. Il établissait assez facilement la correspondance entre un mot romani et un mot français, mais lorsqu'il s'agissait de termes concrets [1].

— Je crus au début qu'il savait compter, car il me donna correctement les noms de nombre de un à vingt en romani (qu'il appelait le tsigan), mais je dus m'apercevois bientôt qu'il réalisait difficilement le rapport de chacun de ces noms avec le nombre qu'il représentait. Un jour qu'il s'était perché aux barreaux de la cellule, on lui demanda combien il y avait d'hommes dans la cour; il répondit : « quatre ». Il y en avait vingt-huit. Pourtant il connaissait la valeur relative des pièces de monnaie et des billets de

---

1. L'essai de traduction du Pater dans son dialecte se révéla irréalisable.

banque, et il eût été impossible de lui faire accepter un billet de 50 francs pour un de 100, encore qu'il appelât le billet de 50 francs « billet de 5 000 francs ».

— D'autres prisonniers voulurent lui apprendre à lire, mais durent y renoncer après plusieurs essais infructueux. Paulo retenait la forme des lettres et les dessinait parfaitement, mais confondait immédiatement les sons entre eux. Finalement il apprit à « dessiner » son nom sans qu'on parvînt à lui inculquer la valeur phonétique d'aucune des lettres qui le composaient. Certains cherchèrent longtemps à savoir quelles étaient ses convictions religieuses. Paulo n'en avait aucune, mais avait très grand peur des morts et le terme de « *mulo* » l'impressionnait fâcheusement. « Mais enfin », insistaient ses voisins, « tu es bien catholique? » — « Non, dit Paulo, choqué, on est français comme tout le monde. » Je l'interrogeai à mon tour sur les rites mortuaires (pièces de monnaie mises dans le cercueil, etc.). Mais il me dit que sa tribu ne les pratiquait pas. « C'est les Hongrois qui font ça », ajouta-t-il.

— Une des premières questions que je lui posai concernait son surnom (*romeskro nav*). Il me conta que, lorsqu'il était tout petit et se traînait encore à quatre pattes, il dévorait tout ce qu'il rencontrait, ce qui emplissait son père d'orgueil. Celui-ci le désignait aux autres membres de la tribu, disant que son fils était « *sar caco balo, baloro* ». Cela lui était resté, et non sans droit. Nous souffrions tous de la faim mais pour lui, c'était un supplice intolérable, et son sujet de conversation préféré portait sur les franches lippées au bord des routes, les hérissons bien gras, les oies « tchorées » (il les tuait à 20 mètres d'un caillou à la tête) et rôties au feu de sarments. Parfois il se promenait de long en large en gémissant : « Ah! si j'avais un bon chat... » Et sa mâchoire mimait de façon si animale que ses voisins en étaient quelque peu effrayés. Un matin, au moment de la distribution des morceaux de pain, il se crut (à tort d'ailleurs) lésé, et sauta à la gorge du prisonnier chargé de la distribution. (Fait à noter, il bondit sur lui mais non pas les bras tendus, mais la mâchoire en avant.) Il n'était pourtant pas méchant, et même fort serviable. On lui fit une fois remarquer que toutes les histoires qu'il racontait finissaient par des coups de *curi* :

« Les gars ne sont pas méchants, dit-il, mais voilà, le soir y jouent leurs sous, et ceux qui perdont, pile ou face ou comme ça, y z'ont du chagrin, y voulont y reprendre, alors y foutont un coup de *curi*. »

Le dimanche et le mercredi, à la place de la soupe aux épluchures qui était l'ordinaire du soir, nous recevions un petit paquet de biscuit et de pain d'épices, don du Secours Quaker — ou plutôt ce que les gardiens allemands nous en laissaient. Ces soirs-là, nous sentant un peu mieux nourris, nous organisions une « soirée ». Pressé de chanter quelque chose, Paulo répétait indéfiniment un petit refrain romani et une bizarre chanson en français qui commençait par :

« Onze heures et demie, me v'là ben t-y... »
et dont, ne les comprenant pas, il avait défiguré les mots. On lui réclamait alors des tours; il n'en savait que deux, la roue et le saut périlleux, mais les exécutait bien. Il prétendait lire dans les lignes de la main (tsardau karte apo vast) mais convenait que seules les femmes en connaissaient l'art.

Son dialecte se caractérisait par l'emploi intensif de mots allemands tsiganisés : blauto, monco, zono, mittago, etc. Il fut difficile de reconstituer sa conjugaison, car Paulo confondait volontiers les différentes personnes du pluriel, notamment la première et la troisième, auxquelles il donnait en français la même désinance en ont, faute inattendue puisqu'en romani c'était la deuxième qui était semblable à la troisième (en-en). Le futur lui était inconnu aussi bien en romani qu'en français.

Transféré au camp de Compiègne, le 11 septembre 1943, j'y trouvai trois tsiganes, dont un enfant de treize ans. J'y restai plusieurs mois, et j'espérais étudier un dialecte différent, mais c'étaient des Weiss, cousins éloignés de Paulo. Du moins la mention de mes rapports avec ce dernier, accompagnée du don d'un peu de tabac, me fut-elle auprès d'eux une bonne introduction.

Nous fûmes déportés par le même convoi en décembre, mais tandis que les deux adultes firent partie presque immédiatement d'un convoi pour le camp de « Dora », le petit *cave* de treize ans, Michel Weiss, échoua au block 31 de Buchenwald où je devais moi-même rester près de huit mois. Il y fut adopté par le chef de block et quelques Français qui recevaient des colis.

Son adresse de petit singe et son goût précoce pour les cigarettes faisaient l'amusement de tous, mais son humeur était curieusement susceptible. Un Français ayant dit un jour devant lui que les tsiganes étaient dispersés sur toute la terre, le gamin devint blanc de colère; il sortit un petit couteau et voulut se précipiter sur celui qui avait prononcé cette parole malencontreuse. On dut se mettre à plusieurs pour le retenir ; les yeux hors de la tête, il grondait : « Dispersés! c'est à toi qu'on va disperser, attends, un homme il en retrouve toujours un autre, sur la route! »

A Buchenwald, je ne vis, au début de 1944, que peu de tsiganes. C'étaient presque tous des tsiganes d'Allemagne (quelques-uns de Bohême ou de Pologne), et ils logeaient tous au block 47, block des « noirs ». Les tsiganes portaient en effet sur la poitrine, au-dessus de leur numéro matricule, un triangle noir; alors que les prisonniers politiques en avaient un rouge, les prisonniers de droit commun (à peu près tous allemands) un vert, les opposants religieux un violet, etc. Ils n'étaient pas les seuls à porter l'emblème noir qui était la marque distinctive des « a-sociaux » : vagabonds, forains, musiciens ambulants et ouvriers saboteurs.

Ils n'étaient pas plus mal traités que les autres détenus, et si je n'en vis aucun affecté à l'usine — situation recherchée — c'est que le manque parmi eux de spécialistes les reléguait aux emplois de manœuvres, ce qui était également le cas, d'ailleurs, pour de nombreux « politiques ». Par contre, plusieurs d'entre eux avaient pu obtenir des emplois en rapport avec leurs capacités.

Le départ au travail et le retour le soir au camp étaient rythmés de marches jouées par une clique aux uniformes multicolores; plusieurs des musiciens étaient des tsiganes allemands. Enfin, l'un des emplois les plus enviés du camp était dévolu à un tsigane. Montreur d'ours, il lui incombait le soin de s'occuper de l'ours du camp. Buchenwald avait eu jadis un petit jardin zoologique et botanique, lieu de promenade pour les habitants de Weimar. Il en restait un enclos à singes, des chiens que l'on élevait pour les S.S. et un ours. Le tsigane à l'ours tirait de cette affectation des avantages appréciables, car il s'occupait également des chiens et élevait et engraissait des petits chiens dont il se régalait, ou qu'il échangeait avec des dignitaires du camp contre du tabac, du pain ou de la margarine.

J'eus l'occasion de travailler comme manœuvre aide-maçon sous les ordres d'un « Vorarbeiter » (détenu ayant grade de contremaître), qui était un tsigane pur sang. C'était un violoniste ambulant de Brunswick. Il était intelligent et connaissait bien son dialecte, malheureusement très germanisé, « *Kek stumpo po menge?* » étaient ses premiers mots lorsqu'il m'apercevait. Il appelait le « mégot » stumpo (all. Stumpf), la cigarette, *pîmas,* si elle était roulée, et *tsigareto,* si elle était toute faite.

Fin mai 1944, des contingents de tsiganes de toute origine commencèrent à arriver du camp d'Auschwitz, en Galicie. La plupart d'entre eux restèrent dans l'enceinte du « Petit Camp », ou camp de quarantaine, et de là partiront en convoi, au bout de trois semaines pour « Dora » [1].

Quelques-uns seulement devaient entrer au grand camp et être affectés à Buchenwald définitivement. Mais pendant le temps de leur quarantaine, ils réussissaient avec une adresse merveilleuse à passer sous les barbelés et à se répandre dans le grand camp. Il convient de reconnaître que les baraques surchargées et la boue pleine d'immondices du camp de quarantaine en faisaient un séjour peu agréable. Les tsiganes y firent scandale les premiers jours auprès des dignitaires allemands internés en préférant aller coucher en plein vent et dans la boue, plutôt que de rester la nuit dans l'atmosphère viciée des baraques. Ils auraient tout supporté, sauf le manque d'air.

Ils avaient vite repéré les blocks de Français, gens riches, puisque recevant des colis, et, chaque soir, au retour du travail, nous les trouvions nombreux devant notre block, mendiant inlassablement de la soupe, et surtout du tabac.

Le caractère qui, au premier abord, frappait le plus chez eux, était leur gaîté, extraordinaire dans une telle situation. Ils chantaient volontiers, malheureusement des airs à la mode de préférence aux *gilis,* que leur public était d'ailleurs incapable d'apprécier. Je vis un dimanche après-midi un groupe de tsiganes français rassemblés devant l'entrée de notre block. Ils chantaient et riaient, et pourtant ils étaient désignés pour partir le lendemain travailler dans les souterrains de « Dora ». Seul, l'un d'eux, très jeune, se tenait à l'écart, et semblait triste. Il refusait de chanter, et tenait sa tête dans ses mains. Les autres le regardèrent avec mépris et colère : « C't'homme-là, dit un jeune Rom, il ferait mieux de mourir, c't'homme-là, il est triste. »

Un médecin français travaillant à l'infirmerie, avait été stupéfait, quelques jours auparavant, en les voyant passer la visite médicale. Celle-ci consistait en un défilé devant le médecin S.S. auquel il fallait déclarer « krank » ou « gesund ». Aucun parmi les centaines d'hommes ou d'enfants qui passèrent cette visite dont leur sort dépendait n'eut l'idée de se faire passer pour malade comme l'avaient fait des prisonniers qui voulaient éviter le départ.

---

1. Le camp de « Dora » à 60 km de Buchenwald, avait un renom effroyable justement mérité. C'est là que Buchenwald déversait son « trop-plein ». Les prisonniers y étaient employés au creusement d'une usine souterraine où ils travaillaient à peine nourris, restant de longues périodes sans revoir la lumière du jour. D'autres manipulaient des produits chimiques toxiques. Le commandement était exercé par des détenus allemands de droit commun d'une extrême brutalité. D'innombrables déportés, dont beaucoup de tsiganes, y sont morts d'épuisement.

Les plus nombreux étaient ceux de Bohême, des Carpathes, de Ruthénie et de la Pologne du Sud. Ces derniers parlaient un dialecte slavisé, mais qui me parut très différent du tsigane de Russie et d'Ukraine tel qu'il est décrit par A. Barranikov [1].

Enfin, il y avait un certain nombre de tsiganes de Croatie, et quelques-uns du nord et de l'est de la France. Ces derniers, ainsi que ceux de Bohême, étaient les plus accessibles, j'entends les moins « sauvages ». Le témoignage d'un peu de sympathie, quelque connaissance de leur langue permettaient d'en faire des informateurs précieux. C'est alors que je pus réunir assez de documents pour établir les paradigmes grammaticaux de deux dialectes, ainsi que plusieurs chansons, documents qui devaient presque tous m'être confisqués et détruits par les S.S. à Halle, trois mois plus tard. Les méthodes d'investigation étaient difficiles; pour établir la déclinaison d'un dialecte, il fallait proposer au sujet des phrases-pièces, encore souvent passait-il à côté de ce qu'on voulait lui faire dire. J'avais eu la chance de rencontrer un certain Oscar, maquignon qui parcourait la France du Nord et la Belgique avec sa roulotte, dans laquelle les Allemands avaient trouvé un nombre considérables de pièces d'or : « Tous mes *lové,* Monsieur, vingt ans à faire honnêtement les *grai* aux foires. Ils m'ont tout pris. Vous croyez qu'ils me les rendront? » C'est d'Oscar et d'autres de la même région que j'eus des détails sur le traitement des tsiganes à Auschwitz.

---

1. *The Ukrainian and South Russian Gypsy Dialects* (Leningrad, 1934).

TSIGANES BELGES

Dans la plupart des camp de concentration français, les internés se souviennent de la présence de familles tsiganes. Avant les travaux de José Gotovitch pour le ministère belge de l'Education nationale [1], nous ne possédions que ces rapides déclarations sans intérêt historique, pour « imaginer » le sort des tsiganes de Belgique. L'étude de José Gotovitch comble cette lacune.

— Le 15 janvier 1944 [2], quand les 655 juifs composant le vingt-troisième convoi à destination d'Auschwitz eurent été entassés dans les wagons, les détenus du Sammellager Mecheln virent par leurs fenêtres s'avancer une foule étonnante, « femmes aux larges jupes bariolées, hommes aux serre-tête de soie, les enfants en croupe, tous en haillons ». Ils partaient encore plus pauvres que les juifs, sans aucun bagage. Le convoi Z du 15 janvier 1944 emmenait ainsi 351 tsiganes vers l'extermination [3], seuls 11 (ou

1. Extraits : Archives Générales du Royaume, 4 décembre 1976. *Cahiers d'Histoire de la Deuxième Guerre mondiale.*
2. Hélène Beer, Salle 1, Bruxelles, s.d., p. 25.
3. En réalité, trois convois « Z » (Zigeuner) quittèrent Malines. Le 13 décembre 1943, 132 juifs, en majorité turcs, roumains, hongrois, partaient, les hommes vers Buchenwald, les femmes à Ravensbruck. Le 19 avril 1944, 14 juifs hongrois étaient déportés à Bergen-Belsen. Seul le convoi du 15 janvier 1944 comportait exclusivement des tsiganes.
On ignore les motifs qui ont poussé les Allemands à baptiser « Z » les deux autres convois. Le fait qu'il s'agissait de nationaux de pays alliés du Reich peut amener à penser à un essai de camouflage. A Buchenwald, cependant, les hommes ont été recensés comme « Politische Juden ». Les destinations marquent bien l'absence de volonté d'extermination immédiate telle qu'on la pratiquait à Auschwitz. Soixante-cinq rapatriés sur cent trente-deux, quatre sur quatorze, sont des pourcentages exceptionnels par rapport aux autres convois.
Ministère de la Santé publique (M.S.P.). Archives de la Guerre, Statistiques de la déportation. Listes originales de Malines et fiches originales de Buchenwald.

12) d'entre eux vécurent la libération. L'histoire s'en est fort peu préoccupée. Ainsi à Nuremberg, aucun tsigane ne fut appelé à déposer [1].

— ... Les familles tsiganes installées en Belgique ou y transitant furent surprises par l'invasion et, avec quelques deux millions de Belges, la plupart refluèrent vers la France...

— Le 6 décembre 1941, neuf chefs de familles tsiganes lançaient un appel au consul général belge à Paris :

« Nous vous envoyons cette lettre pour vous faire savoir que pendant l'exode nous avons évacué et nous sommes partis en France quelques mois et nous retournions en Belgique quand nous avons été pris par les Français et mis dans un camp. Nous sommes des sujets belges et nous n'avons jamais quitté la Belgique où nos enfants et nous-mêmes nous sommes nés... Ayez la bonté, monsieur, de bien vouloir vous occuper de nous et nous faire rapatrier le plus vite possible car depuis un an nous sommes enfermés et nous souffrons la pire des misères. »

— La lettre est datée du camp de Linas-Monthléry (Seine-et-Oise) en zone occupée...

— Les maigres données rassemblées permettent de dater du 22 octobre 1943 à Tournai les premières arrestations (en Belgique) connues : 19 personnes, la famille Karoli. Vont se succéder rapidement en novembre et jusqu'au 6 décembre, les arrestations opérées à Tournai encore, Hasselt, Bruxelles, Arras, Roubaix. Le scénario est chaque fois semblable : au petit matin, des camions de la Feldgendarmerie encerclent les roulottes. Armes au poing, les policiers font monter les familles au complet dans les camions. Les itinéraires menant à Malines varieront selon les cas. On constate ainsi que né à Bruxelles le 6 décembre, un bébé sera interné le jour même à la caserne Dossin. Parmi les 36 premiers entrants (date ignorée) figure Paprika Galut, arrêtée avec sa famille à Hénin-Liétard. Après une nuit à Lille, elle sera expédiée à Malines. Par contre, Kore Taicon, arrêté à Tournai, passera d'abord une quinzaine de jours à la prison de cette ville. Au 6 décembre 1943, Malines renferme 166 tsiganes dont l'arrestation a été opérée en Belgique et dans le nord de la France. Trois jours après se présentent aux portes de la caserne les 182 victimes qui compléteront le convoi.

— En septembre 1942, est-ce le résultat de l'appel de Linas

---

1. Les dépositions de tsiganes ne concernent que le procès annexe des médecins (note C.B.).

ou d'autres interventions, le consul général de Belgique à Paris s'adresse au préfet de Maine-et-Loire en se proposant de régulariser la situation ou de rapatrier de « nombreux Belges qui se trouveraient internés à Montreuil pour manque de pièces d'identité ». Le 6 octobre il est en possession d'une liste de 59 ressortissants belges « ou se disant tels » qu'accompagne la justification des pièces d'identité détenues par 44 d'entre eux. Quatorze familles y figurent, dont les neuf signataires de l'appel. Or très peu de temps après, le consul s'adresse cette fois au curé dans la paroisse duquel est édifié le camp, remet entre ses mains le sort des tsiganes, et lui confie qu'il ne sait que faire d'eux. « Ces romanichels n'ayant jamais voulu être rapatriés en Belgique. » Se peut-il qu'ils aient ainsi changé d'avis ou les difficultés administratives s'avèrent-elles insurmontables? Nous l'ignorons mais un élément neuf intervenant au début de l'année suivante pourrait fournir une explication. Début 1943 en effet, sous condition d'avoir trouvé employeur et logement et sur avis favorable des autorités, l'autorisation de s'établir librement au-dehors peut être accordée. Le lieu de résidence doit être obligatoirement situé à plus de 20 km du camp. Or, il nous l'a été confirmé par les rescapés, certaines familles disposent de sommes importantes et la location ne pose pour eux aucun problème. Des viticulteurs de la région leur offrent du travail. Une série de demandes sont ainsi introduites qui se traduisent d'avril à juillet 1943 par la libération successive d'au moins neuf des familles sur les quatorze que mentionnait la liste fournie au consul belge. Ainsi par exemple, les familles Toloche et Boudin se fixent à Cersay, petite localité des Deux-Sèvres.

— Ici interviennent à nouveau les lacunes de la documentation à propos des tsiganes. Sans trop que l'on sache pourquoi ni comment, dans la seconde moitié de 1943, une partie, mais une partie seulement, des internés de Montreuil-Bellay (y compris beaucoup de libérés) sont repris; quarante-trois des cinquante-neuf noms de la liste figurent dans le convoi d'Auschwitz. Il apparaît qu'ils ont transité une quinzaine de jours à la prison de Loos-Lille avant d'échouer, le 9 décembre 1943, à Malines. Leur présence ainsi que celle de plusieurs internés arrêtés dans le nord de la France nous porte à croire que ce dernier transport comportait essentiellement les tsiganes de Montreuil et ceux raflés dans les deux départements du Nord et du Pas-de-Calais.

— Plusieurs questions restent donc pendantes. L'examen détaillé laisse apparaître en effet l'incohérence qui a présidé aux nouvelles arrestations des libérés. Dans une famille, le mari a été pris, non la femme, même différence de sort d'ailleurs entre parents et enfants, entre frères et sœurs; entre familles installées au même endroit, voire dans la même maison. A l'intérieur du camp, la sélection joue aussi arbitrairement — à notre connaissance du moins. Autre problème non résolu : pourquoi Malines, et non Drancy, antichambre française d'Auschwitz? Pourquoi aussi inexplicablement qu'elle avait débuté, la déportation s'arrêta-t-elle après ce seul convoi, Montreuil-Bellay conservant des tsiganes jusqu'à la fin de la guerre? Des éléments en notre possession, il résulte en effet que si l'internement continua d'être la condition générale des tsiganes tant au sud qu'au nord de la ligne de démarcation, et que les tribunaux français sévirent contre les évadés repris, la déportation collective en Allemagne cessa, elle, complètement après janvier 1944. Des tsiganes belges furent encore signalés aux camps de Rivesaltes (Pyrénées-Orientales) et Sallières, dans les Bouches-du-Rhône. Mais la zone « mono » ne connut jamais la déportation, ceux qui y séjournaient ignoraient jusqu'à l'existence des camps en Allemagne.

— A la caserne Dossin à Malines, les tsiganes vont vivre un ou deux mois selon les cas, dans des conditions effroyables. Enfermés dans trois salles au fond de la cour, dépouillés de tout, totalement isolés et de l'extérieur et des prisonniers juifs, ils n'avaient droit qu'à deux heures d'air frais par jour. Tournant en rond sous la menace de mitraillettes, ils étaient conduits par trois violoneux auxquels les instruments étaient repris la promenade finie. Des coups de fouet dans les reins punissaient les mères dont les enfants en bas âge salissaient la paillasse. Mais les chambres étant démunies de lieux d'aisance, les détenus chargés, après le départ, du nettoyage, découvrirent dans une odeur pestilentielle les dalles couvertes d'excréments. Dans ces conditions d'hygiène impossibles, un enfant né à Malines mourut en quinze jours.

— Le 15 janvier 1944, les 351 tsiganes détenus furent enfermés dans les wagons à bestiaux, dotés d'une unique boule de pain et ne revirent la lumière, mourant de faim et de soif, qu'à Auschwitz le 18.

AUSCHWITZ : CAPITALE DU CRIME

— Le 2 juin [1] au matin, un Stubendienst vint nous dire que plusieurs médecins seraient désignés pour être transférés au camp tsigane. La nouvelle d'un transfert n'est jamais réjouissante en camp de concentration. Le chef de Block vint peu après nous dire que c'était décidé et remit la liste au Schreiber. Celui-ci appela les numéros et le mien était sur la liste.

— Nous disons adieu à quelques camarades et nous descendons dans la cour où nous trouvons plusieurs dizaines de détenus venus d'autres blocks. Parmi eux le docteur N.S. que je connaissais depuis un mois environ. Un secrétaire vint faire l'appel et nous nous mîmes en rangs par cinq. Notre groupe se composait de Pflegers-médecins et Pflegers-non médecins. Quelques S.S. vinrent

---

1. Manuscrit inédit Iancu Vexler rédigé spécialement pour ce chapitre sur Auschwitz. Le docteur Iancu Vexler, qui a partagé la vie du camp tsigane nous livre ici le plus précieux, le plus complet, on pourrait écrire le plus « intimiste » document jamais réalisé sur les tsiganes en déportation. Observateur privilégié, ami de nombreux tsiganes, il a su comprendre ce peuple et nul, mieux que lui, ne pouvait nous le faire comprendre.
Iancu Vexler s'est présenté ainsi, en mars 1973, lorsqu'il a été interrogé par un tribunal allemand chargé d'instruire « l'affaire Mengele ».
— Avant la Deuxième Guerre mondiale, j'étais médecin et j'exerçais à Saint-Cyr-sur-Marin (Seine-et-Marne). Je suis d'origine israélite. Avant cette Deuxième Guerre mondiale, je n'avais pas encore la nationalité française. Je ne sais si j'avais la nationalité roumaine ou apatride.
— Au début de septembre 1939, j'ai été requis en qualité de médecin par les autorités civiles françaises et j'ai dû exercer à Saint-Germain-sur-Morin.
— En janvier 1940 je me suis engagé dans l'armée française mais ce n'est qu'en juin que j'ai été appelé à la quatrième section d'infirmiers militaires; j'ai finalement rejoint cette formation à Gourdon dans le Lot. J'y suis resté peu de temps et j'ai été démobilisé le 13 juillet 1940. J'ai alors rejoint au mois d'août mon cabinet à Saint-Cyr-sur-Morin.
— A cette époque l'invasion allemande était accomplie.

former l'escorte sous le commandement d'un gradé que nous connaissions. C'était un homme débonnaire, parlant l'allemand et le polonais, plaisantant volontiers. Je ne l'ai jamais vu frapper, même en colère. Il avait un nom à consonance polonaise que je regrette d'avoir oublié.

— La route que nous suivions pour nous rendre à Birkenau était celle que j'avais parcourue en sens inverse en décembre 1942, lorsque je fus transféré de Birkenau à Auschwitz. Je pus de nouveau voir se profiler à l'horizon la ville d'Oswiecim [1], silhouette triangulaire dont le clocher formait la pointe. Mais quel changement! Après avoir traversé des chantiers, nous longions des groupes de baraques entourés de leurs enceintes de barbelés électrifiés, mais le nombre des bâtisses avait augmenté. C'étaient les camps C.D.E., etc. J'avais connu l'ébauche de ces camps en novembre 1942, mais à cette époque ils étaient déserts. A présent l'animation qui y régnait dépassait celle d'Auschwitz.

— A mesure que nous avancions, une rumeur composée de voix mêlées à des sons d'instruments se faisait de plus en plus perceptible. Tout à coup le chef de l'escorte nous dit :

— « Voilà, vous le voyez maintenant. »

— En effet, nous voyions une foule multicolore où on distinguait nettement des hommes, des femmes et des enfants et nous entendions chanter des chœurs où dominaient des voix de femmes. Nous restâmes interdits. Tout était étrange, à commencer par notre marche. Tout le temps qu'avait duré celle-ci, nous n'avions pas été une seule fois encouragés par des coups ou exhortés par les

---

— En raison de mon origine israélite, j'ai commencé à être inquiété par l'Etat français après l'été 1940. On m'a notifié l'interdiction d'exercer la médecine, mais grâce au docteur Maurice Tixier du Conseil départemental, j'ai pu continuer à exercer jusqu'à la veille de ma déportation.

— Le 20 octobre 1942, j'ai été arrêté à mon domicile par les gendarmes français de Rebais et Coulommiers.

— Ma femme a été arrêtée en même temps. Les gendarmes nous ont conduits en auto à la Kommandantur de Melun. Là nous sommes passés devant un militaire hitlérien, puis nous avons été conduits au camp de Drancy. De Drancy nous avons été emmenés par chemin de fer, dans des wagons de marchandises, jusqu'à Birkenau; le voyage avait duré quarante-huit heures environ. C'est ainsi que je suis entré au camp d'Auschwitz. Je devais rester dans ce camp jusqu'à fin janvier 1945.

— A mon arrivée j'ai été affecté au camp de Birkenau, au Block n° 9, section B. 1, il s'agissait d'un Block construit en briques. Le lendemain on m'a tatoué sur le bras gauche le n° 74154.

— Je suis resté à Birkenau jusqu'au 23 décembre 1942. J'ai alors été transféré au camp central d'Auschwitz. J'y suis resté jusqu'au 2 juin 1943.

— En juin 1943, j'ai été transféré au camp tsigane de Birkenau. J'y étais affecté en qualité de médecin au Block-hôpital 32 pour soigner des tsiganes.

1. Auschwitz.

mots habituels. « Tempo! los! srybko! Drecksau » et autres invectives familières.

— L'escorte S.S. nous dit :

— « Halt! Mützenab! »

et nous nous immobilisâmes devant le corps de garde de la porte. Le gradé annonça le nombre de détenus transférés au Zigeunerlager; nous fûmes comptés et nous entrâmes.

— Spectacle incroyable. Etait-ce un rêve ou une farce? Les habitants s'approchaient sans crainte, les enfants accouraient librement, nous parlaient. A notre question :

— « Que signifie ce cortège de femmes chantant en chœur? »

— Nous reçûmes la réponse ahurissante que ce cortège revenait de l'épouillage (Entlausung). Ainsi cette opération pénible et redoutée dans tous les camps, revêtait au camp tsigane la forme d'une kermesse.

— On nous conduisit devant un block où un médecin polonais, le médecin en chef du Krankenbau (ensemble des blocks-infirmeries) nous parla correctement et nous répartit dans les divers blocks. Je fus affecté au Block 32, le dernier à droite avant la sauna. J'y retrouvai avec plaisir les médecins polonais Ko et Sn.

— On sait que les blocks de Birkenau (à l'exception du camp des femmes) appelés Stallbaräcke sont tous identiques : une porte d'entrée à chaque extrémité, la double cheminée d'une extrémité à l'autre. Cette double cheminée est horizontale et sert également de banc où on était confortablement assis, surtout en hiver quand elle était chaude. De part et d'autre de cette cheminée, les châlits à trois étages avec les paillasses et les couvertures comme à Auschwitz. La plupart des malades étaient nus.

— En 1943, l'épidémie de typhus exanthématique faisait des ravages parmi la population tsigane et notre Block était bondé de malades. Plusieurs médecins ainsi que beaucoup d'infirmiers en furent atteints, quelques-uns mortellement. Deux médecins juifs moururent en juin et je perdis un excellent ami allemand-aryen (terminologie hitlérienne). Ainsi un Pritsch (châlit) conçu théoriquement pour 12 malades (4 × 3), en recevait 18, 20 et même 24. La morgue était pleine tous les jours. On demandera pourquoi les infirmeries du camp tsigane étaient si encombrées alors que les blocks d'Auschwitz étaient relativement confortables. La réponse est simple : les S.S. veillaient et dès qu'un block était menacé de surpeuplement, les camions passaient et transportaient les malades juifs à la chambre à gaz. En revanche, les tsiganes devaient mourir de mort « naturelle » (maladies sans soins appropriés : gale sur-

infectée, maladies de carence). Ils étaient et se savaient garantis
contre la mort par le gaz.

— Les malades tsiganes étaient calmes, patients, confiants.
Ils parlaient entre eux leur langue maternelle courante, c'est-à-dire,
l'allemand, le tchèque, le slovaque, etc., qu'ils émaillaient de mots
tsiganes. Comme ils étaient serrés dans leur lit, les moins malades
prenaient plus de place en repoussant parfois les plus faibles. De
plus, et cela arrivait souvent, ceux qui pouvaient manger n'étaient
pas pressés de déclarer les morts parmi eux car ils s'emparaient
de leur ration de nourriture. Ils refoulaient le mort vers ceux qui
ne pouvaient pas se défendre. Voici une conversation entendue à
l'étage inférieur d'une de ces sombres couches communes :

— « Mendl (peut-être Gerth), appelle donc qu'on enlève le
moulo (le mort) qui est couché sur moi. Tu ne vois pas qu'il pue
déjà?

— « Tais-toi, misérable tsigane (du clender Zigeuner), c'est
toi qui pues.

— « Comment, tu me dis misérable tsigane, mais tu es toi-
même tsigane.

— « Ta gueule (halt die Schnauze), tu sais que je n'ai même
pas 20 % de sang tsigane, alors que toi...

— Après la distribution de la nourriture on déclarait le mort
et « les mangeurs » se partageaient sa portion. Le « non-mangeur »
n'en recevait rien car il n'était même plus en état de manger la
sienne.

— J'ai entendu maintes fois des disputes en langue allemande
où les antagonistes se jetaient à la face leur « taux » de sang tsigane. Ainsi l'hitlérisme était parvenu à inculquer à beaucoup de
ces braves gens un sentiment d'indignité et la honte de leurs ancêtres, alors que la belle chanson tsigane « Faria » dit : « Lustig ist
das Zigeunerleben... » Et Gœthe n'exalte-t-il pas le sacrifice des
tsiganes qui donnent leur vie pour défendre Götz von Berlichin-
gen, le « chevalier à la main de fer » mort pour la liberté du peuple allemand?

— Vers la fin de l'été 1943, le typhus exanthématique était
en décroissance, après avoir fauché plusieurs milliers de tsiganes.
Notre block changea d'occupants : de service d'hommes il devint
service de femmes. Les femmes que nous avions en traitement
étant des « internées privilégiées », n'étaient atteintes que de maladies courantes « privilégiées », c'est-à-dire non consécutives à des
traumatismes comme les autres déportés (diarrhée, œdème de carence, gale surinfectée, septicémies, tuberculose). Elles étaient

presque toutes nues dans leur lit et se rendaient toutes nues aux latrines qui se trouvaient à l'extrémité du block. La pudeur féminine ne meurt qu'avec la femme. Les femmes tsiganes malades, nues, semblaient l'avoir perdue. Ce n'était qu'apparence. En réalité lorsque la déchéance physique est très profonde, la souffrance de la pudeur blessée se fond dans la souffrance globale et cesse d'être perçue isolément. Quelques-unes avaient encore une guenille de chemise et même des souliers.

— Les médecins tenaient rigoureusement les dossiers des malades et disposaient de quelques médicaments : un peu de sulfamides, Mitigal (contre la gale) en faible quantité, analgésiques, Kaolin, Borsalbe, Ichtyolsalbe. Pour la tenue des dossiers, ils étaient aidés par des secrétaires féminines : polonaises, allemandes ou tsiganes. Personnellement j'ai eu d'abord une dame d'origine polonaise cultivée et parlant très bien le français. Cette dame, veuve d'une personnalité polonaise fusillée par les Allemands était au camp tsigane avec sa fille. Elle éprouvait le besoin de se confier tout en sachant qu'elle parlait à un juif. Elle me disait son chagrin de voir sa fille « vivre sa vie ». Cette fille avait une vingtaine d'années et était d'une beauté éblouissante, une beauté spécifiquement polonaise. Elle me semblait plus belle que Maria Walenska. Nous savions tous que le médecin en chef du Krankenbau, beaucoup plus âgé qu'elle, était son amant et elle en était fière.

— Lorsque cette dame polonaise fut transférée au Frauenlager (camp de femmes) je reçus une secrétaire tsigane allemande qui parlait et écrivait l'allemand à la perfection. En septembre ou octobre elle fut mutée et j'eus comme secrétaire une très jeune tsigane allemande parlant un allemand pittoresque et archaïque, rappelant un peu la prononciation « yiddish ». Cette secrétaire ne savait pas écrire mais était une élève adorable. Pendant que j'écrivais, elle suivait avec une attention émouvante la pointe de la plume et ses lèvres épelaient tout bas les lettres. Un jeune Pfleger polonais, employé à l'intendance du Krakenbau, conçut pour elle un amour sincère. Il me dictait de petites lettres en polonais que je traduisais en allemand pour les lire ensuite à Frieda. La jeune fille épelait avec moi et apprenait à lire.

— Le docteur Mengele venait presque tous les jours au camp tsigane et chaque fois les enfants couraient au-devant de lui avec des cris de joie : « Oncle Mengele, oncle Mengele. » Il nous questionnait avec beaucoup de simplicité, le garde-à-vous devant lui n'était pas rigide. Après l'inspection, il se rendait à la sauna où il examinait les types de tsiganes intéressants.

— Un jour, je ne me souviens pas si c'était en septembre ou octobre 1943, on annonça l'arrivée du « Lagerarzt ». Les préparatifs habituels pour sa réception étaient terminés et le « Lagerarzt » fit son entrée, mais... ce n'était pas Mengele, c'était Thilo. Autant Mengele avait un visage ouvert aux traits réguliers, autant Thilo avait le visage fermé et sévère.

— Ce docteur Thilo fait une brève inspection du block et s'adresse à Mme L. Ad, notre consœur, et lui demande de lui montrer ses malades. Il en inspecte plusieurs. Les pauvres femmes se tenaient à peine debout. Il leur dit de regagner leur couche et se dressant ensuite au milieu du Block, le bras tendu et l'index pointé vers la pauvre consœur L.A. dans la posture de l'Archange à l'épée flamboyante chassant Adam et Eve du Paradis, il déclama d'une voix terrifiante :

— « J'ai vu ces femmes à leur arrivée au camp. Elles étaient florissantes (il a dit blühend). Regardez dans quel état vous les avez mises. Si vous continuez, je vous chasserai du Krakenbau et vous irez crever (sic) (il a dit verrecken) — dans un Kommando.

— La pauvre consœur, effondrée sous l'injure, tremblait de honte, d'humiliation, et de peur. Elle n'avait même pas la possibilité de s'asseoir. Je n'ai pas besoin de dire que madame (je crois qu'on l'appelait mademoiselle) L.A. connue pour ses travaux sur le traitement de la tuberculose, ne prenait pas un instant de répit et consacrait tout son temps à ses pauvres malades. Thilo parti, nous nous approchâmes d'elle et le docteur Sn, lui dit en notre nom pour la consoler :

— « N'importe quel médecin du camp peut recevoir la même réprimande. En effet nous sommes coupables : du manque de médicaments, de la nourriture immangeable pour des malades, du manque d'hygiène, de la promiscuité.

— J'ai peut-être revu le docteur Thilo une fois au camp tsigane car il devait probablement se consacrer aux sélections.

— Le début de l'automne était beau et chaud et des rumeurs circulaient que les convois venant de France et d'ailleurs se raréfiaient. Cela faisait renaître l'espoir et encourageait le personnel soignant à intensifier les efforts pour guérir les malades.

— Il y avait dans notre Block un jeune Pfleger inscrit comme « Reichsdeutscher » nommé Erich, dont le visage ressemblait d'une façon étonnante à la célèbre statue connue sous le nom de « Cheikel-Beled ». Ce jeune infirmier racontait confidentiellement à tout le monde qu'il était tsigane (ce qui semblait certain) et qu'il était au camp pour avoir séduit des dizaines de jeunes épouses d'officiers combattant au front (ce qui était peut-être moins certain). Il tirait naïvement orgueil d'avoir de ce fait doublement « roulé » le Reich. Je lui ai conseillé à plusieurs reprises de cesser de parler de ces choses-là. Chaque fois que je le voyais en conversation avec un Polonais ou avec un tsigane et surtout avec un Allemand, je m'approchais pour essayer de donner une autre tournure à l'entretien car j'en connaissais le sujet en le voyant rire avec une mine de triomphateur. Mes efforts ont certainement échoué car j'ai vu par la suite où ces « confidences » qu'on pourrait appeler publiques, l'ont malheureusement conduit.

— Les tsiganes allemands qui écoutaient ses confidences s'en réjouissaient. C'était une façon ingénue de tirer vengeance des « scélérats » comme ils appelaient ceux qui les avaient déportés.

— En général, les tsiganes tchèques résistaient mieux à l'emprisonnement que les tsiganes allemands et c'est compréhensible : les tsiganes tchèques savaient pourquoi ils étaient au camp. Ils sentaient qu'ils partageaient les souffrances de tout le peuple tchèque. Lorsqu'ils chantaient l'hymne tchèque toujours suivi de l'hymne slovaque, leur ferveur patriotique était celle du peuple tchéslovaque. Par contre, les tsiganes allemands ne savaient pas pourquoi ils étaient là. Beaucoup d'entre eux avaient fait la campagne de France comme soldats allemands et j'ai vu des dizaines d'insignes de la N.S.D.A.P. et du B.D.M. C'est au camp que j'ai entendu pour la première fois le « Frankreichlied », marche de France : « Uber die Schelde, über die Maas, marschieren Wir nach Frankreich hinein. (Au-delà de l'Escaut, au-delà de la Meuse, nous marchons, nous marchons vers l'intérieur de la France.) D'autres avaient été en Russie et m'ont chanté à plusieurs reprises le Rosslandlied : Wir standen für Deutschland auf Posten, und hieltendie heilige Wacht (...) Führer, befiehl, wir folgen dir, etc. (Führer, ordonne, nous te suivons.)

— Etaient-ils donc rejetés par le peuple allemand? Inconcevable, impensable. Donc une clique de « scélérats » (Schurken) les avait déportés pour les dépouiller et peut-être, pour les voir mourir — « Quelle clique? » Cette incertitude minait leur résistance morale et physique.

— Les tsiganes tchécoslovaques, partageant le sort du peuple tchécoslovaque, partageaient aussi son espoir et sa certitude de la défaite allemande. Les tsiganes allemands étaient victimes, comme le peuple allemand, de la propagande et tout comme le peuple allemand, ne savaient pas que l'Allemagne serait vaincue.

— Les après-midi étaient souvent tranquilles et le travail

terminé, les tsiganes tchèques, malades ou infirmiers, nous chantaient leurs belles et fières chansons tchèques. Ils avaient un sens de l'harmonie inné. Dès qu'ils entendaient une mélodie, ils l'harmonisaient sans aucune hésitation. Un jour je passais silencieusement et seul le long de l'allée centrale du Block. Tout à coup, j'entends un chant à deux voix, chanté par des femmes. Je m'approche et j'écoute, alors elles s'arrêtent, un peu honteuses. Je les prie de continuer en leur expliquant que c'est très beau. Ces jeunes femmes tchèques reprennent le chant (soprano et alto) avec des paroles tsiganes. Odoï telé Balval pour del. Miro pirano, ouj ma moikel, etc. C'était une complainte de prisonnier tsigane pleine de charme ingénu. Elles avaient un timbre inoubliable.

— Souvent le camp était comme endormi : pas un S.S. Les potentats, tyranneaux polonais ou allemands occupés à leurs affaires : le trafic. Alors nous allions rendre visite à nos amis dans les Blocks d'habitation tchèques ou allemands. Les amies tsiganes allemandes nous délectaient surtout avec la chanson « Faria ». Elles avaient un timbre chaud et envoûtant. Il existe peut-être des enregistrements de Faria ou de « Odoï telé ».

— Pour les détenus non tsiganes, la défaite de l'Allemagne était indiscutable mais le moral était directement influencé par les variations que subissaient les convois. Parfois des jours et des semaines passaient sans qu'on vît arriver de nouveaux convois. Alors l'euphorie gagnait le camp et les médecins croyaient davantage à l'utilité de leur travail. Un jour on distribua des chemises aux malades : bon signe.

— D'une façon générale, les infirmières tsiganes étaient assez bien habillées. Une des pièces vestimentaires les plus importantes pour elles étaient le châle. Grâce à leurs relations, elles avaient toutes de beaux châles.

— On connaît le geste instinctif et ancestral suscité par la pudeur féminine surprise par le regard indiscret. Les œuvres d'art reproduisant le corps féminin, montrent le geste accompli ou inachevé, cherchant à protéger les deux foyers pudiques les plus exposés et aussi les plus vulnérables par le regard : une main se porte vers la gorge et l'autre vers le Mont de Vénus et la dépression qui l'accompagne. Les femmes tsiganes, surprises dans leur nudité, portaient, dans leur charmante confusion, les deux mains vers la tête pour cacher ce qui amputait leur féminité : l'absence des cheveux. Ensuite, remises de leur trouble, portaient une main vers le bas et cachaient ce qu'elles pouvaient... avec une main.

— En revanche elles se servaient du châle avec un art admirable. Elles s'en faisaient une coiffure drapée de façon à laisser un rectangle retomber sur chaque épaule ce qui leur encadrait la tête et leur prêtait la grâce de ces princesses égyptiennes peintes sur les parois des tombeaux et les couvercles de certains sarcophages. Peut-être était-ce un art ancestral mais elles ne le savaient pas. Lorsque nous le leur disions, elles rayonnaient de joie, faible compensation pour la profanation de leur chevelure.

— La Sauna était très bien installée et la possibilité pour le personnel soignant de prendre des douches était pratiquement illimitée, mais la promiscuité souvent inévitable. Les S.S. aussi traversaient librement et fréquemment la salle de douches pendant qu'on s'y baignait.

— On reconnaissait l'ancienneté des femmes tsiganes au camp à la longueur de leurs cheveux (rarement visibles). Les Pflegerinen allemandes gardaient leurs cheveux. Il nous arrivait, en rendant visite à des amis dans les Blocks d'habitation, d'entendre une femme nous dire :

— « Tournez-vous. »

— Ce n'était pas pour changer de soutien-gorge mais pour arranger le châle sur la tête et on ne devait pas apercevoir ses cheveux coupés. Mais les cheveux repoussaient et parallèlement à la repousse des cheveux, le régime de famine S.S. déshonorait leur gorge et le geste pudique devenait alors un mouvement humiliant.

— Dans ce petit univers qu'était le camp tsigane, la vie des « races » devenait de plus en plus intime. Les S.S. n'exerçaient aucune violence et subissaient aussi le charme de la présence féminine et de la présence des enfants. Dans l'intervalle des corvées et après le travail, les tsiganes musiciens formaient de petits orchestres et la marmaille était la première à accourir pour faire cercle autour des exécutants.

— Les S.S. s'approchaient aussi et on oubliait pour la plupart du temps le « Achtung ». Les coups et les injures ne venaient que de quelques tyranneaux polonais et allemands (déportés). Ceux-ci tenaient à honneur de ne pas perdre l'habitude. Des amitiés se liaient et beaucoup de femmes tsiganes avaient des liaisons avec des déportés d'autres camps et même avec des S.S. La notion de « Rassenchande » (souillure de la race) n'était plus que de façade pour beaucoup de S.S.

— Le Block situé en face du n° 32, donc numéro impair (31 ou 29), était occupé par le Kindergarten (jardin d'enfants). Celui-ci était dirigé par une jeune allemande. Je ne connais pas le passé « civil » des femmes et jeunes filles allemandes qui servaient de Pflegerin au camp tsigane, mais je peux affirmer que leur conduite était merveilleuse. Les hommes disaient que c'étaient des prostituées mais si cela était vrai, quelle influence bienfaisante avaient exercé sur elles leur travail d'infirmières et leur contact avec les enfants.

— Dans les Blocks-infirmeries les malades, étant moins nombreux, étaient plus à l'aise dans leur lit et de temps à autre il y avait une distribution de linge. Un jour le docteur Mengele me remit une boîte contenant 25 ou 30 ampoules de « Calcium Gluconicum » (gluconate de calcium) pour faire des injections intraveineuses à mes malades et les « fortifier ». Les trois quarts me furent immédiatement volées par un potentat polonais. Le « calcium gluconicum » exerçait une fascination extraordinaire sur les Pflegers (non-médecins bien entendu). Dès qu'ils arrivaient à une « position », notamment à un emploi à l'intendance, ils faisaient faire quelques intraveineuses de calcium à leurs « amies » qui, certainement, n'en avaient nul besoin ayant abondamment à leur disposition des protéines, des glucides et des matières grasses. Le calcium était en quelque sorte une amulette médicale — et surtout ce qui conférait audit Pfleger un grand prestige aux yeux de sa « Dame » — une « Dame » dont le chevalier ne parvenait pas à lui procurer des intraveineuses de calcium se sentait humiliée devant les autres.

— Il est incontestable que le docteur Mengele faisait des efforts pour rendre plus supportable la vie des tsiganes. Il faisait prélever sur les bagages des juifs gazés quelques médicaments, des vêtements, etc. mais il n'était pas le maître car tout devait être envoyé en Allemagne. Mais la science ne devait pas non plus être négligée pour autant et le Lagerarzt ne l'oubliait pas.

— Un jour, des camarades des Blocks voisins nous appellent pour nous montrer des spécimens assez exceptionnels : des cas d'hétérochromie. Toute une famille (elle s'appelait Mechau) de sept ou huit personnes, frères, sœurs, cousins et oncle, avait un œil noir et un œil bleu. On rencontre de temps à autre des yeux « vairs » mais exceptionnellement si différents. Ces tsiganes allemands grands, vigoureux et apparemment sains, venaient d'arriver. Ils furent tous répartis dans les Blocks-infirmeries.

— « Pourquoi à l'hôpital et non dans les Blocks d'habitation?

— « Ils ne sont pas malades. C'est pour « l'observation » (zur Bevlacktung).

— Nous les examinons et mon ami J.B. me dit en me montrant une jeune fille blonde et vigoureuse :

— « Que c'est curieux! Celui qui l'épouserait croirait avoir deux épouses en la regardant du profil droit ou du profil gauche. »

— Nous lui répondons :

— « Tu as des pensées de bigame. »

— Je reçois deux membres de cette famille dans notre Block.

— Le lendemain, visite du docteur Mengele avec le cérémonial habituel. Je connais Mengele depuis assez longtemps pour que mon « Achtung » manque complètement de rigidité. A ce propos, je me rappelle qu'un Lagerarzt (Klein? Lukas?) nous faisait signe qu'il ne voulait pas d'Achtung. Donc, Mengele m'appelle à l'écart :

— « As-tu vu la famille Mechau. L'hétérochromie? »

— Je lui réponds : « Oui, monsieur le Lagerarzt. »

— Alors il me dit confidentiellement ceci :

— « Eh bien, lorsque le temps sera venu (wenn es soweit ist), quand cela y sera, tu comprends? tu prélèveras soigneusement les yeux, tu les mettras dans les flacons qu'on te préparera et on les expédiera à Berlin pour l'examen des pigments des iris. Tu comprends, question de génétique, d'hérédité dominante, récessive, etc. très intéressante (Höchstinteressant). »

— Mengele me parlait avec tant de simplicité, tant de tranquillité que malgré tout ce que j'avais déjà vu, malgré tout ce que je connaissais, j'étais horrifié. Et j'étais horrifié non pas par le fait en soi mais par la confiante tranquillité de Mengele. Comment pour ces beaux jeunes hommes, ces belles jeunes filles, ni chambre à gaz, ni injection intracardiaque, mais mort attendue et guettée, donc calculée et prévue. Je pense à la réprimande du docteur Thilo lorsqu'il rendait responsable notre consœur L.A. de la cachexie des femmes tsiganes. Le docteur Mengele savait que cela devait se produire et ne nous en rendait pas responsable. Tous les médecins S.S. connaissaient l'évolution de l'état moral et physique des tsiganes, seulement Mengele l'avouait tandis que Thilo était ignoblement hypocrite.

— Et Mengele ne se trompa pas : la gale vint, les lésions s'infectèrent, la sous-alimentation, l'avitaminose apportèrent leur concours, la tuberculose s'installa ou évolua et en l'espace de deux ou trois mois de « Beobachtung » à l'hôpital, « le temps est arrivé », es ist schon soweit, autrement dit : ça y est. L'un après l'autre on m'apporte un numéro et un flacon avec du liquide de conservation et... je prélève des yeux. L'autopsie montre pour la plupart du temps : tuberculose évolutive. Et ainsi des semaines passent et on ne parle plus de la famille Mechau.

— Un jour, le secrétaire général du Krakenbau m'appelle par mon nom. C'était un homme cultivé, parlant assez correctement le français et l'allemand, ce qui est toujours rassurant lorsqu'il s'agit d'un Polonais. Il me dit discrètement :

— « Tu sais, la famille Mechau se composait de huit membres et tu ne m'as remis que... quatorze yeux. Le dernier est mort il y a deux jours. As-tu prélevé les yeux? »

— J'étais atterré. Je balbutiai :

— « Il est mort avant-hier? »

— « Oui, me dit-il tout bas. Alors il est parti au crématoire avec ses yeux? Te rends-tu compte, si les Allemands l'apprenaient? Sabotage de la science. J'attends avec la déclaration du décès au secrétariat central, mais arrange-toi pour prélever « ses yeux ». »

— Je prends le numéro et le flacon avec le liquide de conservation et il ne me manque plus que les yeux pour être en règle. Ces yeux du cadavre incinéré l'avant-veille ou la veille. J'éprouvai un curieux sentiment de gratitude envers ce secrétaire polonais. Son prénom Wojciech, mais son nom, oublié. Ainsi, je mets au courant mon ami M.S. et il me dit de faire tranquillement le nécessaire car le secrétaire est certainement un ami.

— Je me rends comme d'habitude à la Leichenkammer (morgue) muni de ma pince, du bistouri, des ciseaux courbes et du flacon et comme un voleur, je prélève un œil noir sur un cadavre d'homme et un œil bleu sur un autre. Je regarde si personne ne vient et le cœur battant je me mets à lire. Les lignes dansent un peu, se chevauchent puis s'assagissent, se calment. J'attends le soir, le passage du camion qui emporte les cadavres. Pendant deux jours je tremble encore un peu. Personne ne m'appelle. Boris Komarnicki, l'Ukrainien détenu-chef de la « Politische », terreur des déportés, passe paisiblement en faisant des moulinets avec sa canne et ne dit rien. Ai-je introduit des erreurs dans les recherches des savants généticiens et anthropologues hitlériens?

— Ai-je freiné ou faussé la marche de la science? Ce qui est certain c'est que cette supercherie fut une forme de légitime défense.

— Wojciech n'en a sûrement parlé à personne [1].

*
* *

— On lit dans la Bible (Lévitique XIX - 28) : « Et écriture gravée (tatouage) vous ne ferez pas sur vous. » Quelle que soit l'opinion de certains sur ce verset, il est permis d'attacher plus de prix à la parole de la Bible et d'admettre que le tatouage est une abomination au sens étymologique du mot.

— Lorsqu'il s'agit d'un tatouage forcé, lorsqu'on ose maculer un corps d'enfant ou un bras de femme, on commet un crime et un sacrilège inexpiable.

— A l'origine du camp d'Auschwitz-Birkenau, seuls étaient tatoués les détenus juifs des deux sexes. Dans l'esprit des S.S. et de la plupart des détenus « aryens », le tatouage scellait la différence de destin entre les deux catégories de prisonniers : les tatoués voués à l'extermination et les non-tatoués — non porteurs du stigmate indélébile du camp — pouvant raisonnablement espérer la survie, voire la libération.

— Les tsiganes formaient une catégorie à part. Ils étaient tous tatoués sur l'avant-bras gauche. Les bras des enfants n'offrant pas une place suffisante, on les tatouait sur la jambe ou la cuisse.

— En juin-juillet 1943, l'ordre arriva à Auschwitz de tatouer tous les aryens (Polonais, Russes, Tchèques, etc.) à l'exception des allemands. Au camp tsigane, ce fait en soi très important, jeta d'abord un trouble dans les esprits; il était évident aux yeux de tous que les S.S. gravissaient un degré dans l'échelle d'asservissement des détenus aryens. Mais bientôt cette horreur inattendue sembla oubliée et pour les nouveaux tatoués rien ne changeait apparemment. Tel n'était pas le cas au camp principal d'Auschwitz où l'événement avait été interprété suivant sa véritable signification. Des conversations que nous avions avec des détenus venus de ce camp effectuer des travaux chez nous, il était facile de déduire qu'une résistance y faisait des progrès : les Kapos, les Vorarbeiter et les potentats en général, frappaient moins et il y

---

1. Après sa libération d'Auschwitz, Hermann Langbein rencontra le professeur Von Verschuer qui avait été avant la guerre le « patron » de Mengele.
— « Il m'a confié que Mengele avait envoyé à l'Institut Kaiser-Wilhelm des préparations d'yeux vairons d'un intérêt exceptionnel. Quand je lui dis qu'il s'agissait d'yeux de tsiganes que Mengele avait fait tuer en raison de cette anomalie, il parut surpris et consterné. Il semblait ne s'être jamais posé la question de leur provenance.

avait moins de blessés et moins de morts par blessures. Leur expression, certes exagérée, était : « Auschwitz est un sanatorium. » La résistance était secrète, restreinte, mais on en ressentait les bienfaits. Il est certain que beaucoup d'aryens se rendaient compte que la « différence de destin » entre eux et les juifs n'était pas si tranchée.

— Vers la fin de l'automne 1943, une moitié de notre Block devint hôpital d'enfants tsiganes. Ce fut un grand événement pour tout le personnel soignant. Les infirmières s'appliquèrent avec une tendresse maternelle à préparer les lits, à vérifier si dans la fibre de bois (Hobzwolle) des paillasses il n'y avait pas de gros copeaux pouvant percer l'enveloppe et blesser les enfants. On reçut des draps propres et de bonnes couvertures. Des camarades qui devaient sortir revenaient souvent voir si des enfants y étaient déjà. Je verrai toujours le sourire discret et heureux du docteur Schekter lorsqu'il me montra les premiers petits malades. Ils arrivaient et nous apportaient la fraîcheur et le charme de l'enfance, la lumière de leur regard, la chaleur de leur amitié, la musique de leur gazouillis, le parfum de leur innocence. En deux-trois jours, quinze ou vingt places étaient déjà occupées dans les lits. Il n'y avait que des cas peu graves : des maladies saisonnières, des maladies liées à la sous-alimentation, et des complications de la gale. Un jour arrivèrent du camp des hommes, deux peintres juifs, avec des échelles, des pinceaux, des brosses et des couleurs. Il y avait une grande cloison séparant le vestibule, du Block proprement dit, semblable à un tympan d'église. C'est cette cloison qui fut peinte en blanc et sur cet enduit, les deux artistes peignirent un monde oublié ou inconnu des enfants. A l'animation qui régnait dans le Block, les enfants comprirent qu'il s'y passait quelque chose, et tous ceux qui étaient en état de marcher allèrent voir. Sous les pinceaux des peintres naissaient une plaine, des collines, une église, des maisons, des arbres, une mare, des canards, des oies, des poules, un chat, un chien, des oiseaux, une vache, une chèvre, une fermière. Les plus grands poussaient des cris de joie et nommaient à mesure qu'ils naissaient ces animaux qui leur avaient été familiers. Les petits ne les avaient jamais vus ou en avaient perdu tout souvenir mais leur joie était aussi grande et ils essayaient aussi de les nommer. Le chef de Block criait de temps en temps en allemand et en tchèque : « Au lit les enfants », mais sa voix était si peu sévère que les enfants faisaient mine d'obéir mais restaient. La présence des enfants apporta des transformations sensibles dans l'attitude du personnel. Seuls deux ou trois petits potentats voulaient demeurer inaccessibles aux sentiments de « faiblesse » et en tirer vanité, mais le charme agissait.

— Un jour, nos infirmières s'affairaient particulièrement à laver les petits et à faire leur lit. On aurait dit qu'on attendait une visite inhabituelle. Après l'appel, qui se faisait toujours à l'intérieur, la porte s'ouvrit grande et un magnifique évêque coiffé d'une mitre dorée ornée de pierres précieuses, porteur d'une vénérable barbe blanche et revêtu d'une longue cape étincelante de broderies d'or et d'argent fit une entrée solennelle. Dans la main gauche il tenait une crosse d'argent rehaussée de pierreries et des enfants de chœur le suivaient. Un grand silence se fit et après un instant de ravissement muet, un chant d'allégresse éclata dans les lits et emplit tout le Block. Je demandai tout bas, d'une voix émue, la signification de cette cérémonie et un camarade me répondit que c'était la Saint-Nicolas. Les enfants avaient reconnu le saint et chantaient l'hymne à saint Nicolas. Malheureusement, je n'en ai retenu ni les paroles ni l'air. Ils chantaient en deux langues : les enfants allemands en allemand, les Tchèques en langue tchèque. L'évêque avançait majestueusement dans les allées longeant les suites de lits et sa main droite bénissait dans toutes les directions. N'était-ce pas un miracle? Saint Nicolas était descendu du ciel dans cette plaine désolée par les hitlériens, apporter la joie aux enfants tsiganes du camp de Birkenau. Et chaque enfant reçut un comprimé sucré. Quel bonheur!

— Je ne reconnus pas tout de suite dans saint Nicolas notre vieux camarade, le pharmacien Wladislaw, camarade exemplaire, plein de bonté et de sérénité. Notre vénéré ami parlait un français parfait, ayant fait ses études en Belgique. Sa lumineuse intelligence éclairait l'atmosphère du Block et apportait courage et réconfort. Ses observations étaient souvent sévères mais toujours justes, instructives et enrichissantes, méritant la gratitude. Le bon « dziadzin » (grand-père) avait trouvé quelques comprimés de vitamine dans la pharmacie et ainsi les enfants ont pu recevoir quelque chose de saint Nicolas.

— Quelle joie et quelle gratitude dans les yeux de nos « anges musiciens ». A l'aide de papier, coton, cellulose, d'une manche à balai et de chiffons, les infirmières et des camarades avaient réussi à confectionner les splendides ornements en secret, et offrir aux enfants cette fête inoubliable. La joie des enfants fut pour eux une récompense magnifique. Puisse Wladislaw Thorazy « dziadzin », pharmacien, y trouver aussi la consolation qu'il mérite.

— Les enfants tsiganes aimaient la musique et à peine conva-

lescents, chantaient des chansons allemandes ou tchèques. Et pourquoi ne pas leur apprendre des chansons françaises? Il fut très
facile de leur apprendre le petit chef-d'œuvre qu'est « Frère Jacques ». Un jour, alors qu'ils chantaient à l'unisson, arriva le
beau-père de Milena et sans jamais avoir entendu « Frère Jacques »,
il associa immédiatement sa voix de baryton. Un autre jour, alors
que les enfants essayaient de chanter un canon — à deux voix —
ce qui est difficile en langue étrangère et requiert une grande attention, on annonça un S.S. mais trop tard. Le S.S. surprit notre
petite chorale. Les enfants se turent et nous nous attendions à
des reproches. Comment? Chanter pendant les heures de travail?
Mais le S.S. commanda : « Weiter singer! » (continuez à chanter),
et les enfants reprirent « Frère Jacques » que le S.S. écouta jusqu'à la fin. Des Pflegers et des tsiganes d'autres Blocks venaient
les écouter. La cheminée horizontale servait aussi de scène à
quelques petites danseuses. Je dois dire que plusieurs figures exécutées par les enfants trahissaient un certain cabotinage innocent
qui n'était pas en harmonie avec leur âge.

    — Dans l'ensemble, leur charme n'en souffrait pas. Lorsque
nous recevions les visites d'amis du camp des hommes, les enfants
se produisaient et étaient applaudis.

    — Souvent, alors que nous étions occupés à notre travail,
les enfants, qui n'avaient pas oublié la petite sucrerie de saint
Nicolas, nous demandaient un « Prachek ». Le mot « prachek »
signifie : poudre, cachet, comprimé. Le mot bonbon leur était
inconnu, de même que les mots fruit, pomme, sucre, etc. Pour
obtenir « quelque chose de bon », ils quémandaient : « Daïté prachek » (j'emploie ici la transcription phonétique). « Pânie doktôjé,
daïte prachek. » Ils nous payaient d'avance en nous faisant entendre leurs douces voix mais nous ne pouvions pas leur en donner,
n'en ayant pas. Ce n'était pas tous les jours la Saint-Nicolas.

*
**

    — Le camp tsigane (Auschwitz II, Section E) était donc une
enclave dans l'ensemble constitué par le camp de travail-extermi-
nation de Birkenau. Les tsiganes habitant cette enclave se sentaient protégés par une immunité les préservant d'une mort directe
(gaz, injection intracardiaque, balle, pendaison). Ils jouissaient en
quelque sorte d'un statut tacite. Quel était l'horizon de ce petit
monde privilégié? A l'est, horizon limité par un paysage de bara-

ques de gardiens S.S. et de barbelés électrifiés; à l'ouest, ligne de chemin de fer où descendaient les transports et au-delà le camp des femmes. Au loin, vers le sud se dessinait la chaîne des monts Tatra dont la couleur et la précision variaient avec la saison et les conditions atmosphériques, mais qui attirait constamment les regards et les pensées. On affirmait, et cela était probable, que les montagnes abritaient des partisans et nous espérions qu'un jour ils viendraient nous aider à briser les chaînes de cet esclavage sans exemple dans l'Histoire et à gagner le maquis.

— Au nord, le camp tsigane avait pour voisin immédiat l'hôpital général de Birkenau au-delà duquel l'horizon était fermé par les crématoires. On voyait donc de près les convois, le Sonderkommando s'affairant devant les crématoires, les flammes et la fumée des cheminées et nous recevions les odeurs caractéristiques, la fumée et la suie. Quelles pouvaient donc être les pensées d'être doués de sensibilité et de réflexion qu'étaient les tsiganes? Le sentiment de sécurité peut-il résister longtemps à de pareils spectacles? L'espoir lutte toujours victorieusement, souvent même contre l'évidence : la vie continuait. Dans les intervalles de calme et d'euphorie, les petits orchestres se réunissaient et des marches, des valses, des airs d'opérette résonnaient un peu partout. Souvent, de toutes petites filles étaient invitées dans les Blocks et sur la cheminée horizontale centrale, elles exécutaient ingénument des danses lascives d'odalisque. On voyait la marmaille passer en trombe dans la grande allée du camp.

— « Où courez-vous comme ça, les enfants?

— « Ils vont jouer « Le Beau Danube bleu ». »

Un autre groupe d'enfants appelait de loin :

— « Venez, ils vont jouer « La Paloma ». »

— Souvent des S.S. s'arrêtaient indécis avant de choisir. Ils se mettaient au deuxième rang, derrière les enfants et écoutaient.

— Les tsiganes n'étaient pas astreints à un travail dur. Outre l'entretien du camp, les Kommandos dits extérieurs faisaient des travaux de terrassement assez simple. Les ouvriers spécialisés : maçons, électriciens, plombiers, menuisiers, venaient du camp des hommes. Et quel ouvrier ne désirait pas ardemment venir travailler au camp tsigane? Beaucoup de jeunes avaient appris un métier au camp et étaient devenus des ouvriers de première classe. Lorsque des membres de la Maurerschule (école de maçonnerie) par exemple arrivaient, les jeunes filles et les jeunes femmes tsiganes oubliaient où elles étaient. Parfois des habitants des autres camps venaient à la désinfection chez nous : c'étaient des occasions de rencontres.

— La Sauna du camp tsigane reçut un jour les membres du Sonderkommando. La population du camp fut consignée dans les Blocks car les membres de ce Kommando ne devaient avoir aucun contact avec les autres détenus, mais la surveillance exercée par les S.S. était plutôt de façade. On voyait les « ouvriers » du Sonder parler avec les femmes et ce fut surtout l'occasion pour les trafics. Au début, le Sonderkommando était composé presque exclusivement de juifs polonais. Alors les potentats polonais, maîtres de l'intendance, trafiquaient directement avec eux car ils parlaient la même langue. Mais après les « renouvellements » successifs de ce Kommando, ses membres étaient presque tous des juifs français, grecs, et finalement hongrois. Les potentats polonais avaient donc besoin d'interprètes. C'est ainsi que je fus appelé par un Polonais de l'intendance.

— « Hé, toi, viens. Dis-lui à ce juif que l'autre jour il m'a donné une musette de dents en or où il y avait aussi de l'os. Je lui donne aujourd'hui six saucissons et une douzaine de pains et qu'il m'apporte des dents, mais surtout pas de bridges avec de l'os. S'il veut des cubes de margarine qu'il m'apporte des diamants. Je n'ai pas besoin de montres. »

— Un autre jour, un fonctionnaire subalterne me confia un petit sac de toile de un kilo environ contenant des montres en or, des colliers, des diamants. Je devais le cacher dans ma paillasse. Je fus heureux le surlendemain quand il vint le reprendre car pendant ces deux jours l'appétit et le sommeil m'avaient fui, remplacés par la peur d'être découvert. Refuser de le garder, il ne fallait pas y songer. Ces potentats n'avaient pas le droit de vie et de mort, mais ils avaient le pouvoir de vie et de mort.

— A plusieurs reprises je fus obligé « d'expertiser » et d'estimer des pierres.

— « Comment, un juif et médecin par-dessus le marché qui ne sait pas estimer une pierre? A qui racontes-tu ça, Kurwa? »

— Voilà la réponse à mes protestations d'incompétence.

— Combien différent d'eux était le jeune Polonais Roman Dambrowski. Il cherchait à s'instruire et aimait particulièrement la langue française. Il me demandait, dès que nous avions la possibilité de nous rencontrer, de lui parler de la littérature française et de l'histoire de France. Je ne me rappelle pas à quelle époque il fut nommé chef de l'intendance. Son meilleur ami, Tadeusz Lach, était employé à la pharmacie. Un jour, Roman me dit confidentiellement, en français, que le « médecin chauve » du Block 32, lui avait volé une grande quantité d'or et de diamants. Les deux amis avaient en quelques mois accumulé une fortune fabuleuse. Je crois savoir comment ils y étaient parvenus mais lorsque nous vîmes à quoi elle leur servit, nous en fûmes tous heureux. Elle leur servit à organiser et à réussir, après avoir acheté plusieurs S.S., une évasion d'importance. Ils ne furent jamais repris et il est certain qu'ils contribuèrent à faire connaître au monde ce qui se passait à Auschwitz. Ils méritent tous les deux notre gratitude.

— Le docteur Wrona avait fait vœu de ne jamais parler allemand. Il me dit aussi qu'étant « médecin-chef » du Block, il ne s'occuperait d'aucun malade sauf s'il était appelé par nous en qualité de consultant. Je lui répliquai que soigner les tsiganes n'était pas travailler pour l'Allemagne, au contraire, mais il resta inébranlable. Il avait comme secrétaire une jeune tsigane allemande brune, vive, gaie, assez belle. Le docteur Wrona était âgé et il parlait très bien le russe, ayant fait ses études médicales sous le régime russe, je crois. Il vivait sous le charme de Wilma (la jeune secrétaire) et nourrissait pour elle un amour complexe. On l'entendait appeler de sa voix chevrotante dès que la jeune fille s'éloignait : « Wilma, Wilma. »

— Un jour, alors qu'elle était à l'autre extrémité du Block, nous l'entendîmes appeler comme d'habitude : « Wilma, Wilma. » Aucune réponse. Tout à coup, nous entendîmes appeler d'une voix suppliante : « Wilma, Wilma, kommen sie her. » Nous nous levâmes, surpris et émus. Mais... c'est Wrona et... il parle allemand. Et le vœu? Il avait rompu le vœu pour Wilma.

— D'autres Polonais avaient fait vœu de ne pas parler allemand mais ils succombèrent à la fascination des injures allemandes. Les invectives en langue allemande leur paraissaient plus prestigieuses et surtout plus virulentes, plus chargées de haine. Ils s'efforçaient d'imiter l'intonation et jusqu'au timbre de la voix des S.S., ce qui rendait leurs injures encore plus odieuses. Le docteur avait renié son vœu par amour et les autres par haine (des juifs, bien entendu).

— Les tsiganes n'étaient jamais battus. Dans leurs disputes on entendait fréquemment la menace habituelle : « Je le dirai au Lourdo (soldat) S.S. et tu recevras vingt-cinq sur le derrière (auf den Arsch). » Ils n'étaient pas rancuniers.

— Le soir, après l'appel, on voyait des solistes faire des tournées dans les Blocks où, après le concert, les intendants de Block leur donnaient un pain, quelques rondelles de saucisson, un morceau de margarine, etc. Nous avons écouté à plusieurs reprises un cithariste, véritable virtuose. Je n'oublierai jamais un vieux père avec son fils, tsiganes russes. Le père jouait merveilleusement de l'alto et le fils, violoniste virtuose, avait suivi les cours du conservatoire de Kiev. Je n'ai jamais vu de cuivres dans les orchestres tsiganes du camp. Le chef du Block 24 organisait tous les soirs des bals. Ce Blockältester, Reichsdeutscher (allemand du Reich) avait un physique très ingrat, mais ses disgrâces physiques étaient compensées par les aliments et les luxueux vêtements féminins dont il disposait. Aussi avait-il pour compagne une jeune fille tsigane d'une grande beauté.

— Nous avions à cette époque un Lagerältester-Krakenbau (chef du Revier, détenu) allemand, triangle rouge, correct et quelque peu instruit. Il avait le goût des discours et nous rassemblait souvent pour nous adresser des allocutions. Dans chacune de ses allocutions figurait la phrase suivante, bien accentuée :

— « Ich, gehe keine vergindungen ein » (*Moi,* je ne lie aucune relation, « sous-entendu féminine »).

— Entendons par cela : je suis d'acier, de bronze, incorruptible, insensible au charme féminin. Rappelons-nous qu'en 1943, il existait quelqu'un en Allemagne qui incarnait l'ascétisme intégral. C'était « le Führer ». Notre Lagerältester avait donc un modèle de chasteté, d'abstinence... Et ce modèle ne manquait pas non plus une occasion d'en parler avec une discrétion ostensible. On devait apprendre, après l'effondrement du IIIe Reich, ce qu'il en était de cet ascétisme.

— Le chef du Revier répétait inlassablement :

— « Celui qui ne fera pas scrupuleusement son devoir (lequel?), je le prendrai par la manche et je le conduirai droit chez monsieur (sic) le Blockführer. »

— Nous étions surpris de voir un détenu politique vénérer et respecter « monsieur le Blockführer » hors de sa présence. Mon ami le docteur Von Engelhard diagnostiqua un état de Stultitia-excelsa. Ce diagnostic arriva on ne sait comment, et traduit en allemand, aux oreilles du Herr Blockführer. Celui-ci rassembla devant le Block tout le personnel féminin et masculin, prononça une allocution et rossa le docteur Engelhard. Le Blockführer parti, le chef du Revier tint à son tour un petit discours et termina en demandant au rossé :

— « Comment, un homme qui parle avec respect du Herr Blockführer et remplit scrupuleusement son devoir est pour vous un imbécile? »

— Il ne se doutait pas qu'il venait de formuler une brillante définition du parfait imbécile.

— Un ami dit tout bas lorsque nous fûmes seuls :

— « Il est écrit « la crainte de Dieu est le commencement de la sagesse ». Vénérer la S.S. c'est la somme de la sagesse. »

— La proximité des lieux d'extermination n'empêchait pas l'éclosion de sentiments profonds et d'amours juvéniles. On ne voyait pas de cœurs gravés dans l'écorce des arbres dans lesquels les jeunes amoureux inscrivent leurs prénoms, mais on voyait dans les lavabos ou sur les cloisons cachées des baraques, des cœurs percés d'une flèche et portant un prénom et souvent un numéro précédé de Z (tsigane) par exemple : Mietek → Z 8247, etc.

— Il y avait aussi des tsiganes hommes jeunes et moins jeunes qui, avec une vanité naïve, s'échafaudaient et entretenaient péniblement une réputation de héros d'aventures galantes, tel ce Heniz, employé subalterne quelque part à la cuisine ou à la Schreibstube.

— Il venait tous les jours rendre visite à une jeune femme malade, dans notre Block. Il l'appelait Liselotte son épouse et elle l'appelait Heinz son époux. A quelque temps de là, alors qu'elle avait quitté l'hôpital depuis plusieurs semaines, je rencontre Heinz et lui demande amicalement :

— « Comment ça va? »

— Il me répond par la plaisanterie usuelle au camp tsigane : « Schlechten Menschen geht simmer gut. » (Les méchantes gens vont toujours bien.)

— « Et Liselotte, comment va-t-elle?

— « Quelle Liselotte? J'ai beaucoup de Liselotte. »

— J'ai constaté et vérifié depuis le commencement de mon séjour et jusqu'à la fin de l'existence du camp que les femmes tchèques et slovaques étaient d'une fidélité exemplaire. L'attrait des avantages alimentaires et vestimentaires a rarement été déterminant dans l'acceptation d'une situation de concubine ou d'épouse « à la mode tsigane ». Les tsiganes allemandes, par contre, se laissaient plus facilement éblouir par des perspectives de bien-être alimentaire et vestimentaire. Quant aux relations des S.S. avec des femmes tsiganes allemandes, il y avait aussi un facteur adjuvant dans la communauté de la langue et souvent des souvenirs communs du temps où elles étaient libres.

— Beaucoup de S.S. venaient régulièrement rendre visite à des femmes tsiganes et des jeunes, souvent leurs propres fillettes, faisaient le guet afin que la maman et le S.S. ne fussent pas surpris, ce qui aurait pu avoir des conséquences graves pour les deux.

Il ne faut pas attribuer le consentement de ces femmes à la vénalité. Il s'agissait souvent d'un amour sincère ou d'une chasteté mal supportée. D'autre part, aux yeux des tsiganes allemandes, les S.S. étaient des soldats et la vue de ces soldats leur était familière dans la vie libre (dehors comme on disait au camp pour désigner la liberté). Ces soldats étaient au camp parce qu'ils y étaient affectés et dans l'esprit des tsiganes allemands qui n'avaient aucune notion politique, le S.S. n'était pas un ennemi.

— En juillet-août 1943, j'avais parmi mes malades un jeune homme atteint du typhus et amputé des deux jambes à la suite de blessures accidentelles. Ce malade, tsigane tyrolien, recevait fréquemment la visite d'un S.S. autrichien, un magnifique gaillard, son ami d'enfance. Chaque fois le S.S. me disait :

— « Soigne-le bien, tu auras deux cigarettes. »

— La perspicacité des mamans remarque vite que leur fille plaît. Ainsi la maman de Lisa. Lisa avait dix-sept ou dix-huit ans et elle était à l'hôpital en même temps que sa mère, toutes deux atteintes du typhus et d'une gale surinfectée. Lisa était blonde et avait des formes sculpturales. Malgré ses cheveux coupés, sa maigreur et sa gale, personne ne pouvait la voir sans l'admirer. Sa maman s'aperçut qu'on lui jetait des regards admiratifs. Elle m'appela un jour près de son lit et me dit :

— « Vous savez, Lisa n'est pas vraiment tsigane, elle n'a qu'un « minus ». »

— Ce qui signifie que les anthropologues hitlériens n'ont pas réussi à déterminer avec certitude le taux de sang tsigane qui coulait dans ses veines. Je lui ai répondu ce que n'importe qui lui aurait répondu, que la beauté et la grâce de Lisa, malgré son sang tsigane, dépassaient de loin la beauté de beaucoup d'aryennes allemandes, et cela quand même elle en aurait un « taux » plus élevé. Que dire? L'œdème et l'entérite de carence n'ont pas tardé à survenir et le chef de Block la fit transférer dans le Block du Durchfall (diarrhée) où les paillasses étaient pourries et les malades, de toute façon, sacrifiées. J'allais la voir tous les jours, et elle s'est éteinte avec un sourire d'espoir et dans la joie qu'on la trouvait belle quand même (dennoch schön). Morte, elle était aussi belle que Denise la « tsigane » française morte de tuberculose.

— Dans la vie libre, la mort, même victorieuse, l'emporte de haute lutte. L'organisme, aidé par la société, les amis, les parents, les médecins, lutte et s'épuise et la mort, enfin victorieuse, trouve un corps épuisé qui n'est plus que l'ombre de l'être vaincu? Par contre, au camp, la Société est hostile, les amis et la famille sont souvent loin et les médecins quasi impuissants. Le corps ne s'épuise pas à lutter et la mort survenant, ravit la vie et est souvent impuissante contre la beauté. De là, la beauté dans la mort des jeunes femmes et jeunes filles tsiganes mortes à Auschwitz.

*
**

Vers Auschwitz.

— A [1] la maison j'étais le plus âgé. Je m'en souviens très bien, le père avait déclaré :

« Le ciel est entièrement rouge. Cette couleur présage l'arrivée de grandes catastrophes. Cela s'est passé ainsi avant la grande guerre. »

— En effet, bientôt les soldats nazis parcourent Oberwart en hurlant : « A bas les juifs et les tsiganes. »

— Mon père était plombier et nous ne connaissions pas la misère. Dès que tout cela a commencé mon père a voulu s'en aller et retourner en Hongrie où son frère vivait alors. Mais ma mère s'y opposa :

— « Où aller avec huit enfants et en laissant tout ce que nous avons si péniblement amassé? », disait-elle

— Mon père commença à empaqueter les choses, mais pourtant nous restâmes là. Une nuit dans son rêve mon père se mit à pleurer et le lendemain matin ma mère lui demanda la raison de ses pleurs.

— « N'as-tu pas entendu ce qu'ils criaient : « Hors d'ici les tsiganes! »

— Mais ma mère dit :

— « Nous n'avons commis aucun crime, nous sommes des citoyens et non des étrangers. »

— C'était facile à dire, mais le rêve de mon père se réalisa. Il s'écoula cependant quelque temps encore et nous aurions pu facilement nous en aller. Mais notre patrie nous était chère; puis une nuit, environ vers trois heures, le chien se mit à aboyer sans arrêt et on vint taper à notre porte.

— « Ouvrez, patrouille! »

---

1. Manuscrit Archives Centre documentation de la résistance autrichienne repris par Selma Steinmetz dans sa monographie sur les tsiganes autrichiens. (Témoignage Horwath.)

— Et les S.S. pénétrèrent en nous mettant en joue avec leurs armes.

— « Au nom de la loi je vous arrête! »

— Ils emmenèrent le père avec eux. Nous, les enfants et la mère, nous prîmes nos fichus et nous accompagnâmes le père jusqu'à Gross-Petersdorf. C'est là que les S.S. et mon père montèrent dans une auto et disparurent.

— Pour la Noël 1942, nous fûmes autorisés à envoyer un paquet au père. Ma mère confectionna un paquet de 5 kilos dans lequel elle glissa 15 marks. Mais bientôt ce fut le tour de ma mère de faire un cauchemar.

— « Je vois tout le jour votre père devant moi, comment puis-je l'aider? Il m'appelle et je ne sais pas d'où... »

— Un peu plus tard elle appela dans son rêve :

— « Kathe, lève-toi, ton père est dehors et il gèle, il a si froid... »

— Le lendemain matin la neige était épaisse, nous devions tout d'abord la déblayer. Puis vint le facteur qui nous apportait un télégramme. Je voulus le cacher à ma mère, mais le facteur déclara que ce n'était pas possible. Dans le télégramme trois mots : « Mort de froid. »

— Mais la mère affirma que c'était faux, mon père le lui avait expliqué dans un rêve. Ils l'avaient battu à cause des quinze marks.

— « Si jamais l'un de ces hommes revient, dit-elle, je vais lui demander si cela s'est bien passé comme le père me l'a expliqué dans mon rêve. »

— Au printemps de 1943 la fatalité s'abattit sur nous tous. Je fus congédié de l'endroit où j'avais si longtemps travaillé. Et un matin vint me trouver le paysan chez lequel, depuis six ans, j'allais chaque jour chercher le lait, et il me dit :

— « Préparez-vous à partir. Cela me fait de la peine mais vous devez aller en Ukraine. »

— Nous étions deux cent cinquante personnes de la région et il y avait même des enfants parmi nous. Nous étions en rangs et nous chantions : « Chère patrie, sois bénie! » A la gare attendait Stopper, l'ancien sous-préfet et on nous demanda de montrer nos papiers de travail. Ma sœur et moi avions 800 marks et chacun son livret de travail. Stopper me demanda :

— « Ne voulez-vous pas retourner à votre travail? »

— Nous répondîmes :

— « Oui, mais avec notre mère. »

— Mais cela nous fut refusé.

— Et nous montâmes tous dans des wagons à bestiaux, par cinquante personnes, et sur ces wagons était écrit : « Auschwitz ». Nous roulâmes presque sans arrêt pendant trois jours et trois nuits et la faim et la soif nous tenaillaient. Arrivés au camp nous avons dû marcher encore longtemps avant de gagner notre place. Le matin, une dame nous répartit le travail. En portant de lourdes pierres nous devions sauter par-dessus un fossé profond. Sur les huit cents qui avaient quitté de bon matin le camp, seuls quatre cents sont revenus. C'est ainsi que commencèrent nos épreuves.

*
**

— Le [1] camp entier dormait déjà au moment où nous en traversions le seuil. Les maisonnettes toutes basses, baraques accroupies au sol, étaient plongées dans une obscurité complète et dans le silence. L'intérieur du camp n'était pas éclairé. Nous avancions guidées par nos gardiens. Les contours d'une grande baraque apparurent devant nous dans l'ombre. On ouvrit une porte pareille à celle d'une grange, l'intérieur était éclairé. Nous y entrâmes toujours par rangs de cinq et formâmes un carré sous un des murs. Tout l'intérieur de la bâtisse était déjà rempli d'êtres humains. Nous distinguons un groupe bigarré de tsiganes parmi la foule d'autres groupements rangés en carré comme nous. Plus loin, nous aperçûmes un certain nombre de Françaises habillées avec soin, avec des figures d'intellectuelles et qui avaient l'air de voyageuses aisées, mais fatiguées par l'attente d'un train en retard.

— Les Tchèques attiraient l'attention par leur attitude assurée et nous en imposaient par leur calme. Des jeunes filles serrées dans un coin et intimidées étaient d'une nationalité que nous n'arrivions pas à distinguer. Notre groupement polonais, qui comptait environ deux mille personnes, présentait l'image la plus bigarrée. Il y avait des mendiants en haillons ramassés dans la rue, des tsiganes en leurs robes colorées, des filles « de joie », d'une élégance voyante, des juives, des paysannes emmitouflées dans leur châle, des dames élégantes richement habillées. Enfin, tout de suite après nous, d'autres femmes entrèrent venant d'Allemagne; il y avait parmi elles non seulement des Allemandes mais égale-

---

1. Témoignage Pélagia Lewinska : *Vingt mois à Auschwitz*, Nagel, 1945.

ment des jeunes filles d'autres nationalités, pour la plupart punies pour abandon de travail. Six mille femmes environ attendant la suite des événements suivent chaque geste ou chaque parole des S.S.-Frauen (femme S.S.) et des hommes S.S. en uniforme, ainsi que des détenues en leur robe rayée qui tournent autour de nous, afin de deviner le secret du camp.

— On nous permit de nous asseoir sur des bancs, des tabourets, des briques ou tout simplement sur le sol de terre battue. L'ordre part on ne sait d'où, nous enjoignant de rendre toutes les provisions que nous avons sur nous. Des Allemandes, des détenues âgées passent parmi nos rangs en contrôlant et en fouillant et en nous enlevant nos provisions. Nous ne comprenons pas, à vrai dire, pourquoi nous sommes obligées de les rendre, mais nous savons bien qu'il n'y a pas lieu ici de demander des explications et de comprendre. C'est seulement après que j'ai compris comment il se faisait que les détenues exerçant des fonctions privilégiées avaient toujours une masse de mangeaille, parfois même de douceurs caractéristiques pour différentes nationalités.

— La nuit s'achevait, c'était déjà la troisième nuit d'affilée depuis notre départ et des femmes éreintées sommeillaient dans tous les coins. C'était en quelque sorte des campements de différentes nationalités qui se sont formés là. Dans le groupe des tsiganes, une jeune femme commença à accoucher. Elle se tordait de douleur; on l'étendit par terre. Toutes les femmes furent émues. Une doctoresse qui faisait partie du groupe des Tchèques essaya de soigner la femme en couches. La chaleur et la maîtrise de soi dont rayonnait sa figure jeune et belle exerça une influence sur nous autres et nous tranquillisa sur le sort de la tsigane. D'ailleurs, nous étions convaincues que la situation telle qu'elle se présentait n'était que momentanée et que le personnel sanitaire ne manquerait pas de transporter la femme en couches sur un brancard à l'hôpital. Il nous semblait que quelqu'un de responsable apporterait à la malade l'aide de l'hôpital. Habituées aux rapports humains, nous avions cette simple conviction que dans un pareil cas on laissait de côté tout pour apporter instinctivement secours à un être humain, voire même à un animal.

— Cependant, nous ne voyions toujours pas venir le brancard attendu. Ce fait commença à nous étonner, mais fidèles toujours à la manière de penser humanitaire que nous avait inculquée notre éducation, nous nous l'expliquions par l'existence de quelques empêchements imprévus. Nous posâmes la question aux femmes de garde, à des détenues plus âgées pour connaître la raison du retard apporté au transport de la malade à l'hôpital. Nous reçûmes des réponses très diverses : « On n'a pas le temps. » Au fond, c'est égal où elle accouchera. » « Elle ne peut pas sortir d'ici avant que tout le monde ne soit passé par le bureau d'enregistrement. » Nous recevons également une réponse qui renferme une sentence peu claire et inquiétante : « Cela n'a pas d'importance. » Nous n'y comprenons rien. Une de nos femmes rapporte déjà qu'il y a quelque chose de mauvais qui se passe au camp avec les tsiganes. Nous n'en savons encore rien, mais la question posée ainsi rend nos cœurs tout serrés d'inquiétude.

*
**

Le Kommando « clôtures » des différents camps ou « territoires » d'Auschwitz est presque exclusivement composé de tsiganes. Forgerons de formation, ils se sont très vite adaptés à la pose et à l'entretien des barbelés. Les crucifix et les sceaux de Salomon qui s'échangent dans le camp contre deux, cinq ou dix rations de pain, suivant le modèle, sortent d'un atelier clandestin aménagé dans les garages S.S. Le chef du Kommando est un tsigane autrichien d'Unterwart. Plusieurs membres de cette communauté sont d'ailleurs répartis dans les différents services d'entretien et la « légende » d'Auschwitz affirme que les tsiganes des « clôtures » ont réussi à forger plusieurs revolvers qui serviront « le moment venu » en appui de « la grande attaque des partisans ».

Le village tsigane d'Unterwart a été étudié par une historien autrichien du Burgenland : Joseph Bartha [1].

— En 1938 [1], la colonie tsigane d'Unterwart « Ciganyoavas » comprenait 32 huttes habitées par 228 personnes.

---

1. Extrait de la *Revue autrichienne des droits de l'homme.* Archives Etudes tsiganes (revue mars-juin 1977).

— On ne peut dire exactement à quel moment les tsiganes sont, pour la première fois, devenus sédentaires dans notre commune. Dès 1674, le comte Christoph Batthyany autorisa le chef tsigane Martin Sarkösi et sa famille à s'installer dans le compté de Vas (Eisenburg) moyennant un impôt annuel de 25 taler ou « un bon cheval au mercredi des cendres ». Le plus ancien document, pour notre commune même, date de 1720 : la naissance d'un enfant et ses parents « Czigany » Janho et Catharina sont notés dans le registre de baptêmes de la paroisse catholique romaine d'Oberwart (Felsö-Eör). A partir de cette date, on trouve de façon isolée, d'autres enregistrements de mariages et de naissances de tsiganes d'Unterwart qui témoignent d'un certain succès des efforts de la reine Marie-Thérèse pour installer les tsiganes nomades de Hongrie dans notre région.

— En août 1938, le commandant national-socialiste docteur Tobias Portschy, installé par les forces d'occupation allemandes, avait demandé, dans une ordonnance sur le problème des tsiganes du Burgenland, de les assimiler aux juifs, de les stériliser et de leur interdite les rapports sexuels avec des non-tsiganes. Il interdit aussi, au nom de leur indignité, leur scolarisation et leur accès au service militaire, et imposa leur internement dans des camps de travail.

— Selon un texte intitulé : « Lutte préventive contre les crimes », on déporta dès 1938 environ 20 tsiganes d'Unterwart qui avaient été classés « asociaux » par la police criminelle, plus du double (y compris des innocents) eurent le même sort en juin 1939.

— L'acharnement et la minutie des services nazis pour préparer l'anéantissement des tsiganes ressort, par exemple, de l'édit confidentiel qu'avait adressé le préfet de l'époque à tous les maires de la circonscription d'Oberwart (Reidisgau) :

— « Ainsi que je l'ai déjà annoncé au dernier Comité des maires, il faut envisager une solution définitive à la question tsigane, même si la date n'en est pas encore fixée.

— Puisque l'on a constaté que certains tsiganes sont propriétaires terriens, il serait utile que ceux-ci soient sommés de vendre leurs terres dès aujourd'hui à des citoyens allemands ou aux communes pour un prix déterminé.

— « Je prie donc les maires d'obliger les tsiganes en question à vendre dès aujourd'hui leurs propriétés par des moyens appropriés. Mais ceci doit se faire de telle sorte qu'ils n'en ressentent aucune inquiétude, ni qu'ils n'en viennent à penser que leur évacuation pourrait être imminente.

— « Par principe, je ne m'oppose pas à ce que les huttes d'habitation soient vendues, mais l'acquéreur devrait s'engager à détruire la hutte après l'éloignement des tsiganes, car il est prévu que les colonies tsiganes doivent totalement disparaître.

— Puis le 16 décembre 1942, le Reichsführer S.S. Himmler ordonna l'internement de tous les métis tsiganes et des tsiganes « Rom » qui n'étaient pas « socialement adaptés » dans le camp de concentration d'Auschwitz. Ceci fut réalisé quatre mois plus tard dans notre propre commune.

— Le 13 avril 1943, le préfet fit paraître à ce sujet l'édit suivant destiné aux maires :

— « Jeudi 15 avril aura lieu une nouvelle expulsion des tsiganes. Il est probable qu'il ne restera plus que quelques familles et qu'ainsi la plupart des camps tsiganes seront tout à fait vidés.

— « Il se pose maintenant la question de savoir ce qui doit se passer avec les logements de tsiganes devenus vides. Comme il s'agit, dans plusieurs cas, de huttes, il serait dommage de tout simplement les raser. Il est nécessaire d'examiner précisément ce qui va en advenir.

— « Jusqu'à la résolution de cette question, j'interdis provisoirement de détruire les huttes tsiganes par le feu ou d'autre manière. Je vous donne la responsabilité de veiller à ce qu'il n'y ait pour l'instant aucun dégât. Si, par principe, mon point de vue est que les cabanes des tsiganes disparaissent totalement du paysage, j'estime néanmoins inadmissible de prendre des décisions précipitées... C'est pour cela que je me réserve la décision pour chaque cas particulier et que je vais notamment entrer en relation avec le chef de district de la N.S.D.A.P., en vue d'aboutir à un accord. »

— A l'exception d'une seule maison, on rasa ensuite toutes les huttes de « Ciganyoavas », mais la fortune des déportés fut récupérée au profit de l'Etat allemand [1].

*
**

Jour après jour.

— Le camp[2] des gitans est très curieux. Sur l'espace qui occupe l'arrière de la baraque symétrique à la mienne, une jeune fille tient tous les matins école à des enfants des deux sexes. Nous les entendons réciter en allemand, chanter de leurs petites voix claires et les voyons danser des rondes enfantines. Ils sont vêtus d'oripaux, mais chantent, dansent et rient de tout leur cœur d'enfants innocents. Je contemple souvent douloureusement ces redoutables ennemis de l'ordre national-socialiste. J'ai gardé le souvenir d'un des garçonnets, âgé de sept ou huit ans, qui danse avec des

---

1. — Seulement 25 des tsiganes d'Unterwart (13 femmes et 12 hommes, le neuvième de la population 1938) survécurent aux camps de mort nationaux-socialistes. 17 d'entre eux sont revenus dans notre commune.
— Avec l'aide des crédits de réconciliation qui leur furent accordés, ils ont reconstruit Ciganyoavas. A la place des huttes en bois ou en argile, se trouvent 14 maisons de pierre plus ou moins jolies. Toutes ont l'eau, l'électricité, sont raccordées aux égouts : certaines ont même le chauffage central.
— Le 31 décembre 1975, 62 personnes dont 22 étaient des mineurs, vivaient dans la colonie. Le nombre des foyers (familles) était de 16.
2. Témoignage Fred Sedel : *Habiter les Ténèbres*, La Palatine, 1963.

contorsions clownesques, avec un talent qui semble procéder en ligne directe de ses ancêtres bateleurs.

— Pour nous [1] qui avons le cœur déchiré par la douleur de l'assassinat de nos familles et de nos êtres les plus chers, les tsiganes sont le prototype des gens heureux de ce monde. Leurs conditions générales de vie sont à peu près les mêmes que dans notre camp : suppression de toute liberté, défense de toute lecture, régime alimentaire presque identique. Mais par contre, un grand et immense avantage : les tsiganes vivent en famille.

— A travers les fils de fer barbelés, nous les voyons évoluer hommes et femmes ensemble; des enfants de tous les âges courent et jouent à cache-cache; on leur a même construit un manège avec des chevaux de bois et des voitures; une institutrice leur enseigne parfois le chant. Nous ne pouvons pas nous empêcher de jeter dans le Zigeuner-Lager des regards envieux, en nous disant : « Que ces gens sont heureux! Si nous pouvions être comme eux avec nos femmes et nos enfants; eux du moins, comme tout semble l'indiquer, vivront ainsi jusqu'à la fin de la guerre. Durant quelques mois la vie dans le « Zigeuner-Lager » s'écoule sans incident notable. Un jour, sans que rien le fasse prévoir, nous apprenons qu'on y a fait un « transport ». Les jeunes gens robustes ont été sélectionnés et envoyés personne ne sait où, dans un autre Lager.

— Au [2] début, on les laissa libres de vivre à leur guise dans l'enceinte de leur camp; ils ne furent pas rasés, conservèrent leurs affaires, ne travaillaient pas et vivaient en famille. Dans leur camp, ce n'étaient que jeux, danses et musique, mais comme ils vivaient tous pêle-mêle, hommes, femmes et enfants, qu'il n'y avait pas d'eau potable, pas possibilité de douches, ces dizaines de milliers d'êtres se trouvèrent bientôt au milieu des immondices et dans une indescriptible saleté. Les inévitables épidémies commencèrent. Les cas se multiplièrent.

— Leur [3] amour de la musique leur fut une consolation dans le martyre. Devant les horribles écuries de Birkenau, affamés, couverts de poux, ils se groupaient pour faire de la musique; ils encourageaient les enfants à danser, ils souriaient aux bourreaux, confiants sans comprendre comment il était possible à l'homme de descendre

---

1. Témoignage docteur Nahon : *Birkenau, le camp de la mort.* Document B 3950, Centre de documentation juive contemporaine.
2. Témoignage Raymond Montégut : *Arbeit Macht Frei,* Editions du Paroi, Recloses 77116, Ury, 1973.
3. Témoignage Myriam Novitch (déjà citée).

aussi bas. Les chants qu'ils composèrent dans les camps leur survivront et témoigneront de leur âme d'artiste.

— Le Block [1] des enfants dans le camp des tsiganes n'était pas très différent de celui des adultes... Comme les grandes personnes, ils n'avaient que la peau sur les os, une peau mince, parcheminée et écorchée au contact des os durs du squelette. La gale recouvrait les corps sous-alimentés. La bouche était rongée par le noma qui creusait les os et trouait les joues. Chez beaucoup, la dénutrition gonflait d'eau un organisme qui ne réclamait même plus de nourriture. Mais tous demandaient à boire. L'eau était interdite parce que polluée. Aucune menace, aucune prière ne pouvaient empêcher les enfants de boire. Ils donnaient leur dernière ration de pain pour un gobelet d'eau contaminée et alors qu'ils ne se tenaient presque plus debout, ils se glissaient à quatre pattes, la nuit, sous les grabats, jusqu'aux baquets d'eau de vaisselle qu'ils lapaient.

— Ayant constaté [2] dans le bureau du docteur Wirths, que la mortalité du camp des tsiganes, tout juste installé, était la plus élevée, je voulus en savoir la raison et trouvai un prétexte pour y aller avec une sentinelle. Voici ce que j'en écrivis dans mon rapport : « Sur une paillasse, six bébés qui ne doivent pas avoir plus de quelques jours. Quel spectacle! Les membres desséchés et le ventre distendu. Les mères sont couchées sur des grabats à leurs côtés. Epuisées, la peau sur les os, elles gisent là. Souvent nues. Elles ne semblent plus en avoir conscience. « Viens, il faut tout voir », me dit un aide-soignant polonais que j'ai connu au camp central. Il m'entraîne hors de la baraque, ouvre un appentis contre la paroi du fond : la morgue. J'ai déjà vu beaucoup de cadavres au camp. Mais là, je recule, horrifié. Une montagne de corps, elle a bien deux mètres de haut. Presque rien que des enfants, des bébés, des adolescents. Les rats courent dessus. Je n'ai pas vu ce jour-là le terrain de jeux, orgueil des autorités qui le montraient à tous les visiteurs.

Les jeunes gens du camp tsigane sont autorisés à apprendre un métier. Quelques-uns se rendent au cours de « maçon-plâtrier ».

— La [3] première de ces écoles fut ouverte en juin 1942 à Birkenau comme se le rappelle Adolf Weiss qui y entra à l'âge

---

1. Témoignage Lucie Adelsberger : *Auschwitz, Ein Tatsachenbericht*, Lettner, Verlag, 1956.
2. H. Langbein.
3. Témoignage Hermann Langbein (déjà cité).

de vingt ans. Des milliers de garçons entre quinze et vingt-cinq ans, tous juifs, originaires pour la plupart de France et de Slovaquie, s'y trouvaient avec lui. Le Kapo était un juif polonais appelé Mundek, les contremaîtres étaient « aryens » et les cours très régulièrement donnés dans deux baraques. Weiss se rappelle aussi comment tout finit. Un Kapo ayant eu besoin de cent personnes pour décharger des pommes de terre, on lui envoya cent écoliers, dont Weiss. En revenant du travail, ils trouvèrent à moitié vides les baraques des cours. Des chefs de la S.S. venus en inspection avaient visité l'école et ne s'était évidemment pas montrés convaincus de son utilité, car, aussitôt après leur passage, la moitié des jeunes gens fut asphyxiée dans la chambre à gaz et l'autre répartie le lendemain entre divers Kommandos.

— Mais d'autres écoles furent créées. Le Polonais Cseslaw Kempisty avait quinze ans quand il entra au cours de l'hiver 1942-1943 dans une école de maçons du camp central où l'on donnait aussi un enseignement régulier; le professeur était un Polonais et le directeur un Kapo allemand vert. Thomas Geve, qui avait alors quatorze ans, fut envoyé en août 1943 dans une autre école de maçons du camp central. Selon lui, ses camarades avaient entre treize et dix-huit ans. Dans « cet unique refuge pour les jeunes », comme il l'appelle, quatre cents garçons russes, ukrainiens, tchécoslovaques, allemands, autrichiens et polonais se coudoyaient. Il mentionne expressément des tsiganes de Tchécoslovaquie ainsi que des juifs de Grèce et de Pologne. Tous les professeurs sans exception étaient des juifs choisis pour leurs connaissances linguistiques.

— Comme [1] il n'y avait pas d'eau, les fiévreux buvaient souvent de l'urine. On nous donnait la nourriture dans les baquets qui nous avaient servi à faire nos besoins. Ils étaient lavés avant.

— Les [2] femmes tsiganes qui vivaient ici n'hésitaient pas, pour obtenir une cigarette, à se laisser peloter en nous croisant dans les escaliers (block de quarantaine). Elle nous prodiguaient des œillades incendiaires. Au début cela eut un certain succès, elles récoltaient de-ci, de-là, un mégot, parfois même une cigarette. Au bout de quelque temps, les plus amoureux se lassèrent d'autant que ces dames qui œuvraient sous l'œil complaisant et bienveillant

---

1. Témoignage Hermine Horvath. Rapport (musée d'Auschwitz). Voir également H. Langbein.
2. Témoignage Raymond Montégut : *Arbeit Macht Frei*, Editions du Paroi, Recloses 77116, Ury 1973.

de leur homme, partageaient avec eux, en dignes épouses qui se respectent.

— Plusieurs [1] témoins, dont Benno Adolph, médecin S.S. et le docteur Hans Eisenschimmel, se rappellent avoir vu arriver des tsiganes allemands en uniforme de la Wehrmacht, certains portant des décorations. A un juge d'instruction israélien, Adolf Eichman, organisateur des convois R.S.H.A., a indiqué que jamais une seule intervention ne fut faite en leur faveur. De toute évidence, le préjugé contre eux était plus marqué encore que contre les juifs : on le sentait même chez les détenus d'Auschwitz.

— Fin [2] mars 1944, fut interné dans le camp un tsigane qui avait servi pendant cette guerre comme lieutenant dans l'armée allemande, du moins à en juger par ses papiers officiels et ses photographies. Il les montrait tous aux officiers supérieurs de la S.S., et ceux-ci lui permirent de parler en sa faveur aux autorités supérieures. Ce lieutenant apprit tout ce qui concerne les chambres à gaz et les fours crématoires. Quatre semaines plus tard, un colonel de la Wehrmacht se rendit au service compétent pour parler en faveur de ce lieutenant. Le rapporteur en chef S.S. Schilger n'a pas pu empêcher le lieutenant tsigane de faire état devant le colonel des incidents et des assassinats en masse qui avaient eu lieu à Auschwitz. C'est ce qui incita le colonel à adresser à l'officier supérieur S.S. la remarque suivante, faite en ma présence :

— « Après tout ce qui a eu lieu à Auschwitz, la tâche de la S.S. consistera à gagner cette guerre aussi rapidement que possible. Car nous pouvons être assurés qu'après tout ce qui s'est passé à Auschwitz, aucun Allemand ne demeurera vivant au cas où l'Allemagne perdrait cette guerre... »

— Un jour [3], un médecin S.S. le docteur Bartzel, fut transféré à Birkenau. Au camp des tsiganes il tomba sur un détenu, le professeur Epstein, qui y exerçait la profession de médecin et qui demanda : « Je vous connais, comment vous appelez-vous? » Epstein donna son nom et le S.S. s'exclama : « Mais vous êtes l'Epstein des enfants, j'ai étudié la pédiatrie chez vous à Prague. Non,

---

1. Témoignage Hermann Langbein. *Hommes et Femmes à Auschwitz*, Fayard, 1975.

2. Document Nuremberg n° 1934. « Déclaration d'Oschshorn sur la tuerie dans des camps de concentration. » Commission des Nations unies pour les crimes de guerre. Septembre 1943. Rapport major E.L. Rothschild.

3. Témoignage Otto Wolken : *Chronik des Quarantanelagers Birkenau, aus « Auschwitz — Zeugnisse und Beritche »*, Europäische Verlagsanstalt, Franfort, 1962.

ce qui se passe ici, ce n'est pas pour le fils de ma mère. » Après quoi il partit et on ne le revit jamais au camp.

Parfois un étrange gamin vient jouer quelques minutes avec les enfants tsiganes. Il a six ans. Il est allemand. Il est le fils du tout-puissant Lagerführer S.S. Schwarzhuber, celui-là même qui osa crier au commandant Rudolph Hœss : « Je ne me suis pas engagé dans la S.S. pour tuer les juifs. » Le petit garçon est probablement le seul enfant non détenu qui se promène dans Auschwitz. Il va chercher son père et il s'attarde. Une fois il n'est pas rentré à l'heure. On l'a cherché dans tout le camp sans trop s'inquiéter car ce jour-là aucun convoi n'était arrivé et les chambres à gaz n'avaient pas fonctionné. Il était bien sûr du côté des tsiganes.

Depuis ce jour, quand le fils du Lagerführer S.S. part à la recherche de son père dans le labyrinthe d'Auschwitz, sa mère lui attache au cou une pancarte qui, par précaution, est également sanglée par une lanière de cuir à son torse.

Elle porte ces simples mots : « Je suis le fils du Lagerführer Schwarzhuber » « pour qu'on ne le ramasse pas et hop! dans la chambre à gaz », comme a raconté au procès de Francfort le témoin Baretzki.

— Je [1] jette un coup d'œil à travers les clôtures de barbelés. J'aperçois des enfants au teint hâlé qui courent et jouent tout nus. Des femmes au visage créole, aux vêtements de couleurs bariolées, et des hommes à moitié nus, assis par terre ou debout par groupes, devisant en regardant jouer les enfants. C'est le célèbre camp des tsiganes. Ils sont environ quatre mille cinq cents. Ils ne travaillent pas mais, dans les baraques voisines emplies de juifs, ils assument le rôle de surveillants de camp et de baraque avec une cruauté inimaginable pour le cerveau d'un homme normal.

— Le camp des tsiganes offre une curiosité : la baraque d'expérimentation qui s'y trouve. Le chef du laboratoire de recherches est le docteur Epstein, professeur à la faculté de Prague et pédiatre d'une renommée mondiale. Il est prisonnier du KZ depuis quatre ans : son assistant est le docteur Bendel, de la faculté de médecine de Paris.

— Les expériences qui y sont faites se divisent en trois groupes : le premier est la recherche sur la gémellité, qui a pris un essor mondial depuis la naissance des quintuplées du Canada; le deuxième, la recherche des causes biologiques et pathologiques du nanisme et du gigantisme; le troisième, la recherche des causes et

---

1. Témoignage Miklos Nyiszli : *Médecin à Auschwitz,* Julliard, 1965.

la thérapeutique du « noma facies », communément appelé gangrène sèche du visage.

— Mengele [1] avait les poches pleines de bonbons qu'il lançait un à un aux enfants, par jeu. Il n'y en avait pas assez pour tous, mais une fois ou l'autre, chaque enfant était sûr d'avoir son tour. Dès que le médecin faisait son apparition, les enfants rayonnaient. Un bonbon et ils oubliaient leurs souffrances.

— Nous essayions [2] systématiquement d'amollir les S.S. Nous leur donnions des montres, des bagues, et de l'argent. Quand ils les avaient pris, ils n'étaient plus aussi dangereux. Ils finissaient par tomber à zéro.

— Le soir [3] du 24 décembre 1943, on distribua comme d'habitude la nourriture après l'appel. On éteignit les lumières en laissant les veilleuses et les enfants commençaient à s'endormir. Soudain, alors que le Block était plongé dans un silence quotidien, une lumière intense se fit à une extrémité, vers l'entrée principale, et sur une estrade apparut une crèche radieuse entourée d'anges, d'anges avec des ailes et des auréoles et en même temps on entendit un chant très doux et très lent : c'était le Noël allemand : « Stille Nacht, heilige Nacht. » Le chant était d'une pureté et d'une harmonie parfaites. Commencé en sourdine, il monta graduellement et gagna le milieu du Block. Les enfants réveillés par la musique céleste, joignirent leurs voix et bientôt toute la baraque en fut emplie. Nous étions tous profondément émus. Charmé par le spectacle et le chant, je m'approchai de l'estrade et reconnus plusieurs « anges ». C'étaient des infirmières des Blocks voisins. Les gens « bien informés » assuraient que ces infirmières étaient des prostituées emprisonnées pour avoir transmis la blennoragie à des militaires allemands.

— Pour les yeux éblouis des enfants, pour tous ceux qui les voyaient et les entendaient, c'étaient des anges de Noël. Pour nous, qui avons partagé avec les enfants tsiganes la merveilleuse féerie de cette nuit mémorable, notre gratitude vivra aussi longtemps que nous-mêmes. Pour nous, ces généreuses prostituées-anges donnaient à chacun selon ses mérites; elles semaient les gonocoques parmi ceux qui semaient la mort, et semaient la joie parmi les innocents enfants tsiganes.

---

1. Témoignage Lucie Adelsberger (déjà citée).
2. Témoignage Anton Van Velsen (chef de Block du camp tsigane) recueilli par Hermann Langbein.
3. Manuscrit inédit Iancu Vexler.

L'aveu.

— Le camp [1] tsigane peut être considéré comme la préfiguration de l'humanité sous la domination S.S. La vie n'est pas un droit mais une concession accordée par l'Etat S.S. et cette concession peut être retirée à tout moment. A l'origine, le peuple tsigane n'était pas considéré par l'Allemagne comme une ethnie à exterminer. Les tsiganes faisaient le service militaire, étaient membres de la N.S.D.A.P. et ont combattu sur le front occidental notamment. Mais pour des raisons que l'Allemagne n'a pas besoin de dire car, étant puissante, elle n'a pas besoin de justification, elle décida un jour leur extermination. En cas de victoire, aurait-elle eu besoin de justifications pour exterminer les Tchèques, les Polonais, etc. Les tsiganes se sentaient en sécurité et nous les croyions à l'abri des chambres à gaz et brusquement, la situation a changé. La même chose pouvait se produire avec n'importe quel autre peuple. A cet égard, le fin homme d'Etat et roué diplomate, Pierre Laval, n'était pas plus clairvoyant que le pauvre tsigane Holomek ou Ruzicka, aide-palefrenier ou valet de ferme. Des amis tsiganes, inquiets du sort que les S.S. réservaient finalement aux juifs, me proposèrent de me faire tsigane.

— « Tu as de la chance, tu as un 7 comme premier chiffre de ton tatouage. Ajoute un petit trait et le 7 deviendra un Z. »

— C'était candide et émouvant.

— Un jour ensoleillé d'avril, nous sortions, un codétenu et moi en portant une « Trage » (combinaison de caisse et de brancard) pour faire une corvée. Devant la porte latérale de notre Block (Block des typhiques) se trouvait un groupe de quarante à cinquante civils debout et alignés par rangs de cinq. Il y en avait de tous les âges, entre quinze et cinquante ans environ. A en juger par leur bonne mine, ils venaient de « l'extérieur », de la liberté, et leurs vêtements le confirmaient. Ils portaient des bonnets de fourrure ou de drap molletonné, des manteaux épais, des bottes ou des brodequins à lacets, le tout en excellent état. Ils étaient certainement familiarisés avec la présence des soldats allemands car ils riaient et plaisantaient sans être gênés par les S.S. de l'escorte. Au retour de la corvée, nous posâmes un instant la « Trage » chargée et j'eus le temps de me rendre compte que c'étaient des Russes « aryens ». Plusieurs se taquinaient en jouant des mains car ils s'impatientaient. L'alignement était déjà un peu

---

1. Manuscrit inédit Iancu Vexler.

oublié mais les S.S. débonnaires n'intervenaient pas. C'était vrai-semblablement un « Zugang » privilégié. Nous montâmes avec notre Trage au premier étage où était notre salle.

— Après l'appel, le portier de la salle m'appela par mon nom et me dit de descendre au « Waschraum » (salle de douches). Dans la salle de douches je vis un codétenu qui me dit :

— Allons, au travail, vite. »

— A l'autre extrémité de la salle se trouvaient alignés et superposés des morts nus. Au fur et à mesure que nous les tirions pour les déposer sur les brancards, je reconnaissais les Russes qui avaient attendu devant l'entrée du Block. Il portaient tous au niveau du cœur la trace d'une piqûre d'où partait parfois une fine traînée de sang coagulé. Beaucoup avaient les yeux ouverts et une expression d'hilarité sur leurs bonnes et larges faces. Ils étaient lourds mais souples comme ces hommes-pantins qui, après un numéro de cirque où on les plie, on les enroule et on les intro-duit dans une malle, se dressent et saluent les spectateurs. Devant le Block attendait le chariot aux hautes ridelles dans lequel, aidés par d'autres détenus, nous chargeâmes les cadavres. Avant le cou-cher du soleil, tous gisaient dans la salle du petit crématoire d'Ausch-witz I, prêts à l'incinération. Deux ou trois heures après, je fus de nouveau appelé à descendre, mais cette fois-ci dans le cabinet médical. Là se trouvait un gradé S.S. occupé à examiner je ne sais quoi au microscope. Un autre S.S. tenait dans la main une seringue « Record » de 20 cm³ et sur la petite table se trouvait un flacon. (Je sus par la suite que l'un des deux s'appelait Klehr.) Au milieu du cabinet, un tabouret. Un camarade plus ancien dans le service me dit ce que je devais faire. On amena un malade nu et on lui dit de s'asseoir sur le tabouret. Je devais me placer derrière son dos et lui relever les bras de façon à lui maintenir les avant-bras croisés devant les yeux. Le S.S. remplit la seringue de phénol, enfonça l'aiguille dans le thorax au niveau du cœur, aspira pour s'assurer que le sang venait, ce qui prouvait qu'elle était bien dans le cœur, et injecta le contenu de la seringue. Le malade fit entendre un râle et s'affaissa. Je devais l'empêcher de tomber, le saisir par le thorax et le soulever, le camarade le prenait par les cuisses et nous le portâmes en courant dans le Waschraum où nous devions le laisser tomber de haut sur le carrelage. Pour le premier malade, je me comportai d'une façon maladroite mais pour les suivants, mes gestes furent de plus en plus assurés.

— La même opération s'opéra vingt-cinq à trente fois. Les malades, pour la plupart, demandaient ce qu'on allait leur faire.

La réponse était prête, toujours la même, joviale : « Un vaccin. »
« Très bien, puisqu'il le faut. » Ils mouraient rassurés. C'est alors
que je compris l'expression d'hilarité sur les bonnes faces de far-
ceurs de ces Russes athlétiques : pendant qu'on se disposait à leur
injecter le « vaccin » ils riaient en disant « qu'ils en avaient vu
d'autres » et « qu'ils n'étaient plus à un vaccin près ». Et ainsi
l'espiègle Aliocha n'hésitait pas à prendre sournoisement le tour
de l'indolent Fedia pour être plus vite débarrassé. Ceux qui n'étaient
pas encore « vaccinés » n'allaient pas tarder à retrouver les vaccinés
qui attendaient la désinfection des vêtements.

— Lorsque tous les malades désignés pour recevoir ce traitement se trouvèrent alignés et superposés dans la salle de douches,
le thérapeute S.S. vint vérifier s'ils étaient bien morts. Si un mort
lui paraissait douteux, il était tiré à l'écart et le S.S. lui exerçait
une forte pression sur le thorax avec son pied (respiration artificielle à la mode S.S.) et plus d'une fois, après cette manœuvre,
le mort se remettait à respirer. Le S.S. lui accordait une nouvelle
dose. J'ai vu à plusieurs reprises administrer trois doses à des
morts rétifs et le thérapeute un peu humilié se tournait vers nous,
nous disant :

— « Undankbare Arbeit » (travail ingrat).
— Que pouvions-nous répondre pour le consoler.
— « Jawolh, Herre Oberscharführer. »
— Dans le doute, mieux valait dire Ober que Unter car
j'avoue que je ne suis jamais arrivé à distinguer leurs grades.
— Je livre les faits dans leur nudité schématique. Je me
sentais dépositaire d'un terrible secret. Passe encore d'assister à
des injections intracardiaques sur des juifs, mais voir des aryens
traités par cette méthode! Je me sentais devenu en quelque sorte
membre du « Sonderkommando ». On sait ce que cela signifie.
— A quelques jours de là, à la corvée de soupe, je fis la
connaissance d'un médecin du Nord-Pas-de-Calais et j'éprouvai le
besoin de lui confesser ce qui s'était passé, ce que j'étais devenu.
Il me raconta qu'il venait de Buna et que là-bas, le médecin allemand (Lagerarzt), l'avait obligé non pas à assister aux injections
intracardiaques, mais à les exécuter. Et comme le confrère Lagerarzt lui trouvait une mine assombrie, il lui dit « de se faire un
visage gai car c'est un travail qui doit être exécuté avec entrain
et allégresse, tout en faisant attention de ne pas recevoir des gouttes de phénol dans les yeux (risque de taies de la cornée) ». Donc :
« Jawohl! Herr Obercharführer. » Et si le médecin S.S. nous avait
obligés à remplacer son subalterne? Qu'aurions-nous fait à la place

de mon malheureux ami du Nord? Qui oserait affirmer qu'il eût
refusé? Je pense au malheureux du livre de Vercors *Les armes
de la nuit.*

*
**

Pery Board, S.S. au camp d'Auschwitz a relaté dans ses
Mémoires les « autres » traitements réservés aux Russes. Ce document rédigé avant son procès de Francfort et conservé au Musée
d'Auschwitz est tout aussi important que celui de son commandant
Hœss. Sa lecture est indispensable pour « comprendre » Auschwitz
et le traitement qui sera réservé aux tsiganes dont Broad fut le
responsable.

— Les Russes expédiés à Auschwitz en 1941-1942 furent
internés au camp auxiliaire construit à cette époque à Birkenau.
Un drame incroyable y eut lieu par la suite. Les hommes torturés
par la faim furent atteints de démence [1]. Ils se précipitaient gou-
lûment sur les grenouilles, sur chaque navet. Tous les soirs, des
chariots emportaient des morts vers le crématoire d'Auschwitz.
Les mourants, ne pouvant plus supporter leurs souffrances inouïes,
grimpaient volontairement sur les chariots et y étaient abattus
comme du bétail.

— Un jour, on put observer un Russe étendu dans un chariot
sur un tas de cadavres. Il respirait à peine. Sa tête ballottait par-
dessus la barre latérale. Un S.S. s'approcha du chariot et cogna
de toutes ses forces avec un gourdin sur la tête qui pendait. Le
Russe rejeté en arrière, retomba cette fois avec la tête pendant
par-dessous la barre; un second coup rejeta de nouveau la tête du
mourant dans la position précédente. Le soldat S.S. paraissait s'en
amuser. Bien que le malheureux fût déjà mort, le S.S. continuait à
rouer de coups le cadavre jusqu'à ce que la tête soit devenue une
masse informe et sanglante.

— Un autre soldat S.S. s'amusait à sauter sur les corps des
mourants étendus sur le sol et à leur broyer le larynx ou la nuque
avec la crosse de son fusil.

— L'administration du camp s'était décidée enfin à mettre
à sa manière fin à cette misère. Des milliers de prisonniers de
guerre soviétiques furent fusillés dans un bosquet près de Birke-

---

1. Dans les « Mémoires » de Hœss, on trouve le passage suivant : « Les
Russes fouillaient dans les silos et il n'y avait pas moyen de les en arracher.
Certains sont morts en mastiquant, les mains pleines de pommes de terre. »

nau, et enterrés en plusieurs rangées dans d'énormes fosses communes longues de 30 à 60 mètres, profondes de 4 mètres, et larges aussi de près de 4 mètres. Le problème russe fut ainsi résolu à la pleine satisfaction de l'administration du camp.

— Or, un temps vint où tous les journaux allemands soulevèrent un tapage incroyable autour des événements de Katyn. L'administration du camp s'était rappelé alors avec embarras de ses fosses communes. A la même époque, les pêcheries et les poissonneries commençaient à se plaindre que les poissons crevaient en masse dans les grands étangs aux environs de Birkenau, à Harmenza entre autres. Les experts trouvèrent que ce phénomène était dû à l'empoisonnement des eaux du sous-sol par la ptomaïne. Par-dessus le marché, quand le soleil commençait à chauffer trop ardemment à Birkenau, les corps qui ne se décomposaient pas, mais seulement pourrissaient, se mettaient à bouger, et une masse bouillante et noirâtre s'écoulait alors du sol crevassé, exhalant une puanteur indescriptible.

— Il fallait à tout prix entreprendre des mesures. En face des événements de Katyn, il était absolument déraisonnable de garder les fosses communes où les corps non seulement ne se décomposaient pas, mais réapparaissaient même à la surface de la terre.

— Le S.S. Hauptscharführer Franz Hössler [1] plus tard Obersturmführer — qui, par la suite, fut arrêté à Belsen en 1945 — avait reçu l'ordre d'exhumer en grand secret les cadavres pour les brûler. Pour la réalisation de cette tâche, Hössler avait choisi vingt à trente S.S. qui jouissaient de sa confiance particulière. Ceux-ci durent signer une déclaration qu'ils étaient pleinement conscients du fait qu'ils seraient condamnés à mort au cas où ils auraient dévoilé le secret de service ou même y auraient fait la plus vague allusion.

— Bien entendu, personne n'exigeait des fonctionnaires S.S. qu'ils prennent eux-mêmes la pelle pour effacer les traces de ce crime honteux. Il y avait assez de détenus pour remplir cette corvée. Hössler avait entrepris la réalisation de sa tâche avec un Kommando spécial travaillant en se relayant et formé de plusieurs centaines de juifs arrivés de tous les pays occupés par les Allemands. Maints prisonniers refusèrent d'effectuer cette besogne et furent tués à coup de revolver.

---

1. Hössler fut condamné à mort au procès de Bergen-Belsen, le 17 novembre 1945.

— Les S.S. surveillant l'exhumation et l'incinération des restes pourrissants mais encore conservés, avaient droit de toucher chaque soir, dans la cuisine, une ration supplémentaire consistant en un litre de lait, une portion de saucisson, quelques cigarettes et, naturellement, de l'eau-de-vie.

— Les détenus assignés au Kommando spécial étaient logés au camp de Birkenau dans les Blocks qui étaient séparés par une palissade des autres baraquements.

— Il y avait aux environs de Birkenau un lieu situé un peu à l'écart, peu marécageux et même très pittoresque. De là, durant de longues semaines, on pouvait observer des grosses volutes de fumée blanchâtre qui s'élevaient çà et là vers le ciel. Personne n'avait le droit de s'approcher de ces lieux, même de loin, sans un laisser-passer spécial. Toutefois cela ne servait à rien, puisque l'odeur qu'exhalaient ces nuages blanchâtres, suspendus au-dessus de Birkenau, constituait une confirmation suffisante des rumeurs courant dans le pays.

— Des peines sévères attendaient les S.S. surveillants si un détenu réussissait à s'enfuir de ce Kommando sanglant. Une nuit, le vent avait chassé l'âcre fumée au ras du sol. Aucun poste de garde n'était capable de se tenir de ce côté. Deux détenus profitèrent de cette occasion. N'ayant rien à perdre et tout à gagner, ils s'étaient éloignés du bûcher, à l'abri de la fumée, pour s'enfuir dans la forêt voisine. On ne s'était aperçu de leur absence que deux heures après, pendant la vérification de l'état numérique du Kommando. On interrogea en qualité de témoins plusieurs détenus. Une grande battue fut organisée qui, toutefois, n'avait apporté aucun résultat. Les évadés avaient disparu.

— Le commandant était hors de lui. Comment donc aviser le Reichsführer? Qu'allait-il arriver si ces deux détenus évadés, dont un était juif français, et l'autre juif grec, réussissaient à passer à l'étranger ou même s'ils allaient rapporter à la population allemande les méfaits accomplis à Birkenau? Mieux valait ne pas y penser.

— Les gardes reconnus responsables de l'évasion furent expédiés à Matzkau, camp disciplinaire pour les S.S. aux environs de Gdansk.

— Une autre fois, deux détenus s'étaient enfuis d'un de ces bûchers dans deux directions opposées, profitant du moment où le garde S.S., étourdi par la chaleur de midi et la fumée, fût accablé de sommeil. Ce garde, soldat S.S. nommé Strutz, était tellement ahuri qu'il ne savait plus sur lequel des deux fuyards il avait à tirer d'abord. Avant qu'il n'eût repris ses sens, les deux évadés avaient disparu dans les fourrés. Probablement lui aussi aurait été expédié à Matzkau. Le visage blême, il attendait déjà l'interrogatoire à la porte de la section II, quand un rapport arriva qui lui apportait le salut. Les deux pauvres diables s'étaient égarés dans la forêt épaisse et, après avoir fait un cercle, ils s'étaient endormis dans une grange non loin d'Auschwitz, épuisés par la faim et la fatigue. C'est là qu'ils furent saisis par les S.S. Ils furent soumis à un interrogatoire pressant dans le but de leur arracher des aveux pour savoir si d'autres détenus du Sonderkommando projetaient aussi une évasion. Cet interrogatoire révéla un tableau bouleversant de la détresse humaine. Les évadés furent enfermés par la suite au Block 11, d'où ils ne revinrent plus.

— De la sorte, le soldat Strutz put reprendre ses fonctions, le cœur allégé et avec la ferme résolution d'être désormais plus prudent.

— Hössler avait un autre assistant zélé en la personne du S.S.-Hauptscharführer Moll[1] qui l'aidait à remplir ses fonctions à Birkenau. Moll et Palitsch pourraient être rangés parmi les plus cruels bourreaux de la dernière guerre. La carrière de Palitsch s'acheva à Matzkau. Les massacres qu'il organisait — évidemment pour le salut de la grande Allemagne et mû par la fidélité aveugle à l'idéologie raciste — ne l'empêchaient pas de nouer des relations intimes avec les ennemis de l'Etat — entre autres des juifs — à condition que ceux-ci soient des femmes, jeunes et jolies. Toutefois, il ne put échapper à son sort, bien qu'il menaçât ses victimes de les supprimer si elles osaient le dénoncer. Heureusement pour lui, ses relations amoureuses avec une juive n'étaient pas connues. Mais une autre histoire d'amour, cette fois avec une internée lettone, Vera Lukas[2], ainsi que l'habitude — très répandue d'ailleurs à Auschwitz — de s'approprier une partie des objets de valeur pris aux détenus à leur arrivée, pour s'assurer une vieillesse pai-

---

1. Otto Moll — S.S.-Hauptscharführer était chef d'équipe (Kommandoführer) d'un Kommando des détenus travaillant à l'horticulture. Il surveilla, par la suite, le Kommando disciplinaire à Birkenau qu'on employait à la construction du fossé dit « royal » (Königsgraben). Plus tard il fut nommé chef des crématoires et des chambres à gaz, et exerça par la suite les fonctions de chef du camp auxiliaire à Gliwice. Il se distinguait par un sadisme exceptionnel. L'ordre de la Kommandantur du 30 avril 1943 annonce que Moll et Hœss furent décorés de la K.V.K. de première classe avec épées. Au procès de Dachau le 13 décembre 1945, Moll a été condamné à la peine de mort. Le verdict fut exécuté.

2. Broad a été chargé par la Section politique d'instruire l'affaire concernant les relations entre la détenue Vera Lukas et le S.S.-Hauptscharführer Palitsch qui exerçait, à cette époque, les fonctions de chef du camp tsigane à Birkenau.

sible, lui valurent plusieurs années de prison. Le S.S. Hauptscharführer Moll, par contre, fut décoré de la Croix de Guerre du Mérite de première classe pour son activité zélée à Birkenau; Hössler, lui aussi, portait sur sa poitrine une K.V.K. [1].

— Grabner et le commandant de camp se demandèrent alors sérieusement s'ils ne devaient pas, en cas d'évasions du Sonderkommando, soumettre tous les détenus appartenant à ce Kommando au « traitement spécial [2] » — dénomination officielle pour l'extermination.

— Ils étaient arrivés cependant à la conclusion que ce ne serait pas indiqué pour le moment, vu que l'équipe spéciale était déjà bien entraînée à son travail. Sans parler qu'un grand nombre de détenus de ce Kommando mouraient d'ailleurs infectés par la ptomaïne et étaient remplacés par de nouveaux internés, exclusivement juifs. Enfin, après plusieurs semaines de travail, toutes traces de massacre des Russes à Birkenau étaient effacées.

— Mais le Sonderkommando ne devait pas trouver le repos!

— Les cellules du Block 11 avaient des soupiraux aménagés au-dessous du niveau du sol. Naturellement, on ne pouvait rien voir par eux, mais ils laissaient passer une quantité suffisante d'air et un peu de lumière.

— Outre ces cellules, il y avait aussi des cachots où un étroit conduit d'air, débouchant dans la mystérieuse caisse en tôle fixée à l'extérieur du mur, suppléait à peine la quantité d'air nécessaire à respirer. Un jour, quarante Russes avaient été asphyxiés dans un pareil cachot. On les y avait entassés si étroitement qu'ils ne pouvaient même bouger.

— Outre ces cachots, d'une surface de près de 8 mètres, il y avait encore quatre cellules verticales qui complétaient les installations prévues dans ce bâtiment pour le supplice des êtres humains. Dans ces cellules, d'un demi-mètre de surface, privées, naturellement, de toute lumière, maints détenus avaient passé des heures et mêmes des semaines terribles. Il y était impossible de s'asseoir. Les prisonniers se tenaient accroupis dans l'obscurité. Surtout en hiver, les jours de grands froids, ce lieu devenait insupportable, puisqu'il y était impossible de bouger pour se réchauffer.

— Les cellules verticales étaient prévues pour les détenus qu'on voulait « faire mûrir pour l'interrogatoire ». Elles servaient aussi — ainsi que les cachots — de pénitencier officiel.

---

1. Croix de Mérite de Guerre.
2. Sonderbehandlung — cryptogramme désignant la condamnation à la chambre à gaz.

— Pour obtenir les résultats désirés à l'interrogatoire, les S.S. appliquaient souvent un supplice connu au Moyen Age. Dans une mansarde lugubre, les patients étaient pendus par les mains nouées dans le dos. Une corde attachée aux pieds permettait de tendre le corps. Mais comme les détenus torturés de cette façon s'évanouissaient généralement après un quart d'heure, la méthode du « poteau » fut abandonnée, et remplacée par celle des « balançoires », dès que celles-ci ont été introduites au camp.

— Un jour on avait retiré d'un cachot les cadavres des prisonniers de guerre soviétiques qui y étaient enfermés. Etendus sur le sol de la cour, les corps paraissaient singulièrement gonflés et bleuâtre, bien qu'ils fussent relativement frais. Certains détenus plus âgés, qui jadis avaient pris part à la Première Guerre mondiale, se souvenaient d'avoir vu déjà de pareils cadavres. Soudain ils comprirent de quoi il s'agissait... c'était donc le gaz!

— Le premier essai du crime, le plus odieux projeté par Hitler, avait réussi pleinement. Dès ce moment, commença le drame atroce dont les victimes étaient des millions d'être humains, qui jusqu'à présent vivaient heureux et innocents.

— Le Feldwebel S.S. Hauptscharführer Vaupel avait choisi, parmi les soldats de la première compagnie de S.S.-Totenkopfsturmann stationnée au camp de concentration d'Auschwitz, six hommes dignes de la plus grande confiance. Il avait désigné ceux qui étaient depuis longtemps membres du corps noir de l'Allemagne S.S. [1].

— Les soldats désignés devaient se présenter chez les S.S.-Hauptscharführer Hössler. Ils furent reçus par lui et avertis avec insistance qu'ils devaient garder un silence absolu sur ce qu'ils allaient voir dans quelques minutes. En cas de violation du secret, la peine de mort les attendait.

— La tâche de ces six hommes consistait à former une ceinture hermétique autour du crématoire d'Auschwitz en barrant le passage par tous les chemins et les routes qui y menaient. Personne, ni soldats, ni officiers, n'était autorisé à passer cette ceinture. Les bureaux installés dans les bâtiments dont les fenêtres donnaient sur le crématoire devaient être évacués. Dans l'infirmerie

---

1. Les Schwarze S.S.-Schutzstaffel (détachements noirs de sécurité) furent organisés en 1929, comme gardes du corps de Hitler. Les détachements « Têtes de Mort » (S.S.-Totenkopf) n'ont été organisés qu'après l'arrivée de Hitler au pouvoir, en tant qu'unités spéciales dont la mission était de « briser l'échine » aux adversaires politiques. Les membres de ces unités passaient par un cours d'instruction spéciale qui devait les préparer à l'activité future dans les camps de concentration.

des troupes S.S., aménagée au premier étage du bâtiment contigu au crématoire, il fut interdit à tous de s'approcher de la fenêtre par laquelle on pouvait voir le toit et la cour de ce lieu sinistre.

— Tous les préparatifs terminés, Hössler s'assura encore que personne ne se trouvait sur le terrain interdit. Un triste cortège s'est mis alors en marche par les allées du camp. Il s'avançait du côté de la rampe qui longeait la voie ferrée, conduisant au camp, entre les magasins de ravitaillement de la garnison et les Usines de l'armement allemand. Ils portaient tous une grosse étoile jaune signe de leur origine juive, cousue à leur vêtement. Leurs visages abattus témoignaient des grands souffrances qu'ils avaient endurées. C'étaient surtout des gens âgés.

— Quelques gardes sans fusil, armés seulement d'un revolver caché dans leur poche, conduisaient ce cortège vers le crématoire. Conformément aux instructions reçues de Hössler, ils assuraient les déportés qu'on allait les employer tous selon leurs professions et les malheureux se sentaient soulagés.

— Jusqu'à ce jour, chaque garde cherchait à maintenir à coups de bâton la « distance entre les rangs » des arrivages conduits au camp. Mais cette fois, pas un seul mot méchant n'était tombé. Tout cela était d'autant plus terrible.

— Les deux vantaux de la grande porte d'entrée menant au crématoire s'ouvrent lentement. Sans soupçonner aucun danger, la colonne entre par cinq dans la cour. Il y a 300 à 400 personnes. Un S.S. un peu agité se tient à la porte et pousse les verrous. Grabner et Hössler se tiennent debout sur le toit du crématoire. Grabner s'adresse aux juifs assemblés dans la cour, qui attendent leur sort sans aucune appréhension. « A présent on va vous baigner et désinfecter pour éviter les épidémies dans notre camp. Vous irez tantôt dans vos quartiers où une soupe chaude vous attend déjà, et ensuite vous serez assignés à un travail selon vos métiers. Déshabillez-vous dans la cour et posez vos effets à vos pieds! »

— Tous obéissent volontiers à cet ordre prononcé d'un ton amical et cordial. Les uns se réjouissent à la perspective de la soupe chaude, les autres sont heureux de se sentir enfin délivrés de l'incertitude insupportable, et de constater que leurs mauvais pressentiments ne se sont pas réalisés. Tous se sentent un peu rassurés après les ennuis subis.

— Du haut de leur toit, Grabner et Hössler leur donnent des conseils rassurants :

— « Posez vos souliers auprès de vos effets pour que vous puissiez les retrouver plus aisément après le bain!

— « Est-ce que l'eau est chaude?

— « Naturellement, douches chaudes.

— « Quel est votre métier?

— « Cordonnier?

— « Nous en avons grand besoin, présentez-vous chez moi tantôt! »

— Pareils et semblables propos dissipèrent les derniers doutes des plus méfiants. Le premier groupe a passé déjà par le vestibule dans la salle de la morgue. Tout y brille de propreté. Seule une odeur étrange prend certains à la gorge. Ils cherchent en vain sur le plafond des douches ou des conduites d'eau. Entre-temps, la salle se remplit.

— Quelques S.S. entrent avec les patients dans le vestibule en plaisantant et en causant. Mais ils observent furtivement la porte. Ils se retirent aussitôt que le dernier déporté du transport est entré dans la salle. Soudain la porte calfeutrée de caoutchouc et recouverte de tôle d'acier se ferme avec fracas, et les gens enfermés dans la salle perçoivent le bruit de lourds verrous poussés.

— La porte est serrée hermétiquement ensuite par des vis pour que l'air ne passe pas par les fentes. Une terreur de plomb paralysante envahit les malheureux. Ils se mettent à frapper à la porte, ils cognent contre elle avec les poings dans une colère impuissante.

— Pour seule réponse, un ricanement railleur se fait entendre :

— « Ne vous brûlez pas au bain! »

— Certains se sont aperçus qu'on a enlevé les couvercles des orifices découpés dans le plafond. Ils poussent un cri de terreur en voyant apparaître une tête protégée par un masque à gaz.

— Les « désinfecteurs » se sont mis au travail. L'un d'eux est le S.S.-Unterscharführer Teuer décoré récemment de la K.V.K. Avec un ciseau et un marteau, les « désinfecteurs » ouvrent des boîtes en fer blanc d'aspect inoffensif. Une inscription y annonce : « Cyclon, insecticide. Attention, poison! Ne peut être ouvert que par un personnel instruit. » Les boîtes sont remplies jusqu'aux bords de granules bleus de la grandeur d'un pois [1].

---

1. Pour l'extermination des hommes dans les chambres à gaz, on employait à Auschwitz un produit insecticide nommé cyclon B. C'étaient des cristaux de diatomite imprégnés d'acide cyanhydrique. Le cyclon B était produit par l'Association allemande pour la lutte contre les parasites (Deutsche Gesellschaft für Schädlingsbekämpfung).

— Aussitôt les boîtes ouvertes, leur contenu est versé dans les orifices qu'on recouvre au plus vite avec les couvercles. Entre-temps, Grabner a donné un signe au chauffeur d'un camion arrêté devant le crématoire. Celui-ci fait marcher le moteur dont le ronflement assourdissant couvre les cris d'agonie des centaines de malheureux asphyxiés par le gaz.

— Avec l'intérêt d'un savant, Grabner observe la petite aiguille de sa montre-bracelet. Le cyclon agit rapidement. C'est une préparation de cyanure à état solide. Déversés de la boîte, les granules dégagent l'acide cyanhydrique gazeux.

— Un des participants à cette entreprise odieuse ne peut pas se priver du plaisir de cracher dans la salle en soulevant une seconde le couvercle de l'orifice.

— Après deux minutes environ, les cris se sont apaisés en un gémissement monotone. La plupart des victimes ont perdu conscience. Après deux autres minutes, Grabner laisse retomber son bras portant la montre.

— Tout est fini. Un silence profond règne à présent. Le camion est reparti. Les postes de garde sont levés, et une équipe des nettoyeurs trie les effets qui avaient été pliés soigneusement et rangés sur le sol de la cour du crématoire.

— Les S.S. et les civils travaillant sur le territoire du camp continuent à passer avec des mines affairées à côté du monticule vert, sur les pentes artificielles duquel des jeunes arbres se balancent paisiblement au vent. Rares sont ceux qui savent quel événement terrible s'est passé ici il n'y a que quelques minutes, et quel spectacle lugubre présente la salle de la morgue masquée par les gazons verts.

Témoignage sur les tsiganes : Rudolf Hœss, commandant du camp d'Auschwitz [1].

— Les tsiganes représentaient un contingent considérable.

— Longtemps avant la guerre, lors de l'action entreprise contre les asociaux, on avait commencé à interner les tsiganes dans les camps de concentration. Un bureau spécial de la direction de la police criminelle du Reich était chargé de la surveillance des tsiganes. On faisait constamment des perquisitions dans leurs campements pour mettre la main sur des individus non tsiganes qui s'y étaient infiltrés et on les renvoyait dans des camps comme asociaux ou réfractaires au travail; on procédait aussi, périodiquement, dans ces mêmes campements, à des recherches biologiques. Le Reichsführer voulait à tout prix assurer la conservation des deux tribus tsiganes les plus importantes. Il les considérait comme les descendants directs de la race indo-germanique primitive dont ils auraient conservé les us et les coutumes dans leur pureté originelle. Il voulait les faire enregistrer tous sans exception. Bénéficiaires de la loi « sur la protection des monuments historiques », ils auraient été recherchés dans toute l'Europe et installés tous dans une région déterminée où les savants auraient pu les étudier à loisir.

— Pour exercer un contrôle plus effectif sur les tsiganes nomades, on les rassembla tous en 1937-1938 dans des « camps d'habitation » installés au voisinage des grandes villes. Mais, en 1942, ordre fut donné d'arrêter sur toute l'étendue du Reich toutes les personnes de sang tsigane, y compris les métis, et de les expédier à Auschwitz. L'âge et le sexe n'étaient pas pris en considération. Une exception était faite uniquement en faveur de « tsiganes purs », reconnus comme membres des deux tribus principales : ceux-ci devaient se fixer dans le district d'Oldenburg, sur les rives du lac de Neusiedl. Ceux que l'on destinait à Auschwitz devaient y rester pendant la durée de la guerre dans un « camp familial ».

— Les directives d'après lesquelles on devait procéder à ces arrestations n'étaient pas suffisamment précises. Les divers représentants de la police criminelle les interprétaient à leur gré. C'est ainsi que nous vîmes arriver toute une série de personnes qui n'au-

---

1. Rudolf Hœss a rédigé son autobiographie dans la prison de Cracovie où il attendait d'être jugé. Condamné à mort il a été pendu le 4 avril 1947. Archives du Musée d'Auschwitz. Publié en France sous le titre : *Le Commandant d'Auschwitz parle*, Julliard, 1959.

raient dû être internées dans aucun cas. On avait arrêté, par exemple, de nombreux permissionnaires blessés à plusieurs reprises et titulaires de hautes décorations, uniquement parce que leur père, leur mère ou l'un de leurs grands-parents étaient tsiganes ou métis. Il se trouvait même parmi eux un membre du parti national-socialiste depuis toujours, dont le grand-père, tsigane, était venu s'installer à Leipzig; l'homme était lui-même à la tête d'un important commerce dans cette ville et s'était distingué pendant la Première Guerre mondiale. Il y avait aussi parmi eux une étudiante qui exerçait à Berlin les fonctions de Führerin à l'Union des jeunesses féminines allemandes. On trouvait encore bien des cas analogues que je ne manquai pas de signaler à l'administration de la police criminelle du Reich. Sur ces entrefaites, on procéda à des vérifications périodiques, et nombreux furent ceux qui obtinrent leur libération, mais dans la masse ce n'était guère sensible.

— Je ne saurais dire le nombre exact des tsiganes et des métis internés à Auschwitz. Je sais seulement qu'ils occupaient entièrement un secteur prévu pour l'hébergement de dix mille hommes [1]. Or les conditions générales de vie à Birkenau ne correspondaient en rien à ce qu'on aurait pu attendre d'un « camp familial ». Si l'on avait vraiment l'intention de garder les tsiganes uniquement pendant la durée de la guerre, toutes les conditions indispensables à la réalisation de ce plan faisaient défaut : il n'était même pas possible d'assurer aux enfants une nourriture tant soit peu convenable. Pendant un certain temps, je parvins, en invoquant de prétendus ordres d'Himmler, à obtenir pour eux quelque ravitaillement, mais il me devint bientôt impossible de recourir à ce moyen, le ministère du Ravitaillement ayant interdit toute attribution de vivres aux enfants internés dans des camps de concentration.

— En juillet 1942, lors d'une nouvelle visite d'Himmler, je lui fis faire un tour d'inspection détaillé dans le camp des tsiganes. Il put tout voir : les baraques remplies à éclater, les conditions sanitaires insuffisantes, l'infirmerie regorgeant de malades. Il put voir les enfants atteints de « noma », affreuse épidémie infantile qui me faisait penser aux lépreux de Palestine [2]. Il put voir ces

---

1. Il y aurait eu à Birkenau 16 000 tsiganes au printemps de 1943. (Note du Comité d'Auschwitz, 1963.)
2. Le noma est une ulcération des tissus. Cette maladie avait presque totalement disparu dans les pays civilisés. Les médecins déportés qui ne la connaissaient que théoriquement, en ont constaté de nombreux cas, surtout à Auschwitz. (Voir témoignage Vexler.)

petits corps décharnés, ces joues si creuses qu'elles devenaient translucides, le lent pourrissement de ces corps vivants.

— Il prit connaissance des statistiques de mortalité relativement faibles comparées à l'ensemble du camp, mais énormes par rapport au nombre des enfants. Je ne crois pas que parmi les nouveau-nés, beaucoup aient survécu au-delà de quelques semaines.

— Ayant pris ainsi une vue d'ensemble complète et précise de la situation, Himmler donna l'ordre de liquider tous les tsiganes, exception faite de ceux qui étaient encore capables de travailler. Ainsi faisait-on avec les juifs.

— Je lui fis remarquer que les détenus dont il s'agissait ne correspondaient pas exactement aux catégories qui avaient été prévues pour Auschwitz. Il prescrivit alors à la direction de la police criminelle du Reich de procéder, aussi rapidement que possible, à un ratissage méticuleux pour extraire de la masse des tsiganes internés ceux qui étaient encore bons pour le travail. Cela n'allait pas demander moins de deux ans. Les hommes reconnus aptes au travail furent transférés dans d'autres camps.

— Ces tsiganes étaient confiants comme des enfants. Pour autant que j'aie pu en juger, ils ne souffraient pas trop, dans l'ensemble, des conditions si pénibles de leur existence, abstraction faite des entraves opposées à leurs instincts nomades. Leurs mœurs, peu évoluées, leur permettaient de s'adapter à la promiscuité de l'habitat, aux mauvaises conditions d'hygiène et même à la nourriture insuffisante. Ils ne prenaient pas trop au tragique les maladies et la mort qui les guettaient à chaque pas. Ayant gardé leur nature enfantine, ils étaient inconséquents dans leurs pensées et dans leurs actes, et jouaient volontiers. Ils ne prenaient pas trop au sérieux le travail; optimistes jusqu'au bout, ils cherchaient le bon côté des choses, même lorsqu'il s'agissait des occupations les plus pénibles.

— Je n'ai jamais remarqué chez eux de regards sombres ou haineux. Lorsqu'on venait dans leur camp, ils sortaient de leurs baraques, faisaient de la musique, encourageaient leurs enfants à danser et faisaient étalage de leurs dons de saltimbanques. Ils disposaient d'un grand jardin d'enfants garni de jouets les plus variés où leurs gosses pouvaient s'ébattre à leur aise. Lorsqu'on leur adressait la parole, ils répondaient en toute confiance et formulaient toutes sortes de bons vœux.

— J'avais toujours l'impression qu'ils n'étaient pas entièrement conscients de la situation dans laquelle ils se trouvaient.

— Il se jouait entre eux des luttes féroces. Les diverses tribus et clans se combattaient et dans leur acharnement se manifestait le sang fougueux de leur race.

— A l'intérieur de leur clan ils étaient très unis et très attachés les uns aux autres. Au moment où l'on sélectionna les hommes capables de travailler, la séparation provoqua des scènes émouvantes, beaucoup de chagrin et de larmes. Mais on les rassura et on les consola, en leur promettant qu'ils se retrouveraient tous plus tard.

— Pendant un certain temps, les hommes capables de travailler furent employés à Auschwitz même, au camp principal. Ils faisaient l'impossible pour voir de temps à autre les membres de leur clan, ne fût-ce que de loin. Ils manquaient à l'appel fréquemment : torturés par la séparation, ils s'étaient faufilés, en ne reculant devant aucune ruse, dans le secteur réservé aux leurs.

— Même lorsque je me rendais à Oranienburg, à l'inspection générale des camps, je me voyais souvent interpellé par des tsiganes qui m'avaient connu à Auschwitz et qui espéraient obtenir de moi des nouvelles de leurs proches. Souvent ceux-ci étaient déjà gazés; il m'était fort pénible de donner des réponses évasives à ces gens qui m'abordaient avec tant de confiance. Ils m'ont causé à Auschwitz pas mal de souci, mais c'étaient pourtant, si j'ose dire, mes détenus préférés. Leur nature ne leur permettait pas de rester fixés pendant longtemps au même endroit. Ces « bohémiens », toujours prêts à vagabonder, avaient une prédilection marquée pour les Kommandos de transport parce qu'ils pouvaient satisfaire leur curiosité en allant à droite et à gauche et aussi parce que cela leur procurait des occasions de voler. On ne pouvait naturellement rien faire contre ces penchants innés. Leur conception de la morale était tout à fait particulière. Pour eux, il n'y avait rien de répréhensible dans le vol. Ils n'arrivaient pas à comprendre qu'on les punisse. Je ne parle ici que de la majorité des détenus, des vrais tsiganes vagabonds ainsi que des métis complètement adaptés aux mœurs tsiganes. Mon jugement ne s'étend pas aux sédentaires, aux habitants des villes, qui étaient déjà imprégnés de mœurs civilisées dans ce qu'elles ont de pire.

— J'aurais été encore plus intéressé par leur vie et leurs coutumes si je n'avais pas éprouvé une terreur perpétuelle en pensant à l'ordre qui m'avait été donné de les liquider.

— Jusqu'au milieu de 1944 il n'y avait, en dehors de moi, que les médecins qui connaissaient les ordres d'extermination. Ils

avaient reçu du Reichsführer la consigne de supprimer discrètement les malades, et plus spécialement les enfants. Et ces gosses
avaient encore une telle confiance! Rien n'est plus difficile que
d'exécuter froidement de tels ordres en faisant abstraction de tout
sentiment de pitié.

Témoignage sur les tsiganes Péry Board, ancien chef au camp tsigane d'Auschwitz.

— En février 1944, le commandant du camp d'Auschwitz avait reçu un telex du Bureau V du R.S.H.A. portant l'entête de la Direction de la Police criminelle du Reich.

— On l'avisait de l'arrivée prochaine de plusieurs milliers de tsiganes, en soulignant que « pour le moment on ne devait pas les traiter de la même manière que les juifs ». La bande multicolore des tsiganes français, hongrois, tchèques, polonais et allemands, arriva à Auschwitz la semaine suivante avec ses enfants et tous ses bagages.

— Ils furent internés dans le camp des tsiganes — un secteur isolé du camp de Birkenau. Des ordres plus détaillés arrivèrent en mars par lettres express bordées de rouge. On y notifiait à l'administration que sur l'ordre du Reichsführer, tous les tsiganes « sans égard au degré de pureté de leur sang » devaient être expédiés dans les camps de concentration pour le travail forcé. Une exception devait être faite en faveur des tsiganes purs et métis qui avaient un domicile stable et s'étant adaptés à la société, exerçaient un travail régulier.

— Cette clause n'existait que sur le papier et on ne l'observait nulle part. Puisqu'il était le plus facile de mettre la main justement sur cette catégorie de tsiganes, ils constituaient, par conséquent, le groupe le plus nombreux. Jeunes filles qui, jusqu'ici, avaient travaillé comme sténotypistes dans les bureaux de la Wehrmacht, ouvriers de l'O.T. [1], étudiants au Conservatoire et autres personnes dont l'existence était établie et qui avaient travaillé honorablement toute leur vie, se sont trouvés subitement internés dans les camps de concentration, les cheveux rasés, avec un numéro tatoué sur l'avant-bras, et accoutrés d'un uniforme rayé bleu et blanc. Les choses n'en restèrent pas là, et la démence battait son plein. Des centaines de soldats qui ne soupçonnaient même pas qu'ils étaient métis tsiganes furent retirés du front, obligés de déposer leur uniforme militaire et expédiés par la suite dans un camp de concentration et cela seulement parce qu'ils avaient dans leurs veines douze, ou même moins, pour cent de sang tsigane. Des gens décorés de la Croix de Fer, ou d'autres décorations pour le Mérite, ont été qualifiés tout à coup comme « asociaux » et inter-

---

1. Organisation Todt.

nés derrière l'enceinte de fils barbelés du camp d'Auschwitz, contrairement aux directives secrètes.

— Les métis tsiganes qui s'étaient fait remarquer au front comme soldats de grand mérite, pouvaient être épargnés s'ils se laissaient stériliser.

— Or, personne n'avait proposé cette solution à la plupart d'entre eux. On les arrêta sans grandes discussions en leur annonçant qu'ils allaient être tous installés dans un village tsigane.

— Les lettres au sujet des tsiganes qui arrivaient du Bureau de la police criminelle du Reich ou du Centre du Reich « pour la lutte contre le danger tsigane », étaient signées par le Kriminalrat Otto et les docteurs Ritter et Bühler.

— Près de seize mille tsiganes avaient été expédiés à Auschwitz [1]. Quelques mois après, une épidémie de typhus en emportait plus d'un tiers. On voulait exterminer tous les tsiganes, mais, probablement les autorités furent effarouchées de leur propre audace, et hésitèrent avant de prendre la décision définitive.

— En juillet 1944 les dés furent jetés. Himmler donna l'ordre de gazer tous les tsiganes, exception faite de ceux qui étaient encore capables de travailler et devaient demeurer internés dans les camps de concentration. Des familles entières furent séparées. Les métis assignés au travail n'entendirent plus parler de leurs parents ou de leurs enfants, ni ne les revirent jamais. Même certains S.S. se révoltaient contre cette action tsigane. En rencontrant au camp des gens qu'ils avaient bien connus dans leur pays natal, ils avaient du mal à comprendre pourquoi les soldats loyaux et exemplaires, dont le seul crime était leur origine raciale, pouvaient être internés sans aucun espoir d'un prompt relâchement.

— Dans les quelques cas particulièrement scandaleux qui étaient en désaccord évident avec les directives, un recours en libération était adressé à l'Office central du Reich. Dans une lettre qui l'accompagnait, on attirait discrètement l'attention des autorités sur la divergence entre l'ordre et sa mise en pratique.

— Or, la police criminelle préférant ne pas reconnaître que ses décisions allaient à l'encontre des directives, déclinait en principe les requêtes, en prétendant que les références présentées par le tsigane en question n'étaient que pur mensonge, une enquête ayant démontré qu'il n'avait jamais été titulaire des décorations qu'il affirmait porter. Pour que la décision négative fût plus convaincante,

---

1. Au total 20 943 tsiganes, dont 10 849 femmes et 10 094 hommes — avaient été déportés à Birkenau. (Note Comité d'Auschwitz.)

on la colorait de vagues suggestions que le tsigane en question était, par exemple, un aventurier connu dans son pays, que les vols fréquents pour lesquels l'auteur avait toujours été insaisissable, cessèrent après son arrestation, etc. L'Office central du Reich n'ignorait pas le désir du tout-puissant Reichsführer que toute trace des tsiganes fût effacée de la surface de la terre. On savait parfaitement que les clauses exceptionnelles n'étaient que fioritures bureaucratiques ajoutées aux ordres d'extermination, et qu'il était bien facile de tomber en disgrâce en se montrant trop indulgent. Le Kriminalrat Otto avait même adressé à Auschwitz une lettre où il priait « de veiller à ce que de pareils recours cessent à l'avenir ».

— Cependant, dans les cas particuliers, où il s'agissait de tsiganes titulaires de hautes décorations, la libération était accordée à condition qu'ils se laissent stériliser. Or, on n'en pouvait persuader presque personne, car les méthodes de stérilisation appliquées par l'Institut de l'hygiène étaient trop bien connues. Malgré toutes les précautions, les rumeurs sur les nombreux décès parmi les patients soumis aux expériences avaient transpiré au-dehors du camp.

— Il y en avait d'autres qui renonçaient volontairement à la liberté, car ils ne voulaient pas quitter leur femme et leurs enfants qui devaient rester au camp. D'autres encore se décidaient à ne pas quitter le camp, car leurs familles, qui jusqu'alors étaient encore en liberté, avaient été internées avant l'arrivée de la décision qui leur rendait la liberté. Le sort de la famille tsigane Dikulitch-Toderowitch peut servir d'exemple choquant. Cette famille de neuf membres était de nationalité croate. L'ambassade de la Croatie avait obtenu leur libération d'un bureau de la Kripo. Or, tous les biens des tsiganes, de même que ceux des juifs, « passaient en possession du Reich ». Des négociations prolongées avaient été nécessaires pour que la famille pût recouvrir son avoir. En été 1943 ils devaient enfin retourner en Croatie. Cependant, selon l'opinion de Bragner, qui se sentait responsable du salut de l'Etat, ces tsiganes innocents pourraient troubler les relations amicales avec la Croatie, en y rapportant des informations sur les conditions qui régnaient à Auschwitz. Il différait donc le relâchement, en informant toujours Berlin que la famille en question ne pouvait pas quitter la quarantaine à cause d'une prétendue épidémie de typhus. Un par un, les membres de cette famille succombaient aux dures conditions du camp. Il ne restait à la fin qu'un garçonnet de quatre ans, qui devint le benjamin de tous les internés qui le protégeaient et s'occupaient de lui. Mais personne ne se souciait plus de sa libération. A la liquidation du camp tsigane, lorsque les détenus aptes au travail furent transférés dans les camps de concentration de Buchenwald, Mittelbau et Ravensbrück, le petit fut expédié à la chambre à gaz avec les enfants et les vieillards incapables de travailler.

Le « faux » tsigane.

— Au camp [1] tsigane, outre mon service de médecine, j'avais à m'occuper de la morgue (Leichenhalle ou Leichenkammer). Je pratiquais des autopsies ainsi que des prélèvements. Chaque fois que le docteur Mengele venait travailler à la Sauna, j'étais appelé, non seulement pour servir d'interprète, mais pour servir parfois d'assistant ou « d'auditoire »... Mengele, à côté de son fanatisme dément, avait des qualités humaines. Il posait fréquemment des questions sur la littérature française et il s'efforçait d'apprendre un peu de vocabulaire. Mais hélas, la conscience de sa mission annihilait tout...

— La Sauna occupait la dernière baraque à droite de l'allée principale du camp (Lagerstrasse) et le cabinet d'étude du docteur Josef Mengele se trouvait dans l'enceinte de la Sauna. Lorsque j'entrai dans son cabinet, le docteur Mengele était assis et rangeait ses cahiers. Sur une table étaient posés les objets servant aux examens anthropologiques. Je les voyais pour la première fois. Deux surtout attirèrent mon attention : une planchette servant de support à des mèches de cheveux et une palette-support d'yeux artificiels. C'était une planchette de 70 à 80 cm sur 6 ou 7 cm en celluloïd ou galalithe portant sur toute sa longueur des orifices distants de 2 cm environ d'où pendaient des franges de cheveux, naturels ou factices, présentant des nuances allant du noir corbeau au blanc albinos en passant par le châtain foncé, châtain clair, blond, etc. Chaque nuance était désignée par un numéro et une lettre. La palette se trouvait à côté de la planchette — je n'ai pas le souvenir précis de sa forme. Les iris des yeux auxquels cette palette servait de support formaient une double graduation allant du noir au jaune pâle et du bleu intense au bleu pâle en passant par le violet, le vert et le gris. Chaque nuance portait aussi un numéro et une lettre. Les yeux et les cheveux des sujets à examiner étaient comparés à ces échelles et recevaient une lettre et un numéro qui les caractérisaient. Il y avait également des instruments servant à la mesure de l'angle facial, des diamètres du crâne ainsi que le nécessaire pour empreintes digitales, palmaires, plantaires, une toise, etc.

— Le docteur Mengele donna l'ordre d'introduire le premier sujet à examiner. Il entra. Je reconnus... le tsigane français. J'ai oublié son nom, pourtant un nom courant en France, en tout cas

---

1. Manuscrit inédit Iancu Vexler.

pas un nom germanique comme en portaient la plupart des gitans que j'avais connus chez nous. Je l'avais vu à son arrivée au camp et je connaissais son épouse, ses deux filles et l'histoire de leur arrestation. Je savais bien qu'il n'avait absolument rien d'un tsigane. Un policier ou un S.S. ayant rencontré la famille en France, probablement près d'une roulotte et se rappelant que le camp tsigane manquait de tsiganes français, l'avait emmenée à tout hasard. Les savants S.S. sauront bien découvrir quelque chose de tsigane et confirmer scientifiquement l'intuition des policiers S.S. Et l'examen commença.

— Interrogatoire. Le docteur Mengele me dictait les questions et je les répétais en français.

— « Vous êtes tsigane?

— « Je ne suis pas tsigane (vous le savez bien).

— « Votre femme est-elle tsigane?

— « Non. Elle ne me l'a jamais dit et je ne crois pas.

— « Vos parents étaient-ils tsiganes?

— « Mais non, ils n'étaient pas du tout tsiganes.

— « Quatsch, Meusch, s'écria Mengele. Bavardage. En voilà assez. » Et il fit un signe.

— La porte s'ouvre et les deux jeunes tsiganes, les factorums de notre Block, qui paraissaient jumeaux, font irruption comme deux diables et commencent à sautiller autour du pauvre homme comme au jeu de colin-maillard. Tout en le tirant par le col, par les revers du veston, par les manches, ils lui parlaient en tsigane avec une volubilité étourdissante. Je ne distinguais que le mot : manouche (tsigane) qui revenait constamment. Mengele avait donc préparé une confrontation en règle. Le prétendu tsigane se tourne vers moi et me demande :

— « Qu'est-ce qu'ils disent? »

— Mengele bondit de sa chaise en criant :

— « Keskidi? Keskidi? »

Puis en allemand :

— « Tu comprends fort bien ce qu'ils disent. Avec vingt-cinq coups sur le derrière tu comprendras encore mieux « Keskidi ».

— Le pauvre homme écoute bouche bée l'algarade de Mengele et, l'orage apaisé, se tourne de nouveau vers moi et désignant Mengele, me demande :

— « Qu'est-ce qu'il dit? »

— Mengele :

— « Encore « Keskidi »?

et s'adressant à moi il me dit :

— « Parle-lui toi un peu en tsigane. »

— Mon vocabulaire tsigane est minable, mais je m'exécute et m'adressant à notre prétendu tsigane je lui dis :

— « Ce monsieur est le Dramasco lourdo. »

— Cette fois-ci l'infortuné Durand (peut-être était-ce son nom), ahuri, croit que je déraille et me demande avec inquiétude :

— « Qu'est-ce que vous dites? »

— Je crois entendre le « Tu quoque »? de César s'adressant à Brutus.

— S'il ne s'agissait pas d'un « travail scientifique » et si on n'était pas dans un camp de concentration S.S. je dirais que c'est d'un bouffon inégalable.

— Mengele sursaute encore mais faiblement, sans conviction (il doit commencer à se rendre compte de la sincérité du prétendu tsigane). Je dois ajouter que les vingt-cinq coups sur le derrière (auf dem Arsch) ne lui furent jamais administrés.

— L'examen continue. On fait entrer l'épouse et les deux filles : l'aînée, Denise (je n'ai pas oublié son prénom), 18 ans environ, blonde, fine et douce, comme une madone de Botticelli en guenilles, la cadette, 16 ans environ brune et vive comme une jeune danseuse andalouse. Mengele les examine rapidement et s'arrête tout à coup à la chevelure de la cadette (les femmes avaient ici les cheveux coupés, mais non tondus).

— « Viens voir, me dit-il, avec une expression de triomphe. Regarde bien! »

Je regarde.

— « Lorsque tu vois la ligne d'implantation des cheveux de la région temporale décrire une petite courbe avancée vers le front, alors « ils » peuvent nier sous la torture ou jurer sur tous leurs saints. Ils sont confondus. Elle est tsigane.

— La science a eu le dernier mot avec la ligne d'implantation des cheveux de la jeune fille. Mon rôle était terminé et Mengele continua son travail : empreintes, toises, études des cheveux, des yeux, du pavillon de l'oreille, etc.

— Dina, l'artiste-peintre n'a pas été chargée de faire le portrait de la jeune fille car elle n'avait pas le type tsigane comme Kali-Tchaï, dont le portrait a fait l'admiration de Mengele et de beaucoup d'intellectuels S.S. Ils s'agissait maintenant de calculer le pourcentage de sang tsigane de chaque membre de la famille.

Existe-t-il une autre solution?

— Avec [1] le déclin et l'extinction du typhus exanthématique, la gale surinfectée passa au premier rang des causes de mortalité au camp. Cela peut paraître incompréhensible, incroyable. Dans les lésions de grattage sur des corps affaiblis et souffrant de carence, les germes pyogènes se développent avec rapidité et atteignent une haute virulence. On a vu des organes enflammés prendre des proportions monstrueuses jamais vues et qu'on ne reverra, espérons-le, jamais. Les poux avaient disparu grâce aux épouillages fréquents et à la diminution de la population des Blocks. La concurrence vitale avait aussi joué entre ces insectes et le sarcopte de la gale et donna la victoire à ce dernier. L'administration du camp s'attaqua à ce fléau et on distribua des bidons d'huile soufrée, spécialité très efficace appelée « Mitigal ». Les camarades et moi avons eu au moins deux fois la gale et chaque fois la guérison fut rapide avec le Mitigal.

— Mais bientôt le Mitigal devint rare; n'en obtenaient que les privilégiés et quelques Pflegers. On eut donc recours à une autre méthode et le Block 22 fut aménagé en « infirmerie de la gale » sous la direction de notre camarade le médecin polonais Richard Skulski.

— Richard était un jeune homme affable, bon, patient, cultivé et aimait parler français. Il s'entretenait de préférence avec notre ami Jean B. gynécologue parisien. Skulski était de constitution chétive et aussi porteur d'une trachéotomie avec canule (croup dans l'enfance). Le Mitigal fut donc remplacé par un traitement par le soufre naissant. On se servait de pulvérisateurs à piston semblables à ceux qui servent à pulvériser les insecticides domestiques. On aspergeait d'abord tout le corps avec une solution d'hyposulfite de sodium, ensuite avec une solution d'acide tartrique. Le soufre naissant se déposait en poussière fine et agissait comme il pouvait. L'efficacité de la méthode était discutable car la poudre pénétrait difficilement dans les galeries du parasite. De plus, elle était collective et beaucoup de tsiganes, notamment les femmes, répugnaient à s'y soumettre.

— Cela donna naissance à un véritable trafic de Mitigal par les potentats et les privilégiés. Un jour, en fin d'après-midi, nous nous rendîmes chez Skulski. Il avait reçu une allocation de Mitigal et un groupe de Pflegers tsiganes, après avoir traité leurs malades,

----

1. Manuscrit inédit Iancu Vexler.

étaient en train de se traiter à leur tour. Ils étaient alignés debout sur la longue cheminée horizontale comme sur une scène et s'enduisaient du bienfaisant Mitigal en s'aidant mutuellement. Les corps, oints d'huile soufrée, paraissaient des statues de bronze sur lesquelles les cicatrices plus claires des gales antérieures se détachaient comme de grandes paillettes d'or.

— Les Blocks ne prenant jour que par les lucarnes du toit, les faisceaux de lumière, comme jaillis de projecteurs de music-hall, animaient ces statues qui semblaient exécuter une danse rythmée sur des rites païens. Mais le Mitigal disparut bientôt et on surprenait parfois des Pflegers et des potentats du camp portant furtivement de précieux flacons ayant contenu autrefois du parfum et remplis de cet or liquide, tant recherché.

— C'était un cadeau princier qu'on offrait à une belle tsigane. Et la belle, recevant d'un potentat un beau flacon de cristal taillé, eût été bien déçue si elle avait senti, en le débouchant, l'odeur de violette ou d'œillet du parfum Coty au lieu de l'odeur soufrée du Mitigal.

— Le mot Mitigal était plus employé que le mot pain; il l'était même dans la bouche des enfants. Lorsqu'ils nous rencontraient dans le camp, ils quémandaient en allemand ou en tchèque :

— « Du Mitigal, monsieur le docteur. »

— Nous leur répondions que nous n'en avions pas mais ils ne nous croyaient pas. Et comment pouvaient-ils croire que le « Herr Doktor » lui-même ne pouvait pas en obtenir? Beaucoup ignoraient encore que la hiérarchie du personnel des infirmeries était l'inverse de ce qu'on peut croire. Il est difficile à un esprit normal de concevoir qu'un jeune brancardier ou un garçon de laboratoire gifle un médecin ou un chirurgien pour un motif ou plutôt sous un prétexte futile (n'a pas mis un stéthoscope, un thermomètre ou la fiche médicale à sa place). Ainsi le docteur R., médecin âgé, installé dans le sud-ouest de la France et assez nouveau au camp, reçut une paire de gifles d'un jeune Stubendienst. Indigné, il dit au Stubendienst en polonais, qu'il se plaindrait au médecin en chef du Revier (c'était, à l'époque, le docteur D., médecin polonais). Cette menace amusa follement le jeune Stubendienst et celui-ci, dans l'espoir d'assister à une scène cocasse, invita et obligea le docteur R. (surnommé Pickwick) à présenter séance tenante sa plainte. Le médecin en chef après avoir écouté avec dignité la raison de la correction, dit au gifleur : « Tu as bien fait. » Grand fut l'étonnement du docteur R. en entendant la sentence du « grand confrère » mais plus grande fut l'hilarité du Stubendienst devant le masque ahuri de notre ami « Pickwick ». Mais l'étonnement du docteur R. devait être de courte durée. Je dois ajouter, et je le fais avec tristesse, que beaucoup de Stubendienst polonais des infirmeries, cherchaient les occasions et s'arrangeaient pour frapper des médecins juifs devant les tsiganes hommes et surtout femmes et même enfants afin de les humilier plus profondément et de faire étalage de leur propre puissance. Etait-ce vrai « camarade K. »? Est-ce vrai, « camarade » Mi? Nous eûmes aussi un grand réconfort et, je le dis avec joie et une profonde gratitude, on ne saurait assez admirer le courage, l'héroïsme tranquille de quelques Pflegers polonais, médecins ou secrétaires qui, au péril de leur vie — je dis bien au péril de leur vie, car beaucoup de leurs compatriotes leur vouaient une haine implacable — s'opposaient à la conduite de ces complices bénévoles des S.S. plus haineux que les S.S., mais serviles et obséquieux devant les bourreaux nazis.

— Dans leur humble et discrète délicatesse, des tsiganes qui avaient assisté à ces scènes déshonorantes, nous recevaient avec une amitié accrue et plus d'égards dans leurs Blocks d'habitation, après leur sortie de l'hôpital. Malheureusement (heureusement devions-nous dire plus tard), la plupart des amitiés nées entre eux et nous prenaient fin de façon brusque et imprévue par le transfert des tsiganes et nous ne connaissions que leur prénom et très peu de noms.

— Les deux sœurs tsiganes allemandes Trude (diminutif de Gertrude) et Resi (diminutif de Thérèse) qui nous avaient pris en amitié, mon ami Michel S. et moi, nous invitèrent un jour à rendre visite à leur mère dans un Block d'habitation. Trude, l'aînée était vive, spirituelle et avait une conversation très agréable. Elle plaisantait ses jambes un peu arquées. Resi était timide, un peu naïve, élancée et fort belle. Leur mère était une femme grande au visage ouvert, le regard beau et franc, agréable et intelligente. Elles ne savaient pas où était le père. Les jeunes filles avaient été ouvrières couturières et savaient lire et écrire. La plupart des tsiganes avaient fréquenté l'école.

— La mère des jeunes filles nous raconta d'une voix calme leur vie dans une petite ville d'Allemagne, tranquille et paisible où la famille vivait en bonne intelligence avec les voisins allemands. Ils ne cachaient d'ailleurs nullement leur origine tsigane, maintenue et affirmée par la langue et les chants. Physiquement rien ne les distinguait des Allemands « aryens ». Lorsque le recensement devint obligatoire, ils durent quitter « provisoirement » leur foyer où ils vivaient parfois depuis des générations. Vinrent les examens anthropologiques, ensuite Auschwitz-Birkenau. Nous ne perçûmes aucun signe de découragement, encore moins de désespoir. Les tsiganes avaient foi en la justice. Elle n'a jamais prononcé le nom du Führer, ce qui prouve que sa confiance avait une base plus sérieuse, et nous dit qu'un jour tout le monde serait libre. Avant de nous séparer, elle me dit avec un sourire rayonnant de bonté et franchise :

— « Si tu veux devenir mon gendre, il faudra aussi me guérir de la gale. »

— *Sancta simplicitas.* Quelles paroles de confiante amitié alors qu'à quelques pas de là des « camarades », chevaliers sans vertu d'une croisade de pacotille, entretenaient une atmosphère noire, empoisonnée de haine absurde. Comment ne pas lui garder un souvenir reconnaissant jusqu'à la fin de la vie?

— Beaucoup de tsiganes allemands étaient adventistes et nous avons eu dans notre Block un « frère adventiste » qui prêchait naïvement et d'une façon émouvante de sa pauvre couchette de malade. Il mourut chez nous de tuberculose pulmonaire. Sa fille était infirmière dans notre Block. Elle ressemblait à une Madone de Raphaël avec son écharpe noire sur la tête et ses cheveux qui commençaient à repousser. La jeune femme était mariée, avait perdu une fillette de deux ans à Auschwitz et son mari était « quelque part » dans un camp de travail. Dans les lits des morts on trouvait de petites croix en bois peint (faux ébène) avec un Christ en métal blanc. J'en reçus deux ou trois offertes par des amis tsiganes, que je pus conserver jusqu'à la fouille qui précéda le départ de Birkenau.

— L'âme des tsiganes était un trésor d'amitié, de foi, de courage, de délicatesse. Bien peu nombreux étaient les rusés, les faux-frères.

— Lorsque nous retournâmes, un autre jour, dans le Block de Trude et Resi, celle-ci était occupée à faire le ménage. Dans les Blocks il n'y avait pas de sièges; les quelques tabourets étaient réservés aux chefs et aux secrétaires. On s'asseyait sur la cheminée horizontale quand elle n'était pas brûlante ou glacée, mais surtout sur le bord des lits, afin de ne pas déranger la couverture. Pour faire le lit, il fallait monter sans chaussures sur les planches qui l'encadraient. La mère rappela à Resi qu'elle avait à faire les lits. La jeune fille ôta ses souliers et sauta lestement sur le bord du lit inférieur, et s'étant agrippée des deux mains au bord du lit supérieur, elle posa les deux pieds sur le bord du lit moyen afin de

commencer par le haut. Nous étions assis sur le lit inférieur voisin et n'avions devant les yeux que le cadre rectangulaire limité
par les planches, semblable à une scène de marionnettes, où se
mouvait la jeune ménagère. Celle-ci se déplaçait pour atteindre
les extrémités et les bords du lit. Nous ne voyions de la jeune
fille que les jambes un peu au-dessus des chevilles et les pieds.
L'admirable architecture du pied se révélait ici dans toute la splen-
deur de sa nudité, vivante et hors du contexte du corps. Il fallait
garder l'équilibre et suivre le travail des bras et des mains qui
balayaient l'éternelle poussière de bois des paillasses et rajustaient
les traverses formant le fond du lit. C'était le travail qui exigeait
le plus de soin car les traverses, minces et flexibles, parfois trop
courtes, se déplaçaient facilement, souvent au plus léger mouvement. Plus d'une fois, les occupants de l'étage supérieur tombaient
comme par une trappe brusquement ouverte sur les occupants de
l'étage moyen, puis, entraînant ceux-ci par le phénomène d'avalanche, tombaient sur les occupants de l'étage inférieur et enfin
tous ensemble étaient reçus par le sol de béton ou de terre battue
où chacun devait chercher et retirer ses membres et sa tête de
l'enchevêtrement. Cela arrivait surtout la nuit et le vacarme et les
imprécations réveillaient toute la population du Block.

— Et quel travail ensuite pour retrouver, à tâtons, les couvertures dans cette mêlée. Le calme revenait vite, mais on passait
le reste de la nuit chez les voisins ou amis et le lendemain on
démontait et remontait les planches. C'est dire avec quel soin on
procédait à la stabilisation des traverses.

— Les pieds de Resi, dans l'ardeur et l'application de son
travail, exécutaient des pointes, des mouvements de rotation, des
glissés, s'écartaient, se rapprochaient et c'était une animation incessante où se formaient et disparaissaient des reliefs arrondis, allon-
gés, des fossettes, des gorges, où les couleurs passaient du rose
au bleu pâle, de l'incarnat au blanc. Les orteils, par un mouvement de balancier, participaient à cet effort d'équilibre sur une
planche posée de chant, et par le jeu tendu des muscles, tantôt
ils devenaient exsangues, tantôt le sang y affluait et ils semblaient
tantôt de prodigieuses perles de nacre, tantôt des perles de corail.
Ces variations de couleurs et ces figures désordonnées et gracieuses,
dont la chorégraphie ignorée était réglée par l'humble tâche ménagère du camp de concentration, composaient une danse insolite
que nous, spectateurs et admirateurs aussi insolites, pouvions déchiffrer : c'était la répétition inconsciente de quelques-uns des gestes
rudimentaires de l'homme primitif qui sont à l'univers de la danse

ce que la nébuleuse est au système solaire. La jeune fille interrompit son travail pour nous dire au revoir et nous rentrâmes au Revier, le cœur et les yeux enrichis de dons d'amitié et de beauté.

— Le lendemain, un nouveau transport arriva sur le quai de débarquement. Comme chaque fois que les transports reprenaient après un arrêt de quelque temps — et qu'on espérait définitif — les tsiganes étaient consternés. Hanka, la Pflegerin polonaise, regardait immobile avec une profonde tristesse la marche lente du convoi vers les chambres à gaz. On voyait distinctement des enfants sortir des rangs et se poursuivre en jouant et des S.S. leur caresser la tête. Arrive un Pfleger polonais, un intellectuel « libéral ». Emu par l'attitude accablée de Hanka, il lui mit paternellement une main sur l'épaule et lui demande avec « douceur » :

— « Pourquoi te tourmentes-tu?

— « Je regarde ces gens infortunés, répond Hanka.

— « Existe-t-il une autre solution? »

Les jumeaux de Mengele.

— Un jour [1] je me suis trouvé dans l'obligation d'accompagner mon chef de block pour la désinfection des cellules des condamnés à mort et celles où le docteur Mengele faisait enfermer des enfants pour ses expériences. Après trente ans, le souvenir de ces « images » me fait frémir d'horreur. Dans une cellule de un mètre cinquante au carré, sans fenêtre, le chauffage central marchant à fond en plein mois d'août, deux enfants tsiganes, nus, accroupis sur le sol cimenté. Ils n'avaient plus aucun réflexe. Ils sont restés inconscients quand je les ai aspergés d'un liquide soidisant désinfectant. J'ai su par la suite qu'il s'agissait de frères jumeaux en « attente » d'expérimentations.

— Face [2] à la nôtre il y a une baraque avec des enfants de six à quatorze ans environ. J'y fais parfois fonction d'infirmier. Ces pauvres enfants, arrachés à leurs parents, ont encore la chance d'être vivants, parce qu'ils sont tous jumeaux. Leur survie est due à une manie du médecin S.S. Mengele qui se livre sur eux à des expériences de génétique. Pendant plusieurs jours je suis, avec mon ami Riquet, de service de tinettes à cette baraque d'enfants. Cela consiste à transporter des récipients cylindriques, contenant environ 50 litres de matières, au pas de course jusqu'à la baraque des cabinets où nous les vidons. Les tinettes sont constamment trop remplies et leur contenu nous coule sur les doigts, et les anses entament mes doigts dont la peau est toujours restée très fragile, depuis le portage de briques. Ces enfants innocents, arrachés brutalement au banc de l'école, cherchent appui auprès de nous, et nous avons du mal à dissimuler devant eux la pitié et la rage impuissante que ce spectacle suscite en nous.

— Je [3] me souviens fort bien de Mengele : les enfants l'appelaient « l'oncle Mengele ». Quand il arrivait au camp des gitans, les enfants allaient à sa rencontre, car il leur apportait souvent du chocolat en inspectant ses seize couples de jumeaux sur lesquels il pratiquait ses expériences. Un jour il vint lui-même pour les mener au crématoire. Les enfants semblaient pressentir ce qui les attendait. Ils le suppliaient de les laisser en vie. Mengele les rassura, les fit monter dans sa voiture et les conduisit lui-même au crématoire.

---

1. Témoignage inédit Rubin Kamioner.
2. Témoignage Fred Sedel : *Habiter les Ténèbres*. La Palatine, 1963.
3. Témoignage Anton Frans Von Versen, déporté néerlandais d'Auschwitz. Procès d'Auschwitz, audition du 23 mars 1964.

— Là les enfants pleurèrent de nouveau. Mengele les fusilla de sa propre main [1].

— Dès [2] leur arrivée au camp, les jumeaux étaient photographiés sous tous les angles et les expériences commençaient. Elles étaient, au meilleur cas, d'une puérilité déconcertante. On injectait par exemple à l'un des jumeaux certaines substances chimiques et on guettait la réaction, si toutefois on ne l'oubliait pas. Mais même quand on suivait les conséquences, la science n'y trouvait aucun profit pour cette simple raison que le produit injecté n'offrait aucune espèce d'intérêt. Tel produit, par exemple, était censé influencer sur la pigmentation des cheveux. On perdait alors de longues journées à peser les cheveux et à examiner leur coloration au microscope, après quoi, comme les résultats n'offraient rien de sensationnel, on laissait tomber l'expérience.

— Le docteur Mengele se passionnait aussi pour les nains. Il les collectionnait avec un soin jaloux. Le jour où il découvrit dans un convoi nouvellement arrivé une famille de cinq nains, il exulta de joie. Mais c'était plutôt une manie de collectionneur qu'un dada de savant. Les observations auxquelles il prétendait se livrer se réduisaient en réalité à bien peu de chose. Mais Mengele n'avait de compte à rendre à personne, il faisait ce que bon lui semblait et se livrait à ses expériences en amateur.

— Un [3] médecin détenu, le docteur Rudolf Vitek, qui examina ces enfants sur l'ordre de Mengele, se rappelle Dieter et Hans Schmidt qui avaient trois ans et demi. Mengele les emmena un jour dans sa voiture et demanda en revenant quel était l'interne qui les avait examinés. Le docteur Benno Heller, de Berlin, se présenta et essuya une algarade violente :

— « Vous êtes un mauvais interne; vous avez noté que les deux enfants avaient les poumons normaux. Or, à l'autopsie j'ai constaté que Dieter avait les sommets pris. »

— Exactement [4] six mois après son arrivée [5], notre transport, qui comprenait à l'origine 5 000 personnes, fut envoyé à la chambre à gaz. Mon frère et moi échappâmes à ce sort, car nous étions

---

1. En général « Mengele » faisait exécuter ce genre de « travail » par les spécialistes du Sonderkommando.
2. Témoignage Olga Lengyel : *Souvenirs de l'au-delà*, Editions du Bateau Ivre, 1946.
3. Témoignage Hermann Langbein (déjà cité).
4. Témoignage Jiri Steiner : *Tel était leur enfer*, Inge Deutchkron, La Jeune Parque, 1968.
5. Jiri Steiner, déporté avec sa famille dans le ghetto de Theresienstadt, découvrira Auschwitz en septembre 1943.

jumeaux et pour cette raison le docteur Mengele s'intéressa à nous [1]. J'ai fait la connaissance du docteur Mengele. C'était un homme mince et élancé. Il avait le front haut et se comportait généralement avec beaucoup d'arrogance. L'expression de sa figure pouvait changer en une seconde et arborer un sourire charmeur. Je le vis pour la première fois en mars 1944 peu après qu'on nous eût fait sortir du fameux transport du mois de mars. A peine fûmes-nous transférés de la quarantaine au quartier des malades dans le « camp des familles » qu'il nous fit demander hypocritement si nous avions un désir quelconque. Il nous demanda la même chose avec un sourire angélique, après nous avoir convoqués pour un examen approfondi. Mon frère et moi répondîmes en même temps :

— « Nous voudrions être avec nos parents. »

— A ce moment-là, nous ne savions pas encore que le transport avait déjà été envoyé à la chambre à gaz. Avec la même gentillesse qu'il avait mise à nous questionner, il nous assura que nous reverrions nos parents bientôt. Mais il n'ajouta pas où.

— Nous étions alors environ 150 couples de jumeaux. Il comparait les particularités biologiques, surtout chez les jumeaux véritables. Il constatait en quoi ils différaient l'un de l'autre et en quoi les jumeaux différaient des autres humains. On avait beaucoup de travail avec nous. Pas tant le docteur Mengele lui-même que les médecins des détenus. Ils devaient mesurer les différentes parties du corps et comparer les résultats. Ils nous radiographièrent, nous photographièrent sur toutes les coutures et examinèrent notre vue, notre ouïe, notre système nerveux et notre rythme cardiaque. Ils firent des prises de sang (14 fois en 18 mois) et les envoyèrent à un quelconque laboratoire. Ils essayaient toujours d'ajourner les expériences sur nous, car ils savaient que quand elles seraient terminées, nous serions passés à la chambre à gaz. Mengele prit beaucoup de soin de nous car nous étions en quelque sorte les garants de sa carrière scientifique et aussi de sa carrière de S.S. Il nous installa dans le bâtiment des malades et ordonna pour nous une ration supplémentaire d'un quart de litre de soupe. Il se tenait au courant de notre état de santé et faisait attention à ce qu'on ne nous envoie pas par mégarde à la chambre à gaz. Un jour, cela faillit arriver. Mengele était absent et l'un de ses collègues s'empressa d'organiser une sélection. Nous devions être gazés le lendemain. Cette nouvelle nous laissa dans l'ensemble apathiques.

---

1. Jiri Steiner et son frère sont âgés de 14 ans en septembre 1943.

Tout nous était déjà devenu indifférent. Mais Mengele revint dans la nuit et sauva « ses jumeaux ».

Le docteur Hirsch [1] savait qu'il allait mourir. Le typhus ne lui laisserait que quelques jours de répit. D'autres déportés le chargent dans le camion... et puis soudain il s'évanouit. Il se réveille à l'infirmerie. Par quel miracle?

— Des médecins déportés m'ont récupéré. Mengele cherchait un radiologue parlant allemand. Sans médicaments, par un autre miracle, j'ai pu me remettre rapidement.

Hirsch devait interpréter pour Mengele les radios des jumeaux prises dans le camp des femmes. Un jour, deux paires de jeunes enfants sont amenées à la « station ». Les deux plus jeunes ont cinq ans, les deux autres sept ans. Tous les quatre présentent des rougeurs autour des articulations. Les médecins déportés écoutent Mengele.

— « On voit bien que ce sont là des tuberculeux. »

Les médecins ont diagnostiqué de suite : « Erythème noueux [2].» Mengele s'énerve, tape du pied.

— « C'est du sabotage. Ce sont les signes de la tuberculose. »

Si la situation n'était pas aussi grave, le docteur Hirsch éclaterait de rire devant cette preuve de l'incompétence de son « maître ».

— « Et vous le radiologue? Vous n'avez rien trouvé?

— « Non.

— « Montrez les radios.

— « Rien! Mais si vous voulez que je marque sur les fiches « tuberculeux », je vais marquer. »

Mengele se tourne vers les jeunes enfants.

— « Venez avec moi. »

Le docteur Hirsch voit les enfants monter dans la voiture de Mengele. La voiture, au lieu de prendre la droite, vers le camp, tourne à gauche et s'engage sur le chemin du crématoire.

Miklos Nyiszli disséquera les corps sous les yeux de Mengele. Quatre meurtres pour prouver qu'il n'était pas possible qu'il se trompe.

Lorsqu'il revint vers les médecins déportés qui l'attendaient, il dit simplement :

— « Oui. Ça va pour cette fois. Mais si je découvre un

---

1. Médecin français. Témoignage recueilli en février 1967.
2. Congestion cutanée qui, dans la forme la plus courante, donne lieu à des rougeurs qui disparaissent sous la pression du doigt pour reparaître ensuite. L'urticaire est un érythème, une piqûre d'ortie aussi.

sabotage, le moindre sabotage, c'est vous qui prendrez la route du crématoire. »

— Dès l'arrivée [1] des convois, des soldats parcourent les rangs devant les wagons, à la recherche des jumeaux et des nains. Les mères en espèrent un traitement de faveur et remettent sans hésitation leurs enfants jumeaux. Les adultes jumeaux savent qu'ils sont intéressants du point de vue scientifique; dans l'espoir des conditions meilleures, ils se présentent volontairement. Il en va de même pour les nains.

— On les sépare et ils sont tous dirigés vers la droite. On leur laisse leurs vêtements civils, des gardes les accompagnent dans des baraques spécialement désignées pour eux et où on leur réserve certains ménagements. La nourriture est bonne, les couchettes sont confortables. Il y a des possibilités d'hygiène et ils sont bien traités.

— Ils sont dans la baraque 14 du camp F et c'est de là que leurs surveillants les emmènent dans la baraque d'expérimentation du camp tsigane. C'est là que l'on effectue sur eux tous les examens médicaux que le corps humain est capable de supporter. Des prises de sang, des ponctions lombaires, des échanges de sang entre frères jumeaux, ainsi que d'innombrables examens, tous fatigants et déprimants. Dina, l'artiste peintre de Prague, exécute les dessins comparatifs des crânes, pavillons auriculaires, nez, bouches, mains et pieds des jumeaux. Chaque dessin est classé dans le dossier préparé à cet effet et muni de caractéristiques individuelles; et c'est là que vont également trouver place les rapports concernant les résultats des recherches. Le processus est le même pour les nains.

— Ces expériences appelées en langage médical in vivo, c'est-à-dire expériences exécutées sur un être vivant, sont loin d'épuiser toutes les possibilités de recherches dans le domaine de la gémellité. Elles sont pleines de lacunes et n'offrent que des résultats insuffisants. Aux recherches in vivo succédera la phase la plus importante de l'étude de la gémellité : l'étude comparative du point de vue anatomique et anatomopathologique. Il s'agit ici de la comparaison des organes sains avec des organes fonctionnant anormalement, ou maladies des jumeaux. Pour cette étude, comme pour toute étude d'anatomie pathologique, les cadavres sont nécessaires. Etant donné qu'il faut accomplir la dissection pour l'appréciation simultanée des anomalies, les jumeaux doivent mourir en même

---

1. Journal du médecin déporté Miklos Nyiszli : *Médecin à Auschwitz.* Julliard, 1962.

temps. Aussi meurent-ils dans une des baraques du K.Z. d'Auschwitz, dans le quartier B', par la main du docteur Mengele.

— Il arrive ici une chose unique dans l'histoire des sciences médicales du monde entier. Deux frères jumeaux meurent ensemble et en même temps, et on a la possibilité de les soumettre à l'autopsie...

— Le Kapo en chef du Sonderkommando vient me trouver et m'annonce qu'à la porte du crématorium un soldat S.S. m'attend avec un kommando de transporteurs de cadavres. Je vais les trouver. Il leur est interdit d'entrer dans la cour. Des mains des S.S. je prends les documents concernant les cadavres. Ce sont les dossiers de deux petits frères jumeaux. Le Kommando, formé de femmes, dépose devant moi la civière recouverte. Je soulève la couverture. Elle cache deux jumeaux de deux ans. Je donne l'ordre à deux de mes hommes de transporter les cadavres et de les déposer sur la table de dissection.

— J'ouvre le dossier et le feuillette. Des examens cliniques très poussés accompagnés de radiographies, de descriptions et de dessins artistiques, reproduisent les manifestations scientifiques de la gémellité des deux petits êtres. Seules manquent les constatations d'anatomie pathologique. Leur exécution est à ma charge. Les deux petits frères jumeaux sont morts en même temps et reposent l'un à côté de l'autre sur la grande table de dissection. Ce sont eux qui doivent, par leur mort, avec leur petit corps offert à la dissection, résoudre le secret de la multiplication de la race.

— Faire un pas en avant dans la recherche de la multiplication de la race supérieure désignée pour la domination est un « noble but ». Si l'on pouvait arriver à ce que dans l'avenir chaque mère de race aryenne pure accouche autant que possible de jumeaux!

— C'est un projet insensé! Ses promoteurs sont les théoriciens déments du IIIe Reich. La réalisation de ces expériences a été acceptée par le docteur Mengele, médecin chef du K.Z. d'Auschwitz et célèbre « Criminal doctor ». Mieux vaut traduire ce terme par « docteur criminel » que par docteur criminologue...

— Je reçois encore des cadavres de jumeaux. On m'en apporte quatre paires du camp tsigane. Ce sont des jumeaux de moins de dix ans.

— J'ai fini la dissection d'une paire de jumeaux et je note dans le procès-verbal chaque phase de la dissection. J'enlève la calotte crânienne. J'en extrais simultanément le cerveau et le cervelet. J'examine l'ensemble. Suivent l'ouverture du thorax et l'enlèvement du sternum. Ensuite, j'écarte la langue par une ouverture pratiquée sous le menton. En même temps que la langue vient l'œsophage, et avec les voies respiratoires, les deux poumons. Je lave les organes pour y voir clair. Tout est plein de sang. La plus petite tache ou la différence de couleur la plus insignifiante peut fournir des indices importants. Je fais une coupe transversale à travers le péricarde. J'enlève à la cuiller le sérum qui s'y trouve. Je sors ensuite le cœur; je le mets sous le robinet pour le laver. Je le tourne et le retourne dans ma main pour l'examiner.

— Dans les parois extérieures du ventricule gauche, il y a une petite tache rouge pâle, provoquée par une piqûre d'aiguille et qui diffère à peine de la couleur de l'ensemble. Je peux me tromper. La piqûre a été pratiquée avec une aiguille très fine. Evidemment, c'est une aiguille pour injection. Il a reçu une injection, mais dans quel but? On peut recevoir des piqûres dans le cœur en cas d'extrême urgence, lorsque le cœur flanche. Je le saurai bientôt.

— J'ouvre le cœur, en commençant par le ventricule. Habituellement, on enlève à la cuiller le sang contenu dans le ventricule gauche et on le pèse. Cette manière de procéder ne peut être appliquée dans le cas présent, car le sang est coagulé en une masse compacte. Avec la pince je triture le caillot et je le porte à mon nez pour le sentir. Je suis saisi par l'odeur caractéristique de chloroforme. Il a reçu une piqûre de chloroforme dans le cœur afin que le sang du ventricule, en se coagulant, se dépose sur les valves et amène instantanément la mort par arrêt du cœur.

— Mes genoux tremblent d'excitation car je découvre le secret le plus monstrueux de la science médicale du IIIe Reich. Ce n'est pas uniquement avec du gaz qu'on tue, mais aussi avec des piqûres de chloroforme injectées dans le cœur. Une sueur froide perle sur mon front. C'est une chance de me trouver seul. Devant d'autres je pourrais difficilement masquer mon agitation. Je termine la dissection. Je prends note des différences trouvées et je les consigne sur papier. Cependant, le chloroforme, le sang coagulé dans le ventricule gauche et la piqûre visible sur la paroi externe du cœur n'y figurent pas. C'est une précaution utile de ma part. Les dossiers du docteur Mengele au sujet de ces jumeaux sont dans mes mains. Ils contiennent des examens précis, des radiographies et des dessins, mais les circonstances et les causes de la mort n'y figurent pas. Dans le procès-verbal de dissection, je ne garnis pas non plus cette colonne. Il n'est pas bon de franchir les limites autorisées du savoir et de raconter tout ce que l'on a vu, et ici encore moins qu'ailleurs...

— Je termine la dissection des trois autres paires de jumeaux, notant comme d'usage les anomalies trouvées. La cause de la mort de ces derniers est la même : piqûre de chloroforme dans le cœur. Je fais une observation curieuse. Sur quatre paires de jumeaux, trois présentant des globes oculaires de couleur différente. Un œil est bleu, l'autre marron. Ce phénomène se rencontre aussi chez des non-jumeaux. Mais, dans le cas présent, je l'ai observé chez six jumeaux sur huit. C'est une accumulation intéressante d'anomalies. Dans la science médicale, on l'appelle hétérochromie, ce qui veut dire couleurs différentes. Je prélève les yeux et je les mets chacun à part dans une solution de formol et note exactement leurs caractéristiques afin de ne pas les confondre. Je rencontre encore d'autres faits curieux. Lors de la dissection de quatre paires de jumeaux, je trouve, en décollant la peau du cou et au-dessus de l'extrémité supérieure du sternum, une tumeur de la grosseur d'une noisette. Pressant dessus avec ma pince, j'en exprime du pus épais. C'est un phénomène très rare mais bien connu en médecine. Il est une des manifestations de l'hérédosyphilis et on l'appelle tumeur de Dubois. Cette manifestation est présente chez les huit jumeaux. J'excise la tumeur, entourée de tissus sains. Je la mets également dans des verres remplis de formol. Chez deux paires de jumeaux, je rencontre également une tuberculose active et caverneuse. Je note tout dans le procès-verbal, mais je laisse en blanc la rubrique : « Cause de la mort. »

Noma.

— Depuis [1] le début du camp, la mortalité infantile était effroyable et une maladie que nous connaissions seulement par les livres, maladie appelée Noma, gagnait tous les Blocks : les enfants hospitalisés et les enfants des Blocks-habitations. Si on demandait actuellement à un étudiant en médecine ou à un médecin de moins de soixante-dix ans ce que c'est que le Noma, il répondrait sans hésitation qu'il ne sait pas. J'ai posé moi-même la question et la réponse est la même :

— « Je ne sais pas, qu'est-ce que c'est? En avez-vous un cas?

— « Dieu merci, non, et espérons que nous n'en aurons jamais. »

— Donc, une maladie disparue, comme ont disparu les condamnations à mort pour avoir disséqué un cadavre, pour avoir assisté au Sabbat ou avoir « Viré » (fait danser le loup et la chèvre).

— Grâce à l'hitlérisme cette maladie a été rappelée à la vie et quelle résurrection. Des centaines d'enfants tsiganes en sont morts dans des souffrances indicibles, crachant des morceaux de joue, des morceaux de langue, des dents; éloignant par leur odeur pestilentielle même les soignantes les plus dévouées. J'ai fait l'autopsie de plusieurs de ces enfants. Le docteur Mengele voulait aussi avoir des comptes rendus de vérifications anatomiques. Avec l'arrivée du professeur déporté Epstein de la faculté de Prague, les cas de Noma devinrent de plus en plus rares et la maladie s'éteignit complètement vers la fin de l'automne. Le docteur Mengele avait une grande estime pour le professeur Epstein et faisait des efforts pour lui fournir des sulfamides (Albucid) et des vitamines. D'autre part, les Blocks étaient moins encombrés car les pays prospectés par les S.S. ne fournissaient presque plus de tsiganes. On en inventait certes, à partir de détenus dont les traits pouvaient à la rigueur présenter quelques caractères « spécifiques » mais la certitude scientifique était ébranlée.

— D'après [2] les conceptions médicales établies, le « noma facies » apparaîtrait surtout en liaison avec la variole, la scarlatine ou la typhoïde. Or, ces maladies, ainsi que les conditions d'hygiène déplorables, paraissent être seulement des facteurs favorables au développement du « Noma ». En effet, on rencontre ces mêmes

---

1. Manuscrit inédit docteur Iancu Vexler.
2. Témoignage Miklos Nyiszli (déjà cité).

maladies dans les camps tchèque, polonais ou juif, mais le « Noma » frappe seulement les enfants tsiganes. Il semble donc indiscutable qu'il soit en corrélation avec la présence de l'hérédosyphilis.

— C'est à la suite de ces observations que s'est développée une nouvelle méthode thérapeutique riche en résultats et qui promet des guérisons certaines. L'essentiel consiste dans la combinaison du traitement antisyphilitique par Noversenobenzol associé à l'inoculation de la malaria.

— Le mal [1] commence par une stomatite érythémateuse qui s'ulcère en quelques jours pour perforer la joue et atteindre la mâchoire. Les enfants meurent alors de broncho-pneumonie par déglutition.

— Bruno Weber (responsable de l'Institut d'hygiène de Raysko-Auschwitz) se met dans la tête que la maladie est due à un agent infectieux. Il cherche à se convaincre que le mal n'est pas la conséquence des privations du manque de vitamines, de la sous-alimentation, du manque d'hygiène et des mauvais traitements dont sont victimes les pauvres enfants. Il veut prouver à tout prix que les conditions de vie du camp ne sont pour rien dans la réapparition de ce mal oublié.

— Toutes les analyses, évidemment, demeurent négatives. Mais Bruno Weber s'entête. Chaque matin, des cadavres d'enfants arrivent à l'Institut pour y être autopsiés. Jusqu'au jour où les S.S. jugent qu'il est superflu de transporter des cadavres entiers pour étudier un mal qui siège à la face.

— Nous vîmes arriver au laboratoire un sergent portant avec nonchalance des paquets d'une forme sphérique, sortes de boules qui, en s'entrechoquant, rendaient un son tout à la fois mat et cristallin qui avait la vertu d'engendrer un sentiment indéfinissable de malaise.

— Malaise qui se mua en épouvante indicible lorsque, dénouée la ficelle retenant un grossier papier d'emballage qui s'ouvrit d'un seul coup, nous vîmes, les yeux agrandis par l'horreur, que nous tenions dans nos mains tremblantes des têtes d'enfant hideusement mutilées, aux visages ulcérés d'une plaie rongeante, aux lèvres dévorées d'un rire qui n'en finissait pas et qui n'appartenait plus à ce monde!

Le docteur Landau est l'un des nombreux médecins déportés

1. Témoignage du docteur Léon Landau — recueilli par Betty et Robert-Paul Truck : *Médecins de la honte*, Presses de la Cité. 1975.

(beaucoup travaillent « seulement » comme balayeurs ou garçons de laboratoire) affectés au laboratoire de l'Institut d'hygiène S.S. (Raysko). Toutes les expériences médicales et en particulier celles sur les tsiganes de Mengele sont connues, commentées dans ce laboratoire.

— Nous [1] avons quitté Birkenau en juillet 1943, pour aller travailler, comme bactériologiste, à l'Institut d'hygiène des S.S. C'était un laboratoire installé d'une façon ultra-moderne. Presque tous les instruments étuves, centrifugeuses, etc. portaient la marque : Jouan Paris.

— Nous faisions des analyses pour les détenus, pour les S.S. et pour la Wehrmacht.

— L'Institut d'hygiène se composait d'un grand bâtiment à deux étages qui se trouvait à environ 4 kilomètres du camp d'Auschwitz. Son chef était le S.S. Hauptsfurmführer docteur en médecine et docteur ès-sciences naturelles de l'Université de Chicago, Bruno Weber, originaire de Frankfurt-sur-Main, un homme âgé de trente et un ans, qui, nous le reconnaissons, avait des connaissances assez larges, mais superficielles dans le domaine de la bactériologie, de l'histologie et de la chimie. Le sous-chef était le S.S. Obersturmführer, docteur Delmotte, qui, son nom l'indique, était d'origine belge; un deuxième sous-chef, le S.S. Untersturmführer, docteur Hans Musch, originaire de Munich, et plusieurs sous-officiers, caporaux et soldats S.S.

— Le travail des S.S. consistait uniquement à contrôler notre travail, à le critiquer, quoique leurs compétences fussent insuffisantes, et surtout à nous surveiller.

— L'Institut comprenait :

— Au rez-de-chaussée, laboratoire de bactériologie, laboratoire de biologie, d'histologie et d'anatomie pathologique, et cuisine pour les milieux de culture.

— Au premier étage, laboratoire de chimie, laboratoire de sérologie, Wassermann et autres, et laboratoire pour les agglutinations, sérodiagnostics de Vidal, etc.

— Au deuxième étage, était installé un laboratoire de recherches. C'est dans ce laboratoire que notre camarade, le docteur Lewin, assistant de M. le professeur Baudouin, et un chimiste polonais, un pharmacien et plusieurs aides, travaillaient pour la préparation du sérum desséché pour groupes sanguins.

---

1. Témoignage André-Abraham David Lettich. Thèse pour le doctorat de médecine présentée et soutenue publiquement le 10 juillet 1946 : « Trente-quatre mois dans les camps de concentration. »

— Le sang employé provenait de détenus malades qui se trouvaient à l'hôpital, auxquels on avait fait, au préalable, la détermination du groupe sanguin. Pour augmenter le pouvoir agglutinant, il leur était injecté du sang contraire à leur groupe. Ensuite, le sous-officier S.S. Unterscharführer, Johannes Zabel, peintre en bâtiment de son métier, allait faire un prélèvement de sang et rapportait de chaque malade 700, 800 et jusqu'à 1 000 centimètres cubes de sang. Nous ignorons si ces malades sont morts ou s'ils ont survécu à ces petites interventions. Seulement, étant donné le régime auquel nous étions soumis, nous doutons fort que beaucoup de ces malades aient pu supporter de telles saignées.

— C'est également ce même sous-officier, souvent accompagné de notre chef, qui allait à Birkenau aux fours crématoires pour nous rapporter des malles pleines de chair humaine destinée à la préparation des bouillons de culture. Et ceci se pratiquait régulièrement une fois par semaine. Cette chair humaine ne provenait pas de gazés mais de fusillés.

— Au laboratoire, étaient occupés des détenus spécialistes et chacun ne devait travailler que dans une seule branche. C'est ainsi par exemple que personnellement nous étions affectés aux travaux sur la diphtérie.

— Les examens qui étaient faits étaient exécutés avec le plus grand soin, car la surveillance était terrible et nous redoutions les conséquences d'une erreur.

— La confiance ne régnait pas autour de nous. Nous devions conserver les étalements pendant plusieurs jours pour pouvoir les présenter aux chefs à chaque demande : mais cependant, quand nous savions qu'un examen appartenait à un détenu, nous ne donnions jamais un diagnostic positif. C'eût été la signature de son arrêt de mort. Les Allemands redoutaient les maladies infectieuses; ils avaient trouvé une méthode radicale pour les supprimer : l'utilisation systématique de la chambre à gaz et du four crématoire.

— Combien de dizaines d'échantillons de crachats où les B.K. fourmillaient que nous avons donnés comme négatifs? Ceux qui n'ont pas vécu dans un camp de concentration ne pourront certainement pas comprendre notre geste. Comment! Fournir des résultats erronés?... En agissant ainsi nous avons simplement prolongé la survie de nos camarades. De toute façon ils n'étaient pas soignés.

— Au laboratoire de bactériologie, nous avons travaillé avec le professeur Tomasek, professeur de bactériologie de l'Université de Brno (Tchécoslovaquie), détenu pour avoir aidé un de ses collègues à s'enfuir de son pays. Il était élève de Calmette et de Roux.

Qu'il nous soit permis de rendre ici hommage à cet homme, le plus intègre que nous ayons rencontré au camp de concentration. Imprégné de culture française, il se plaisait à converser avec nous dans notre langue. Il nous raconta un jour qu'ayant écrit un livre de bactériologie, son premier manuscrit était rédigé en français et qu'il l'avait traduit ensuite dans sa langue maternelle.

— Avec le professeur Tomasek nous nous entretenions souvent des brutalités des Allemands, et nous étions d'accord pour admettre que tous les Allemands, sans distinction, étaient coupables des atrocités commises dans les camps de concentration.

— Nous avions énormément de travail au laboratoire. Les S.S. qui le dirigeaient avaient tout intérêt à avoir un très grand nombre d'analyses, pour ne pas être envoyés au front. C'est pourquoi ils prélevaient le sang, les urines, les matières fécales, crachats, frottis de gorge à des détenus qui, quelques jours après, étaient envoyés à la chambre à gaz. Nous qui savions l'inutilité de tous ces examens, nous étions obligé de les exécuter avec un semblant de sérieux.

— Ils poussèrent même le cynisme plus loin; dans les derniers mois de 1944, lorsque le front russe se rapprochait d'Auschwitz et que tous les hôpitaux militaires étaient déjà évacués à l'arrière, nos chefs S.S. avaient inventé un moyen pour faire des analyses : avec un écouvillon qui servait à prélever les fausses membranes dans la gorge, ils faisaient de nombreux prélèvements de matières fécales dans le rectum. C'était l'amusement spécial de certains S.S. : les Rottenführer Kapmayer, Sender et autres; ils trouvaient plaisant d'aller au camp des femmes, de les faire déshabiller, de les faire défiler devant eux pour ces prélèvements au rectum. De cette manière, nous recevions 2 000, jusqu'à 3 000 échantillons de matières par jour à examiner, pour découvrir les porteurs de germes du bacille typhique.

— Il eût été impossible d'accomplir un travail aussi gigantesque en une journée, si nous n'avions pas adopté une méthode simple : nous prenions des boîtes de Pétri divisées en douze ou seize carrés, dans chacun, nous passions toujours le même écouvillon sur toutes les cases et nous détruisions les autres. De toute façon, nous ne voulions pas trouver de porteurs de germes.

— Un autre travail stupide que nous étions obligé de faire c'était de déterminer les causes de la mort de lapins qui périssaient dans les fermes ou chez les S.S., de faire des autopsies de poulets, de poussins, de canards, d'oies, de chevaux, de vaches, de poulains, etc., et c'est grâce à ces recherches si nous sommes resté vivant puisque, comme tous nos camarades, nous faisions cuire les cadavres de ces bêtes crevées pour nous en nourrir.

— Nous étions indigné qu'on nous obligeât à faire ces autopsies, à faire des ensemencements et à rédiger des rapports pour déterminer les causes de la mort d'un lapin, en sachant qu'au même moment, ces assassins qui nous ordonnaient ce travail, étaient en train de faire gazer et brûler des milliers d'hommes, de femmes et d'enfants innocents.

— Un dernier exemple de la bestialité et de la perversité des médecins allemands. Le Standortarzt (médecin de la Place) S.S. Sturmbannführer, docteur Wirtz, ce renommé gynécologue, qui choisissait des femmes pour les utiliser comme cobayes, nous a adressé au laboratoire, en juillet 1944 — à cette même époque la barbarie allemande gazait chaque jour 6 000 hommes, femmes et enfants innocents — nous a adressé, disons-nous, dans une enveloppe un tout petit lapin crevé âgé d'environ cinq jours, accompagné d'une lettre nous demandant de déterminer les causes de la mort de ce pauvre animal. Nul ne pourrait imaginer notre fureur et notre indignation devant de telles horreurs. Et toujours avec un semblant de sérieux nous étions obligés de pratiquer l'autopsie de ces animaux, de faire des cultures et de rédiger un rapport pour expliquer pathologiquement le décès de ces animaux. Comment ces médecins tenteront-ils de justifier la mort de nos parents, de nos femmes, de nos enfants, de nos frères et sœurs, enfin de tant de millions d'êtres humains massacrés par eux? Evidemment, le caractère du peuple allemand est anormal. Ces sensibles allemands peuvent pleurer la mort d'un petit chien, mais peu leur importe celle de centaines de milliers de gens qu'ils massacrent froidement pour en exploiter les cadavres.

— Notre chef, le docteur Weber, avait entrepris divers travaux scientifiques et pour tous ces travaux il y avait toujours des détenus qui lui servaient de cobayes. Après son grand dada qui était les blogulines (sérum test pour groupes sanguins), il voulait trouver un diurétique; ce fut un jour des cafards desséchés et broyés que les détenus devaient avaler à doses différentes. Ceux-ci étaient soumis à un régime spécial, c'est-à-dire ne devaient rien manger ni boire pendant vingt-quatre heures et les urines leur étaient prélevées par une sonde à demeure.

— Des examens histologiques (docteur Lévy, Coblentz et professeur Klein, de Strasbourg) et bactériologiques (professeur Tomasek, de Brno) furent entrepris sur les cafards. L'examen bactériologique a montré que l'hôte habituel de l'intestin et de tout l'organisme de cet insecte est le B. Prodigiosus; c'est probablement au pigment secrété par cette bactérie qu'est due la couleur de l'insecte.

— Le docteur Delmotte fit sa thèse sur les modifications du suc gastrique au cours du typhus exanthématique; dans ce but il prélevait plusieurs fois par jour à des détenus malades leur suc digestif et les torturait pour cette opération.

— Le docteur Munch, lui, manquait de suite dans les idées et commençait presque tous les jours un nouveau sujet. Nous tenons à signaler spécialement son travail sur le traitement du rhumatisme articulaire. Il prétendait que l'origine de ces douleurs rhumatismales provenait de granulome dentaire et qu'en faisant des injections des filtrats streptococciques (cultivés à partir de ces granulomes) à des rhumatisants, on devait assurer leur guérison. Il y avait à l'hôpital, à Auschwitz, quelques rhumatisants. C'est ainsi que le docteur Munch leur arrachait les dents l'une après l'autre pour que les streptocoques grands et petits, puissent être cultivés et pour que le filtrat fût préparé. Nous avons surtout retenu le nom d'une de ces victimes, car c'était un Français : Pessot. Nous ignorons si ce malheureux a eu la chance ou non de revenir en France, mais ce que nous pouvons affirmer, c'est qu'il n'avait plus de dents. Nous ignorons si ses rhumatismes ont été guéris.

— Nous avons déjà parlé du camp des tsiganes à Auschwitz. Dans ce camp avait éclaté une épidémie de « Noma », épidémie très grave, qui faisait des ravages parmi les enfants du camp. Or, les médecins allemands avaient découvert là un nouveau domaine de recherches scientifiques. On nous envoyait des frottis de Noma pour que nous trouvions le microbe qui pourrait être mis en cause. Nous avons fait plusieurs centaines d'examens en milieu aérobie et anaérobie; nous n'avons jamais découvert une autre forme que l'association fuso-spirillaire. Les examens de sang ne révélaient qu'une leucocytose sans grande modification de la formule sanguine. Le dosage de l'acide ascorbique et d'autres éléments du sang n'ont rien révélé d'anormal. Plusieurs fois il nous fut amené au laboratoire des têtes détachées du tronc de ces malheureux enfants, pour que nous puissions faire nous-mêmes tous nos prélèvements en vue d'examens bactériologiques, histologiques, etc.

— Nous pouvons dire qu'il n'a pas été trouvé d'éléments nouveaux dans l'étiologie spécifique de cette maladie. Mais pourquoi les médecins allemands (docteur Mengele et docteur Thilo) n'ont-ils pas plutôt pensé, comme nous le pensions nous-mêmes, que cette épidémie de Noma était due à la misère, au manque d'hygiène et de nourriture auxquels étaient soumis ces enfants, plutôt qu'à toute autre cause. De toute façon, ces petits enfants, ennemis du Grand Reich, devaient mourir dans la chambre à gaz. Alors pourquoi ne pas les traiter en véritables cobayes?

— D'autres travaux scientifiques nous occupaient. Le docteur Mengele avait rassemblé une dizaine de jumeaux; il voulait vérifier si la constitution humorale et organique était identique chez les jumeaux. En conséquence, on devait faire le dosage de tous les éléments du sang, enfin, en vue de compléter son examen, il n'hésitait pas à faire tuer ces enfants afin de pouvoir pratiquer les autopsies et étudier à fond la question.

Les stérilisations.

— Un jour [1] une gitane arriva à Auschwitz avec son nourrisson. Je ne sais vraiment pas comment elle avait réussi à cacher son enfant. On n'avait pas l'habitude à Auschwitz d'avoir des scrupules avec des enfants. Cet enfant tomba malade et la mère ne savait que faire. Lorsque Mengele apparut un jour dans son Block, elle prit une décision rapide et s'approcha de lui :
— « Docteur, mon mari porte le même uniforme que vous et mon enfant va périr ici lamentablement. »
— Mengele lui demanda dans quelle unité servait son mari et d'autres détails. Après quoi il soigna l'enfant.
— Quelques jours plus tard, il vint encore une fois au Block, examina l'enfant et dit à la femme qu'il avait vérifié ses dires et qu'ils étaient vrais. Elle pourrait être libérée avec son enfant si elle consentait à se laisser stériliser. La femme accepta, ce qui la sauva elle et l'enfant.

Nous avons vu, en suivant les expériences de Mengele, qu'Himmler et l'Ahnenerbe souhaitaient la découverte du secret de la gémellité, pour repeupler deux fois plus vite les territoires conquis dont on exterminait la population inférieure. Hitler qui avait imposé l'euthanasie des débiles profonds, des incurables et des tuberculeux polonais (parmi lesquels de très nombreux tsiganes), avait fait préparer en 1935 une loi sur la stérilisation. Il ne faisait que reprendre une idée longuement développée dans *Mein Kampf*.

— L'Etat doit déclarer indigne de procréer et en empêcher matériellement toute personne apparemment malade et chargée d'une hérédité dont elle risque d'accabler sa descendance.

Victor Brack, ami d'Himmler, organisateur et administrateur du programme d'euthanasie en Allemagne, qui était allé, pour « servir d'exemple » et par « souci d'humanité » jusqu'à tuer de sa propre main sa femme qu'il chérissait, atteinte d'un cancer, était l'homme de choix pour diriger les expérimentations. Craignant de ne pas être choisi, il prit les devants en écrivant à Himmler.

— La stérilisation, telle qu'elle est pratiquée normalement sur les personnes atteintes de maladies héréditaires, est ici hors de question, car elle prend trop de temps et est trop coûteuse. La castration par rayons X est non seulement relativement bon mar-

---

1. Témoignage Hermann Langbein recueilli par Inge Deutschkron : *Tel était leur enfer*, La Jeune Parque, 1968.

ché, mais peut aussi être pratiquée sur plusieurs milliers de sujets en un temps très court.

— Un moyen pratique de procéder consisterait à faire approcher les personnes à traiter d'un guichet où on leur demanderait de répondre à quelques questions ou de remplir des formules pendant deux ou trois minutes. La personne assise derrière le guichet manœuvrerait l'appareil et mettrait en action deux ampoules simultanément car les radiations doivent être envoyées de chaque côté. Avec une installation à deux ampoules, cent cinquante à deux cents personnes environ pourraient être stérilisées chaque jour. Par conséquent, avec vingt installations de ce type, trois mille ou quatre mille personnes pourraient être stérilisées chaque jour. A mon avis un nombre quotidien plus important ne pourrait pas être atteint. Je puis seulement donner un chiffre approximatif des dépenses d'un appareil à deux lampes : environ 20 000 à 30 000 Reutenmarks. Il y aurait cependant en plus le prix de la construction d'un nouveau bâtiment car les installations devraient être préparées pour la protection complète des manipulateurs.

Le docteur strasbourgeois Robert Lévy, déporté, dirigeait le Block chirurgical de Birkenau.

— Leurs blessures se transformaient souvent en cancer des rayons. Je suppose que les testicules étaient enlevés pour permettre un examen microscopique destiné à contrôler le résultat du traitement par les rayons. Je suppose qu'ils soumettaient les sujets à des rayons de densité variable, afin de découvrir la dose convenable. Ces garçons stérilisés étaient atteints physiquement et mentalement. Ils souffraient énormément car la radiodermite est une affection extrêmement douloureuse. Ils étaient mentalement diminués. Ils n'étaient plus des hommes, mais des épaves humaines.

Une doctoresse française, Mme Hautval, a soigné plusieurs victimes des stérilisations.

— Une des expériences les plus lamentables fut la stérilisation par les rayons X de toutes les jeunes filles de seize à dix-huit ans. Elles étaient grecques pour la plupart, des frêles créatures délicates, dont les souffrances révoltaient... Les petites revenaient le soir dans un état effrayant. Elles vomissaient sans cesse et se plaignaient de douleurs abdominales atroces. Nombreuses furent celles qui durent s'aliter durant des semaines et même des mois. Nombreuses furent celles atteintes de brûlures radiologiques fort étendues nécessitant des pansements de longue durée...

Le docteur Lettich reçut la visite de l'un des expérimentateurs, le docteur Schumann.

— Nous avons eu personnellement la faveur insigne de lui être présenté, et il nous a déclaré vouloir mettre dans notre service (au Block 12), quarante détenus qui étaient en traitement chez lui, sans nous dire de quoi il s'agissait. Il nous demandait de faire pour chacun une feuille d'observations, de prendre la température et le pouls deux fois par jour et d'observer les modifications qu'ils pourraient présenter.

— Nous ne pouvions observer que de légers érythèmes au niveau du scrotum. Ces détenus déclaraient qu'ils avaient été amenés au camp des femmes. Là, leurs testicules avaient été exposés sur un appareil où l'on faisait passer un courant électrique. D'après la description, on reconnaissait l'appareil à rayons X.

— De huit jours en huit jours, on venait en chercher plusieurs que l'on amenait au camp d'Auschwitz. A leur retour, ils nous racontaient qu'on leur avait prélevé du sperme en leur faisant, avec une brutalité indescriptible, un massage de la prostate.

— Deux mois plus tard, on les reconduisait de nouveau au camp d'Auschwitz et lorsqu'ils rentraient, après huit ou quinze jours, ils nous montraient qu'on leur avait enlevé un testicule.

— Beaucoup d'entre eux mouraient rapidement, affaiblis moralement et physiquement : on les forçait à retourner au travail, qui les achevait. Ceux qui survivaient étaient ramenés, au bout de deux mois à Auschwitz pour que le deuxième testicule leur fût enlevé. Ces opérations furent pratiquées, en présence du professeur Schumann et d'un médecin S.S., le docteur Entress par un chirurgien polonais, interné lui-même, le docteur Dering. Ce chirurgien opérait avec une assez grande brutalité. Les patients recevaient une anesthésie locale sommaire, leurs cris étaient effroyables à entendre. Souvent les deux testicules furent enlevés d'emblée. Les suites opératoires furent catastrophiques : hémorragies, septicémie, atonie des plaies qui n'en finissaient pas de se refermer. Beaucoup de ces malheureux mouraient rapidement des suites opératoires.

— Peu importait leur mort puisque ces cobayes avaient déjà rendu le service qui leur étaient demandé.

Le témoignage du docteur Lettich — pourtant publié en 1946 — ne figure pas dans les « pièces à conviction » du procès Dering et le docteur Lettich n'a pas été cité comme témoin. Car Dering, intenta en 1964 un procès en diffamation à l'écrivain américain Léon Uris parce qu'il avait fait référence dons son roman *Exodus* aux expériences médicales sur les juifs et les tsiganes des différents médecins allemands d'Auschwitz aidés dans leurs travaux par le chirurgien « Dehering ». Cette orthographe est d'ailleurs celle

qu'avait utilisé Lettich dans sa thèse. Peut-être Uris en avait-il
eu communication.

— De ce procès de 1964, je retiendrai ce contre-interrogatoire [1] :

— *Lord Gardiner.* — Vous avez bien prêté le serment d'Hippocrate quand vous êtes devenu médecin?

— *Le docteur Dering.* — **Oui.**

— *Lord Gardiner.* — Et l'on vous demandait de castrer,
contre sa volonté, un homme doté de ses facultés sexuelles?

— *Le docteur Dering.* — **Oui.**

— *Lord Gardiner.* — Cela exige, n'est-il pas vrai, quelque
excuse absolutoire de la part d'un médecin?

— *Le docteur Dering.* — **Oui.**

— *Lord Gardiner.* — Je vous demande si, dans votre esprit
il existe une excuse absolutoire quelconque, en dehors de celle qui
consiste à dire que vous auriez été tué si vous n'aviez pas obéi
aux ordres?

— *Le docteur Dering.* — J'aimerais répondre exactement à
votre question. Depuis que j'étais entré à Auschwitz, toutes les
lois — normales, humaines et divines — étaient abolies. Il n'y
avait plus que la loi des Allemands. Ces questions que vous me
posez, lord Gardiner, concernent des conditions normales. Il est
difficile d'imaginer les conditions de vie du camp. Il m'est par
conséquent difficile de répondre à vos questions par un bref « oui »
ou « non ».

— *Lord Gardiner.* — Je souhaite, naturellement, que vous
disiez tout ce que vous désirez dire. En ce qui concerne les expériences du docteur Schumann, ai-je raison de penser que vous
dites ceci : premièrement, vous en avez discuté avec d'autres médecins polonais; deuxièmement, de toute façon, il était bon pour les
patients que l'on procédât à l'ablation de leurs organes irradiés
puisqu'on leur épargnait le cancer et la mort; troisièmement, si
vous ne l'aviez pas fait, ils auraient été envoyés à la chambre à
gaz; quatrièmement, si vous ne l'aviez pas fait, vous auriez été
tué; et cinquièmement, si vous ne l'aviez pas fait, un autre l'aurait
fait? Je veux seulement savoir, relativement à ces castrations,
laquelle de ces excuses absolutoires s'appliquait. Vous dites que
vous n'en avez pas discuté avec des médecins, et vous n'affirmez
pas non plus qu'enlever, contre sa volonté, les testicules d'un

---

1. *Auschwitz en Angleterre,* Mavis Hill et Norman Williams, Calman Lévy,
1971.

homme normal, pouvait lui faire du bien. Dites-vous, en réalité : « Je l'ai fait parce que j'aurais été tué si je ne l'avais pas fait? »

— *Le docteur Dering.* — Je ne pouvais pas refuser. C'est un point. Second point : si cela n'avait pas été fait par moi, cela l'aurait été par un caporal S.S. incompétent et maladroit.

— *Lord Gardiner.* — Permettez-moi de prendre séparément ces deux points. Voyons le premier : « Je ne pouvais pas refuser parce que c'était un ordre. » Le capitaine Rohde a été pendu pour ce qu'il avait fait; or, ne disait-il pas pour se défendre : « Si je n'avais pas fait ce que j'ai fait, mes supérieurs m'auraient fusillé? » Vous ne le saviez pas?

— *Le docteur Dering.* — Non.

— *Lord Gardiner.* — Quant à votre second point : Si vous ne l'aviez pas fait, un autre l'aurait fait — c'est un fait, n'est-il pas vrai, qu'il est terrible de s'adonner aux stupéfiants?

— *Le docteur Dering.* — Oui.

— *Lord Gardiner.* — Quand ils sont arrêtés, les trafiquants de stupéfiants disent généralement : « Si je n'en avais pas vendu aux drogués, un autre leur en aurait vendu. » Mais vous pensez que cela excuse valablement vos actes, n'est-ce pas, et que si vous ne l'aviez pas fait quelqu'un d'autre l'aurait probablement fait?

— *Le docteur Dering.* — Des personnes non qualifiées l'auraient fait, et le patient aurait beaucoup plus souffert que si cela avait été fait correctement.

— *Lord Gardiner.* — A moins, naturellement, qu'il se fût agi de médecins. Je vous indique que quelques-uns à Auschwitz, que je me propose de citer, ont refusé d'exécuter les ordres des Allemands.

— *Le docteur Dering.* — Je ne me souviens d'aucun d'eux.

Dering reconnut que le cas « n° 2 » figurant sur la liste, le 12 avril 1943, correspondant à la stérilisation d'un tsigane; apparemment, l'opération avait été faite par Entress, le médecin S.S. que le docteur Dering avait assisté.

— *Lord Gardiner.* — C'était un homme qui n'avait pas été irradié, un homme doté de ses facultés sexuelles?

— *Le docteur Dering.* — Non. Il était atteint d'une maladie héréditaire, que je ne puis préciser à présent.

— *Lord Gardiner.* — Cela a-t-il été fait avec ou sans son consentement?

— *Le docteur Dering.* — Ce fut fait sur ordre d'un tribunal.

— *Lord Gardiner.* — Avec ou sans son consentement?

— *Le docteur Dering.* — On ne lui a pas demandé son consentement.

— *Lord Gardiner.* — Y avait-il à cela une raison médicale?

— *Le docteur Dering.* — Le diagnostic et le jugement étaient fondés sur la débilité mentale.

— *Lord Gardiner.* — Où voyez-vous dans le registre une indication de son état mental? Rien n'y figure qui ait trait à un ordre du tribunal?

— *Le docteur Dering.* — Rien de tel. Non.

— *Lord Gardiner.* — Dans le cas « n° 1 » vous mettez dans la colonne « Remarques » que ce fut fait en présence et sur ordre du docteur Rohde, mais il n'y a rien de tel en ce qui concerne le « n° 2 »?

— *Le docteur Dering.* — Non, mais il a organisé cela.

— *Lord Gardiner.* — Pourquoi avez-vous prêté votre assistance à cette opération?

— *Le docteur Dering.* — En tant que déporté appartenant au service chirurgical, j'avais pour devoir de préparer la veille toute opération pratiquée dans la salle, et de participer à l'opération effectuée par un médecin S.S.

— *Lord Gardiner.* — Si le docteur Entress vous avait dit : « Je vais stériliser cet homme. Il n'y a aucun ordre du tribunal, mais je vais le faire et vous allez m'assister », qu'auriez-vous fait?

— *Le docteur Dering.* — Je l'aurais assisté, qu'il y ait eu ou non ordre du tribunal.

— *Lord Gardiner.* — Etait-ce parce que vous tentiez de négocier votre situation avec les Allemands?

— *Le docteur Dering.* — Lord Gardiner, j'étais déporté, et j'avais à exécuter ce qu'on me disait de faire; en tant que médecin, j'avais à faire de mon mieux pour sauver le plus grand nombre possible de personnes. Dans le premier cas, j'ai aidé le patient en veillant à ce que l'opération soit effectuée d'une manière correcte. J'ai apporté mon aide, non seulement comme un devoir humain, mais j'ai fait tout ce que je pouvais pour ces victimes.

— *Le juge.* — Docteur Dering, vous n'avez pas répondu à la question de lord Gardiner. Peut-être parce qu'il l'a posée en employant une tournure particulière. Avez-vous bien compris ce qu'il a voulu dire par « négocier votre situation »?

— Lord Gardiner récapitula. Le docteur Dering avait reconnu qu'il avait commencé comme ouvrier et avait été battu avec les autres, qu'il était ensuite devenu auxiliaire médical, puis déporté-chirurgien chargé de tout l'hôpital, puis chirurgien-chef de l'hôpital.

— *Lord Gardiner*. — Les Allemands devaient avoir une grande confiance en vous avant de vous offrir cette situation, n'est-ce pas?

— *Le docteur Dering*. — Je n'ai pas discuté la question avec les Allemands; j'ai tout simplement été nommé et j'ai dû accepter ce poste contre ma volonté et mon vœu.

— *Lord Gardiner*. — Vous avez été récompensé — vous et le docteur Grabczynski — de l'aide que vous avez apportée aux expériences; vous avez été les deux seuls déportés médecins à être relâchés d'Auschwitz.

— *Le docteur Dering*. — Non.

— *Lord Gardiner*. — Vous êtes allé au cinéma après avoir été relâché?

— Le docteur Dering répondit qu'il était à l'hôpital civil en tant que déporté, et n'avait pas le droit de sortir pendant les sept premières semaines. Ce fut seulement plus tard qu'il eut l'autorisation d'aller à l'église, et occasionnellement au cinéma.

— Lord Gardiner examina de nouveau le registre. Regardez ce qui a été noté pour le 6 mai. Ce jour-là, quinze hommes ont subi l'ablation du testicule gauche, sept par vous et huit par le docteur Grabczynski.

— *Le docteur Dering*. — Oui.

— *Lord Gardiner*. — Ces opérations n'étaient pas pratiquées pour des raisons médicales, n'est-ce pas?

— *Le docteur Dering*. — Tous ces hommes avaient été irradiés.

— *Lord Gardiner*. — Ces opérations n'étaient pas pratiquées pour des raisons médicales, n'est-ce pas?

— *Le docteur Dering*. — Cela dépend. Elles pourraient être faites dans des circonstances normales.

— *Le juge*. — Voyons, docteur Dering, qui voulait que ces opérations soient effectuées, le docteur Schumann ou le patient?

— *Le docteur Dering*. — Le docteur Schumann.

— *Lord Gardiner*. — Et vous saviez, n'est-ce pas, que le docteur Schumann en avait besoin pour ses expériences?

— *Le docteur Dering*. — Oui.

— *Lord Gardiner*. — Alors, si vous saviez que le docteur Schumann en avait besoin pour ses expériences, il s'agissait bien d'opérations expérimentales?

— *Le docteur Dering*. — Les expériences avaient été faites auparavant, aux rayons X. C'était la première phase, et ceci était, si vous voulez, la seconde phase de ses expériences.

— *Lord Gardiner.* — Par conséquent, c'était une opération expérimentale?

— *Le docteur Dering.* — En ce sens, oui.

*
**

La Blocklowa s'approcha d'I... G...

— Alors?

— Vous n'avez pas honte d'aider les Allemands?

— Tais-toi, sinon je te dénonce. Prépare-t-oi. Nous y allons. On commence par toi [1].

Les médecins, appuyés sur une table d'examen en verre, bavardent entre eux sans se soucier des déportées livrées aux infirmiers. I... G... s'avance vers un médecin. Il la fixe :

— Non pas celle-là... la suivante.

Une déportée ne peut s'empêcher de lui glisser à l'oreille :

— Veinarde.

Une nuit d'espoir, une matinée d'angoisse car toutes les déportées sont rappelées, « préparées ».

Clauberg promène ses 1,50 m en sautillant. Un taureau ébloui par le soleil de l'arène.

— Toi, avance.

I... G... tente son va-tout.

— Docteur, hier un médecin a dit que je n'étais pas bonne pour l'expérience.

— Eh bien moi, je pense le contraire. Tu m'intéresses.

Les assistants installent la déportée sur cette table gynécologique géante. Des lanières de cuir bloquent ses mains, ses chevilles. Un infirmier saisit sa tête.

— Tu as eu tort. Il n'aime pas ça. On ne t'a jamais dit que tu ne devais pas leur parler avant qu'ils t'interrogent?

Clauberg s'approche. La seringue qu'il brandit ressemble à un gros clystère.

Elle ferme les yeux se répétant : « Ne pas bouger pour qu'il ne me blesse pas, ne pas bouger! »

Le liquide visqueux en pénétrant dans son corps irrite d'abord, puis la chair s'embrase, flamboie, se carbonise avant de fondre.

La sangle de la main gauche a glissé. I... G... se mord le

---

1. Témoignage recueilli à Paris, en février 1967. Les dialogues ont été reconstituées par Mme I... G...

pouce pour ne pas hurler... le sectionne jusqu'à l'os. Son corps violé, pantelant, déchiré, baigne dans une mare de sueur.

L'infirmier la détache.

— Allez va-t-en. Tu as intérêt à te tenir tranquille.

Derrière la porte, des camarades l'attendent pour la porter jusqu'à son lit.

Clauberg s'acharnera sur la jeune déportée qui avait osé lui adresser la parole. Il organisera pour elle neuf « séances ». Lorsque I... G... pleurera dans son lit en demandant :

— Pourquoi moi, pourquoi encore? Les autres n'y vont qu'une fois, deux fois au maximum...

la chef du Block lui répondra :

— C'est bien fait. Tu te croyais dans un salon. Il ne fallait pas te faire remarquer.

Clauberg expérimenta longuement sur des femmes juives et tsiganes. Il avait été chargé par Himmler de découvrir une « méthode » plus rapide, plus efficace et surtout moins onéreuse que celles pratiquées par l'équipe Brack-Schumann.

Le 7 juin 1943, Clauberg pouvait écrire à son Reichsführer :

— La méthode est pratiquement au point. Elle peut être pratiquée par une seule injection à l'entrée de l'utérus au cours d'un examen gynécologique habituel. Il sera possible de stériliser probablement plusieurs centaines et même mille personnes par jour, avec un médecin bien entraîné dans un laboratoire bien équipé, avec peut-être dix assistants.

La nuit du massacre.

— Le 1er août 1944 [1], le médecin-chef allemand du camp de Birkenau convoqua tous les médecins internés dans le camp E et
leur fit signer un papier établissant que des épidémies graves sévis-
saient au camp E : typhus, scarlatine, etc. Un de ces médecins ayant
formulé quelques timides réserves, en invoquant le fait qu'il y
avait relativement peu de malades dans ce camp, et point de malades contagieux, le médecin S.S. eut cette remarque ironique :

— « Puisque vous portez un si vif intérêt au sort de ces
internés, vous devriez les suivre dans leur nouvelle résidence.

— Par « nouvelle résidence » il fallait comprendre le four
crématoire. Quelques heures plus tard, des camions arrivèrent au
camp chercher les tsiganes. Leur embarquement fut marqué par
quelques incidents. Se doutant de ce qui les attendait, plusieurs
bohémiens essayèrent de se cacher sur les toits, dans les W.-C.
ou les fossés. Ils furent cueillis les uns après les autres. Les hurlements des S.S. et les cris des enfants réveillèrent les occupants des
camps voisins. Et ceux-ci assistèrent avec horreur au départ des
camions, et plus tard dans la nuit virent de longues flammes rouges
jaillir des cheminées du four.

— En août 1944 [2], il restait encore à Auschwitz environ
quatre mille tsiganes destinés à la chambre à gaz. Ils avaient jusqu'alors tout ignoré du sort qui les attendait. Ils s'en rendirent
compte seulement lorsqu'on les achemina, par baraques entières,
vers le crématoire I. Ce n'était pas chose facile que de les faire
entrer dans les chambres à gaz. Je n'ai pas assisté moi-même à
l'extermination, mais Schwarzhüber, mon collaborateur m'a affirmé
qu'aucune exécution de juifs ne lui avait été aussi pénible : il
connaissait bien toutes les victimes et avait entretenu avec elles
des relations amicales.

— Sur un ordre [3] de l'autorité centrale, les tsiganes furent
gazés le 1er août. A propos de ceux qui eurent la vie sauve, Regina
Steinberg qui, en qualité de détenue secrétaire au Bureau politique,
pouvait voir ce qui se passait dans cette partie du camp, écrit :
« Les tsiganes ramenés du front, à Pâques 1944 (...), furent convoqués, et Broad (chef du Bureau politique pour cette section du
camp) leur demanda s'ils acceptaient d'être stérilisés, après quoi

---

1. Témoignage Olga Lengyel : *Souvenirs de l'au-delà,* Editions du Bateau
Ivre, 1946.
2. Mémoires de Rudolf Hœss, commandant d'Auschwitz.
3. Témoignage Hermann Langbein (déjà cité).

ils seraient libres. Ceux qui avaient acquiescé furent transférés dans le camp central, stérilisés, puis nous revinrent. »

D'autres tsiganes, peut-être une trentaine, échappèrent à l'action spéciale parce qu'ils avaient été envoyés en Kommando, à la mi-juillet, parmi eux Léopoldine Papai.

— Mon [1] père était forgeron communal à Holzschlag. C'est là que vivaient un grand nombre de tsiganes avant 1938. Nous étions des gens bien établis. Nous constituions alors une grande famille avec neuf enfants encore à la maison, puisque trois de mes frères étaient mariés et avaient déjà un grand nombre d'enfants. Et lorsque les persécutions ont commencé, ma sœur mariée avait déjà quatre enfants. Dès 1941, on était venu chercher mon père, deux de mes frères et trois de mes sœurs et on les avait emmenés à Sindisdorf près de Pinkafels. Deux de mes frères et une de mes sœurs ont été envoyés à Litzmannstadt et nous n'avons plus jamais entendu parler d'eux. Mes parents et les autres frères et sœurs sont revenus à la maison et on leur a donné à nouveau des cartes d'alimentation.

— Mais en avril 1943 les S.S. revinrent. Mon père avait alors plus de soixante ans. Je n'avais que quatorze ans et ma plus jeune sœur dix ans. Nous fûmes entassés dans des wagons à bestiaux. Si cela avait dépendu des autorités communales nous aurions certainement pu rester chez nous. Notre bourgmestre avait les larmes aux yeux quand il nous a vus partir pour la dernière fois. Nous avions fait des efforts désespérés pour pouvoir rester chez nous. Les habitants avaient besoin des services d'un forgeron comme mon père et c'est pourquoi nous avions pu rester dans les premiers temps. Mais en avril 1943 il était trop tard et toutes les suppliques ne servaient à rien : nous devions partir.

— Nous allâmes directement à Auschwitz dans un grand transport et nous fûmes aussitôt affectés à de gros travaux. Il me fallait transporter des pierres de 10 kilos. J'avais même aperçu comment on envoyait les juifs dans les chambres à gaz. Nous avions observé où ils se déshabillaient et nous avons parfois trouvé de la nourriture dans leurs vêtements. Un jour, les surveillants m'ayant envoyé déterrer les betteraves, j'ai aperçu ces hommes et même aujourd'hui il me semble entendre les plaintes et lamentations en yiddisch d'un vieil homme.

— Mes parents sont morts à Auschwitz; mon père du typhus.

---

1. Témoignage Léopoldine Papai (Manuscrit Archives Centre documentation de la Résistance autrichienne et monographie Selma Steinmetz (déjà citée).

En été 1944 je fus envoyée au Gross-Auschwitz avec ma sœur qui me ressemblait comme une jumelle. Quand nous sommes revenues huit jours après, il n'y avait plus un tsigane dans notre camp. On nous dit alors qu'ils avaient tous été envoyés dans la chambre à gaz.

— Bientôt ma sœur et moi nous fûmes envoyés avec un grand nombre de juifs à Ravensbrück. Beaucoup d'entre eux ont été fusillés, d'autres sont morts. Après huit mois nous fûmes envoyées par transport à Mauthausen, puis à Bergen-Belsen. Ce camp-là était le pire. Il n'y avait plus rien, absolument plus rien à manger et nous dormions sur la terre nue. C'est à Bergen-Belsen que les Anglais nous ont délivrées.

— Des trente-six membres de notre famille, nous ne sommes maintenant plus que deux, ma sœur qui vit à Holzschlag et moi qui vis ici où je me suis mariée. Mais depuis mon séjour dans les camps j'ai les poumons malades et je ne serai jamais plus en bonne santé.

— Quelques [1] jours plus tard, au cours de la nuit, nous entendons des vrombissements d'autos, des clameurs déchirantes de femmes et d'enfants. Le lendemain matin aucun bruit n'arrive plus du Zigeuner-Lager; un silence de mort y règne. Nous nous rendons facilement compte qu'il a été vidé. Des prisonniers non tsiganes nettoient les baraques et évacuent les vêtements, les couvertures et les matelas des tsiganes : durant la nuit, tous les tsiganes ont été jetés au four. Où sont-ils les gosses bruyants et insouciants qui, hier encore, comme les enfants de tous les pays du monde, se pourchassaient en se chamaillant? Réduits en fumée. Et pourquoi donc les Allemands les ont-ils gardés des mois durant, dans des conditions de vie presque supportables, avec toute l'apparence de vouloir les conserver ainsi jusqu'à la fin de la guerre, et puis tout à coup les ont-ils envoyés au créma? Mystère... Mais est-il possible qu'un esprit non germanique soit assez aigu pour pénétrer toute la profondeur de la philosophie teutone?

— Nous [2] sommes couchés quand tout à coup le bruit de camions roulant sur la route éveille notre attention. Et nous percevons distinctement maintenant que les camions pénètrent dans le camp voisin, appelé camp des tsiganes. Et ce soir, le roulement des voitures vient de nous faire comprendre l'horreur du sort qui

1. Témoignage docteur M. Nahon. Document B. 3950, Centre de Documentation juive contemporaine.
2. Témoignage André Rogerie : *Vivre c'est vaincre*, Imprimerie Curia-Archereau, Paris, 1946.

leur était réservé. Hommes, femmes, enfants, tous, entièrement dépouillés de leurs vêtements, sont entassés dans les camions. Les cris, les vociférations nous parviennent très nettement. Les S.S. hurlent, les femmes ont des crises de nerfs, les enfants pleurent, et les camions, pleins à craquer de leur butin, partent maintenant à toute vitesse vers les fours crématoires. Dans quelques instants seront consumées toutes ces vies humaines qui, aux yeux de l'Allemagne, ont commis le crime immense et impardonnable d'être tsiganes.

— Les[1] camions arrivèrent au Block des orphelins vers 10 h 30 et au Block d'isolement vers 23 heures. Les S.S. aidés de quatre prisonniers emmenèrent tous les malades, mais aussi vingt-cinq femmes en bonne santé qui avaient été isolées avec leurs enfants.

— A[2] 23 heures, les camions s'arrêtèrent devant l'hôpital. Cinquante à soixantes personnes furent chargées dans un camion et c'est ainsi que les malades furent emmenés aux chambres à gaz.

— Même[3] les tsiganes des infirmeries ne furent pas oubliés. Eux aussi conscients de ce qui allait leur arriver s'accrochaient aux paillasses, aux montants des châlits. Il fallut en assommer plusieurs et faire appel à tout le personnel pour mener l'opération. Une femme sauta du camion alors qu'il démarrait. Elle hurlait. Le camion stoppa et recula. Deux hommes la lancèrent par-dessus la ridelle comme un sac de pommes de terre.

— Il[4] y eut des scènes terribles. Des femmes et des enfants se mettaient à genoux devant Mengele et Boger en suppliant :
— « Ayez pitié, ayez pitié de nous. »
— Rien n'y faisait. Ils étaient brutalement frappés, piétinés et entassés dans les camions. Ce fut une nuit terrible, macabre. Quelques personnes, mortes des coups reçus, étaient jetées avec les autres dans les camions.

— Nous[5] étions suffisamment près pour bien entendre les terribles scènes de la fin, quand des internés de droit commun allemands, armés de matraques et disposant de chiens furent lâchés dans le camp, contre les femmes, les enfants et les vieillards. Le cri de désespoir d'un garçon qui parlait le tchèque déchira soudain l'air :

1. Témoignage L. Adelsberger : *Auschwitz-Berlin*, 1953.
2. Témoignage M. Novitch. Manuscrit de la Wiener Library P C 8 VII 96 E, cité par Donald Kenrick et Grattan Puxon.
3. Témoignage inédit Dazlo Tilany, Budapest, 1964.
4. Témoignage B. Nauman : *Auschwitz-Londres*, 1966.
5. Témoignages Kraus et Kulka : *Death factory*, Oxford, 1966.

— « Je vous en supplie, monsieur le S.S., laissez-moi vivre! »

— La seule réponse fut le bruit des coups de matraque. Pour finir, tous les prisonniers furent entassés dans des camions qui les emmenèrent au crématoire. Jusqu'au bout, certains tentèrent de résister, nombre d'entre eux proclamant qu'ils étaient de nationalité allemande.

— Deux [1] jours après la liquidation, je rencontrai près du transformateur électrique un gardien S.S. qui était du village de mes parents. Il me dit combien cette « opération spéciale » avait été de loin la plus pénible de toutes celles menées à Auschwitz. Ce jour-là on lui avait fait conduire un camion. La plupart des gardiens s'étaient liés d'amitié avec les tsiganes, beaucoup entretenaient même des relations sexuelles avec de jeunes prisonnières. Il n'y eut pas à proprement parler de révolte des S.S. mais une certaine mauvaise volonté car plusieurs tsiganes arrivèrent à s'échapper. Ils ne furent retrouvés que le lendemain. Plusieurs hommes de nationalité allemande et qui avaient servi militairement le Reich avant d'être internés, criaient qu'ils étaient allemands, qu'ils avaient gagné des décorations et qu'ils pouvaient encore se battre. Des S.S. écœurés remontèrent dans les cabines des camions. Des sous-officiers tapaient de la crosse de leur fusil contre les portières pour les faire descendre. On avait jamais vu ça à Auschwitz. Des officiers sans doute, dégainèrent et tournèrent leur arme non contre les tsiganes mais en direction des gardiens les plus mous. Tout rentra alors dans l'ordre. Les tsiganes qui savaient ce qui les attendait, hurlaient, des bagarres éclatèrent, des coups de feu éclatèrent et il y eut des blessés par balle. Des renforts S.S. arrivèrent alors que les camions étaient à moitié pleins. Les tsiganes utilisaient même les boules de pain comme projectiles. Mais les S.S. étaient trop forts, trop entraînés, trop nombreux. Cet événement fit tout de même baisser le moral des troupes qui, peut-être pour la première fois jugeaient qu'une liquidation comme celle des tsiganes était non seulement inutile mais injuste. Oui, quelque chose avait changé à Auschwitz.

— Quelqu'un [2] avait crié : « Les voitures arrivent », et les gitans savaient très bien ce que cela signifiait, car beaucoup de S.S. avaient des gitans comme amies et quand ils avaient bu en leur compagnie, ils leur racontaient tout sans se gêner. Je me cachai dans un buisson et vis que l'on frappait les gitans et les

---

1. Témoignage inédit Dazlo Tilany, Budapest, août 1964.
2. Témoignage du colonel Josef Piwko, officier polonais déporté à Auschwitz en janvier 1943. Procès d'Auschwitz, audition du 13 avril 1964.

gitanes. Boger était présent. Je vis également que l'on tirait au-
dehors les enfants qui s'étaient cachés sous les lits de camp. On
les mena à Boger. Il les insulta — c'était des enfants de quatre
à sept ans —, en prit quelques-uns par les jambes et les fracassa
contre le mur.

— Les S.S. [1] durent aussi faire usage de toute leur brutalité :
aucune manœuvre pour amener les détenus à monter de bon gré
dans les véhicules ne réussit.

— Jusque [2] tard dans la nuit j'ai entendu leurs cris et j'ai
su ainsi qu'ils résistaient. Les gitans ont hurlé toute la nuit... ils ont
vendu chèrement leur vie.

— Après [3] cela, Boger et d'autres passèrent dans les Blocks
et en arrachèrent les enfants qui s'étaient cachés. Les enfants étaient
emmenés devant Boger qui les prenait par les pieds et leur fra-
cassait la tête contre le mur... Je l'ai vu faire cela mettons six
ou sept fois.

— Nous entendions [4] du dehors des cris comme « Criminel!
Assassin ». Le tout dura plusieurs heures. Puis vint un officier S.S.
que je ne connaissais pas et qui me dicta une lettre. Le titre était :

— « Traitement spécial exécuté. »

— Il retira la lettre de ma machine et la déchira. Au matin,
il ne restait plus de gitans dans le camp.

— A [5] l'aube j'ai remarqué la vaisselle éparpillée et les vêtements déchirés.

— Durant toute la nuit, les cheminées du crématorium n° 1
et n° 2 ont craché des flammes qui éclairaient d'une lueur sinistre
le camp entier. Le camp des tsiganes, autrefois si bruyant, est
devenu silencieux et désert. On n'y entend plus que le chant monotone des barbelés qui s'entrechoquent, tandis que les portes et
fenêtres laissées ouvertes ne cessent de claquer ou de grincer au
vent puissant des steppes volhyniennes...

— Sur le matin, les feux se sont éteints. Les corps des tsiganes se sont transformés en un monticule de cendres argentées
qui se dresse dans la cour du crématorium. Les cadavres de douze
paires de jumeaux n'ont pas été jetés aux fours. Avant même qu'ils
soient dirigés dans la chambre à gaz, le docteur Mengele a marqué

---

1. Témoignage Hermann Langbein (déjà cité).
2. Procès d'Auschwitz. Déclaration Diamanski.
3. Témoignage rapporté par Langbein et Neumann non retenu par le tribunal du procès d'Auschwitz.
4. Témoignage Steinberg (Langbein).
5. Témoignage E. Heimler : *The night of the mist,* Londres, 1959.

sur leur poitrine avec une craie spéciale les lettres « Z.S. ». Ce qui signifie : pour la dissection.

— Dans la collection des cadavres figurent des jumeaux de tout âge, en commençant par des nouveau-nés et jusqu'à seize ans. Pour le moment, les douze paires de cadavres sont allongées sur le béton. Ce sont des corps d'enfants à la peau mate et aux cheveux noirs. Le classement des jumeaux par couples me donne un travail fatigant. Je fais très attention de ne pas les entremêler et de les confondre, car si je rendais inutilisable ces exemplaires rares et précieux pour mon travail de recherches sur la gémellité, le « criminal doctor Mengele » me le ferait payer de ma vie.

— Il y a à peine quelques jours, j'étais assis avec lui dans la salle de travail, près de la table. Nous feuilletions les dossiers déjà établis sur les jumeaux, lorsque, sur la couverture bleu clair d'un dossier, il aperçoit une pâle tache de graisse. Au cours de la dissection, je manipule souvent les dossiers et c'est ainsi que j'ai pu le tacher. Le docteur Mengele me jette un regard réprobateur et me dit, avec le plus grand sérieux : « Comment pouvez-vous agir d'une façon insouciante avec ces dossiers que j'ai recueillis avec tant d'amour! » C'est le mot « amour » qui vient de quitter les lèvres du docteur Mengele. Je suis tellement ébahi que je n'ai pu prononcer un mot pour lui répondre.

— J'ai devant moi sur la table de dissection les cadavres d'une paire de jumeaux de quinze ans. Je fais une dissection parallèle et comparative sur les deux cadavres.

— Les deux têtes ne présentent rien qui puisse retenir l'attention. La phase suivante est l'enlèvement du sternum. Un phénomène extrêmement intéressant se présente à mes yeux. Le thymus persistant, c'est-à-dire la glande thymus qui continue de subsister. La glande thymus ne se rencontre habituellement que chez les enfants. Elle s'étend de la partie supérieure du sternum jusqu'au cœur, et couvre par conséquent une surface assez grande. Avec la puberté, elle commence à s'atrophier rapidement et disparaît complètement. Une fois la maturité sexuelle atteinte, il n'en reste qu'une petite poche de graisse avec les restes des tissus conjonctifs de l'ancienne glande.

— La glande thymus a une grande influence sur la croissance. Lorsque le thymus s'atrophie trop vite, l'individu aura une taille petite, voire une taille de nain; d'autre part, ses os tubulaires seront très fragiles. Le développement trop grand ou l'hypersécrétion de la glande se rencontre souvent lors de la dissection des enfants qui sont décédés subitement sans avoir été malades et sans aucune explication apparente. On rencontre également une hypersécrétion chez les individus jeunes qui présentent une trop faible résistance aux maladies infectieuses.

— La glande thymus rencontrée chez les frères jumeaux est par conséquent d'un intérêt considérable, et non seulement elle est présente ici chez les jumeaux de quinze ans, alors qu'elle aurait dû disparaître à douze ans, mais encore elle est beaucoup plus développée que dans les cas normaux. Je dissèque encore une paire de jumeaux de quinze ans et une autre paire de seize ans. Tous sont monocellulaires et leur glande thymus est pareillement atrophiée.

— J'extrais chez chacun des huit jumeaux monocellulaires la partie cervicale de la colonne vertébrale. Les quatrième et cinquième vertèbres présentent une anomalie : à l'âge de douze ou treize ans, elles ne se sont pas refermées, mais sont restées ouvertes même chez ceux de quinze et seize ans. Cette anomalie de développement s'appelle « spina bifide »; elle est connue comme état pathologique capable d'entraîner des conséquences graves.

— Le développement de l'individu se fait en direction des deux extrémités de la colonne vertébrale : celle du crâne et l'autre, celle du bassin, ou plutôt « coccyx », appelé aussi os caudal. On dit que le développement est crânial ou caudal, suivant la tendance prédominante.

— Dans le cas présent, chez les seize jumeaux disséqués, la tendance est crâniale, car la spina bifide et l'os qui est resté ouvert sont des phénomènes de dégénérescence. Une autre anomalie de développement que j'ai rencontrée chez cinq paires de jumeaux est la non-fixation de la dixième côte droite, qui reste flottante. On désigne cette anomalie par le nom de « costa decima fluctuans ». Cette côte est normalement fixée au sternum. Le fait qu'elle est flottante est une anomalie de la croissance de l'épine dorsale caudale.

— La dixième côte flottante se rencontre parfois aussi dans la pratique courante. Il s'agit en général d'individus de type asthénique, maigres, grands, à la musculature faible, hypotendus et qui se fatiguent très vite. Evidemment, de tels cas sont excessivement rares.

— Je consigne toutes ces observations rares et curieuses dans le procès-verbal de dissection sous une forme beaucoup plus précise et scientifique. Je passe un long après-midi en discussion avec le docteur Mengele pour éclairer certains problèmes obscurs. Dans la salle de dissection et dans le laboratoire, je ne suis plus l'humble prisonnier du K.Z., mais je défends et explique mon point de vue tout comme dans un conseil médical où je serais traité d'égal à égal. Je contredis le docteur Mengele si je ne suis pas d'accord sur une de ses hypothèses.

— Je connais bien les hommes. Il me semble que mon attitude ferme, mes phrases mesurées et mes silences prolongés soient les qualités par lesquelles je suis arrivé à ce que le docteur Mengele, devant qui, même les S.S. tremblent, m'offre une cigarette lors d'une discussion animée, et me salue avant de partir.

*
**

— Dans [1] le camp des tsiganes, 10 849 femmes et 10 094 hommes en tout furent internés. D'après les estimations du musée d'Auschwitz, moins de 3 000 furent transférés dans d'autres camps. On ne peut établir plus exactement le chiffre de ceux qui moururent avant la liquidation de cette section de Birkenau.

---

1. Témoignage Hermann Langbein (déjà cité).

NATZWEILLER-STRUTHOF

— J'ai vu comment ils pleuraient quand ils étaient désignés, mais ils ne pouvaient rien faire car c'étaient des tsiganes. Ils n'étaient absolument pas volontaires. Il y avait des (tsiganes d'origine) tchèques, des polonais et un hongrois.

L'homme qui parle ainsi, voix blanche d'émotion, devant le tribunal du procès des médecins à Nuremberg, est un ancien déporté néerlandais du camp de concentration de Natzweiller, Hendrick Nales, infirmier à la station expérimentale Ahnenerbe.

Ainsi, pour la première fois dans la déjà longue histoire de la Seconde Guerre mondiale, cette « Société pour l'héritage des Ancêtres », qui devait apporter au peuple allemand les preuves de sa supériorité raciale en faisant appel à toutes les disciplines : préhistoire, ethnologie, biologie, etc., s'installait sous son « étiquette » dans un camp de concentration proche de Strasbourg. Il est vrai que Strasbourg, en devenant le siège de la première université S.S. du Reich, tenait une place de choix dans ce rêve insensé du Reichsführer S.S. : « Bientôt ce seront des universités S.S., des collèges S.S., des écoles S.S., qui formeront la jeunesse allemande. » Strasbourg n'était que la première pierre. Strasbourg et Natzweiller-Struthof car, avec la guerre, la déviation de l'intellectuelle Ahnenerbe s'intensifia : désormais toutes les recherches devaient s'intégrer dans un programme de victoire. Et la victoire passait par les expérimentations humaines dans les camps de concentration. L'Ahnenerbe devait provoquer, programmer et financer l'ensemble des travaux des « Médecins Maudits ». Deux grandes séries d'expérimentations étaient réservées à Natzweiller : les gaz de combat et le typhus. Le « matériel humain » que l'on utilisera en priorité sera tsigane.

Ces tsiganes de Natzweiller venaient de toute l'Europe. Ils avaient remplacé les premiers tsiganes — pionniers du camp — qui avaient été raflés dès les premiers jours de l'occupation de l'Alsace-Lorraine. Ceux-là disparurent rapidement à la carrière. Je n'ai pu retrouver aucun témoignage sur cette époque. L'un des fermiers, proche de Natzweiller, m'a affirmé qu'au cours de la première année, un grand feu alimenté par une trentaine de roulottes et leur mobilier, avait été allumé dans un champ en contrebas de l'entrée du camp. Le feu brûla deux jours.

— Dans [1] la soirée, un camion monte de la gare. Il amène une trentaine d'hommes, des tsiganes, je crois morts, ou aux trois quarts, sans doute de froid, d'après leur apparence. Les S.S. les extirpent du camion en les tirant par ce qui se présente à eux : pieds ou bras, et les projettent à terre. Si une tête se soulève, elle reçoit aussitôt un solide coup de pied : les infirmiers — les détenus — les chargent trois par brancard et les descendent à l'infirmerie, ou plutôt au crématoire. Beau spectacle d'arrivée, qui attire bon nombre d'entre nous...

— Je souffre atrocement d'une épaule, qui est bloquée avec de gros craquements d'arthrite et d'une douleur vertébrale consécutive à un coup de manche de pioche reçu dans les premiers jours de mon arrivée. Le tout s'accompagne sans doute de décalcification. La douleur a commencé par apparaître à 4 heures de l'après-midi, puis à midi, puis dès mon lever. Je prélève un morceau de margarine sur ma ration et Chazette me masse chaque soir.

— A cette époque (janvier-février 1943) un matin, vingt nouveaux — des tsiganes — sont à l'appel : l'un d'eux n'a pas dix ans, un autre ressemble au « bonhomme Michelin », tant il est gonflé d'œdème. Il est traîné à l'appel par les pieds et les bras, par quatre de ses camarades; la tête ballottante dans la neige que rougit le sang d'une blessure qu'il porte au visage. Quarante-huit heures après la chambre à gaz les a délivrés.

— Natzweiller-Struthof [2] était pourvu d'une chambre à gaz. Tous les détenus en avaient entendu parler dès leur arrivée. Elle ne se trouvait pas dans les baraquements du camp, mais 200 mètres plus bas dans les dépendances de l'hôtel. Je n'y suis, fort heureusement, jamais allé. Mais je puis la décrire assez exactement d'après ce qui m'en fut dit par un tsigane qui y avait passé.

— D'après ses explications, la pièce avait l'aspect d'une salle

1. Témoignage docteur André Ragot. *N.N. Coopeol.* Sens, 1948.
2. Témoignage René Max (témoignages strasbourgeois), déjà cité.

de douches complètement dallée et entourée de carreaux de faïence. Les non-initiés ne pouvaient soupçonner, en y entrant, sa vraie destination. De fausses poires à douches avaient été scellées au plafond. La porte qui fermait hermétiquement, était munie d'un petit orifice vitré, permettant de voir du dehors ce qui se passait au-dedans.

— A qui était destiné ce local et de qui dépendait-il? Ses premiers usagers furent cinquante femmes juives amenées au printemps 1944 du camp d'Auschwitz [1]. Le professeur Hagen, de l'université de Strasbourg, directeur de l'Institut d'anatomie pathologique à l'hôpital civil, pour rassurer les pauvres femmes, leur fit passer un semblant de visite médicale, après quoi les malheureuses furent enfermées dans la salle. Un gaz toxique eut vite détruit ce qui leur restait de vie. Peu après, la porte fut rouverte, la salle aérée. Finalement les corps furent transportés à l'hôpital de Strasbourg, au pavillon d'anatomie, où on les plongea dans un bain de formol pour en faire des pièces de musée et où ils ont été retrouvés à la Libération.

— A cette séance d'extermination succédèrent plus tard diverses expériences que tentait un dénommé Bickenbach. Il était chargé par la Wehrmacht d'effectuer des recherches pour lutter contre les gaz toxiques par injection de liquide à l'organisme. Le commandant du camp fit venir un certain nombre de détenus. Lui et Bickenbach choisirent huit d'entre eux, principalement des tsiganes, jugés plus vigoureux et surtout plus faciles à manier. Selon leur habitude, ils leur firent croire qu'ils allaient leur rendre la liberté et ils les amenèrent hors du camp. Le soir tout ce monde revint. Nous les reçûmes au Block 5, auquel j'étais attaché et qui appartenait à l'infirmerie. Une salle avait été mise à leur disposition. Sur l'ordre de Bickenbach, Wladimir, l'infirmier polonais qui s'occupait de la salle d'histologie, dut prendre, toutes les deux heures, la température, le pouls, la respiration de chaque cobaye. Un ballon d'oxygène avait été mis à sa disposition pour le cas où l'un d'eux aurait des gênes respiratoires. Le lendemain matin, sur les huit malheureux, quatre étaient morts après une nuit atroce. Sans doute les S.S. avaient-ils formé deux groupes de quatre, dont un reçut une dose de gaz plus forte que celle de l'autre, ou dont un n'eût aucune piqûre.

— Quelques mois plus tard, en juin 1944, une seconde expé-

---

1. Il s'agit en réalité d'un convoi d'hommes. Voir *Les Médecins Maudits* (même auteur, même éditeur).

rience eut lieu sur dix détenus. Tous étaient tsiganes. Le lendemain de l'expérience, accompagné d'un S.S., je dus descendre avec un camarade au crématoire sans explication préalable. Le S.S. nous mena au petit dortoir situé à côté du four crématoire. La porte s'ouvrit sur huit êtres au regard livide et assaillis d'une nouvelle peur à notre arrivée. Ils furent transportés par nous à notre Block d'infirmerie, à l'exception d'un seul qui fut laissé au dortoir sur l'ordre du S.S. et que je ne revis plus jamais. Une chose restait à éclaircir. Sur les dix tsiganes désignés pour l'expérience, huit seulement étaient réapparus. Qu'était-il advenu des deux autres? Je ne tardai pas à l'apprendre. En effet, après avoir prodigué mes soins aux tsiganes amenés au « Revier », je dus descendre, vers 9 heures du soir, avec le chirurgien belge Bogaerts et Wladimir, à la salle de dissection voisine du four crématoire. En y entrant, je trouvai deux cadavres, la bouche remplie d'une écume blanchâtre, étendus à côté de la salle de dissection. Il me fut facile de reconnaître les deux tsiganes manquants. Quatre hommes en civil étaient déjà dans la salle, Bickenbach, Hirt, professeur à la faculté de médecine de Strasbourg, et deux jeunes aides. Le chirurgien fut invité à faire la dissection. Un des aides prit les photos des différents organes. Il s'agissait de déterminer le comportement de chacun, et tout particulièrement celui des poumons atteints d'œdème, au contact du gaz. Questionnant les tsiganes qui survivaient à l'expérience, nous eûmes quelques éclaircissements sur le rôle de Bickenbach. Les détenus entraient par groupes de deux dans la salle. Un système de guillotine qu'actionnait un électro-aimant permettait de briser, sitôt la porte fermée derrière eux, des ampoules analogues aux petits tubes d'essence en vente dans les bureaux de tabac, d'où se dégageait un liquide volatil avec une forte odeur d'amandes amères, qui laissait supposer une assez forte proportion d'acide cyanhydrique.

— Avant d'entrer dans la chambre à gaz, la plupart des cobayes recevaient une piqûre : « C'est un toni-cardiaque », disait ironiquement Bickenbach. C'était, en réalité, un produit de ses recherches pour permettre à l'organisme de résister au gaz. La durée de l'expérience variait d'un groupe à l'autre, de même que la concentration du gaz dans la salle. A chaque séance, deux des cobayes étaient introduits sans avoir été piqués. Ceux-là étaient immanquablement condamnés à périr.

— Bickenbach ne revint dans la suite au Struthof que lors de l'évacuation du camp, afin de reprendre son sinistre matériel. Quant à Hagen, il revenait régulièrement une fois par semaine, toujours en compagnie de son secrétaire. Il multipliait ses expériences au Block 5 sur les cachectiques et au Block 8 sur les typhiques. Nous ne sûmes jamais quel était le but précis de ses recherches.

— En octobre 1942 [1], le professeur Hirt vint au camp, dans le Block qui servait d'hôpital, et qui, à ce moment, était divisé en deux parties; une partie appartenait à l'Ahnenerbe, et l'autre servait d'hôpital aux détenus. J'avais à m'occuper de la partie dépendante de l'Ahnenerbe, en qualité de Kapo. Au milieu d'octobre, plusieurs détenus furent choisis par le professeur Hirt, en raison de leur leur bonne condition physique. Il y avait deux chambres; dans chacune d'elles on mit quinze hommes. Pendant quinze jours on donna à ces gens la nourriture des S.S. et les expériences commencèrent : des expériences avec un gaz liquide, vers octobre ou novembre 1942. Le professeur Hirt, avant de les sélectionner, leur parla, et leur dit que si certains d'entre eux étaient volontaires, il parlerait à Himmler et s'arrangerait pour les faire libérer. Cependans, on savait dans le camp que d'autres expériences étaient pratiquées dans les autres camps, de sorte qu'aucun ne fut volontaire.

J. MacHaney. — Voulez-vous dire au tribunal, à votre façon, comment se sont passées les premières expériences avec ce gaz liquide, si certains des sujets d'expériences moururent, s'ils souffrirent, etc.

H. — Au cours des premières expériences, le professeur Hirt et l'officier de l'armée de l'air qui pratiquait les expériences, firent déshabiller complètement les prisonniers. Ceux-ci vinrent l'un après l'autre au laboratoire; j'eus à leur tenir les bras, et une goutte de liquide fut déposée environ 10 cm au-dessus de leur avant-bras. Les gens qui avaient été traités de cette façon durent aller dans une chambre avoisinante, où ils durent rester debout une heure avec leur bras étendu.

— Dix heures après, environ, des brûlures commencèrent à apparaître, et s'étendirent au corps entier. Partout où une goutte de gaz avait touché le corps, se produisirent des brûlures. Quelques-uns d'entre eux devinrent même partiellement aveugles.

— Ils souffrirent terriblement, d'une façon difficilement supportable. Il était presque impossible de rester près d'eux. Ils furent photographiés chaque jour, c'est-à-dire à l'endroit des brûlures, et c'est aux environs du cinquième ou sixième jour, que la première mort survint. A ce moment, les morts étaient encore envoyés à

---

1. Témoignage Fernand Holl du 3 janvier 1947 devant le tribunal de Nuremberg.

Strasbourg, puisque notre camp n'avait pas de crématoire. Cependant, les cadavres furent ramenés, et disséqués à l'Ahnenerbe. La plus grande partie des poumons et des autres organes avait été détruits, et c'est au cours du jour suivant que sept nouvelles personnes moururent. Ce traitement dura approximativement deux mois, jusqu'à ce qu'ils fussent capables d'être déplacés; ils furent alors transportés dans un autre camp.

McH. — Témoin, il y eut environ huit morts, parmi les trente premiers sujets d'expériences.

H. — Oui, c'est exact.

McH. — Les autopsies furent-elles pratiquées sur les personnes qui moururent?

H. — Je vous l'ai dit au début.

McH. — Et vous avez pû observer à l'autopsie, que le gaz avait infecté et détruit les poumons et d'autres parties du corps?

H. — Oui, j'étais le seul à pouvoir pénétrer à l'Ahnenerbe.

McH. — Y eut-il une deuxième série?

H. — Oui, les expériences dans la chambre à gaz; il s'agissait de petites ampoules de 1 à 2 cm³, chacune était tendue au sujet et devait être emportée dans la chambre à gaz qui était éloignée de 500 mètres environ du camp; deux personnes entraient dans la chambre en même temps. Bien entendu, la chambre à gaz était fermée; l'un des prisonniers devait écraser les ampoules, et ainsi inhaler le gaz qui s'échappait; ensuite, bien entendu, ils perdaient connaissance, revenaient à eux, et retournaient à l'Ahnenerbe, où le traitement continuait, et où les progrès de la maladie étaient observés. Les résultats étaient sensiblement les mêmes que ceux des gaz liquides. Parfois j'utilisais de l'oxygène afin de faire fonctionner à nouveau les organes de la respiration. Certains sujets mouraient par manque d'air, parce que nous ne pouvions pas réussir à les ranimer, mais c'était le même genre de brûlures que dans les premiers cas. J'ai vu les poumons de ces gens qui avaient été disséqués; ils étaient de la dimension d'une demi-pomme, complètement mangés et pleins de pus. Pendant que j'étais là, c'est-à-dire jusqu'à 1943, ce qui fit environ un an, 150 sujets, approximativement, furent traités de cette façon.

McH. — Pouvez-vous dire approximativement combien d'entre eux moururent à la suite des expériences?

H. — C'est quelque chose de difficile à dire d'une façon sûre. Je suis sûr de ceux qui moururent dans le camp bien entendu, mais dès que ces malades étaient prêts à être transportés, ils allaient à Auschwitz, à Belsen ou à Lublin dans de grands camps.

J'ai d'ailleurs pu savoir tout à fait par accident ce qui arriva. Un voisin de mon village subit une de ces expériences : il était vivant au moment de son transport, mais il mourut ultérieurement.

McH. — Voulez-vous dire que les sujets d'expériences qui survécurent aux expériences étaient transportés dans d'autres camps, et exterminés?

H. — Ce qu'on faisait d'eux dans les autres camps, je ne le sais pas. Pendant les premières expériences, je veux dire, les expériences des gaz liquides (il y en eut quatre), le total des morts était environ de 7 à 8 pour 30; les expériences avec des gaz étaient identiques. Ultérieurement, des expériences furent pratiquées au moyen d'injections. Les gens étaient amenés au crématoire immédiatement. Il y avait une chambre spéciale attenante au crématoire, une soi-disant chambre de malades. Après cela on ne revit jamais ces gens.

McH. — Savez-vous ce qui leur arriva?

H. — Ils furent brûlés immédiatement après leur mort.

Henry Grandjean, infirmier à Natzweiller pouvait entrer en contact avec les cobayes tsiganes [1].

J. MacHaney. — Savez-vous si des expériences à l'ypérite ont été pratiquées au camp de concentration de Natzweiller?

G. — Oui, j'ai été envoyé à cet effet au Block 5 pour prendre la température et le pouls de cinq sujets qui avaient été envoyés à la chambre à gaz, et qui avaient survécu. J'ai pu parler à un ou deux d'entre eux. L'un des survivants était un tsigane, il me dit qu'il avait été pris avec quinze de ses camarades, et mis dans une chambre à gaz pour des expériences au Struthof. Les S.S. leur avaient donné des capsules qu'ils devaient écraser, sur un signe de l'extérieur. Après quelque temps, la porte avait été ouverte, et les cinq survivants amenés au Block 5, chambre 2, pour y être observés. J'avais reçu l'ordre de prendre leur température trois fois par jour. Quant aux dix autres sujets qui avaient subi l'action des gaz, ils étaient morts. Leurs camarades survivants me le dirent : « Quelques-uns d'entre eux furent autopsiés par le docteur Bogaerts, de Bruxelles. Les corps ont montré de l'œdème pulmonaire. »

Le docteur Johan Broers aida le chirurgien belge Bogaerts à autopsier des sujets d'expérience [2].

— Un matin, je fus appelé par Bogaerts qui me dit : « Nous

---

1. Audition du 7 janvier 1947.
2. Audience du 30 juin 1947 devant le tribunal des médecins.

avons une besogne à faire que je n'aime pas, mais il faut la faire. »
C'était en mai ou juin 1944. Il ajouta : « Ils ont empoisonné des
tsiganes avec du gaz, et il nous faut autopsier les morts. » Nous
allâmes au crématoire où nous trouvâmes sur la table le cadavre
nu d'un tsigane jeune et en bon état physique; nous attendîmes un
moment et un Allemand en civil, portant des knickerbockers, accompagné d'un assistant avec du matériel photographique, entra et
dirigea notre autopsie. J'appris plus tard qu'il s'agissait du professeurs Hirt. Les poumons étaient si fortement gonflés que le triangle
cardiaque était entièrement recouvert par leurs bords. Les organes
furent photographiés. Après l'autopsie, le professeur Hirt me dicta
le protocole.

H. — Le professeur Hagen est-il entré au cours de l'autopsie?

B. — Le professeur Hagen entra, accompagné d'une fille
blonde et d'officiers du camp. Il parla à Hirt et s'en alla.

H. — A votre avis, dans le cas de ces deux tsiganes que vous
avez autopsiés, vous avez pu attribuer la mort à un gaz?

B. — Oui.

Le Président. — D'après vos découvertes d'autopsie, la cause
de la mort de ces deux tsiganes était la même?

B. — Oui, monsieur, c'était la même. »

— Ils ne pouvaient rien faire car c'était des tsiganes... Le
président tend une liste de noms au témoin Hendrick Nales.

... Page 74, à la septième ligne, se trouve un tsigane 6587
qui s'appelait Fodassy Andréas, probablement un Hongrois né le
12 février 1911, mort à la suite des expériences des gaz.

Procureur A. Hardy. — Comment savez-vous que cet homme
est le même que celui qui servit à Hagen pour les expériences
des gaz?

Hendrick Nales. — Après son nom, il y a la lettre V, pour
Versuch (expérience) et j'ai eu le cadavre de cet homme. A la
même page, à la huitième ligne se trouve le tsigane 6516, Rebstock
Cirko, né le 28 mai 1901. Je les ai vu tous les deux conduits à la
chambre à gaz de Natzweiller, et plus tard, j'ai vu leur cadavre;
j'ai d'ailleurs reçu l'ordre de laver et de nettoyer le tsigane Rebstock Cirko après sa mort. Ensuite j'ai dû le porter au crématoire
dans la salle d'autopsie.

— Avez-vous lavé d'autres sujets d'expériences après leur
mort?

— Oui, certainement, tous étaient lavés.

*
**

Les tsiganes sans nom.

« Je m'appelle Gerrit Hendrick Nales, je suis né le 1er octobre 1915 à Rotterdam, et je suis citoyen hollandais. Je n'ai pas dépassé l'école élémentaire, et je suis dessinateur. J'ai été arrêté le 20 août 1940 par la Gestapo, pour résistance, et j'ai été détenu jusqu'en 1945. J'ai été à Buchenwald du 18 avril 1941 jusqu'en mars 1942, puis à Natzweiler jusqu'au 4 septembre 1944 date de mon envoi à Dachau où je restai jusqu'à la libération par les Américains, le dimanche 29 avril 1945. A Natzweiller, je travaillai d'abord à construire des baraques, puis dans une carrière de pierre, puis en novembre 1942, je devins aide-infirmier à l'hôpital, à la Station de Recherches de l'Ahnenerbe.

A. Hardy. — Avez-vous quelque connaissance du travail du professeur Hagen?

N. — Oui, c'était un officier de l'armée de l'air, professeur à l'université de Strasbourg. Il portait l'uniforme de l'armée de l'air avec le bâton d'Esculape; il vint pour la première fois à Natzweiller en octobre 1943. C'était peu de temps après l'arrivée d'un transport de tsiganes de Birkenau près d'Auschwitz, pour les expériences du typhus. Hagen examina ces gens et les fit passer aux rayons X; il trouva qu'il ne pouvait pas les utiliser, et il protesta à Berlin en demandant des sujets plus vigoureux, également des tsiganes. Peu de temps après l'arrivée de ce premier groupe de cent, dont beaucoup étaient déjà morts en route, les survivants firent partie d'un Himmelfahrstransport (ascension au ciel). Quelques semaines plus tard, en novembre 1943, les nouveaux sujets arrivèrent, environ quatre-vingt-dix. Ils furent examinés à nouveau, et trouvés convenables. Le professeur Hagen les divisa en deux groupes. Ceux du premier groupe reçurent une vaccination contre le typhus. Le deuxième groupe ne reçut rien. Je pense que dix à quatorze jours plus tard, tous les sujets furent infectés artificiellement avec le typhus : je ne puis vous dire comment, je ne suis pas médecin, mais j'étais là quand ils le firent. Il y avait également une femme. Au cours de cette affaire, trente tsiganes moururent. J'en ai la preuve, j'ai les fiches des morts de Natzweiller. Avant d'être transporté à Dachau, j'ai volé les dossiers des morts, je les ai copiés de façon à pouvoir les utiliser plus tard, et je les ai amenés à Dachau.

— Les quatre-vingt-neuf sujets de ce deuxième transport

---

1. Audience du tribunal des médecins, 30 juin 1947.

avaient été récemment renvoyés de la Wehrmacht et des S.S. et envoyés à des camps de concentration. Quand ils arrivèrent, ils étaient bien nourris. Ils venaient tout juste d'être arrêtés; j'ai assisté moi-même aux vaccinations, et j'étais là lorsque le professeur Hagen, après un certain nombre de jours, revint et injecta au deuxième groupe le typhus artificiel. Les gens étaient nus : je devais les maintenir en rang, et les amener à la chambre où ils étaient inoculés...

H. — Vous avez eu l'occasion de copier les registres de décès du camp de Natzweiler. Avez-vous les copies que vous avez faites?

N. — Oui, j'ai ces livres ici.

H. — Pourriez-vous expliquer au tribunal de quelles morts il s'agit, et quelle partie a trait à chaque expérience en particulier? Est-ce possible par une étude de vos livres?

N. — Oui, nous n'avions pas les noms des tsiganes, nous avions seulement leurs numéros; quand ils mouraient, nous indiquions seulement; un tsigane, trois tsiganes, etc. Dans la dernière expérience, j'ai les noms : les autres qui moururent, moururent à Dachau, parce que dans l'intervalle, on les avait évacués de Natzweiler (le livre est passé au tribunal). Il s'agit d'une copie de l'original tenue à jour jusqu'à l'évacuation, et faite par un prisonnier norvégien, un Luxembourgeois, et moi-même. Le livre commence en 1942, et va jusqu'en août 1944, il y a deux livres, un pour les Européens et un pour les prisonniers polonais et russes.

Le Président. — Je suggère que les livres soient paginés et soigneusement numérotés; la défense aura l'opportunité de les examiner.

A. Hardy. — Indiquez au tribunal page par page, les morts qui ont résulté des expériences.

N. — Page 1 : aucune de ces morts n'a trait à des gens utilisés dans des expériences, ni page 2. A la page 38, vous trouvez les expériences avec le typhus. A partir du douzième nom en commençant en haut, il y a un groupe de dix-huit tsiganes; aucun des noms n'est mentionné.

H. — Comment savez-vous que cela a trait aux tsiganes qui moururent des expériences du typhus?

N. — Parce que seuls, les tsiganes étaient indiqués dans le livre, sans noms.

H. — Y avait-il dans le camp des tsiganes autres que ceux utilisés pour les expériences du typhus?

N. — Il y en avait qui étaient normalement enregistrés dans le camp.

H. — Ces morts ne pouvaient-elles indiquer des tsiganes autres que ceux utilisés dans les expériences du typhus?

N. — C'est hors de question. Ainsi, vous voyez, page 38, vingt-huit espaces blancs, où les noms devraient être, entre la dernière mort et les morts suivantes se trouvent les mots « vingt-huit tsiganes ».

H. — Avez-vous vu personnellement quelques-uns de ces tsiganes?

N. — Je les ai tous vus, ainsi que leurs cadavres. La plupart provenaient du groupe non protégé qui se trouvait dans la salle n° 1 de l'Ahnenerbe. A la page 49, à la deuxième ligne, il y a également un tsigane, à la ligne 5, un autre, à la ligne 7, un autre tsigane; à la page 40, à la deuxième ligne, un tsigane, à la quatrième ligne, deux tsiganes, à la ligne 11, un tsigane. Si nous passons à la page 43, à la huitième ligne, nous avons un tsigane; tous ceux-là moururent à la suite des expériences du typhus.

H. — Avez-vous lavé les sujets d'expériences qui moururent du typhus?

C. — Certainement. A la page 76, à la deuxième ligne se trouve le tsigane 6545 Adalbert Eckstein, né le 2 février 1924, je l'ai également vu mort. A la page 81, à la deuxième ligne, se trouve le tsigane 6554, Reinhardt Mideti Joseph, né le 27 août 1913, je l'ai également vu mort. En bas de la page 81, vous trouvez le tsigane 6521, probablement tchèque, Rositzka Joseph, né le 18 décembre 1909, que j'ai également vu mort.

— « En [1] février 1944, je fus affecté à l'infirmerie du camp, Block 5, pendant la maladie du docteur Paulssen, médecin norvégien de l'infirmerie. A mon arrivée à l'infirmerie, le Kapo luxembourgeois Roger Kanten me prit à part, et me recommanda la plus grande discrétion, même après la guerre, sur ce que je pouvais y voir. Je pus constater en effet les jours suivants que quatre-vingts tsiganes d'Europe Centrale, étaient hospitalisés dans deux salles du Block 5, dans des conditions très particulières. Ils étaient divisés en deux lots de quarante, et groupés dans deux salles de dimensions restreintes. Quelques jours après, arriva une personnalité que l'on appelait le professeur. Il venait en auto de Strasbourg, accompagné d'une laborantine... Il se rendit au laboratoire qui se trouvait à côté des deux salles de tsiganes; les quarante

---

1. Témoignage Henri Chrétien (déclaration écrite en date du 15 janvier 1947 remise au tribunal), elle sera complétée par un article paru dans *Le Médecin Français* en 1950.

occupants de l'une des salles défilèrent un par un, dans ce laboratoire. Le Kapo accompagnait le professeur, qui venait une fois par semaine. Quand son état fut amélioré, le docteur Paulssen l'accompagna également.

— J'ai pu comprendre par la suite que ces visites marquaient le début d'une expérience sur l'efficacité de la vaccination antityphique. Les tsiganes de la première salle étaient vaccinés, ceux de la deuxième ne l'étaient pas. Je pus le savoir, lorsque je fus convoqué subitement chez le professeur; on me mit torse nu, et la laborantine me fit une injection de vaccin. Au bout d'un certain temps, des précautions furent prises pour accroître l'isolement des tsiganes. Le personnel de l'infirmerie chuchotait à propos du danger de contagion de typhus exanthématique. Le professeur vint un matin, et tous les tsiganes sans exception passèrent dans son laboratoire. Ils en sortaient avec une scarification sur le bras. Je pus savoir par un infirmier norvégien qui assistait le docteur Paulssen, que l'on avait procédé à l'inoculation du typhus exanthématique à tous ces tsiganes, aux quarante vaccinés comme aux quarante non vaccinés. Le docteur Paulssen et le Kapo étaient présents dans le laboratoire avec le professeur et sa laborantine, au moment de l'inoculation.

— Les tsiganes furent enfermés dans leur chambre, la clé de celle-ci restant entre les mains de l'infirmier norvégien. Ils ne pouvaient se rendre aux cabinets qu'en groupe, accompagnés par cet infirmier, et à ce moment, les portes des salles de malades étaient fermées. Ils avaient d'ailleurs des cabinets à part. L'infirmier norvégien et le docteur Paulssen étaient chargés de relever une fois par jour leur température. Au dixième jour, je pus constater que les températures de tous ceux qui n'avaient pas été vaccinés (quarante), subissaient une poussée brutale à 39° ou à 40°. Quelques-uns parmi les autres, présentèrent également des poussées fébriles. Je ne pus suivre le reste des expériences, ayant été subitement à cette époque envoyé en Kommando. A mon retour au mois de mai, j'essayai d'obtenir du docteur Paulssen quelques détails sur les suites de cette expérience. Je n'en obtins aucun.

— J'ajoute qu'il s'agissait, selon l'infirmier norvégien, du professeur Hagen. J'ai été appelé, alors que j'étais à l'infirmerie, à deux reprises, dans la salle des tsiganes vaccinés, pour donner des soins à l'un d'entre eux qui, à chaque injection de vaccin, faisait une crise de nerfs, et perdait connaissance. Il avait une insuffisance mitrale.

— Ces tsiganes n'étaient ni criminels ni délinquants; ils

avaient été arrêtés parce que nomades, et considérés par les nazis à ce titre, comme asociaux, dont ils portaient le triangle noir. Ils n'étaient pas volontaires, et n'avaient pas été le moins du monde consultés. Nous avons été témoins de l'arrivée de ces tsiganes au camp de Natzweiller, dans des conditions épouvantables. C'était pendant une tempête de neige. Ils descendaient en grelottant, malmenés par les S.S., avec pour tout costume du tissu rayé en cellulose. Ils avaient voyagé plusieurs jours au froid, et sans nourriture.

RAVENSBRUCK

— J'avais [1] dix-sept ans quand je fus emprisonné en juin 1939. Les S.S. nous avaient dit que nous allions dans un camp de travail pour six semaines seulement. En fait, ce fut six ans. On ne pouvait nous accuser d'aucun délit. En été nous voyagions en roulotte, en hiver nous vivions ici, à Brückhaufen. Ils avaient emmené mon père à Dachau, ma belle-mère et mes petites sœurs en Pologne. Arrivés à Ravensbrück on nous a d'abord donné des habits, ensuite j'ai travaillé dans les sablières, puis dans les briqueteries de 6 heures du matin jusqu'à l'appel du soir. Nous avons tout d'abord vécu avec les femmes qui étudiaient la Bible, puis je suis allée chez les tailleurs où l'on travaillait pour les soldats. C'est seulement parce que je m'appliquais dans mon travail que les choses allèrent mieux pour moi. Et pourtant trois fois j'ai été punie. La première fois, j'ai dû rester plusieurs heures debout après l'appel. Une autre fois je fus sévèrement battue parce que j'avais été dormir près de ma tante pour me réchauffer. Une autre fois je fus condamnée à rester dans le noir et sans nourriture parce que j'avais rétréci mon uniforme du camp après quatre ans de déportation. Lorsqu'en été 1944, le long train qui transportait les nôtres arriva d'Auschwitz, nous sortîmes en courant pour chercher nos familles. Je voulais y trouver ma belle-mère et mes sœurs. En fait, d'après ce que l'on m'a dit alors, elles étaient mortes à Litzmannstadt. « Nous étions avant une grande famille. »

— Quelques [2] mois après l'installation dans la région des

---

1. Témoignage Berthe Frölich : Manuscrit Archives Centre documentation de la Résistance autrichienne et monographie Selma Steinmetz (déjà citée).
2. Témoignage Erika Buchman : *Les femmes de Ravensbrück*.

lacs du Mecklembourg du grand camp de concentration pour femmes, très vite après que les premières prisonnières y eussent été
parquées, on vit arriver un transport qui différait totalement de
tous les précédents. C'était le premier transport de femmes et de
jeunes filles provenant des « colonies » tsiganes du Burgenland, de
la région de Vienne et de la Basse-Autriche. Dans un document
« confidentiel » de la R.S.H.A. il est dit que les femmes dont les
maris, les pères ou les frères avaient été emmenés à Dachau devaient
être « à tout prix protégées du danger de la prostitution ». Cela
n'empêcha pas trois ans après, le Reichsführer S.S. Himmler d'or-
donner par un autre document « confidentiel », de choisir parmi
ces mêmes femmes « asociales » de Ravensbrück du personnel pour
le bordel du camp.

— Un matin on vit les femmes tsiganes s'asseoir sur la grande
place entre les bâtiments de la cuisine et les baraquements, acca-
blées, abruties par la peur après avoir été arrachées brutalement
à leur environnement et à leur famille. Les « anciennes » prisonnières entendaient leurs plaintes et leurs lamentations. Les petites
filles s'agrippaient aux jupes de leur mère et se mettaient à hurler
dès qu'un S.S. faisait son apparition. Pendant deux jours et une
nuit les S.S. les laissèrent ainsi accroupies sur le sol sablonneux,
sous les coups et les quolibets, soumises le jour au soleil brûlant
et la nuit au froid, jusqu'à ce qu'enfin ils se décident à les « enregistrer », à les déshabiller, à les baigner avant de les installer dans
un Block. Très peu d'entre elles devaient assister à la fin de la
guerre et à la libération du camp.

— La [1] « chronologie courante » que les anciennes prisonnières de Ravensbrück ont pu constituer grâce à des récits indi-
viduels, et qui couvre une période allant jusqu'au 1er avril 1945,
indique le premier transport de 440 femmes et enfants tsiganes en
provenance du Burgenland qui devaient porter les numéros 1514
à 1953. Ce premier transport comportait des jeunes filles à peine
sorties de l'école — c'est-à-dire entre 14 et 17 ans — et souvent
sans leurs parents. Au début, ces jeunes prisonnières durent déblayer
le sable, porter des briques, faire des routes. Plus tard, un grand
nombre d'entre elles furent employées dans des ateliers, dans des
vanneries, par des tailleurs ou des teinturiers. Plus que dans les
autres camps les femmes tsiganes furent petit à petit englobées
dans la communauté du camp. De femme à femme, de mère à

---

1. Témoignage Selma Steinmetz. Monographie sur la déportation des tsiganes
autrichiens (déjà cité).

mère, se tissèrent des liens de solidarité qui naturellemeent furent très précieux, surtout pour les enfants. Maria Mrozek, aujourd'hui directrice d'un Institut d'éducation en Pologne, nous a envoyé un court récit sur l'époque où elle était la doyenne du Block dans les baraquements des tsiganes.

— « Dans le Block, il y avait 385 enfants, depuis le nourrisson jusqu'au galopin de 13 ans, ce qui, en comptant les mères, faisait en tout 600 personnes. Pour la première fois de ma vie, je fus appelée « notre mère » par ces enfants. Je les ai lavés, j'ai nettoyé leur nez et je les ai nourris... La misère dans laquelle ils vivaient était effrayante... inconcevable. Les mères, poussées par la faim, volaient même parfois la nourriture de leurs enfants. Quelques femmes travaillaient dans les vanneries tandis que d'autres, abandonnant tout espoir, restaient presque nues dans leur Block, assises sur leur paillasse. En effet, tout le reste avait été brûlé pour se chauffer. Un jour le chef du camp vint nous inspecter et il vit comment nous jouions avec les enfants. Ceux-ci avaient oublié leur chagrin et chantaient et dansaient avec nous. Ce jour-là je fus transférée au Block 13. L'adieu fut dramatique et douloureux. Et jusqu'en 1945 les femmes et les enfants tsiganes en partance pour un nouveau transport venaient me chercher pour me dire adieu. Il me semble les voir encore. C'était par un beau jour de printemps : ils se tenaient devant la fenêtre du bureau où j'étais et paraissaient contents à l'idée d'être envoyés au loin, bien que certains se doutaient déjà qu'ils allaient vers la mort. »

— Nous [1] avons, un matin, la pénible surprise d'avoir un jour une colonne de petits enfants se dirigeant eux aussi vers les cuisines, un pot à lait au bout du bras. Ils sont conduits par des soldats.

— L'un [2] d'eux ressemble à une momie, il est entièrement couvert de pansements en papier. Deux yeux noirs au milieu d'une grosse bande de bandages. Près de lui une fillette marche à cloche-pied en chantant. Deux gamins en queue de colonne, traînent un morceau de bois attaché à une ficelle. Les pots de lait scintillent au soleil levant. Je ne peux m'empêcher de pleurer.

— Le [3] matin après l'appel, on pouvait les voir descendre des cuisines munis d'un petit bidon de lait. Ils bénéficiaient aussi d'une soupe spéciale un peu plus épaisse. Ils habitaient le même Block que leur mère. Mais, un jour, toutes celles-ci furent emme-

1. Manuscrit inédit M. Kinderstuth.
2. Manuscrit inédit Hélène Rabinatt.
3. Témoignage Maisie Renault : *La grande misère*, Chavane éditeur, 1949.

nées en transport et les environs du Block retentirent des cris des enfants.

— Certains avaient au moins 14 ans; d'autres étaient tout petits. Les garçons, les filles, vivaient en commun avec les femmes. Très vite, ils apprenaient à se débrouiller et à voler.

— En rentrant de Rechling, nous avons appris que beaucoup de ces petits malheureux avaient été gazés. Des expériences de stérilisation avaient aussi été pratiquées sur ceux de 9 à 14 ans.

— Voici [1] le Block des petits tsiganes. Ils sont cent cinquante. L'Aufseherin est très sévère, elle bat les enfants avec un bâton, ils se sauvent comme de petits diablotins. Les garçonnets jouent à la guerre, les fillettes font une ronde lorsqu'elles n'ont pas de mioches à soigner.

— Parfois, les jeunes tsiganes se mêlent aux enfants juifs pour les jeux rapides. Les enfants juifs sont de différents pays. Certains parlent allemand, d'autres français. Stella parle même l'espagnol. Mais ils s'entendent bien en jouant. Ils sont rassemblés derrière le Block 32, près d'un tas de sable dont on peut bâtir des villes et des châteaux, ou simplement s'y rouler tant qu'il n'est pas encore recouvert de mâchefer, comme tout le camp. On peut profiter de ce que la Kesselkolonne (colonne portant les bidons de soupe) déjeune et que les charrettes attendent le voyage suivant. Alors un groupe d'enfants se jette sur ce grand jouet. Les petits piaillent, tendent les bras. Les aînés sont gravement assis sur le siège et font taire les passagers.

— Que de cris joyeux chez ces pauvres gosses, à l'arrière de la Kesselkolonne. Ces « chevaux » les promèneront peut-être? Et si le rêve des gosses se réalise et qu'on les promène deux cents ou trois cents mètres, comme ils courent heureux, annoncer à leur mère que les « femmes de l'Armée Rouge » les ont promenés...

— Voici deux gosses dans la Lagerstrasse, à la recherche de nourriture. Soudain un des garçonnets a reconnu son père dans un groupe d'hommes en tenue râpée, escortés de S.S.

— Il se jette vers lui.

— « Papa, papa! »

— L'homme ne peut pas s'arrêter prendre son fils dans ses bras. Il le tient par la main et se penche furtivement pour embrasser la menotte. Cette scène provoque des larmes d'indignation dans la colonne des femmes. De nouvelles imprécations sont lancées

---

1. Témoignage Antonina Nikiforova : *Plus jamais,* Editions en langues étrangères, Moscou.

contre les fascistes et Hitler. Le malheureux père doit quitter son fils. Qui sait? C'est peut-être la dernière rencontre?

Le jugement que portent des déportées françaises de Ravensbrück sur leurs compagnes tsiganes est en général sévère, rapide, injuste. Il est, comme nous l'avions noté en ouvrant ce dossier, le résultat logique du « préjugé » et du « refus de comprendre ». L'ethnologue Germaine Tillion, en conclusion de cette série de témoignages, apportera une vision et une étude plus objective.

— Un Block [1] fut spécialement affecté à un peuple de tsiganes, de gitanes, qui, arrêtées sur les routes dans leurs roulottes avec leur progéniture, échouèrent à Ravensbrück. Ces femmes, ces enfants vivaient dans une saleté repoussante, plus tassés encore que dans les autres Blocks, indisciplinés, pillards, voleurs, sans aucun effort pour rendre possible la vie en commun. Les distributions de soupe étaient de véritables bagarres où les plus forts essayaient de s'approprier la part des plus faibles; il y avait souvent des batailles avec des blessés. Les enfants recouverts de haillons, souvent pieds nus, criaient à longueur de journée et essayaient de voler ce qu'ils pouvaient. Par les fenêtres, ils s'introduisaient, tels des chats, dans les blocks, fouillaient les lits et vendaient ce qu'ils avaient ainsi dérobé.

— Dévorées de vermine et de gale, ces tsiganes vivaient dans une promiscuité sans nom, ayant avec elles de grands garçons d'une douzaine d'années qui, lors des inspections pour la gale, assistaient à ces exhibitions de nus pendant qu'on badigeonnait ces femmes de pommade.

— Toutes ces tsiganes furent stérilisées avec leurs enfants : beaucoup en moururent. Le reste partit pour Mauthausen où elles devinrent de terribles et criminelles Blockowas.

— Vers [2] la fin de l'été 1943, le camp de Ravensbrück encore peu étendu, comptait environ 10 000 prisonnières. Le Block français sortait de quarantaine; l'on gardait une hygiène relative, et beaucoup d'entre nous n'avaient « presque pas » de poux... Mais quel danger!

— Les poux donnent la gale, les croûtes et bientôt les plaies purulentes, seule sauvegarde contre le départ en fabrique, le fameux « transport » d'usine dont le souvenir fait frissonner.

— Alors, pour subir la visite médicale, l'on se procure les

---

1. Témoignage Suzanne Busson : *Dans les griffes nazies,* Imprimerie du Moine Libre, Le Mans, 1952.
2. Rosane : *Terre de cendres,* Les œuvres françaises, Paris, 1946.

poux... « on achète les poux ». Gitanes, Russes, Ukrainiennes surtout, offrent, sous nos fenêtres du Block, leur vermine pour quelques tranches de pain, une margarine ou une soupe de rutabagas
versée à la sauvette de gamelle à gamelle, tandis que l'on saisit
à pleins doigts les brochettes de « grains de blé »... dont nous nous
garnissions le cou et les aisselles. Ne faut-il pas, en effet, les préfé-
rer, ces poux rongeurs et tenaces, aux usines du « grand Reich »,
où il nous répugnait, déportées, politiques, de servir!

— Evidemment, ce commerce n'eut qu'un temps. Bientôt,
grouillant de monde, puant et sordide, le camp devint si misérable
que pas une femme ne pouvait se vanter d'être propre. Les « désinfections » mêmes restaient sans effet, l'on était envahies de bêtes,
rongées, ulcérées, et sans plus examiner notre état, faibles, malades
même, il fallait partir au travail, au camion... au pouf aussi!

— Horreur [1]! En me levant, ce matin, je me suis aperçue
que mes pantines avaient disparu! Je n'en ai qu'une paire. La nuit,
je les glisse pourtant sous ma mince paillasse : elles me servent
d'oreiller. Et quel oreiller! Garni souvent de toutes sortes d'immondices!... On a dû me les prendre tandis qu'en pleine obscurité
j'étais allée du côté des lavabos voir ce qui se passait. Car j'ai
été réveillée par des hurlements au milieu desquels je percevais
la voix de Guerda et l'écho des coups de bâton qu'elle infligeait à
une prisonnière.

— J'ai attendu que cet orage s'apaise et, sur mon céans,
méditai sur cette scène horrible. Guerda est venue se coucher,
telle une furie. Des gémissements se sont alors élevés, émanant des
toilettes. Ils ont duré longtemps, longtemps... Comme le dortoir
paraissait calme, j'ai voulu me rendre compte.

— Je me suis heurtée, dans le couloir, à une femme qui a
juré tout bas et j'ai croisé, ou plutôt deviné, des fantômes qui,
comme moi, marchaient nu-pieds sur les dalles froides. La lune
éclairait en partie le lavabo. Dans l'embrasure d'une des fenêtres,
un couple se tenait enlacé. Deux Slaves, dont les cheveux nattés
semblaient roux, dans la lumière, s'embrassaient amoureusement.
Dire qu'ici même la dépravation se donne libre cours. On m'avait
avertie, j'avais peine à y croire...

— Le long du mur opposé, une femme était couchée sur une
table. Une courte couverture lui recouvrait le visage et le torse.
Les jambes étaient enserrées dans un sac à coulisse.

---

1. Témoignage Simone Saint-Clair : *Ravensbrück, l'enfer des femmes*, Taillandier, 1946.

— A-t-elle senti ma présence? Tout à coup, de sa main elle a écarté la couverture et des yeux, d'immenses yeux noirs, m'ont regardée fixement avec une lueur si atroce que j'ai senti mon sang se glacer dans mes veines.

— Je suis remontée dans ma couchette aussi rapidement que me le permettaient mes jambes impotentes, mais je suis restée longtemps sans pouvoir retrouver la moindre somnolence. Et à quatre heures, j'ai reçu un choc, en constatant le vol de mes sandales. Une bonne âme a bien voulu me prêter une paire de pantoufles, trop petites pour mon pied, mais que j'ai appréciées à leur valeur, car la pluie est encore tombée torrentielle cette nuit, et l'on avait de la boue jusqu'aux chevilles pendant l'appel tout à l'heure.

— Pendant l'appel, aussi, j'ai eu l'explication de l'incident nocturne. C'était une gitane, devenue folle, paraît-il, que Guerda avait traînée hors du dortoir et tellement frappée que la malheureuse ne pouvait plus faire un mouvement. Guerda l'avait ensuite ficelée comme on sait, en attendant l'aube.

— Une [1] nuit, comme nous croupissions dans notre remugle d'étable, un cri qui jaillit se répercute :

— « Attention! Attention! Il y a des voleuses de chaussures. »

— C'est un rezzou de gitanes, coutumières du fait paraît-il. L'avertissement a déclenché une confusion panique. Les pillardes s'évanouissent! Au lever, des vociférations devant les disparitions de galoches, que sanctionnent des punitions terrifiantes, dont une de Strafblock.

— Horrifiée [2], je remarquai une petite tsigane de dix-sept ans moins laide que la plupart de ses congénères, qui toussait convulsivement et dont la main affreusement estropiée suppurait. Quel mal faisait-elle lorsque sa roulotte errait dans la plaine hongroise et que les hommes de sa tribu jouaient du violon dans les villages? Sa roulotte était la liberté même, et tout ce qui est libre offense les Allemands, aussi ils cherchent à la détruire.

— Un soir [3] après une longue station dans la neige, je suis tout étourdie de froid. Il me faut courir pour obtenir une place dans la salle à manger, mais la tête me tourne, je bute et je tombe le nez en avant. Je pousse un cri pour que les tsiganes qui me suivent s'arrêtent; deux d'entre elles m'aident à me relever; sous prétexte de chercher mon manchon — je saigne abondamment —

---

1. Témoignage Wanda Carliez Lambert de Loulay : *Déportée 50440*, André Bonne, Paris, 1945.
2. Marie-Jeanne Bouteille-Garragnon.
3. Témoignage Jacqueline Richet : *Trois bagnes*.

elles fouillent mon sac et prennent mes pommes de terre. Mais elles m'aident à avancer. Nous passons devant l'Aufseherin, je suis la dernière de la colonne, elle m'envoie un grand coup de pied. Pourquoi?

— J'attends[1] trois cents Françaises dans la matinée pour les mettre au Block A. Tout le baraquement était occupé jusqu'à avant-hier par des tsiganes...

— Yééé... fit la Polonaise aux cheveux gris crêpés. Ça doit grouiller de poux! Il n'y a rien de plus sale que les tsiganes...

— Des[2] Slaves ont reçu la permission de psalmodier. De-ci de-là, elles forment des chœurs, et leur chant bas, plaintif et mélodieux, vous remue étrangement.

— Miracle : quelques femmes ont pu laver leur linge, mais, comme il n'y a pas d'endroit où le sécher, elles marchent lentement, tenant à bout de bras chemises, culottes, bas, qu'elles éventent dans le soleil. L'une d'elles récite en même temps son chapelet. Certaines se servent de leur poitrine comme séchoir.

— Mais que veut dire tout ce bruit? Des policières, bâton à la main, nous bousculent :

— « Los!... Los!... Los!... »

— Nous sommes refoulées brusquement. Beaucoup se sauvent en courant. Il faut de la place. Pour qui? Pour quoi?

— Pour un bataillon extraordinaire, composé de gitanes et de leurs enfants. Troupeau bariolé et pittoresque, aux boucles noires, aux yeux de feu. On a laissé aux femmes leurs robes aux couleurs chatoyantes et leurs bijoux. Toutes portent un sac sur l'épaule et tiennent leurs gosses par la main. Nous les distinguons mal, car on a fait le vide devant elles comme devant toutes celles qui arrivent, en général, pour qu'on ne puisse leur parler. Pourtant, nous voudrions bien savoir d'où elles viennent, pourquoi les boches les ont arrêtées et pourquoi, aussi, elles jouissent du privilège de garder effets et bijoux personnels.

— « C'est sans doute, dit Colette, parce que les pauvres Siemens pausent devant les douches, qu'on n'a pas déshabillé les arrivantes. »

— En effet, depuis 5 heures du matin, mille femmes sont debout et doivent rester ainsi jusqu'à 9 heures du soir.

— Motif plus ou moins vrai : elles ont parlé dans les rangs!...

---

1. Témoignage Marie-Jeanne Bouteille-Garragnon : *Infernal Rébus,* Editions Crepin Leblond, Moulins, 1946.
2. Témoignage Simone Saint-Cair : *Ravensbrück, l'enfer des femmes,* Taillandier, 1946.

Naturellement, elles n'ont rien reçu à manger et comment faire pour passer à Denise, ne fût-ce qu'un morceau de pain? Ce groupe impressionnant est gardé par une rangée serrée de policières. Toury, la chef de police du camp, une Allemande, surnommée « Dromadaire » à cause de son dos bossué, et « Fernandel », ainsi baptisée à cause de sa jolie bouche, inspectent, elles aussi, de leur regard morne et brutal.

— L'accoutrement de certaines prisonnières, leurs pauses différentes, selon leur nationalité et leur nature, leurs occupations. D'abord, cette file interminable qui attend, gamelle en main, le moment de passer devant le bidon. Elle piaffe dans le vent glacé ou se recroqueville. S'il fait moins froid, la voici assise ou accroupie, dans toutes les positions. Tandis que l'une avale ses rutabagas, l'autre, à ses côtés, épouille ses vêtements. Celle-ci qu'on a rasée il y a quelque temps, s'escrime à se coiffer à l'aide d'un bout de peigne cassé, devant un bout de glace plus cassée encore, tandis que les Ukrainiennes tournent autour de leurs pieds des lambeaux de chiffons qui leurs servent de bas. Une tsigane passe et... elle se mouche dans une soupe. Les protestations ne servent à rien. Des hurlements tout proches ne semblent pas troubler l'assistance : des tsiganes et des polaks ayant sauté par les fenêtres du 24, se labourent les côtes et se crêpent le chignon. Emeute. Les policières ont toutes les peines du monde à leur faire réintégrer leur domicile.

— Aux W.-C. sans portes — oh! les queues qu'il fallait faire, nous n'avions que six cabinets pour deux mille personnes! — une surveillante est en train d'assommer une femme parce qu'elle n'a pu digérer l'ignoble nourriture et qu'elle a vomi trop longtemps; tandis qu'à côté on discute de la Vierge et du Christ, et qu'à côté encore on échange des recettes de crèmes au chocolat!

— Révolte au camp. Les tsiganes font preuve d'indocilité durant l'appel, depuis qu'on leur a retiré leurs enfants. Elles vont partir en transport. Et les convois continuent d'affluer.

— « De cette tente [1] sort une rumeur, des cris. On se demande ce qui se passe. Cette fois nous entrons. Ah! comment décrire la vision qui s'offre à nos yeux. Les mots n'ont pas assez de force pour décrire cette horreur. Peut-on imaginer cette « baraque » de toile, de dimensions énormes où s'engouffrent le vent, la pluie, le froid? La terre nue est recouverte de boue... et sur cette terre, vaincues par la fatigue, 2 000 à 2 200 femmes couchées, ramassées les unes sur les autres... une odeur affreuse nous prend au nez, ce

_____

1. Manuscrit inédit H. Le Belzic.

mélange de vêtements humides et de... W.-C. car ceux-ci sont des plus sommaires : de simples seaux exposés au fond de la tente dans la partie la plus étroite. Nous sommes là, trente-cinq Françaises. Nous regardons ce spectacle avec des yeux qui n'osent pas croire ce qu'ils voient. Ces femmes couchées là, est-ce bien des êtres humains? Nous en interrogeons, ce sont des Hongroises, des Slovaques, des tsiganes. Aussi, un groupe d'Autrichiennes venant de Graz. L'une d'elles est sur un brancard, nous parlons longuement avec elle. Elle est paralysée, suite de coups reçus à la Gestapo. Elle faisait partie d'un groupe de patriotes. Il y eut une révolte à Graz et ils furent arrêtés. Le crime des premières : elles sont juives et appartiennent presque toutes à la « société ». Les autres sont de races inférieures qu'il faut détruire. C'est terriblement édifiant. Avec deux de mes compagnes, nous passons la nuit à faire les cent pas. Nous sommes très lasses et nous avons faim. Nous sommes arrivées trop tard pour recevoir la moindre parcelle de nourriture, il faut attendre à demain [1]! »

— Les « triangles noirs » [2] s'appliquaient aux asociales, c'est-à-dire aux prostituées ou aux femmes considérées comme telles. Elles étaient très nombreuses au camp quand nous y arrivâmes. Elles étaient remarquables par leur déchéance physique, leur maigreur squelettique, les maladies effroyables qui transparaissaient sur leur visage hallucinant, d'une couleur terreuse, sans plus rien d'humain. Les triangles noirs étaient aussi portés par les « gitanes »; celles-ci formaient des colonies entières et étaient particulièrement redoutées à cause de leurs instincts de rapine. Toute ma pitié allait vers les enfants insouciants qui, groupés avec leur mère dans notre quartier, pleuraient, riaient, criaient. Une nourriture à peine plus substantielle que la nôtre, quelques soupes un peu meilleures (dont la Blockowa et ses satellites s'appropriaient une bonne partie), les soutenaient tant bien que mal. Toutefois, ils n'étaient pas tristes. Ils avaient renouvelé la gamme des jeux héréditaires : ils jouaient

---

1. Au mois de février 1945 (l'avance russe se précisait), la tente disparut. Témoignage Denise Dufournier : « La tente fut entièrement vidée. Les prisonnières qui l'habitaient (et parmi elles nos compatriotes revenues du Petit Kœnigsberg) avaient été soit envoyées en transport, soit dispersées dans d'autres Blocks. De même que nous avions vu s'élever cet abri, témoin de tant d'incommensurables maux, nous pûmes assister à sa destruction. Une fois la toile et les piquets retirés, il ne restait plus qu'un tas de décombres, au milieu desquels des cadavres pourris avaient été enfouis. L'on aurait dit le résultat d'un bombardement ou d'un incendie. En quarante-huit heures, on fit place nette. On ratissa le terrain. Ainsi il n'y avait aucun signe qui pût laisser soupçonner que sur ces quelques mètres carrés, des milliers d'êtres avaient souffert, d'une souffrance que nulle imagination humaine ne pourrait concevoir. »

2. Témoignage Denise Dufournier : *La Maison des Mortes*. Hachette, 1945.

aux appels, ils donnaient des « Meldungen » ; ils s'envoyaient au « Strafblock ». Au-dessous de nous, dans un seul lit, trois petites filles hollandaises de deux à six ans dormaient avec leur mère. Les enfants de moins de sept ans dormaient avec leur mère. Les enfants de moins de sept ans étaient dispensés des appels du matin. Mais ils étaient assujettis aux « appels généraux » qui occupaient parfois les après-midi entiers du dimanche.

— Des [1] femmes tsiganes enceintes furent quelques jours après jointes au convoi N.N. vers Mauthausen. Une d'entre elles accoucha à la lueur d'une bougie avec l'aide d'une de nos camarades médecin, dans le wagon à bestiaux ou quatre-vingts femmes étaient entassées. Nous n'avons pas revu le bébé dans nos Blocks.

— Les témoignages les plus anciens que nous possédions, en ce qui concerne la présence d'enfants à Ravensbrück, si l'on exclut celle des nourrissons nés, remontent à 1942. Des prisonnières anciennes ont signalé qu'au début de cette année elles avaient connu deux petites tsiganes de neuf à dix ans. Que sont-elles devenues ? Personne ne peut le préciser. Les déportées les entouraient de leur mieux, s'en occupaient affectueusement. Elles étaient attachées à l'atelier de couture, dirigé par la surveillante S.S. Massar. Les prisonnières leur apprenaient à coudre et en même temps à lire et à écrire.

— En 1942 et 1943, des enfants tsiganes, juifs ou demi-juifs vécurent au camp. La plupart était de nationalité polonaise. Souvent ils étaient seuls, séparés de leur famille. Ils disparaissaient dans « la nuit et le brouillard » sans laisser de traces.

— Une [2] gitane avait tenté de s'évader et avait été reprise. Les autres durent rester à regarder pendant qu'on la battait et qu'on lâchait les chiens sur elle. Les gardiens allemands l'ont alors mise dans le Block des punis, et ont dit aux autres internées qu'elles pouvaient en faire ce qu'elles voulaient, car c'était à cause d'elle qu'elles avaient dû rester dans le froid glacial. Quelques prisonnières du Block des punis l'ont battue à mort.

— La [3] neige recouvre le sol, il fait froid, nous toussons, nous grelottons : pendant deux heures, nous restons ainsi dehors et plusieurs d'entre nous contractent bronchite, pneumonie, pleurésie, congestion, c'est-à-dire la mort. Nous sommes dirigées vers

---

1. *Femmes à Ravensbrück,* Gallimard.
2. Témoignage Lina Steinbach recueilli par Donald Kenrick et Grattan Puxon pour *Destins gitans* (déjà cité).
3. Témoignage Suzanne Busson : *Dans les griffes nazies,* Les Editions Pierre Belon, Le Mans, 1946.

le Block 16, Block occupé par les tsiganes et entièrement dirigé par elles. Elles sont allemandes, gitanes, portent un triangle noir, sont filles galantes pour la plupart. Nous n'avons pas de lits, les tsiganes y sont logées avec leurs gosses et nous, Françaises, nous n'avons pour nous coucher, que quelques paillasses par terre. Elles nous mettent souvent dehors et, pendant ce temps, elles rognent les parts de pain, de margarine qu'elles doivent nous distribuer.

— Nos vêtements reviennent de la désinfection et sont confiés aux tsiganes. Avec mes compagnes Besn... et Gou... nous cherchons en vain nos paquets, nous ne retrouvons rien, et nous restons trois jours habillées de la chemise et de la culotte reçues aux douches. Nous réclamons des habits, mais nous ne recevons que des coups. Alors, nous lavons dans le chlore trouvé aux W.-C. de pauvres hardes abandonnées, souillées et nous y cousons le nouveau numéro matricule qui nous est attribué. Cette fois, le triangle rouge porte l'initiale de notre nationalité, F.

— Une innovation nous attend encore; une partie du Block 16 est transformée en maison galante pour S.S. et pompiers du camp (condamnés de droit commun). Des draps blancs remplacent nos sacs de couchage à carreaux, des gravures très suggestives sont placées aux murs, un phonographe lance les derniers airs de danse de chaque côté de l'entrée, deux cages avec oiseaux remplacent sans doute la lanterne et le numéro.

— Les tsiganes ont même leur salon particulier limité par des placards et des couvertures tendues sur des ficelles. Très souvent, la ficelle rompt et un spectacle bestial s'ouvre à nos yeux. Le tarif n'est pas celui de Buchenwald, il s'évalue en matières comestibles et en cigarettes. Nous voyons apporter à ces dames (très peu de Françaises, je constate) de la semoule sucrée, du sucre, des oignons, du saucisson, du café, du tabac. On aperçoit même parfois des os de poulet et des coquilles d'œufs, mystère encore! L'obscurité règne la nuit, car nous sommes souvent en alerte et ce sont de véritables orgies, des hommes ivres tombent dans les couloirs. Il y a des batailles, des cris et il est difficile aux non-volontaires pour ce travail de nuit de se reposer.

Témoignage Germaine Tillion.

— Les [1] malheureuses tsiganes m'inspiraient une pitié profonde. J'allais souvent dans leur Block et j'avais même commencé un petit vocabulaire comparé des divers dialectes gitans afin d'amorcer la conversation sans exciter de curiosité par mes questions. C'est ainsi que j'ai découvert deux familles de tsiganes belges et une vieille tsigane française, femmes ahuries par leur incompréhensible malheur, mais ayant une instruction primaire et des habitudes de vie matérielle qui leur rendaient insupportable la cohabitation avec les tsiganes allemandes. Le reste (à l'exception de quelques tsiganes tchèques) était étonnamment sauvage, moins cependant que certaines Ukrainiennes mais sensiblement plus que les femmes des tribus africaines où mon métier d'ethnologue m'a conduite. A vrai dire je n'ai pas vu ces dernières dans un camp de concentration.

— La vieille tsigane française m'a raconté son histoire; on était forains et on faisait les marchés avec une très bonne boutique de jeux, héritée des parents — elle, son mari, ses grands enfants, et encore un gendre et un frère marié, en tout quatorze personnes. Mais quand la saison était finie on revenait à Paris dans un joli petit appartement, avec la radio et tout le confort. Un soir, les Allemands ont arrêté tous les forains de la kermesse (ça se passait à Lille, je crois) et ils ont déporté ceux qui étaient bruns. On les a d'abord amenés dans une prison de Belgique et là ils ont su qu'ils iraient à Auschwitz.

— « Et les autres me disaient : ma pauvre femme c'est l'enfer où vous allez, mais qu'est-ce que je pouvais y faire? Quand nous sommes arrivés à Auschwitz, on nous a mis dans un grand hangar en planches avec de la caillasse noire par terre et rien d'autre, ni paille, ni couverture, et rien à manger ni à boire pendant deux jours... et par les fentes des planches nous voyions de grandes flammes toutes rouges mais nous ne savions pas ce que c'était. Au bout de deux jours l'ordre est venu de ne pas nous tuer, alors on nous a donné de la soupe et des bidons d'eau et on nous a mis ailleurs... »

— Puis l'horrible misère, les coups, et un à un, tous sont morts jusqu'à ce qu'il ne reste plus qu'elle et peut-être sa plus jeune fille dans un autre camp, elle ne savait pas.

---

1. Témoignage Germaine Tillion. *Les Cahiers du Rhône*, Editions de la Baconnière - Neuchâtel, 1946.

— « Mais pourquoi? qu'est-ce que nous avons fait? répétait-elle sans cesse... pourquoi? pourquoi? »

— Dans le long catalogue des crimes allemands, rien n'a atteint le martyre des tsiganes (même pas celui des juifs qui ont eu souvent la chance de mourir vite) : toutes les variétés d'assassinats ont été essayées sur eux. Plus souvent que n'importe quel autre peuple ils ont dû servir de cobayes pour les expériences « scientifiques » et à Ravensbrück, si quelques Allemandes ont été stérilisées à titre punitif et individuel, comme stérilisations en série il n'y eut que celles des tsiganes — y compris les toutes petites filles.

— Et pourquoi? Quel fut le crime de ces pauvres gens? car si leur niveau de culture était bas, à qui est-ce la faute, sinon de l'indigne peuple allemand qui les avait sous sa tutelle depuis des siècles sans avoir jamais rien fait pour eux avant d'entreprendre leur massacre — indigne peuple qui n'a su que tuer tout ce qui était sans défense.

Wilna.

— Deux carabiniers [1] m'ont emmenée dans leur voiture à la gendarmerie de Mortebliano, où j'ai passé deux jours. Pendant la nuit, il y eut un bombardement. Les carabiniers se sauvèrent en laissant la porte de la gendarmerie ouverte. Mon amie me conseilla de fuir. Mais j'avais peur qu'on nous retrouve et qu'on nous tue. Nous avons encore passé quinze jours en prison à Udine. Il y avait beaucoup de femmes. Des camions sont venus nous chercher et on nous a fait monter dans des wagons à bestiaux : une cinquantaine de femmes et deux fascistes armés d'une mitrailleuse par wagon. On ne pouvait rien voir dehors. Les partisans ont arrêté le train à deux endroits pour nous libérer mais n'y réussirent pas. On a entendu des coups de feu et les fascistes nous disaient de baisser la tête. Quelques hommes sont parvenus à s'échapper. Le voyage a duré six jours. On ne nous donna à manger qu'à deux arrêts. La première fois, quelque chose de liquide dans un petit verre en carton. Nous étions fatiguées. Il n'y avait que des bancs pour s'asseoir et on ne nous laissait pas sortir. Le sol des wagons était humide et nous avions les pieds gelés. Nous n'avions qu'une idée, celle d'arriver quelque part pour nous reposer. Comme nous étions obligées de rester assises, il était impossible de dormir. On ne nous laissait même pas nous déplacer pour nous soulager et nous faisions nos besoins sur place.

— A l'entrée du camp, il y avait des grilles. Un Allemand me frappa au visage avec sa ceinture, parce que je ne l'avais pas salué en arrivant. Je ne savais pas qu'il fallait le faire. Beaucoup d'autres femmes ne le saluaient pas, mais c'est moi qui fus punie parce que j'étais la plus proche de lui. Le bâtiment d'entrée était beau. Nous pensions aller dormir dans une baraque. On nous emmena aux bains, où on nous fit déshabiller complètement. On nous donna l'uniforme du camp sans prendre garde aux tailles. Après le bain, on nous emmena dans d'autres bâtiments. Les premiers étaient réservés aux Allemands. On nous envoya tout au fond. Le camp s'appelait Ravensbrück. Nous étions épuisées, avec les pieds gelés. Il y avait six couchettes, l'une au-dessus l'autre avec des sacs de paille en guise de matelas mais aucune couverture. J'espérais que nous aurions quelque chose à manger, mais on ne nous donna

---

1. Témoignage Wilna Leyakovitch : *Tzigari, vie d'un bohémien,* par Giusepte Leyakovitch et Giorgio Ausenda. Hachette, 1977. (L'un des meilleurs documents sur la vie des tsiganes, publiés à ce jour.)

rien. Le lendemain on nous apporta un mélange de carottes, de raves et de pommes de terre, comme on en donne aux cochons. Il n'y avait ni casserole, ni assiette. On se servait avec les mains en se brûlant les doigts, de crainte qu'il ne reste rien si on attendait. On nous donnait à manger de temps en temps, une fois tous les huit ou quinze jours. Au bout d'une dizaine de jours, je voulus passer la visite médicale parce que j'avais les pieds gelés. Un certain nombre de malades ne tenaient plus debout. Je demandai à une compagne où on les emmenait. Elle me dit qu'on les brûlait encore vivants. Je fus saisie de peur, et me déclarai guérie.

— On se couchait sur les paillasses le soir à 9 heures. Mais on ne pouvait pas dormir parce qu'on était tassées comme des sardines dans une boîte. On nous réveillait pour l'appel à 4 heures, mais on ne nous comptait qu'à 9. On ne nous appelait pas par notre nom. On criait « zelape » (rassemblement) et tout le monde devait sortir, même les morts. Ensuite on nous comptait. Souvent après avoir attendu cinq heures debout, des femmes tombaient. On les emmenait sur un brancard pour les brûler. Après l'appel, on nous envoyait faire un travail qui ne servait à rien. Nous faisions des tas de cailloux que nous aplatissions ensuite. A midi, les gardiens allaient déjeuner. Pas nous. Nous attendions dans les baraquements jusqu'à deux heures. Puis le travail reprenait jusque 5, 6 ou 7 heures. Les baraquements n'étaient pas chauffés et il faisait très froid. Il y avait un poêle au fond, mais il était réservé aux gardiens. Chaque baraque avait 100 mètres de long. Je suis restée deux mois dans ce camp. Nous étions trois : Muja, l'amie qui avait été arrêtée avec moi, et une autre femme qui s'appelait Mitzka. Je ne me rappelle pas le nom du camp où l'on nous transféra [1]. On nous emmena dans un train de voyageurs normal. Le deuxième camp était plus confortable, parce qu'on venait nous compter à l'intérieur des baraques et qu'on ne travaillait pas. On nous donnait à manger tous les quatre ou cinq jours. Il n'y avait pas de lits dans la baraque. On dormait à même le sol sans paillasse ni couverture. Il faisait très froid et nous n'avions pas de vêtements chauds. Nous ne possédions que ceux qu'ils nous avaient donnés. De l'autre côté des barbelés, il y avait des hommes. Une de mes amies aperçut son mari et lui demanda par gestes de venir près des barbelés à un moment où il n'y avait pas de gardiens. Malheureusement on la vit et elle fut abattue à bout portant. Son mari s'enfuit et rejoignit son rang.

---

1. Dachau.

— « Quand une femme mourait, ils la jetaient, passez-moi le mot, dans les cabinets. Des charrettes traînées par des chevaux passaient tous les trois jours. Les corps étaient ramassés, entassés, arrosés d'essence à laquelle on mettait le feu. Les prisonniers mouraient en masse. Le gardien nous faisait emporter les corps, mais nous n'avions pas le courage de le faire. Alors il fouettaient les femmes qui se trouvaient en tête de ligne. Je savais quand il allait venir et comme je n'avais pas le courage d'obéir, je restais derrière pour ne pas être frappée. Devant notre obstination, ils obligèrent ensuite les hommes à accomplir cette tâche. Nous étions désespérées, nous demandant ce qu'ils voulaient faire de nous. Un jour on vivait, le lendemain on mourait. Nous ne devions rien savoir, pas même le jour de la semaine ou du mois. Malheur à qui posait une question! Les gardiens répondaient : « Vous ne devez rien savoir. Vous devez mourir. » (Certaines des prisonnières parlaient bien l'allemand). »

— « Le printemps arriva. Les Américains n'étaient plus loin, mais nous ne le savions pas. Trois jours avant leur arrivée, nous avons eu un peu plus de liberté. Derrière la clôture du camp, il y avait deux trous : l'un rempli de pommes de terre. Une amie réussit à se faufiler pour ramasser quelque chose. Je fis de même. Un Allemand me vit et tira. Je me mis à courir, et ma jambe s'accrocha dans le barbelé. N'ayant pas le temps de la soulever, je me fis une entaille de 25 centimètres. Je rentrai dans la baraque et dissimulai ma blessure pour ne pas être battue. Je guéris sans me soigner. Ce jour-là, on nous enferma dans la baraque. Je dis à mes amies : « Si on nous enferme, c'est certainement parce qu'on va nous tuer. »

— « Mon amie se sentait mal. Derrière la baraque il y avait un fossé, et je sortis par la fenêtre pour aller chercher de l'eau. Je vis que les sentinelles portaient des brassards blancs, signe qu'ils se rendaient. Je compris ainsi que les Américains arrivaient. En rentrant, je dis à mon amie : « N'ayez pas peur, la Croix-Rouge arrive. » L'après-midi, on nous apporta du thé. Les Américains qui étaient arrivés nous jetaient des paquets de victuailles. Quand les Américains arrivèrent, les prisonniers de toutes nationalités sortirent jouer de la musique de leur pays. Ce jour-là, il mourut plus de femmes de bonheur que pendant la captivité. Nous sommes allées au magasin chercher de la toile pour camper dans la campagne et ne pas rester dans le camp. Des avions américains nous jetèrent des colis contenant de la nourriture, des vêtements et autres. Nous avons allumé du feu pour nous préparer à manger.

On commença par emmener les plus malades à la caserne. On nous donna des paquets, des boîtes, du pain, etc. Quand nous faisions la cuisine, nous allions chercher des pommes de terre et de la salade chez les paysans. Ils étaient méchants, mais ils avaient peur de nous, devaient nous donner quelque chose, même s'ils n'en avaient pas envie.

— « On nous emmena ensuite dans des casernes où se trouvaient des soldats appelés « Magiars ». Les chambres étaient grandes et nous vivions à quatre dans la nôtre. Les prisonniers étaient groupés par nationalité. On me mit avec des Slaves. Il y avait des gens de Postumia et de Buje. On nous apporta un poêle et des casseroles pour préparer nos repas à notre goût si nous voulions, mais nous pouvions manger à la cuisine quand nous voulions. Au bout de six jours, je suis tombée gravement malade du typhus. Je restai trois jours à l'infirmerie de la caserne, puis comme mon état ne s'améliorait pas, on me transporta à l'hôpital. Au bout de quinze jours, je fus guérie. Les Allemands m'avaient déjà rasé les cheveux à Ravensbrück. En sortant de l'hôpital, je ne retrouvai pas la caserne où se trouvaient mes amies, parce que je ne savais pas comment on m'avait amenée là.

— « Un Américain s'occupa de moi. Il me parlait et je lui parlais mais nous ne nous comprenions pas. Je lui disais que je voulais rejoindre mes amies. Ne me voyant pas revenir, les pauvres me croyaient morte. Puis une dame qui venait de ma caserne arriva à l'hôpital et elle m'expliqua où elle se trouvait. Mais moi, je ne pouvais pas l'expliquer aux autres. Une autre dame expliqua à mes amies où j'étais. L'une d'elles vint me chercher à l'hôpital et nous sommes parties à pied à 600 mètres environ. A la caserne, je demandai où était mon paquet et mes vêtements. Me croyant morte, mes amies avaient tout brûlé et me donnèrent quelques-uns de leurs vêtements.

— « Nous ne pouvions pas rentrer chez nous parce qu'il n'y avait pas de moyens de transport et aussi parce que nous étions encore trop faibles. Les Américains avaient découvert un grand nombre de cadavres jetés dans des fosses. Ils obligèrent les Allemands à les ramasser et à les enterrer un par un comme dans un cimetière. Ils tapissaient le fond de la fosse de branches, enveloppaient le mort dans une couverture et le déposait dans la fosse. Chaque mort devait avoir sa croix. On ne connaissait pas le nom de tous. Si un Allemand maltraitait les morts, les Américains le battaient. Les prisonniers du camp étaient morts comme des mouches. Qui peut savoir combien il y en eut! Les Américains nous traitaient bien. Ils nous soutenaient et nous tenaient par la main comme des enfants. Ils faisaient faire le nettoyage des cabinets et de toute la caserne par les Allemands. S'ils nous avaient insultées, nous aurions pu les tuer, les Américains n'auraient rien dit. Nous les injuriions, mais n'avons jamais tué personne. Ils nous demandaient de quoi manger, mais nous avions l'ordre de ne rien leur donner.

— « On nous faisait voir des films, des danses, des variétés, tout cela gratis. Notre état s'améliorait peu à peu. Nous raisonnions comme des enfants et étions traitées comme tels. On nous donnait tout ce dont nous avions besoin. Les Ecossais nous ont beaucoup amusées. Ils dansaient en jupe, au milieu de poignards. Ils voulaient nous faire danser avec eux; mais nous n'en avions pas la force. Au bout de quatre ou cinq mois, nous allions bien, et on nous avertit que nous partirions le lendemain. Les Américains donnèrent une fête avant notre départ. Ils me demandèrent, comme aux autres, pourquoi j'étais là et pourquoi on m'avait arrêtée. Je répondis que je n'en savais rien. Ils nous firent un discours en slave disant que nous devions nous arrêter à Ljubljana. Nous y sommes arrivées après trois jours de voyage dans des wagons à bestiaux. Mais il y avait des matelas et des couvertures et nous pouvions y dormir, ce qui aurait été impossible dans des wagons normaux.

— A Ljubljana on nous reçut bien, comme dans un district militaire. On nous emmena dans un bureau pour nous demander où nous voulions aller. Nous pouvions aller n'importe où, même en Amérique ou en Angleterre. Ceux qui avaient une maison étaient renvoyés chez eux. Moi, je n'en avais pas. On me demanda si je voulais rentrer à Postumia, mais je répondis que ma famille n'y était plus. Je restai quinze jours à Ljubljana, pour les examens médicaux. On dit aux femmes et aux jeunes filles qui avaient été en Allemagne qu'elles ne pourraient plus avoir d'enfants. Ce qui était faux, car j'en ai eu depuis. On nous dit de ne pas craindre de manquer de nourriture; ils avaient des réserves et pouvaient nous nourrir jusqu'à notre départ. J'expliquai que si je ne retrouvais pas mes parents à Udine, je reviendrais à Postumia.

— « Je suis partie de Ljubljana pour Trieste en train, avec mes amies Muja et Mitzka, qui ne m'avaient pas quittée. Un camion nous emmena de Trieste à Udine. Mes parents campaient à côté d'un pont, près d'Udine. En approchant d'Udine, nous tendions le cou pour voir si l'un des nôtres campait par là. Nous les cherchions, ils nous cherchaient de leur côté. Mes parents continuaient à demander si on attendait d'autres retours d'Allemagne. Branco, mon frère aîné, et les enfants de Muja et de Mitzka guettaient les camions qui passaient. Nous les avons salués, mais les pauvres ne savaient pas où l'on nous emmenait. Nous devions, en effet, nous arrêter à une école. Mon frère attela aussitôt une charrette pour suivre les camions. Quand ils s'arrêtèrent, nous avons attrapé nos sacs et nous sommes sauvées dès que nous avons vu nos parents. Nous sommes parties sans nous faire inscrire à l'école par peur d'être emmenées Dieu sait où. Aujourd'hui, il nous serait peut-être utile de l'avoir fait.

— « Mon frère m'emmena chez mon père et ma mère, qui furent stupéfaits de me voir, car ils me croyaient morte, et se mirent à pleurer. Ils ne firent pas de grande fête, de peur que je ne sois malade. Je demandai des nouvelles de Tsigari, mais ils ne savaient pas exactement où il se trouvait. Ils me dirent qu'il était près de Padoue. Beaucoup d'autres Rom avaient été envoyés en Allemagne et tout le monde les attendait dans la région d'Udine et de Palmanova. Mais nous n'étions que trois femmes à être revenues. Sachant que notre convoi était le dernier, les parents des Rom qui habitaient Palmanova vinrent demander des nouvelles des leurs à Udine. Ils apprirent que nous étions les seules à être rentrées. On prévint le pauvre Franze Levakovich à Palmanova. Il essaya d'avertir Tzigari par téléphone à Padoue. J'appris finalement qu'il se trouvait à Casarsa di Tagliamento, où mon frère me conduisit. Je le trouvai avec un de ses cousins, Yoyo Hudorovich, qui avait une charrette et un cheval. Nous nous sommes immédiatement disputés, parce qu'il m'avait dit des choses qui me déplaisaient. Yoyo nous fit boire pour faire la paix et mettre de la gaieté. Mes parents arrivèrent deux ou trois jours plus tard et me dirent de lui pardonner. Nous n'avions plus rien. Nous sommes donc repartis sur les routes pour gagner quelque chose.

— « J'ai souvent raconté cette histoire à mon mari, à mes enfants, ou à d'autres, le soir devant le feu, et ils ont souvent pleuré en m'écoutant. Ils ne croyaient pas ce que je disais, parce qu'il leur paraissait impossible qu'on puisse rester aussi longtemps sans manger. Plus tard, ils ont vu des films et ils me demandaient si c'était vrai. Mais ils ne croient peut-être pas encore qu'on puisse résister à tant de misère. Et moi aussi, aujourd'hui, j'ai l'impression d'avoir rêvé. »

Stérilisations.

— Accusé [1] par une prisonnière du Revier d'avoir fait pratiquer des stérilisations de femmes et de jeunes filles à Ravensbrück, le commandant Suhren rétorqua avec bonne conscience :

— « Non seulement des stérilisations de femmes, mais aussi d'hommes et d'enfants, mais c'étaient des tsiganes. »

— Cette restriction le justifiait si bien qu'il avouait de lui-même avoir autorisé cette stérilisation de petites tsiganes, jugées de race inférieure.

— Certains tsiganes, ayant été mobilisés dans l'armée allemande, leurs familles eurent droit à des « ménagements » bien que les tsiganes, comme les juifs, aient été destinés à être détruits. A Ravensbrück, leurs femmes et leurs enfants reçurent la promesse d'une libération si elles consentaient à se faire stériliser. Elles devaient signer un formulaire imprimé, par lequel elles acceptaient non seulement leur propre stérilisation, mais aussi celle de leurs filles. Toutes les mises en garde des prisonnières du bureau du Revier, des infirmières et des médecins furent vaines. Leur espoir d'une libération était si fort qu'elles préféraient accepter les risques de l'opération qui en était encore au stade expérimental, et la mutilation qu'elle représentait.

— Cent [2] vingt ou cent quarante petites tsiganes furent opérées du 4 au 7 janvier 1945. Les plus jeunes n'avaient que huit ans. Un spécialiste de ces expériences, le professeur Schumann, qui avait déjà souvent opéré à Auschwitz, vint sur place. Tout une équipe médicale y participa : le docteur Treite, son adjoint, le médecin qui dirigeait le service sanitaire des S.S. et des infirmières S.S. Le personnel composé des médecins et infirmières prisonnières en fut exclu. Toutefois une femme médecin tchèque, radiologue, dut installer l'appareil radiologique en position horizontale. Elle-même et deux collègues virent ensuite entrer une à une les petites filles.

— « On entendait les pleurs et les cris des enfants et on les voyait transporter, sanglantes, dans une autre pièce de l'infirmerie, où on les posait sur le plancher.

---

1. *Les Françaises à Ravensbrück*. Ouvrage collectif de l'Amicale de Ravensbrück et de l'Association des déportées et internées de la Résistance. Gallimard, 1965.
2. Témoignage docteur Tauferova. Publications médicales du musée d'Auschwitz.

— « On sait qu'à Auschwitz le professeur Schumann procédait par irradiation des ovaires par les rayons X; il provoquait des brûlures importantes des tissus environnants, déterminant la mort d'un certain nombre des opérées. A Ravensbrück, il semble avoir procédé autrement. Les trois prisonnières radiologues furent obligées de développer les films radiologiques pris pendant les opérations. Elles les montrèrent en cachette à plusieurs collègues tchèques. « On voyait un liquide opaque dans l'utérus et les trompes. » Un liquide stérilisant était donc introduit dans l'utérus et jusque dans les trompes.

— « Si toutes les enfants supportèrent l'opération, plusieurs moururent des suites; des camarades allemandes ont pu le préciser. Malheureusement, les craintes des prisonnières du Revier se réalisèrent. D'une part par les tsiganes, malgré la promesse formelle qui leur avait été faite, ne furent pas libérées, mais partirent en transport vers une direction inconnue. D'autre part, conformément aux habitudes des médecins nazis expérimentateurs — et du docteur Schumann en particulier — les organes génitaux de plusieurs victimes furent prélevés pour examen. C'est ainsi qu'au Block 9 fut hospitalisée une petite fille de douze ans, avec une énorme plaie ouverte au ventre, qui ne cessa de suppurer terriblement. Les médecins et infirmières prisonnières du Revier estimaient que cette plaie correspondait à une hystérectomie. Mais pourquoi la plaie n'avait-elle pas été recousue? S'agissait-il d'une simple indifférence devant un cobaye désormais inutile, si les organes avaient été prélevés? L'ouverture n'avait-elle pas été pratiquée uniquement pour permettre aux expérimentateurs S.S. d'observer directement les organes irradiés laissés sur place, et leur destruction? Quel qu'ait été leur but, la petite fille mit plusieurs jours à mourir dans d'atroces souffrances. »

— Il [1] faudrait parler des petites bohémiennes, des fillettes dont on ne peut oublier la vue, par terre, dans le corridor du « Revier » se tordant de douleurs après des injections stérilisantes. J'ai vu des formulaires imprimés ainsi conçus : « Je soussigné, déclare consentir librement à la stérilisation de mes enfants... » La libération de ces familles bohémiennes était à ce prix-là, et ils étaient « libres »... évidemment de choisir entre ceci et la continuation de la vie dans l'enfer. Il faudrait parler aussi des césa-

---

1. Témoignage Adélaïde Hautval. Annexe de la thèse du docteur André Abraham Lettich. Tours, 10 juillet 1946.

riennes faites au milieu de la nuit pour « se faire la main », des injections mortelles, des poudres somnifères distribuées aux malades « pour les fortifier » et qui ne laissaient que des cadavres après quelques heures... De telles monstruosités, une telle puissance du génie du mal se passent de commentaires, mais elles imposent d'une façon péremptoire, absolue, la conviction que seuls une force surhumaine, un désir invincible de réaction peuvent s'opposer à cette négation de toutes les valeurs humaines et spirituelles.

J'ai pris la place d'une tsigane.

Elle est indignée.

— Voilà ce qu'elles m'ont dit : « Il n'y a pas de Françaises stérilisées. Pas d'aryennes! Des juives et des tsiganes, c'est tout. »

Elle s'installe dans le canapé du salon en boitillant. Comme pour s'excuser :

— « Vous savez, je suis de 1910. Je vais avoir soixante-dix ans. Et puis il y a eu Ravensbrück... »

Son appartement envahi de coquillages et de plantes vertes pourrait faire penser aux îles. Par la large baie vitrée j'aperçois deux piliers de la tour Eiffel.

Anne-Marguerite Dumilieu, « Capitaine Simone » du Réseau de Résistance et de Renseignements « Mousquetaire », sort un à un les documents qui ont marqué sa lutte et son calvaire.

— Trente ans! Il a fallu trente ans pour qu'on reconnaisse que j'ai été stérilisée à Ravensbrück. Chaque fois on me disait la même chose. « Vous n'êtes ni juive, ni tsigane et il n'y a eu de stérilisation que pour les juives et les tsiganes. Enfin, en examinant le dossier médical des différentes opérations que j'ai subies, 1951, 1953, 1965, 1969, mars 1971, juin 1971 — j'avais grossi de 50 kilos et les souffrances physiques étaient insupportables — ils ont compris. Mais le plus cruel, dans tout cela, c'est l'attitude de certaines déportées de Ravensbrück qui ne voulaient pas croire ce qui, pourtant, était évident. Ah! si j'avais été juive ou tsigane.

Et pourtant, l'aventure de « Simone », bien qu'unique, est facilement explicable et s'intègre parfaitement dans cette « logique » — elle aussi unique — de l'univers concentrationnaire. Avec Anne-Marguerite Dumilieu, nous reprenons, ligne à ligne, le récit qu'elle rédigea après la dernière intervention chirurgicale de 1971 [1].

— C'était le 14 octobre. La fin de la quarantaine avait été allégée et sans cesser d'être isolées, nous travaillions en Kommando depuis trois jours. La carrière et ce matin la corvée de sable... Je me dissimulais sous la couverture et laissais partir sans moi la corvée de sable.

— J'ai souvent pensé à ce matin-là et j'ai longtemps tenté de retrouver dans mes souvenirs le signe, le clin d'œil d'en haut, la prémonition, m'avertissant qu'il ne fallait pas rester et que la carrière de sable valait mieux que le destin qui m'était promis. Le ciel ne me fit aucun signe.

---

1. Et publié en 1975 par les Editions SEFA sous le titre : *Moi un cobaye...*

— Ivenska entra. Ivenska était une Polonaise de dix-huit ans qui n'avait pas résisté au régime de Ravensbrück. Sans avoir pour l'homosexualité une attirance particulière, elle était pourtant devenue la maîtresse d'une Allemande quinquagénaire dont les faveurs lui permettaient de survivre dans des conditions de confort relatif.

— Il était peut-être 10 h 30 lorsqu'elle pénétra dans le Block. Elle ne me vit pas. Allongée au troisième niveau d'un lit à étages, j'avais ramené ma couverture sur ma tête. Ivenska commença à lire lentement une liste de numéros griffonnés sur un papier froissé. Quatre filles lui répondirent et, une à une la rejoignirent. La Polonaise appela un dernier matricule. Cette fois, personne ne vint se ranger derrière elle.

— Elle hurla que si l'on ne répondait pas, elle irait prévenir l'Allemande. Puis elle changea de ton et que les cinq filles qu'elle venait chercher étaient en fait des privilégiées... qu'elles allaient être libérées... que c'était un échange organisé par la Croix-Rouge. Je ne crus évidemment pas un mot de ces mensonges. Cette vieille supercherie était depuis longtemps éventée. Alors pourquoi ai-je rabattu doucement la couverture qui me masquait le visage? Pourquoi ai-je relevé la tête? Elle me vit et pointa sur moi sa matraque :

— « Es-tu le 95.628? »

— C'était le matricule de la prisonnière qu'elle cherchait. Je lui répondis que je n'étais pas le 95.628 et que j'étais malade.

— Elle me demanda si j'étais française. Je lui dis qu'effectivement j'étais française... et protégée par les lois de la guerre... et qu'au demeurant si elle prenait le risque de m'obliger à me lever je ne pourrais lui être d'aucune utilité.

— Elle ne me répondit pas, sauta sur le premier niveau de mon lit et frappa au hasard en me criant : « Debout! » La matraque m'atteignit à l'extrémité du pied. Je me levai.

— Les quatre filles derrière lesquelles elle me poussa étaient des gitanes d'une vingtaine d'années. Je savais bien qu'on ne libérait pas les gitans. Je savais aussi que certaines d'entre elles avaient été expédiées de force dans les bordels pour les soldats permissionnaires. Je demandai à Ivenska d'oublier que j'avais levé la tête, d'oublier qu'elle m'avait vue, de faire comme si rien ne s'était passé. Elle me regarda avec, peut-être, un soupçon de compassion :

— « Je t'aime bien, j'aime bien les Françaises, mais si j'arrive à l'infirmerie avec quatre filles au lieu de cinq, on me battra. J'ai peur des coups. Je ne veux plus être battue... plus jamais.

— L'infirmerie n'était rien d'autre qu'une baraque comme les autres, vaguement badigeonnée de blanc. A l'entrée du chemin défoncé qui y menait, une flèche indiquait : « Revier. » C'est en suivant des yeux la direction de cette flèche que j'aperçus, allongé à même le sol, un hallucinant alignement des femmes nues. Je pensaisi d'abord qu'il s'agissait de prisonnières punies à qui l'on avait infligé ce supplice inédit. Lorsque je ne fus plus qu'à quelques mètres des femmes étendues, je m'aperçus qu'elles étaient mortes.

— Il y avait là une cinquantaine de dépouilles décharnées sur lesquelles le brouillard, qui se dissipait lentement, avait posé une robe de rosée, comme un linceul étincelant et impalpable.

— Je m'accrochai au bras de la Polonaise qui me repoussa. En tombant, mon genou heurta le pied d'une morte. Je me traînai jusqu'à la porte de l'infirmerie.

— Nous attendîmes longtemps, à quelques pas de l'alignement des cadavres humides. Un homme en blouse blanche nous cria de nous déshabiller. Nous restâmes ainsi, nues, peut-être deux heures. Nous étions blêmes et peu de chose nous distinguait des autres femmes blêmes, allongées. Sinon que nous étions encore vivantes et verticales.

— L'homme en blouse blanche revint, dit quelques mots à notre Polonaise qui nous poussa vers la porte ouverte.

— D'abord, je ne distinguai rien qu'un long couloir sombre au fond duquel se découpait, devant une porte vitrée, la silhouette claire d'une infirmière. Elle nous fit entrer dans une sorte de cellule percée d'une fenêtre d'où l'on apercevait de ciel et, très haut, un soleil pâle.

— Par la porte vitrée, je vis soudain surgir le visage d'une amie d'origine anglaise à qui un diplôme de la Croix-Rouge britannique avait permis d'être affectée à l'infirmerie. Elle me demanda ce que je faisais là. Je lui répondis que je l'ignorais et que maintenant, j'avais peur. Elle regarda un instant les gitanes, posa très doucement la main sur ma tête comme on fait aux enfants pour les rassurer. Elle me dit qu'elle allait tenter de savoir pourquoi j'étais là « avec des gitanes ».

— Quelques minutes plus tard, l'Allemande en blanc revint et nous fit engager dans un long couloir vitré, d'où l'on apercevait des officiers examinant des plaques radiologiques ou, au tableau noir, des figures anatomiques. Puis elle nous poussa dans un autre réduit, sans fenêtre celui-là, mais beaucoup mieux meublé que la première salle d'attente-cellule. Il faisait une chaleur accablante. De lourdes gouttes de sueur coulaient le long des corps bruns des quatre filles silencieuses.

— Un homme entra et appela un matricule. Une gitane se

leva. Elle avait à peine vingt ans. Son visage était griffé par les épreuves et la fatigue, mais ses yeux étaient encore ceux d'une adolescente. Elle tourna la tête vers moi, esquissa un petit signe de la main et suivit le soldat. J'entendis la porte claquer; puis une autre porte et, après quelques secondes de silence, un long cri qui s'éteint lentement, progressivement, comme le sifflement d'une sirène.

— Lorsque la gitane revint, traînée par deux prisonnières, elle avait changé de regard. Ses yeux semblaient transparents comme ceux des drogués. Elle pleurait à petits sanglots rapides qui semblaient ne devoir jamais s'arrêter. Elle avait posé ses deux mains crispées sur son ventre nu.

— L'une après l'autre les filles sortirent et j'entendis trois fois encore leurs hurlements. Comme la première, elles revinrent disloquées et hagardes.

— J'attendis encore plus d'une heure. L'homme revint. Il portait un vieil uniforme vert et des bottes avachies. Sous son calot délavé apparaissaient quelques cheveux gris. Il se pencha vers moi et me demanda à l'oreille, presque sur le ton de la confidence : « C'est toi la Française? »

— Sans attendre ma réponse, il me prit par le bras et m'entraîna vers la porte. Je savais maintenant que j'allais vivre des minutes effroyables. Je résistai... Il me lâcha, surpris, me regarda, et me dit sans colère comme s'il s'agissait d'un événement inéluctable, d'une fatalité :

— « Il faut y aller. »

— Je le suivis.

— On ne fit que quelques pas dans le couloir vitré. Il me prit de nouveau le bras pour me conduire vers une petite pièce vide qui avait dû être, un jour, un sas de désinfection. Une infirmière m'attendait. Elle interrogea le soldat. Il répondit que « ... J'étais la dernière et que j'étais bien la Française. » Il resta un instant devant moi, m'observa sans rien dire, puis partit. Au moment de quitter le sas, il se retourna et me regarda une dernière fois. Avant d'entrer dans la salle d'opération je croisai une prisonnière que j'avais déjà aperçue dans le camp. Je lui demandai ce qu'on allait me faire. Elle me répondit que ce n'était pas grave. Qu'il s'agissait vraisemblablement d'un prélèvement. L'infirmière, d'un coup d'épaule, me poussa dans la salle.

— D'abord je ne vis rien d'autre qu'une ampoule qui pendait au bout d'un fil et, sous l'ampoule, dans un cercle de lumière jaunâtre, un pot de confiture. Je retrouvai quelques instants des

souvenirs anodins et lointains : des chansons enfantines, des jeu-
dis, des vacances. L'étiquette multicolore, où je distinguais les mots
« cerises » et « sucre », me rappelait des cuisines tièdes, des buf-
fets pleins d'odeurs de pain frais, et d'interminables goûters avec
des cousins patauds et bêtas. Deux femmes en blouse me saisirent
aux épaules. Je revins là où j'étais.

— C'est alors que je m'aperçus que ce que j'avais pris pour
une cuiller était en réalité un bistouri. Dans le pot de confiture qui
m'avait fait rêver quelques secondes, il y avait un bistouri.

— Je compris qu'il ne s'agissait pas d'un prélèvement. Je
tentai de me dégager. Les deux femmes me tordirent les bras derrière le dos. La plus grande me dit qu'elle était tchèque et qu'elle
était prisonnière comme moi. L'autre me murmura à l'oreille que
je ne devais pas leur compliquer la vie et que, de toute façon, je
ne pouvais échapper à ce qui m'attendait. J'étais venue pour une
piqûre, je serais piquée.

— C'était la première fois que j'entendais parler de piqûre.
Je les suppliais de me dire pourquoi et où l'on allait me piquer.
La Tchèque me sourit et me dit de ne pas m'inquiéter, qu'elles
étaient médecins et qu'elles savaient qu'on n'en mourait pas, qu'il
fallait me laisser faire « ... sagement ». Une autre femme en blouse
s'approcha de moi. Je la reconnus. C'était une Française. Elle,
était vraiment docteur.

— Elle aussi me dit qu'il ne fallait pas résister, qu'elle n'était
pas fière du travail qu'elle faisait, mais qu'elle n'avait pas le choix.

— Les deux Tchèques me saisirent par les bras. La Française m'attrapa les chevilles. Je hurlai. La Tchèque me gifla à toute
volée. Etourdie, je me laissai traîner jusqu'au pied de la table sur
laquelle, dans le pot de confiture, luisait la lame du bistouri. Je
réussis à m'arc-bouter encore une dizaine de secondes, puis je
cédai à la fatigue. La Française me tira les jambes. Je vis la salle
basculer. Je fus couchée et immobilisée sur la table de métal.

— Je n'avais pas capitulé. Après avoir fait semblant d'être
résignée, je hurlai de nouveau. Surprise, une des deux filles lâcha
mon bras. Je me dressai et tentai de la repousser. Elle vacilla un
instant, recula, et revint le poing en avant.

— Parmi tous les atroces souvenirs de ce temps-là dont je
ne suis pas parvenue à me débarrasser, le poing énorme de cette
fille figure en bonne place. C'était un poing d'homme, une main
épaisse et lourde dont l'index était orné d'une bague étrangement
fine. Un simple anneau d'or avec deux perles. Une bague de fian-
çailles vraisemblablement arrachée à une prisonnière.

— Aussi nettement qu'au cinéma lorsque l'acteur vise la caméra, je suivis la trajectoire de ce poing lancé vers mes yeux. Il m'apparut d'abord entouré du décor de la salle puis, comme au ralenti, je le vis emplir tout mon champ de vision jusqu'à ce que je n'aie plus devant moi que sa masse sombre, masquant totalement le paysage.

— C'est alors que mon visage éclata. J'eus l'impression de me trouver sur une escarpolette folle qui ne s'arrêtait pas à mi-course, mais accomplissait des tours complets, à toute vitesse. Je sentis le sang couler de mon nez, s'accrocher à mon menton et glisser lentement des deux côtés de mon cou. Je perdis conscience.

— Lorsque je revins à moi, j'étais immobilisée, les cuisses écartées, les talons collés aux fesses. Plaquée sur la table et prisonnière d'un réseau complexe de harnais de cuir, je ne pouvais plus faire un mouvement. Je compris où j'allais être piquée.

— Sans être réellement athlétique, j'étais musclée. Depuis mon enfance je pratiquais le ski, la natation, l'athlétisme, tous ces sports qui donnent des abdominaux solides. Je crispai de toutes mes forces mes muscles vaginaux. Je ne me faisais aucune illusion, il ne pouvait s'agir que d'un baroud d'honneur; ce n'est pas moi qui gagnerais la dernière bataille. Mon horizon était infiniment proche : l'avenir, c'était la minute que j'allais vivre, pas au-delà.

— D'une porte, au fond de la pièce, apparut une Allemande maigre et longue; elle avait un visage creusé de dizaines de rides minuscules comme ces minces cicatrices que se font encore quelques peuplades d'Australie. Il était difficile de donner un âge à cette femme au visage de cire : quarante ans... peut-être plus. Elle portait, sur un uniforme noir, une blouse au col ouvert.

— « Attention à toi, me dit la Tchèque en se penchant vers moi, c'est l'Oberschweister, elle est moins indulgente que nous.

— La femme au visage gris avança vers moi. Elle allait atteindre la table lorsque, du fond de la pièce, une voix d'homme s'éleva. Elle fit demi-tour et repartit à grands pas vers celui qui se tenant près de la porte ouverte mais que je ne pouvais voir, l'avait appelée. Ils discutèrent deux ou trois minutes à voix basse, puis elle revint vers moi. J'entendais ses bottes marteler le sol dallé, mais je ne distinguais encore que son visage et son buste plat.

— Je voulais me dresser et voir. Je sentais que cette femme au regard sans reflet allait peser d'un poids définitif sur ma vie. Je parvins à faire jouer de quelques centimètres le licol qui plaquait mon torse contre la table. Je me redressai.

— J'aperçus son bras, puis sa main. Et, dans sa main, une seringue. Ce n'était pas de ces petits tubes de verres incolores équipés d'une aiguille de 5 ou 6 centimètres qui terrorisait mon enfance, mais un cylindre d'acier brillant sur lequel était fixé un long fil de métal mat.

— C'est là où je compris qu'il ne s'agissait pas de prélèvement mais d'expérience. Je me crispais avec rage, comme si ma vie dépendait des muscles de mon vagin. Il n'y avait, en fait, plus rien à faire. L'Allemande me martelait le ventre en criant que rien ne l'empêcherait « ... de faire ce qu'elle avait à faire ». Les trois filles qui m'avaient ligotée sur la table me giflaient à tour de bras, l'une après l'autre, comme des bûcherons frappant de chaque côté d'un arbre.

— Avant de m'évanouir, j'aperçus l'Allemande entre mes genoux levés, sa main gauche immobilisant ma cuisse droite, son coude droit bloquant ma cuisse gauche, tentant d'introduire la seringue d'acier. La Tchèque me frappa à l'aine. La douleur me fit hurler, je cédai. Le visage de l'infirmière ruisselant de sueur s'estompa, disparut derrière un brouillard rougeâtre. La table se mit à danser. Je me sentis soudain légère, aérienne, comme délivrée. Je m'évanouis.

— Une autre douleur me réveilla, fulgurante, celle-là. Une brûlure atroce qui filait le long de mes cuisses et embrasait mon ventre. Je vomis.

— Penchée sur moi, l'Allemande me regardait. De son front ridé, tombaient sur ma poitrine de lourdes gouttes de sueur. J'essayais de parler. Je voulais savoir. Elle sourit, posa sa main sur ma poitrine et me plaqua contre la table : « Dors, me dit-elle, ça ira mieux demain. » Elle partit.

— Les filles me regardaient, elles aussi en souriant. Je tentais de les insulter. Je faisais de gigantesques efforts pour crier mais ma voix n'était que murmure. Je me mis à sangloter avant de m'évanouir à nouveau.

— L'air glacé de la nuit me réveilla. J'étais portée par quatre prisonnières qui avaient jeté sur moi quelques sacs. Trois ou quatre étoiles commençaient à luire à l'ouest, au-dessus de la mer. J'avais passé l'après-midi ligotée sur la table poisseuse. La douleur ne s'était pas apaisée. La même brûlure me rongeait le ventre. Je sentais mes jambes engluées de sang. Sous mes sacs percés, je ruisselais de sueur.

— Les filles ne marchaient pas au pas. Je tanguais comme

une barque sans pêcheur et chaque vague allumait en moi un nouveau brasier.

— Elles me hissèrent sur ma paillasse où, pendant deux jours, je me tordis de douleur. L'une des gitanes râlait doucement. Les deux autres sanglotaient. Au matin du deuxième jour, je m'endormis.

Anne-Marguerite Dumilieu n'apportera aucune modification à ce texte après mes questions :

— Et les tsiganes?

— Un matin, une semaine après mon opération, je n'entendis plus les gitanes. Personne n'osa me dire qu'elles étaient mortes dans la nuit mais je compris lorsque je vis l'Allemande frapper de sa cravache le montant de leur lit en ordonnant de « ... débarrasser ça », qu'elles avaient fini de souffrir. Elles ne réclamaient plus autre chose depuis des jours.

— Moi je ne voulais pas mourir. Entre deux crises, je m'accrochais de toutes mes forces à ce qui me restait d'espoir. Je me forçais à ouvrir les yeux pour regarder le ciel entre les grilles de la fenêtre.

Elle range les documents, ferme le dossier cartonné.

— J'ai souvent pensé à ces gitanes, à ces tsiganes. Il y avait deux Hongroises jeunes, elles avaient vécu en France, un temps, dans le Midi. Une s'appelait Antonia; elle avait entre seize et vingt ans, sa sœur à peine plus âgée, devait s'appeler Victoria ou Amélia. Elles mordaient leur poing pour ne pas crier. Je les revois... Victoria avait une robe noire avec des fleurs rouges, Antonia un corsage rouge. Et leurs yeux noirs, leurs yeux noirs qui pleuraient sans cesse. Pourquoi? Pourquoi mon Dieu! J'ai dû leur raconter cette histoire de mon enfance. Je suis née en Bourgogne à Gissey-le-Vieil, mes parents étaient employés à la S.N.C.F. En 1916, il y avait de nombreuses bandes de tsiganes qui fuyaient la guerre. Ils étaient affamés. Un jour, nous jouions sur le bord de la route avec mes trois frères. J'étais la plus jeune : six ans, ils avaient huit, dix et douze ans. Les tsiganes sont arrivés sur la route et ils se sont mis à courir avec des bâtons. Nous avons réussi à nous enfuir. Mes parents ont porté plainte. Mes parents ont dit qu'ils avaient faim et qu'ils voulaient me manger. Et Anne-Marguerite Dumilieu ajoute :

— C'est parce que l'on raconte de telles histoires aux enfants, depuis toujours, que les tsiganes sont persécutés. Les Allemands le savaient bien!

LE REFUS DES TSIGANES DE SCHONFELD

— Les [1] dortoirs sont disposés au premier étage, au-dessus du Revier et des bureaux, du côté droit d'un grand hall central constituant l'usine proprement dite. De l'autre côté, au premier étage également, une longue galerie comprend les ateliers de fabrication et les magasins de petit matériel. Aux sous-sols, le réfectoire, les abris pour les bombardements, les cachots et les magasins de gros matériel.

— On ne peut sortir de l'usine, simplement ceinturée par un passage cimenté de la largeur d'un camion. Seul le côté du bout de l'usine dispose d'un espace un peu plus large où pousserait de l'herbe si les détenus n'en arrachaient les brins pour les manger à mesure qu'ils poussent.

— Il y a trois dortoirs : un pour les Russes et les Polonaises, un pour les tsiganes allemandes — les Zigeuner (nous prononçons « cigognes », c'est plus joli!) — et un pour les Françaises.

— Les tsiganes ont été arrêtées au début du règne d'Hitler. Ces errantes, qui ont le mouvement, la liberté, la danse, le rire dans le sang, sont désormais parquées comme des animaux dangereux, privées de tout ce qui est leur raison de vivre, leur seul crime étant d'être nées Zigeuner.

— A l'entrée de chaque dortoir, trois petites armoires en bois blanc à l'usage des Blockova et Stubova. Sur le côté droit, garni de larges et hautes baies vitrées, des lavabos blancs avec eau courante. Sur le côté gauche, les châlits s'alignent, sur deux étages seulement. Au fond du dortoir, le Waschraum, salle de

---

1. Témoignage Henriette Lasnet de Lanty : *Sous la Schlague*, Imprimerie Générale du Sud-Ouest, Bergerac.

douches, et W.-C. Tout est blanc, propre, hygiénique. L'usine vient d'être construite. Nous sommes les premières occupantes. Après la pouillerie de Sarrebrück et de Ravensbrück, cela paraît merveilleux. Si seulement nous avions assez à manger!...

— L'appel dure longtemps, comme à Ravensbrück, mais nous sommes à l'abri, et cela aussi est une nette amélioration. On nous compte et recompte interminablement. Décidément, les Allemands ne sont pas doués pour l'arithmétique! Diviser par 2 le nombre des rangées de cinq femmes, puis multiplier par 10 dépasse leur possibilité.

— Après ce comptage laborieux, nous défilons devant les Blockova pour recevoir un quart de jus. Et on nous distribue nos tâches. Je suis désignée pour le « rivetage » ainsi que ma petite amie Marthe et quatre autres camarades. Chacune doit, à l'aide d'une riveuse, machine à air comprimé pesant plusieurs kilos qu'il faut tenir appuyée sur la poitrine, poser des rivets sur des morceaux de tôle. Ce travail ébranle tout le corps, et nous sommes vite à bout de forces.

— Nous rivons pendant six heures, avec une pause d'un quart d'heure dans la matinée. A midi, écuelle de soupe aux rutabagas et aux choux. Le travail reprend aussitôt jusqu'à 18 heures.

— Des Meister, des contremaîtres, nous montrent comment se servir des riveuses. Notre apprentissage doit durer huit jours, après quoi on nous confiera du vrai travail sur des pièces d'avion. Nous mettons tant de mauvaise volonté à « apprendre » que pas une n'arrive à poser un rivet droit. Nos Meister sont furieux.

— A 18 heures, nouvel appel, et l'équipe de nuit nous remplace. Nous recevons un morceau de pain, une rondelle de saucisson et... au dodo!

*
**

— Dans [1] le dortoir 3, chaque fois qu'une Aufseherin passe, il faut se précipiter sur le bord de l'allée. C'est vraiment une course pour celles qui sont au fond de la troisième rangée de châlits. Il faut se mettre au garde-à-vous et crier à la suivante : « Aufseherin » pour qu'elle se fige dans la même attitude respectueuse. Or, un jour, alors que j'étais assise de biais sur mon lit, tournant le dos à l'allée d'où venait l'Aufseherin, je n'entends pas le signal

---

1. Témoignage inédit Georgette Ducasse.

que crient les rares compagnes qui sont au dortoir à ce moment-là. Furieuse de mon inattention, l'Aufseherin se précipite sur moi. Je lève mon bras replié pour protéger ma tête : crime impardonnable!... Nous devons nous laisser rouer de coups en nous tenant au garde-à-vous. Elle continue de me frapper jusqu'à ce qu'elle soit fatiguée; et puis, furieuse, descend au bureau. Après son départ, mes compagnes d'infortune me réconfortent, je suis en larmes... Le lendemain au travail, je vois venir vers moi une grande Lyonnaise, « Frédérique », qui me dit qu'on me demande au bureau. Elle ignore pourquoi et me dit gentiment :

— « On va peut-être vous libérer!... »

— J'arrive au bureau et j'entre, passant devant une rangée de tsiganes allemandes. Le commandant et la commandante sont là. Mme Fusch également pour traduire. Elle est bouleversée.

— « Vous vous êtes rebellée devant une Aufseherin et vous avez esquissé un geste de menace... »

— Je proteste et raconte comment les choses se sont passées.

— L'Aufseherin, qui est présente, ne veut pas démordre et continue de m'accabler avec hargne.

— Vous allez recevoir cinquante coups de schlague! C'est la sanction et ceci sera inscrit sur votre dossier.

— La commandante demande alors aux tsiganes de me frapper chacune son tour. Elles refusent catégoriquement et disent qu'elles sont prisonnières comme moi. Ces malheureuses créatures dont beaucoup étaient arrêtées depuis dix ans, se montrèrent plus pitoyables que nos bourreaux.

— Entre-temps on m'a fait monter sur une table à plat-ventre. Et les coups commencent à pleuvoir inexorablement... Lorsque la commandante fut fatiguée de frapper, le commandant la relaya sans aucun remords.

— Mes compagnes, mesdames Duteich et Arnaud, guettant ma sortie, me conduisirent aux douches pour me masser à l'eau chaude.

— ...Et puis les jours recommencèrent à passer trop lentement à mon gré.

— Un jour... la Gestapo passa en tournée d'inspection à l'usine et malheureusement, plusieurs dossiers furent ouverts. L'un d'eux tomba sur l'annotation qui avait été ajoutée à mon dossier : « Rébellion... »

— Je fus à nouveau convoquée et je reçus encore vingt-cinq coups de schlague. Soixante-quinze coups de schlague pour un réflexe instinctif, c'est beaucoup!... et pourtant c'est ce qui m'est arrivé. »

LES CONVOIS DE ZWODAU

— Cela [1] était en moi, je ne le savais plus depuis bien longtemps, presque vingt ans! Il a suffi d'un visage, d'une parole, pour
que jaillisse en moi, avec une force surprenante un souvenir, plus
qu'un souvenir, une image précise et terrible.

— J'étais, il y a quelques jours, dans une rue près de mon
bureau, lorsqu'une gitane s'est approchée de moi et m'a inter-
pellée : « Veux-tu que je te dise ton avenir? » Le choc de ses yeux
m'a, en une seule seconde, reportée, il y a dix-sept ans, dans un
Block du camp de concentration, à Zwodau, dans les Sudètes, où
je me trouvais, les derniers mois de ma captivité. A ce moment,
arrivaient chaque jour des convois de toutes sortes, lamentables,
affreux, terribles; visions d'enfer, auxquelles nous étions pourtant
habituées mes camarades et moi, y étant nous-mêmes incorporées.
Un jour, un convoi de femmes et d'enfants gitans affamés, sque-
lettiques, fut placé dans un Block voisin du mien. Ayant appris
par une camarade travaillant au Block dit des cuisines, que leur
sort était encore pire que celui des israélites et que le nôtre, je
parvins à me glisser dans ce Block, bien que ce fût défendu. Pourtant, à cette époque, nous ne touchions plus qu'une demi-ration
du quart de la petite boule de pain et une gamelle d'eau chaude,
appelée « soupe »; pour ces gitans... pas de pain.

— Arrivée dans ce Block, je me souviendrai toujours de
ce que je ressentis devant ce grouillement d'êtres humains, femmes
et enfants. On ne voyait que leurs yeux noirs, le regard apeuré,
terrifié de ce qui avait dû déjà être enduré de souffrances humaines,
ces regards qui se tournaient avec désespoir vers les bois qui nous

---

1. Témoignage Mona Régnault (collaboratrice de l'abbé Pierre à la Fondation d'Emmaüs). *Etudes tsiganes,* manuscrit de novembre 1962.

environnaient, car au-delà des fils de fer électrifiés, il y avait
autour de nous cette magnifique forêt de sapins, ce ciel merveilleux où, de ma vie, je n'ai jamais vu de lever et de coucher de
soleil plus splendide, ce qui, pendant quelques instants, me faisait
oublier la température (20° au-dessous de 0), la faim, la détresse et
surtout la perte de cette liberté physique, horriblement dure à supporter. Mais dans les yeux de ces femmes gitanes, je comprenais
que, pour aussi dur que ce fût pour nous, ce n'était rien à côté
de la souffrance que pouvait endurer ce peuple, fier, dont la vie
se passe sur les routes, pour ce peuple ivre d'espace. Oui, cela
était affreux pour ces femmes et ces enfants, un affreux désespoir,
bien plus grand encore que le froid, la faim, les coups, les humi-
liations d'une race regardée par ceux qui nous retenaient prisonniers, comme la dernière. Etre dans une cage, entourée de ces
bois était un supplice affreux. Cela je le lisais dans leurs yeux, je
le voyais dans leurs mains tendues. Alors dans mon désespoir de
ne rien pouvoir leur donner pour adoucir quelque peu cette souffrance, moi qui ne possédais que ma volonté pour survivre, je
leur ai crié « en français » (langue qu'elles ne parlaient pas) : « Bientôt la liberté, courage, la guerre va finir », et plusieurs femmes ont
eu un geste gravé au plus profond de moi-même. Mes sœurs, dans
la souffrance, se jetèrent à genoux pour embrasser le bas de la
loque qui me servait de robe, parce que j'avais dit « liberté ».

— Je ne les ai jamais plus revues. Très peu de temps après,
des camions les ont emmenées pour une destination inconnue,...
la chambre à gaz sans doute.

— Depuis [1] deux mois [2], nous recevons au camp des transports de tsiganes et de juives hongroises évacuées de Silésie. D'un
train, des corvées, soigneusement recrutées parmi les plus jeunes
du camp, n'ont pas extrait une vivante sur dix corps entassés. Les
loques qui respirent encore ont été enfermées dans une baraque.
Dévorées par le typhus, sans nourriture, elles sont mortes dans
leur pourriture ou liquidées par des piqûres de pétrole. Nous ne
jouissons pas de la commodité de la chambre à gaz et du crématoire, dans ce petit Kommando des Sudètes. Comme depuis le
mois de mars, nous n'avons plus le droit d'enterrer à l'extérieur,
les cadavres, méthodiquement rangés, sont entassés sur 1,50 mètre
de hauteur, le long des barbelés électrifiés, près du Block 6. Le
Todkommando est soulagé. Cela lui donne moins de travail. Pas

---

1. Témoignage Brigitte Friang : *Regarde, toi qui meurs*, Robert Laffont, 1970.
2. Depuis février 1945.

de souci à se faire pour les épidémies. Depuis cinq mois, la température ne s'est guère élevée au-dessus de zéro.

— Le [1] dimanche 4 mars j'avais travaillé toute la matinée au Kommando du charbon. L'après-midi, prévoyant de nouvelles corvées, je m'étends sur un châlit du « rez-de-chaussée », cachée sous une couverture. Vers 3 heures, les S.S. font irruption dans le Block et réclament vingt-cinq prisonnières pour aller chercher à la gare de Zwodau le pain d'un transport de femmes qui venait d'arriver. Ce transport, six cents femmes, disait-on, était annoncé depuis un mois déjà. Il arrivait de Silésie, d'un camp évacué à cause des Russes.

— Une prisonnière allemande, surveillante à l'usine, se charge de recruter des « volontaires ». Elle a vite fait de me découvrir et m'oblige à me lever. Je proteste et lui montre mes chaussures dont seules les extrémités tiennent encore un peu.

— Menacée d'être conduite devant le Kommandoführer, je suis obligée de céder. Avec les autres « volontaires », je sors en courant du Block. Les S.S. furieux d'avoir attendu, hurlent et frappent. Le froid est vif, le sol est couvert d'une bonne épaisseur de neige; on nous met en rangs, et nous partons encadrées de soldats armés et d'Aufseherinnen qui ne cessent de nous harceler. Je marche très difficilement et je « boite »; finalement je trouve plus agréable de marcher pieds nus.

— La gare est à 3 kilomètres du camp. Nous passons par les champs, évitant ainsi la traversée de la ville.

— De loin nous distinguons deux wagons; un wagon à bestiaux, un wagon de voyageurs. Sur le quai, un groupe sombre autour duquel s'agitent et crient des soldats. Ce sont les prisonnières annoncées. Lorsque nous arrivons sur le quai, nous nous arrêtons muettes d'horreur. Nous venions chercher du pain, ce sont des cadavres qu'il nous faudra transporter au camp. Des six cents femmes annoncées il ne reste que deux cents mourantes, semble-t-il. Les autres sont mortes, brûlées vives dans leurs wagons plombés au cours d'un bombardement. Celles qui sont groupées sur le quai ont encore la force de marcher et rentreront au camp par leurs propres moyens; elles sont déjà en rangs et s'ébranlent, encadrées de soldats qui les brutalisent à la moindre défaillance. Trois ou quatre d'entre nous les accompagnent pour aider les plus faibles.

— Sur la neige gisent des mourantes presque nues; toutes

---

1. Témoignage Thérèse Grospirron : *Ravensbrück*. Cahiers du Rhône. Editions de la Baconnière. Neuchâtel, 1946.

demandent à boire. L'une d'entre elles, jeune encore, nue jusqu'à la taille, est étendue les bras en croix. Elle a le visage couvert de sang, de poussière, les yeux démesurément ouverts. Deux camarades essayent de la soulever mais elle retombe sans forces. Elles décident de la porter jusqu'au camp. Avec trois Françaises, je m'approche du wagon à bestiaux. Une odeur affreuse y règne. Sur les planches gisent des corps inertes. Nous descendons tous les cadavres, que nous jetons sur une charrette. Plusieurs se présentent aussitôt pour la tirer jusqu'au camp. Il est moins pénible de traîner des cadavres que de porter des mourantes couvertes de vermine et repoussantes de saleté.

— Avec précaution nous descendons du wagon quelques malheureuses restées parmi les mortes mais que le froid a ranimées. A peine sur le quai, mourant de faim et de soif, n'ayant pas assez de forces pour porter la neige jusqu'à leur bouche, elles s'allongent, enfoncent la tête dans la neige et mangent. Certaines, dès qu'elles ont repris un peu de forces, se montrent avides de nouvelles : « Où sont-ils? » Nous les rassurons : la guerre est bientôt finie, l'avance est foudroyante de tous côtés. L'une d'entre elles nous raconte leur pitoyable odyssée. Parties depuis trois mois de leur camp, elles ont voyagé tantôt à pied, tantôt par le chemin de fer. Enfermées dans les wagons elles se battirent dans des moments d'affolement. Ceci nous explique pourquoi presque tous les cadavres étaient maculés de sang; beaucoup ont le typhus et la neige est souillée partout où elles se laissent tomber.

— Nous sommes dix-huit pour emmener une trentaine de femmes. Parmi nous des « droit commun » allemandes refusent de prendre plus d'une prisonnière à la fois, et encore le font-elles avec dégoût, redoutant les poux qui grouillent sur leurs haillons et leurs lambeaux de couvertures. Peu à peu le transport s'organise mais de nombreuses malheureuses restent couchées dans la neige, incapables de faire un effort; nous sommes trop peu pour les prendre.

— Les S.S. qui riaient lorsque nous avons vidé les wagons, se sont calmés et nous regardent avec indifférence. Je reste la dernière avec une de mes amies; nous décidons d'essayer d'en sauver le plus possible. Le commandant du convoi et trois soldats nous surveillent toutes les deux. C... ne peut s'empêcher de pleurer, bouleversée par ces horreurs; elle n'a que vingt ans! Nous portons les plus faibles sur une distance de 100 mètres, marchant très lentement et les encourageant. Mais elles ne comprennent pas le français — ce sont presque toutes des Hongroises ou des Tchèques. Nous les posons dans la neige et retournons en arrière en prendre une autre.

— Les habitants sont tous à leurs fenêtres, certains mêmes descendent sur la route pour interroger les S.S. qui ne répondent pas.

— Nos gardiens se lassent bientôt de notre manège et nous ordonnent de déposer les malheureuses par petits groupes assez éloignés les uns des autres. Ils vont les achever, mais devant les curieux, ils se ravisent; on viendra chercher celles qui restent ce soir — inutile de les garder, elles ne pourraient pas se sauver. L'une d'elles appelle faiblement sa sœur, restée sans connaissance près de la gare.

— C. et moi, nous reprenons notre route, soutenant une jeune Tchèque de 25 ans, Lili. Nous marchons très lentement; les bras passés autour de nos cous, elle avance péniblement. Sa tête retombe sur sa poitrine; elle gémit sans cesse : « Je ne peux plus... Je ne peux plus. » Trois fois elle s'effondre, nous entraînant avec elle. Nous nous reposons quelques secondes, puis repartons. Nous rencontrons sur la route deux femmes qui n'ont pu suivre le convoi jusqu'au camp. Les S.S. les secouent avec le pied pour voir si elles vivent encore. Ainsi fait-on quand on trouve une bête crevée. Elles réagissent; ils leur posent le canon d'un revolver sur la tempe, menaçant de tirer si elles ne se lèvent pas tout de suite. Mais elles veulent vivre. Lili nous l'a dit plusieurs fois déjà pendant son calvaire. Maintenant nous traînons trois mourantes; les deux autres se sont redressées et, avec une lueur d'affolement dans les yeux, nous ont suppliées de ne pas les abandonner; elles s'accrochent à nous. Nous leur promettons une soupe très chaude et un lit. Nous faisons quelques pas et nous nous écroulons ensemble dans la neige. Le commandant, excédé, part en avant avec deux des soldats; nous n'avons plus qu'un gardien. Je me mets à pleurer malgré moi et lui demande s'il n'a pas d'enfants, ni de mère. Etonné, il me regarde sans répondre puis il me demande : « De quel pays êtes-vous? » « Je suis française. » « Française, ah!... », puis m'explique qu'il lui faut agir ainsi.

— Il nous reste encore un kilomètre à faire. Lili, épuisée, refuse de continuer et supplie le soldat de la tuer. Je lui frotte le visage avec de la neige et lui parle comme à un petit enfant. A ce moment elle me dit : « J'aime beaucoup la France. » Arrivées aux premières maisons du faubourg où se trouve le camp, nous croisons une femme traînant une petite charrette. J'explique au soldat que ce serait plus facile de ramener les malheureuses si on nous prêtait cette charrette, mais la femme refuse et s'éloigne rapidement. Nous avançons dans la rue et tombons encore une fois. Des réfugiés qui viennent d'arriver à Zwodau s'approchent et nous proposent une voiture. Le soldat accepte : je remercie l'homme qui s'éloigne en haussant les épaules. Une femme passe près de nous, serre les poings et nous sourit. C. et moi chargeons nos trois malades sur la charrette et la route s'achève sans encombre. Je tire la charrette et C. retient les malheureuses. Pour entrer dans le camp nous devions monter un grand escalier d'une trentaine de marches.

— Tous les S.S. du camp sont devant leur Block et regardent passer le sinistre défilé.

— Nous laissons la charrette au pied de l'escalier et prenons nos malheureuses camarades une par une.

— Lili, à ce moment, a encore un sursaut de pudeur. Sa culotte de ski se détache et tombe. Elle ne veut pas que les S.S. la voient ainsi, mais en haut de l'escalier elle s'écroule sans connaissance. Nous la portons jusqu'au Block réservé aux nouvelles arrivées. Pas de lit, simplement de la paille déjà souillée. En fait de soupe un quart de café. Lili est revenue à elle. Nous la déposons sur la paille et je l'embrasse, lui promettant de revenir.

— Le soldat qui nous gardait, profitant de ce qu'il était près de la voiture, la renverse et jette par terre les deux femmes.

— Nous retournons bientôt à la gare pour nettoyer les wagons et ramener sur une grande charrette à plate-forme celles qui sont restées dans la neige. Beaucoup sont mortes de froid.

— Le soir nous rentrons au Block épuisées, couvertes de poux, mais sans possibilité de nous désinfecter.

— Par la suite, le Block où ont été installées les malheureuses deviendra le Block des typhiques et des punies. Il y meurt au moins trois ou quatre prisonnières par jour, dont les cadavres nus sont mis en tas dehors. Bientôt la mortalité augmente et les S.S. organisent le Kommando du cimetière, qui doit enterrer les mortes.

— Les survivantes de ce transport sont emmenées en camion, l'avant-veille de notre évacuation. On les fait sortir du Block avec trois enfants qui venaient d'arriver. Celles qui ne peuvent marcher sont traînées par terre sur des couvertures et jetées comme des sacs dans le camion. Dans la soirée, le camion revient vide et nous entendons de nombreux coups de feu dans les bois près du camp. C'était le 20 avril. Le surlendemain nous partions à pied pour Dachau.

BUCHENWALD

Plus de dix mille tsiganes « passèrent » par Buchenwald. Des premiers internés, il ne reste aucune trace, même pas un numéro matricule car, Allemands ou Autrichiens, ils avaient été enregistrés en tant que nationaux. En juin 1938 ils étaient quinze cents, rejoints à l'automne par mille quatre cent vingt transférés de Dachau.

— Au [1] printemps 1938, le Kommandant Koch fit enfermer un bohémien, qui avait tenté de fuir, dans une grande caisse, dont l'ouverture était garnie de fils de fer. Puis Koch fit enfoncer de longs clous dans les planches qui, à chaque mouvement du captif, entraient dans sa chair. Le bohémien fut exposé dans cette cage devant le camp tout entier. On ne lui donna pas à manger, et il passa deux jours et trois nuits sur la place d'Appel. Ses hurlements effroyables n'avaient plus rien d'humain. Au matin du troisième jour, on le délivra de son tourment en lui faisant une injection de poison.

Et c'est évidemment parmi les tsiganes que les S.S. choisirent les musiciens de l'orchestre de Buchenwald.

— « C'était [1] épouvantable, de voir et entendre les gitans attaquer leurs marches joyeuses, pendant que des internés épuisés transportaient dans le camp leurs camarades morts ou mourants, ou d'écouter la musique qui accompagne le fouet donné aux prisonniers. Mais je me souviens aussi de la veille du nouvel an 1939... soudain le son d'un violon gitan surgit d'un des baraquements, au loin, comme d'une époque et d'un climat plus heureux... des airs

---

1. Témoignage Eugène Kogon : *L'Enfer Organisé*, La Jeune Parque, 1947.

de la steppe hongroise, des mélodies de Vienne et de Budapest, des chansons de chez moi. »

— « Pendant [1] le trajet du camp de rassemblement à Bruckhaufen, où nous avons passé deux nuits sur la paille, nous avons compris combien l'heure était grave pour nous tsiganes. A Dachau le travail dans les carrières et les volées de coups furent pour les premiers d'entre nous, tsiganes. Nous avions compris que c'était ainsi que les S.S. voulaient que les choses se passent dans le camp. Nous étions répartis en deux Blocks pour tsiganes, peut-être deux cents à trois cents hommes. Après trois mois on nous fit monter avec les coups dans les wagons et amener comme des bestiaux à Buchenwald. Il pleuvait. Dès l'arrivée il y eut des morts car les S.S. sont venus pétarader avec leur moto dans les rangs des Polonais, des juifs et des tsiganes. Une fois ils forcèrent les juifs à moitié nus à grimper sur des arbres et nous, tsiganes, nous devions abattre ces arbres. Ainsi était la vie à Buchenwald.

— Nous étions cinq frères, deux d'entre nous étaient au Block 14, les trois autres dans d'autres Blocks et il arriva à l'un de nous de sauver la vie d'un autre. Il ne fallait à aucun prix se déclarer malade, cela nous l'apprîmes bientôt car dans l'infirmerie on faisait des injections. Le fils de mon frère qui avait dix-sept ans, en reçut jusqu'à ce qu'il en meure. Les transporteurs de cadavres avaient beaucoup à faire.

— Mon frère et moi nous avions offert de travailler dans les ateliers, chez les cordonniers et chez les tailleurs. En fait, nous étions des musiciens et non des ouvriers mais nous avons agi ainsi parce que nous savions le Kapo des ateliers mieux disposé à l'égard des tsiganes. Au début de 1941, mon fils fut porté à l'infirmerie et nous l'avons regardé partir tristement. Mon frère m'a dit alors :

— « Ne t'en fais pas; un jour ou l'autre nous y passerons tous. »

— En fait, aucun de nous n'espérait survivre.

*
* *

— Le [2] meurtre à Buchenwald était fréquent... Un jour, un groupe de jeunes tsiganes de quatorze ans reconnut dans le chef de Block une brute qui avait fait périr les parents de plusieurs

---

1. Témoignage Robert Schneeberger. Manuscrit Archives Centre documentation de la Résistance autrichienne (repris par Selma Steinmetz).
2. Témoignage professeur Charles Richet (*Trois Bagnes*, déjà cité).

d'entre eux. Ils se saisirent de lui, le déshabillèrent, le rouèrent de coups, et, comme péniblement il se relevait une demi-heure plus tard :

« Rhabille-toi », lui dirent-ils. Il croit pouvoir s'échapper. Mais le cercle des tsiganes s'est refermé sur lui. Nouvelle attaque. Il est tué à coups de sabots par cette bande de gosses qui avaient à peine dépassé l'âge où les gamins jouent encore aux billes.

— Près de la moitié des « employés » des jardins potagers, de la fauconnerie (ménagerie) étaient des tsiganes des premiers convois.

— « Les [1] potagers des S.S. étaient, avec les carrières, les Kommandos les plus redoutés. A Buchenwald ils étaient placés sous la direction du lieutenant S.S. Dumböck, de Salzbourg, qui avait tué de sa propre main au moins quarante détenus, et qui s'acharnait tout particulièrement sur ses compatriotes autrichiens. Plus d'un détenu s'est pendu aux tuteurs qui soutenaient les arbustes du potager. Un matin, alors que, plongé dans mes pensées, je longeais le potager derrière mon Block, avant de me rendre à l'appel du matin, je vis un bohémien pendu au milieu des hautes fleurs. Il s'était suicidé ainsi pendant la nuit. Une cigarette éteinte pendillait aux lèvres de cet homme au teint sombre et morne, venu d'un pays lointain. Il était ainsi retourné chez lui, au milieu de ces magnifiques fleurs arrosées de sueur et de sang.

— La construction de la fauconnerie fut entreprise en 1938 et terminée en 1940. Les dépenses en matériel, à elles seules, furent de 135 000 marks. Elle comprenait un terrain sur lequel s'élevaient les bâtiments suivants : la fauconnerie proprement dite, construction dans le style vieux germanique, en chêne massif avec de splendides sculptures; le pavillon de chasse, avec des meubles de chêne sculptés à la main, de grandes cheminées et des trophées de chasse; une rotonde et la maison des fauconniers, ou, lorsqu'il ne fut plus question par la suite de chasser au faucon, on interna à un certain moment l'ancien président du Conseil français, Léon Blum, et d'autres personnalités de marque. On y adjoignit une réserve pour le gros gibier et des cages avec des chats sauvages. On y entretenait des daims, des chevreuils et des sangliers, un mouflon, des renards, des faisans, des paons et d'autres animaux. En dehors de la fauconnerie, dans ce que l'on appelait le jardin zoologique, il y avait dans les cages, cinq singes et quatre ours.

---

1. Témoignage Eugène Kogon (déjà cité).

Dans les premiers temps, il y eut même un rhinocéros. Si un animal périssait, les juifs devaient le remplacer en faisant des « dons volontaires ». Un loup coûtait alors 4 000 marks et un écureuil parfois le même prix! Sous le régime du commandant Koch, les S.S. s'offraient la distraction néronienne de jeter les détenus dans la cage aux ours et de les faire déchiqueter. Les bêtes féroces étaient remarquablement bien nourries. En 1944, encore, alors qu'une grande disette régnait dans le camp, les ours, les singes et les oiseaux de proie recevaient chaque jour de la viande prélevée dans la cuisine des détenus. Les ours recevaient en plus du miel et de la confiture, les singes de la purée de pommes de terre avec du lait, des flocons d'avoine, des gâteaux secs et du pain blanc. Toute l'installation devait être entretenue par des jardiniers de métier. Le Kommando permanent de la fauconnerie comprenait six à dix hommes. Monsieur le Grand Veneur du Reich (Hermann Gœring) n'a jamais pénétré dans le jardin zoologique qui lui avait été offert. En revanche, la S.S. envoyait des tracts publicitaires à Weimar et dans les environs pour cette installation et elle percevait un mark d'entrée par visiteur.

— J'ai [1] connu à Dachau plusieurs tsiganes qui venaient de Buchenwald; tous ne furent pas sélectionnés pour les expériences sur l'eau de mer. Au moins trois avaient travaillé depuis de nombreuses années à ce que l'on appelait là-bas « le cirque », la « ménagerie ». Ils avaient été punis et expédiés ici parce qu'ils trafiquaient sur la nourriture de qualité, miel, sucre, confiture, lait, viande, etc. réservée aux animaux. Mais comme les S.S. étaient les premiers à profiter de ces larges détournements quotidiens, ils ne furent pas très sévères et se contentèrent de les « muter de camp », pour que leurs petites combines ne soient pas révélées. Avant leur internement ces trois tsiganes étaient employés dans un grand cirque allemand. Pour une fois Buchenwald avait su utiliser les compétences. L'un d'eux, « le montreur d'ours », je crois qu'il s'appelait Herbert ou Heibert, semblait être le chef de la communauté, en tout cas il était le plus âgé; une bonne cinquantaine. Noir de peau, un nez d'aigle, grand, musclé, la « réception S.S. » lui avait laissé ses longs cheveux de jais et une culotte de cheval. Il venait régulièrement me trouver pour obtenir des nouvelles des tsiganes cobayes.

---

1. Témoignage inédit docteur Roche. Voir *Les Médecins Maudits* (chapitre consacré aux expériences sur l'eau de mer). Même auteur, même éditeur.

— « Il faut, disait-il, qu'ils restent en bonne santé, car ils vont être libérés après. Le médecin S.S. le leur a dit. »

— Et comme je m'étonnai de sa confiance en nos tortionnaires.

— « Regarde! Je suis bien vivant moi. Les S.S. ne mentent jamais aux tsiganes. »

— J'ai souvent repensé à Heibert, le géant noir de la ménagerie de Buchenwald après avoir lu le passage de Kogon consacré à « la fauconnerie ». Un jour il m'avait raconté qu'il avait eu jusqu'à six ours. Tous les animaux avaient été arrêtés avec leurs « maîtres » tsiganes qui les montraient sur les routes allemandes. Lui, Heibert, avait dressé un animal au corps formidable... il jouait du tambourin, dansait et pouvait enchaîner cinq sauts périlleux. Les S.S. se crurent obligés de l'abattre parce qu'au cours d'une répétition de son numéro, il s'était précipité sur un sous-officier et l'avait gravement blessé.

— En [1] 1937 ou 1938 il fut interdit à mon père de continuer à diriger son petit cirque. Mes papiers d'identité normaux me furent retirés et je reçus des papiers spéciaux, ce qui m'interdisait de continuer à travailler dans mon métier d'acrobate. En 1941, ils m'obligèrent à travailler dans une usine, mais quinze jours plus tard, j'étais renvoyé du service du travail parce que je n'étais pas pur allemand. Plus tard, dans la même année, je fus arrêté et mis en prison. En 1943 je fus envoyé à Buchenwald où j'avais le numéro 22736, puis à Dora, où je reçus une lettre de ma mère qui était à Auschwitz :

— « Nouvelles brèves. Je ne peux pas me plaindre. Nous sommes ici dans le camp familial. Nous allons bien. Ce ne sera pas long, et nous nous retrouverons certainement après la guerre. »

— En fait ma mère, mon père et quatre de mes frères et sœurs moururent. En 1945 je fus transféré à Sachsenhausen et j'étais dans la « marche à la mort » vers Wittstock lorsque ce camp fut dispersé.

— Un [2] groupe de pauvres tsiganes souffrait d'une grave affection des yeux. Seuls trois d'entre eux, déjà moribonds, furent transportés à l'hôpital de Weimar. Et cependant, les tsiganes prenaient bien soin que leur nombre soit le même, à l'appel du soir, comme à l'appel du matin. Ils se tenaient par famille, portant sou-

---

1. Témoignage Richard Rose : Documents du Tribunal de Nuremberg — N.G. 552 et *Destins Gitans* de Donald Kenrick et Grattan Puxon (déjà cités).
2. Témoignage Walter Poller. Cité par Selma Steinmetz.

vent le même nom, tous identiques dans leurs frusques du camp, chacun n'étant plus qu'un numéro au milieu des autres.

— A Dachau, comme à Buchenwald, les tsiganes étaient affectés aux travaux les plus durs. Non seulement ils souffraient de la faim et du froid, mais ils étaient prêts à risquer leur vie pour une cigarette. En effet, les tsiganes sont souvent des fumeurs invétérés, en outre, comme on peut l'imaginer, ils étaient peu aptes au travail forcé, et on les voyait se mutiner et se révolter, sans souci des conséquences. Seule la triste expérience leur apprit que celui qui se faisait porter malade, soit qu'il le fût réellement, soit que cette existence lui fût devenue insupportable, celui-là ne réapparaissait plus. Car au lieu de traitement on lui faisait une piqûre.

— 17 septembre (1944) [1].

— Ce matin-là, promenant mon spleen sur l'unique voie mal pavée du petit camp, toujours encombrée les jours de beau temps, je fus soudain tiré de ma rêverie par un bruit inaccoutumé. On eût dit la résonance d'une cour scolaire pendant la récréation, un bruissement joyeux de volière.

— Surpris je m'approchai du Block 58, momentanément enclos dans un rectangle de barbelés et j'aperçus une multiude d'enfants jouant, courant, criant, comme le font les garçons et les filles de tous les pays du monde.

— C'étaient des garçons de dix à quinze ans aux cheveux noirs plaqués, au teint basané, aux traits accentués des peuplades de l'Europe centrale. Il y avait là plusieurs centaines de petits tsiganes s'ébattant et s'époumonnant avec l'insouciance de leur âge. Je les observai un grand moment et finis par remarquer particulièrement un groupe de quatre enfants plus calmes jouant sur un banc tout près de la clôture. Le plus grand, qui m'observait lui aussi, m'interpella en français :

— « Monsieur, vous me changeriez cela ? »

Il me tendait sur un morceau de papier une rondelle de saucisson.

— « Contre quoi ? répondis-je.

— « Des cigarettes, s'il vous plaît.

— « Tu ferais mieux de manger, à ton âge. Tu es français ? Et tes camarades ?

— « Moi je suis de Roubaix. Celui-ci est belge, celui-là allemand et l'autre hongrois. Nous parlons tous l'allemand.

---

1. Témoignage Marcel Conversy : *Quinze mois à Buchenwald,* Editions du Milieu du Monde, Genève, 1945.

— « Pourquoi es-tu là? Que font tes parents? »

— Une ombre passa dans les yeux bruns de l'enfant qui répondit en baissant la voix :

— « Mon père et ma mère sont morts à Auschwitz. Nous avions été arrêtés comme nomades. J'ai un frère, mais je ne sais pas ce qu'il est devenu.

— « Mes parents sont aussi disparus, fit le Belge.

— « Et les autres?

— « Il y en a de tous les pays, le plus grand nombre est tsigane, mais c'est pareil : leurs parents sont morts ou disparus.

— « Beaucoup les retrouveront, fis-je avec une fausse jovialité. Que je ne vous empêche pas de jouer. Au revoir, mes petits, et bonne chance!

— « Au revoir, grand-père », répondit le jeune Roubaisien auquel les autres firent écho.

— C'est vrai, avec mes hardes, mon bâton, ma barbe de dix jours et mes quarante-sept ans, j'étais un vieux devant cette jeunesse. Mon spleen avait dégénéré en une immense pitié pour tous ces pauvres gosses qui ne restèrent que quelques jours au camp. Je devais apprendre par la suite que tous les petits tsiganes ont trouvé la mort à Auschwitz, le fameux camp d'extermination.

— Ces[1] enfants tsiganes de Buchenwald avaient mis au point un trafic de cigarettes un peu semblable aux opérations de « reconstitution archéologique » du père Gruber[2]. Il est vrai que plongés dans cet univers où s'épanouissaient tous les crimes, tous les vices, toutes les « combines » pour survivre, ces enfants étaient à rude école. Un tsigane, originaire d'Autriche — il avait à peine quinze ans — avait découvert qu'un gardien S.S. habitait la ville où ses parents revenaient régulièrement passer une partie de l'année. Le gardien, avant d'être mobilisé était quelque chose comme policier ou gendarme et il connaissait parfaitement la famille du tsigane. Le jeune garçon et le gardien établirent un plan qui fonctionna plusieurs mois. Les cigarettes, véritable produit de luxe comparable au sucre, à l'huile, au beurre, etc., étaient une denrée pratiquement introuvable pour les civils rationnés, surtout à un prix raisonnable. Les jeunes tsiganes à qui l'on allait procurer d'appréciables « rabiots » de nourriture n'avaient qu'à échanger des gamelles de soupe, des tranches de pain, des rondelles de saucisson ou des carrés de margarine contre des cigarettes. Le réseau

---

1. Témoignage inédit Herbert Haas (Linz, 1970).
2. Voir *Les Sorciers du Ciel*. Même auteur, même éditeur.

des tsiganes qui améliorait déjà l'ordinaire par des chapardages ne devait pas comporter plus d'une dizaine de gosses. Tous les autres étaient tenus à l'écart du « secret ». Le S.S. avait sans doute d'autres complices car lorsque l'Inspection générale des camps dépêcha à Buchenwald un enquêteur — il s'agissait probablement d'une dénonciation — le trafic portait sur plusieurs dizaines de paquets quotidiens, peut-être même cent qui, revendus au marché noir à l'extérieur du camp, rapportaient huit ou dix fois la mise à l'instigateur de cette « organisation ». Quant aux enfants, ils devaient être payés en barres de chocolat et... en promesses. Après le passage de ces messieurs de Berlin, le S.S. disparut ainsi qu'une bonne vingtaine de tsiganes. Ces jeunes embarquèrent en hurlant sur un camion. C'était un dimanche. Il pleuvait. Je n'entendis plus parler d'eux.

— Il y [1] avait bien effectivement à Buchenwald un Block entier, le Block 8, réservé aux enfants. C'est dire leur nombre, étant donné la capacité attribuée par nos maîtres à chacune de ces constructions. La raison de leur internement était variable. Certains avaient commis le crime impardonnable de naître dans un camp de concentration, leur mère étant grosse au moment de son arrestation. A vrai dire, cette catégorie était peu nombreuse : il fallait un concours de circonstances favorables exceptionnelle ment réunies pour que le nouveau-né survécût...

— Une seconde catégorie d'enfants comprenait tous ceux qui avaient été arrêtés en même temps que leurs parents. Il s'agissait presque toujours de déportés dits « raciaux ». C'était le cas, par exemple, du Polonais de trois ans et quatre mois victime de notre médecin chef S.S. Schiedlausky. C'était aussi le cas de deux petits Français considérés comme tsiganes, que l'esprit de « débrouillage » de leurs compatriotes avait permis d'affecter, malgré leur âge, au Block 31 (Flügel A). Le premier avait quatorze ans et vivait dans une roulotte avec ses parents, marchands de chevaux dans l'Ouest. Le second, âgés de douze ans quand nous l'avons connu à Buchenwald, habitait Douai, sa ville natale, quand il avait été arrêté, à l'âge de dix ans, avec ses parents...

— Ces deux jeunes Français auraient dû, malgré leur âge, travailler comme les autres forçats, car ils ne bénéficiaient pas, n'étant pas « aryens », du privilège des enfants de cette catégorie soumis au sort commun des détenus seulement à partir de quinze ans. Leurs compatriotes s'étaient arrangés pour leur épargner cette

---

1. Témoignage docteur Jean Rousset : *Chez les Barbares,* Lyon, 1947.

nouvelle souffrance. Ils restaient donc inoccupés dans leur Block pendant les heures de travail. Les détenus bénéficiant d'un Schonung pour une maladie ou une blessure s'efforçaient de les ins·truire un peu.

— On nous objectera peut-être qu'à tout prendre, Antoine n'était qu'un métis, un « michelin » [1] pour s'exprimer comme les savantissimes anthropologistes qui bâtirent les doctrines raciales du IIIe Reich. Nous répondrons que ce sont là des considérations oiseuses qui n'ont pas arrêté la juste colère de Schieldlausky lorsqu'il découvrit, embusqué dans un bon Kommando, un autre michelin, le Polonais Lullick, qui, à trois ans et quatre mois, était garçon de course à l'Effelktkammer [2], inqualifiable abus.

— La troisième et dernière catégorie d'enfants-forçats pourrait être désignée par les termes de délinquante ou criminelle sans que nous sachions bien celui qui doit être employé...

— Certains de ces enfants, dont la plupart n'avaient pas dix ans, avaient eu une réelle activité guerrière. Nous devons à notre ami, le médecin commandant Sokolof, d'avoir pu converser avec deux d'entre eux et nous nous demandons par quel miracle ils étaient encore vivants. L'un d'entre eux avait glissé une charge d'explosif sous une voiture allemande qu'elle pulvérisa, ne tuant malheureusement que le chauffeur et un soldat. Le second, âgé de huit ans, avait fait mieux. Il se présentait tous les jours, à l'heure des repas, dans une maison occupée par des officiers allemands. Il gagna leur confiance par ses gentillesses. Puis, un beau jour, il vint avec un pistolet ou une mitraillette, nous n'avons jamais bien su, sous son manteau. Les officiers étaient à table : quatre morts dont au moins deux commandants. Il est probable que ces enfants n'eurent la vie sauve que parce que la Gestapo essaya par tous les moyens de savoir qui les avait poussés à leurs actes. Le second conservait d'ailleurs dans le dos et sur les fesses de traces indélébiles de ses entretiens avec elle. Ils firent de très longs séjours en prison, puis furent un beau jour déportés, probablement par hasard, car, bien entendu, les Allemands ne furent pas plus tendres avec les enfants russes qu'ils ne le furent avec les enfants français [3].

— Quelles que soient les raisons qui les y avaient amenés, de nombreux enfants étaient détenus à Buchenwald, certains depuis

1. Corruption française du mot allemand Mischlinge (métis). (Voir Marc Klein : *Observation sur les camps de concentration.*)
2. « Salle des effectifs », plusieurs déportés emploient ce terme à tort pour désigner la salle d'habillement.
3. Surtout s'il s'agissait d'enfants juifs.

quatre ou cinq ans. Seuls les « aryens » bénéficient, nous l'avons dit, du privilège de ne pas être astreints au travail forcé. Les autres devaient travailler dès qu'ils le pouvaient, et l'exemple de Lullick prouve que c'était à un âge où en France les petits garçons de notre génération portaient encore des robes. Les premiers seuls vivaient dans un Block particulier, les israélites, les tsiganes et les « michelins » suivaient le sort commun des bagnards ordinaires. On soupçonne quelle pouvait être la vie commune de ces enfants dans le Block 8. Elle était infernale. Ce n'étaient que perpétuelles batailles et bousculades, le tout au milieu des cris stridents. Les châtiments corporels amenaient pour quelques instants un morne ennui. Tous les prétextes étaient bons pour sortir de la geôle, et à la moindre égratignure, les pauvres gosses voulaient venir au Revier où ils nous honoraient d'ailleurs de leur clientèle : le Stari [1] ayant très bonne presse au Block 8. Dieu sait pourtant si ces malheureux pouvaient être insupportables.

— Ce qui était le plus pénible, ce qui crevait le cœur quand on pensait à leur avenir, c'était encore leur brutalité, leur goût de la violence, en un mot leurs réflexes de vieux bagnards. Qu'il est triste le sort de l'enfant élevé sans mère. Ce ne serait encore rien si ces pauvres petits n'avaient pris à Buchenwald que le goût de la bagarre. Mais ils y devenaient d'une incurable fainéantise, et leur comportement ordinaire était d'une constante fausseté. Brutaux, fainéants, menteurs et voleurs, s'ils n'avaient été que cela, on aurait pu encore pardonner à ceux qui les avaient mis là. Mais sans qu'il soit besoin de s'étendre plus longuement sur ce sujet douloureux, on conçoit facilement les sollicitations auxquelles ils étaient exposés au milieu de ces milliers d'hommes privés de femmes, le pouff avec ses ébats « dirigés », ne satisfaisant pas tous les appétits. Les Allemands surtout étaient friands de jeunes Russes...

— Quant aux autres enfants, aux parias, dont souvent toute la famille, frères et sœurs compris, avait été « gazée », leur sort était pire encore. Ils travaillaient généralement au Holzof, donc en plein air, à charrier du bois, voire fendre des bûches. Quand ils étaient trop nombreux, les S.S. organisaient un transport. Une chambre à gaz les recueillait. Il est atroce de penser que ces enfants savaient ce qui les attendait. Il n'y a à cela, hélas! aucun doute, et une aventure personnelle nous permet de l'affirmer. Nous avions

---

1. Le vieux.

un jour un rendez-vous « d'affaires » dans le bâtiment des douches. La malchance nous fit nous heurter à un cordon de S.S. qui venaient d'encadrer un convoi d'arrivants. Nous amorcions une savante manœuvre pour prétexter une erreur d'orientation, car nous aurions dû être à notre travail, lorsque nous fûmes aperçus par un Russe employé aux douches, ancien infirmier de l'Aussere Ambulanz. Sentant bien que nous étions plutôt gênés, il nous sauva en déclarant aux S.S. qu'on avait fait demander un médecin. Il fallut nous résigner à entrer par la porte des arrivants, ce qui nous obligeait à traverser tout le bâtiment pour nous rendre à nos affaires. Nous nous trouvâmes au milieu d'un convoi d'enfants tsiganes, faméliques, sales, puants, pouilleux et exténués. Le Kapo des « friseurs » étant notre ami de longue date, il décida que nous pénétrerions avec les arrivants dans la salle de douches et que nous sortirions immédiatement de l'autre côté avant que l'eau soit donnée. En attendant, nous devisions avec un coiffeur français qui s'activait sur les crânes, les tondus étant massés contre la porte des douches. Nous connaissions le scénario : il fallait attendre que la salle fût pleine à craquer pour ouvrir cette porte. Quand nous fûmes comme anchois dans un baril, le Kapo nous fit signe, mais il ne fallait pas songer à se frayer un chemin. Brusquement, la porte s'ouvrit, les enfants les plus près aperçurent la salle nue et les tuyauteries. Nous eûmes alors la sensation d'un raz de marée : dans un hurlement qui n'avait plus rien d'humain, d'un seul bloc, tous les enfants refluèrent vers la porte par laquelle ils étaient rentrés et qui céda sous ce coup de bélier. Les coiffeurs furent bousculés, piétinés, leurs tabourets renversés, les tondeuses électriques branchées au plafond arrachées. Grâce à la situation que nous occupions, nous fûmes plaqués contre le mur, la tête de notre interlocuteur, empêtré dans son escabeau, dans la poitrine. Les enfants hurlaient, mordaient, frappaient et s'écrasaient contre la porte. Les S.S. alertés par le bruit et les coups de sifflet de l'officier, se précipitèrent la matraque haute. Il n'y eut pas d'évasion, mais il fut impossible, malgré le sang qui giclait sous les coups, de faire entrer ces enfants dans la salle des coiffeurs : ils croyaient qu'on voulait les passer à la chambre à gaz. Les Lagerschutz (détenus qui assuraient la police du camp) sauvèrent la situation : ils se mirent nus et, prenant les enfants les moins peureux ou les plus battus par la main, ils les entraînèrent avec eux dans la salle de douches. Un S.S. émit même la prétention de nous en voir faire autant, et nous n'étions pas fiers du tout, car nous avions dans nos poches des petits papiers que nous ne tenions pas à voir courir les risques d'une désinfection et surtout d'une fouille. Le kapo des friseurs vint à notre rescousse. Dit-il que nous étions coiffeur ou médecin? Quoi qu'il en soit, le S.S. zélé nous laissa passer, traînant deux petits squelettes inondés de larmes. A la réflexion, cette simple histoire nous semble plus cruelle qu'une véritable exécution; dans les pays civilisés, on n'astreint pas les condamnés à mort à une répétition générale de leur supplice.

Ernest Rinaldo.

— Je [1] ne veux plus parler de Buchenwald. De Buchenwald et des autres camps. J'en ai jamais parlé. C'est la période la plus méchante de ma vie. Les coups. Pas à manger. Peur de mourir. Et comment travailler le ventre vide. Je ne veux plus en parler. Ils (les Allemands) ont dit qu'on était moins que les juifs. A Buchenwald un Kapo a été bon. Il était tsigane aussi, un Allemand. Il m'a donné à manger souvent. Plusieurs fois du lait et des boulettes de viande. Il m'a trouvé une place de soudeur à l'usine. Après deux ou trois semaines, un autre Kapo — un Polonais — m'a cassé un manche de pioche sur la tête. On m'a gardé un jour à l'infirmerie. C'est un miracle si je suis rentré alors qu'il y a eu tant de morts. Pour la libération, on a marché sur les routes. J'avais les pieds en sang. Des militaires ont tiré sur moi. Ils m'ont raté. Après j'ai été malade pendant cinq ans. En dehors de mon père, j'ai perdu dans les camps six membres de ma famille. Ils avaient été arrêtés autour de Toulouse. Ce qu'ils ont fait, je ne sais pas. Pour moi non plus. J'étais tsigane c'est tout. Comme les autres tsiganes. Un jour ils ont dit qu'on était moins que les juifs. Parce que les juifs on pouvait leur parler. Moi je dis qu'on a été moins bien traités que les juifs. Des juifs il y en a encore. Un peu partout. Nous, nous sommes tous morts. Presque. Mais de ça il faut pas en parler. C'était la guerre. Mais nous on faisait pas la guerre. Alors? Il faut pas en parler. Ça fait mal encore. Dieu ne l'a pas voulu. Dieu n'est pas allemand...

*
**

Louis Reinard.

— J'étais [2] jeune, je suis allé dans les camps; il n'y avait plus de soldats. J'ai fait huit mois. J'ai fait huit mois aux « chantiers de jeunesse », je travaillais. Huit jours avant d'être libre, les

---

1. Témoignage inédit Ernest Rinaldo, août 1972 (arrêté en 1943 à Toulouse. Profession à l'époque : émailleur. Aujourd'hui camionneur à Salamanque).
2. Ce témoignage est un fragment d'autobiographie racontée en manouche par Louis Reinard à Georges Calvet et publié dans la *Revue des Etudes Tsiganes* (deuxième année, n° 3, 1978). Le récit a été enregistré en 1972 dans le département du Gard.

Allemands nous ont pris. Ils m'ont pris, les mains derrière le dos, et les coups de pied sur moi, et les grands coups. Ils m'ont pris, ils m'ont emmené dans une grande ville, et à la gare.

— J'ai été déporté en Allemagne, à Buchenwald. Là, j'y suis resté trois jours sans manger. Les pauvres camarades qui étaient avec moi, il y avait quatre ou cinq mois qu'ils y étaient, avant que je vienne. Ils me souriaient, vers ces trois pommes de terre que j'épluchais avec le pouce, avec l'ongle.

— Alors, les pauvres camarades tendaient la main, ils me demandaient les épluchures des pommes de terre. Moi je riais, et quatre ou cinq jours après, j'ai vu cela, je mangeais les pommes de terre pourries. Et ensuite nous avons été déshabillés, pendant quatre heures nous sommes restés devant les chefs, la neige tombait, pour qu'ils cousent quatre morceaux de ruban sur nos pantalons. Et il faisait très froid. Et ensuite, il nous fallait travailler. Nous ne mangions rien. Et nos pauvres camarades venaient devant nous, vivants, ils les brûlaient. Une fois qu'ils étaient brûlés, nous prenions la cendre, ces petits os qui ont tellement souffert, nous apportions cela dans le jardin.

— Et les Français qui étaient là, beaucoup de Français, des femmes, des jeunes filles, elles faisaient les putains avec les chefs. Et alors, nous sommes restés un an, deux ans, comme ça. Nous crevions, nous mourions de faim. Et puis les avions venaient, ils envoyaient de grosses bombes, ici, sur nous, partout, pas sur nous, à côté. Nous riions, nous étions contents, plus de soucis. Nous disions, jamais de la vie nous ne reverrons nos parents. Pas de lettre, plus rien des parents. Je ne savais pas si mes parents étaient morts, s'ils étaient vivants, mes petits frères, ma pauvre mère, si elle était là, en camp, elle aussi, en France.

— Puis est venu un beau jour, j'ai été emmené hors de ce camp. J'ai été envoyé à Dantzig. Et comme j'étais à Dantzig, là, c'était la même chose. Nous aurions pensé, nous sommes libres, maintenant c'est un autre pays, nous ne sommes plus en Allemagne. Mais là, un gros travail, et les coups sur le dos. Nous travaillions sur les bateaux, ces charbons que nous mettions dedans, dans les soutes. Nous étions noirs, nous étions morts, de faim et de faiblesse. Puis un jour est venu. Ils nous ont pris. Nous travaillions dans ces briques chaudes quand c'était tôt. Ces cendres, quand il y a du vent sur l'eau, nos yeux, nous étions aveugles. Nous n'avions plus de chair, juste les os au bout des doigts.

— Alors un beau jour est venu, nous étions plus heureux. Il y avait des Allemands qui nous gardaient avec des fusils, de vieux Allemands qu'ils ont envoyés en France, à la guerre. Ils savaient, ils parlaient un peu français. En cachette ils nous donnaient un petit mégot, ils nous donnaient un petit morceau de pain, en cachette. S'ils avaient été vus, ils auraient été tués eux aussi. Et alors un beau jour, deux années se sont passées ainsi, ils nous ont pris, avec des pelles, des pioches, il fallait que nous fassions de grandes tranchées, pour que viennent pas les autres étrangers, les Américains et les Russes, pour qu'ils ne viennent pas en Allemagne.

— Ensuite nous avons un peu repris le dessus. Nous volions des pommes de terre, nous volions ce qui nous était utile. Pendant un mois, nous mangeons. Nous avons mangé des pommes de terre qui étaient cuites, parce que les maisons étaient brûlées, dans les caves, et les pommes de terre étaient cuites. Pendant un mois nous mangeons ainsi, nous dépérissions. Un beau jour est venu, ils nous ont emmenés de là. Ils nous ont envoyés, ils nous ont mis dans le train. Nous sommes allés plus loin, nous sommes allés à Stralsund. Une fois que nous étions à Stralsund, nous étions dévorés par les poux, par les puces, par les punaises, nous étions dévorés. A Stralsund, ils nous ont fait travailler sur les bateaux. Maintenant, ce sucre jaune, nous volions comme nous pouvions, un peu dans la poche, un peu pour manger. Mais il n'y avait rien à manger, nous mourions.

— Un jour vient, les balles venaient sur nous, ils tiraient dans les cimetières, dans les prés, dans les camps, partout. Nous riions, nous pleurions, et c'était de joie. Nous en avions assez. Il y avait trois camarades avec moi, trois « gadjé », et moi seul j'étais un vrai manouche. Nous sommes restés cachés. Tous les camarades se sont sauvés. Ce chef allemand vient, il nous a donné un petit moment, pour que nous partions de là. Si nous n'étions pas partis, il nous aurait tués avec le pistolet, il avait le pistolet à la main. Et nous en avions assez de rester avec les Allemands. Nous attendions les Russes. Quand ils sont venus, nous avons été forcés de partir pour sauver notre pauvre vie, pour voir nos pauvres parents, pour retourner chez nous, en France.

— Nous sommes partis. Alors, il y avait des voitures là, sur les rails, de grands arbres dessus. Les avions venaient au-dessus, sur nous, avec de bombes. Nous les voyions, elles étaient suspendues. Nous avons fait comme nous avons pu 15 kilomètres, nous avons apporté des poissons, des poissons crus, sur notre dos, pour pouvoir manger en route, pour les mettre; sans sel (pas de pain, pas de sel), ces poissons, sur les braises, comme ça, pour manger.

— Un beau jour, nous allons dans une ferme, une grande ferme. Nous voyons tous nos camarades qui nous ont laissés il y a deux jours. Il y avait déjà un mouton sur la braise, là, les poules, les canards, tout sur la braise. Il y avait du vin, du pain, je ne sais pas comment ils ont fait, il y avait de la farine. C'était fini cela. Nous nous couchons dans le foin, dans une grande grange, dans le foin. Nous étions tranquilles, nous ne pouvions pas dormir à cause de la joie. Nous nous donnions la main, nous pleurions. Quand verrons-nous nos parents? Les trouverons-nous vivants, les trouverons-nous morts, ou bien ne trouverons-nous rien du tout?

— Le lendemain de bonne heure, nous nous levons. Nous voyons tous les soldats là, de grandes cigarettes, tout, de la boisson. Nous avons bu, nous avons mangé avec eux, et de là, nous avons pris notre route pour retourner en France. En venant en France, nous sommes allés dans les fermes. Les Allemands ne commandaient plus, c'était notre tour de leur donner des coups de pied. Les filles, nous dormions avec elles, nous faisions ce que nous voulions. Nous tuions des cochons. Nous tuions des cochons, des bœufs, ce qu'il nous fallait pour manger, et nous ne mangions rien. Nous avons pris notre route, nous sommes allés dans les fermes, nous avons pris des chevaux, des voitures, et nous avons pris notre route. Nous pensions que nous reviendrons tranquilles jusqu'en France, de si loin en Allemagne, avec les chevaux, c'était notre joie.

— Un beau jour, nous avons fait combien? Nous avons fait un millier de kilomètres. Les soldats nous ont arrêtés, ils nous avaient suivis. Ils ont dit que nous attendions jusqu'à ce que vienne l'état-major des soldats, de Russie. Nous allons là, chaque jeune homme, nous pleurions, nous pensions que nous serions près de Moscou. Une chance que nous avions un petit camarade avec nous. Il savait parler. Le chef l'a appelé, il a parlé avec lui... Nous ouvrons la porte, une fois que la porte était ouverte, nous sommes allés, nous sommes allés, 500 kilomètres que nous avons faits.

— Nous avons été arrêtés là, tant que les soldats, les Américains, les Anglais, nous ont dit d'attendre. Nous avons attendu neuf jours là. Nous nous sommes pris une vache, un veau que nous avons fait sur la braise. Nous l'avons tué, et la vache, j'étais jeune, je buvais le lait, nous la trayions chaque jour. Nous étions bien, et les Allemands, plus rien contre nous, nous les tuerions, chacun son tour.

— Ensuite, de là, nous sommes partis avec les voitures à cheval, les autos, avec le train, jusqu'à ce qu'on arrive à Lille.

Quand nous sommes arrivés à Lille, j'ai trouvé deux camarades. Ils disent : « Qu'est-ce que tu as fait? Comment as-tu fait pour partir de Buchenwald? » J'ai dit : « C'est mon Dieu, il m'a aidé, c'était mes bonnes pensées de revoir mes parents. » Et j'ai dit : « Cet autre, le Toni, où est-il resté? » « Eh bien, lui, nous l'avons mis à brûler devant nous, vivant. » Ça m'a fait de la peine, nous le connaissons. « Qu'avons-nous fait? Qu'avons-nous pu faire? Rien! Nous fermions la bouche, il fallait regarder. »

— Mais il a dit : « Mon bon camarade, tu sais, ce n'est pas leur faute, mais c'est une sale nation, combien de jeunes Allemands que nous avons tués, nous les avons tués, nous les avons noyés, nous avons fait ce que nous avons pu. » Et alors, quand nous sommes venus là, ils nous donnaient à manger, un gâteau, un petit gâteau, chacun, jusqu'à ce que nous sommes arrivés en France, un petit gâteau, un petit morceau de pain noir. Nous ne pouvions pas le manger, pas la force de manger, l'estomac était bloqué, le dégoût te prenait, comme ça, jusqu'à ce qu'on arrive à Paris.

— Quand nous sommes arrivés à Paris, nous avons été accueillis, nous avons été accueillis si bien, nous sommes regardés. Ils nous ont emmenés au cinéma. La meilleure nourriture était pour nous, la boisson, comme nous voulions, le tabac, les cigarettes, tout. Il ne nous manquait rien, et encore, de l'argent nous a été donné. Une fois que nous avons été chez nous, nous sommes partis de Paris, je suis venu dans ma ville, mon village. Mais un « gadjo » est venu, une auto, pour m'emmener dans ma rue. Je n'avais pas de rue, j'étais dehors dans les prés, partout, nous avions des caravanes, nous avions des chevaux... Que je sache où sont mes pauvres parents, ma mère, mes petits frères, mes petites sœurs. »

— Je suis resté quinze mois malade. J'ai voulu travailler, pour chercher mes parents. Je ne les ai pas trouvés tout de suite, je les croyais morts. Ils étaient à 25 kilomètres de moi. J'ai travaillé, j'ai eu deux ou trois sous, c'était pour prendre le train, pour aller au loin pour chercher mes parents. Et alors je suis allé dans une forêt pour travailler chez les « gadjé » pour boire, pour manger à ma faim, parce que j'étais malade, comme ça.

— Et ensuite, j'ai trouvé mes pauvres parents. J'étais âgé de vingt-cinq, vingt-trois ans, et ma femme, quand je l'ai connue, elle avait trois ans, moi aussi. A vingt-trois ans nous nous sommes mariés, nous sommes partis, et là, j'ai trouvé mes parents. J'étais heureux. Il m'a fallu quatre ans pour être bien guéri, pour me remettre à manger, pour que revienne ma santé et tout. Et ensuite je suis resté avec ma famille et j'ai été libre.

*
* *

Expériences.

Sur le millier de déportés-cobayes des expériences sur le typhus du camp de Buchenwald, seulement une cinquantaine étaient tsiganes, allemands pour la plupart. Il m'a été impossible de recueillir le moindre témoignage à leur sujet et les documents du « procès des médecins » font état de la nationalité des détenus, sans préciser s'ils étaient ou non d'origine tsigane. Parmi les anciens déportés cités par l'accusation, il en est un dont la personnalité exceptionnelle et les publications ont marqué l'histoire de la déportation; avec *L'Etat S.S.,* Eugène Kogon a sans doute écrit le livre le plus important sur l'univers concentrationnaire. Son audition exemplaire au procès des médecins est le meilleur résumé du « typhus expérimental de Buchenwald ».

— Arrêté le 12 mars 1939, j'ai été d'abord utilisé au travail de la terre, puis forgeron, puis tailleur; au début de 1942, je devins secrétaire, à la Section de pathologie, et au printemps de 1943, secrétaire du Sturmbannführer plus tard Hauptsturmführer docteur Ding, dont le nom devint plus tard Schuler. J'étais chargé de toute sa correspondance; je prenais toutes ses dictées; je prenais soin des dossiers, et je devais transmettre ses ordres; ceci se passait au Block 50.

— En 1939, le docteur Ding était médecin du camp de Buchenwald; il se rendit alors à l'Institut d'hygiène des Waffen S.S. à Berlin, et revint à la fin de 1941, pour diriger le service d'expériences, nouvellement créé. En 1943, ou à la fin de 1942, il suggéra de produire à Buchenwald des vaccins typhiques pour les troupes combattantes. C'est ainsi qu'au début de 1943, une Section de recherches pour le typhus et les virus, fut installée à Buchenwald, dans les Blocks 46 et 50. Le Block 46 était appelé « Service clinique de recherches du typhus et des virus, de l'Institut d'hygiène des Waffen S.S. ». Le Block 50 s'appelait « Section de production des vaccins typhiques ». Le docteur Ding dirigeait les deux Blocks, dont le personnel était indépendant. Ding donnait des ordres directement au Kapo du Block 46, Arthur Dietzsch.

— Quand il ne se rendait pas à Berlin lui-même, le docteur

Ding envoyait des rapports tous les trois mois à Mrugowsky. Au printemps ou à l'été de 1944, Ding utilisa le nom Ding-Schuler, et à l'extérieur, uniquement le nom de Schuler. C'était l'enfant naturel d'une fille nommée Braun; un marchand de Bielefeld, l'adopta plus tard, et lui donna le nom de Ding; son père était un médecin, le docteur Von Schuler, et Ding essaya sans cesse de changer de nom, en particulier en 1944, car il ne doutait pas de la victoire des Alliés, et pensait qu'un changement de nom lui permettrait de disparaître. Le Block 50 commença la production de vaccin typhique au début de 1943, et les expériences du typhus eurent lieu uniquement au Block 46. Ding correspondait principalement avec Mrugowsky et Genzken, avec l'Académie de Médecine militaire de Berlin, l'Institut du typhus de l'armée à Cracovie, les usines Behring à Marburg, avec l'I.G.-Farben et avec quelques médecins, comme le professeur Ruge en Roumanie.

— Il n'y avait pas de correspondance, privée ou officielle, ouverte ou secrète, qui ne passât entre mes mains, pour autant qu'elle provint du Block 50. Grâce à la littérature donnée par Ding, j'ai pu étudier la biologie et les maladies infectieuses; de plus, je pouvais parler au Block 50 avec des bactériologues expérimentés, français et tchèques, polonais et russes. Ding désirait devenir professeur, et me conseillait de travailler avec les bactériologues et les biologistes du Block 50. J'ai eu à résumer les expériences du Block 46, et à les soumettre à Ding, qui me dictait les rapports généralement envoyés au docteur Mrugowsky à Berlin. Lorsque Ding avait des rapports secrets à établir, il me les dictait, et me demandait de les taper à la machine, sans date et sans initiales, avec quelques fautes de frappe.

— En ce qui concerne la sélection des sujets d'expériences, au début, on demanda à des détenus d'être volontaires, en leur disant que c'était une chose inoffensive, et qu'ils auraient de la nourriture supplémentaire; après une ou deux expériences, il fut impossible d'avoir des volontaires, et Ding demanda au médecin du camp, ou au commandant S.S. du camp, de choisir les sujets convenables. Il n'existait aucune directive particulière : l'administration du camp choisissait arbitrairement les sujets parmi les prisonniers, qu'ils fussent criminels, politiques ou homosexuels. Chez les prisonniers eux-mêmes, l'intrigue jouait un rôle dans la sélection; à partir de l'automne de 1943, les dirigeants du camp ne voulurent plus conserver la responsabilité de la sélection, et Ding lui-même demanda à Mrugowsky des ordres écrits, et la désignation des sujets par le Reichsführer S.S.; le Gruppenführer S.S.

Nebe, agissant sur un ordre de Himmler que je vis, décida d'utiliser
seulement les sujets condamnés à dix ans de prison au moins, à
deux reprises on fournit des criminels, une fois cent dix, une fois
quatre-vingt-dix neuf. A la fin, les sujets provenaient de différents
camps et prisons en Allemagne; des prisonniers politiques du camp
faisaient presque toujours partie des expériences, soit parce qu'ils
ne convenaient pas aux S.S., soit parce qu'ils étaient victimes d'in-
trigues du camp. Je ne connais pas un seul cas de sujet venu au
Block 46 pour expériences, à la suite d'une condamnation à mort.
Une fois, dans le cas de quatre prisonniers de guerre russes, on
prétendit qu'ils devaient être fusillés, mais il n'y avait eu ni jugement ni sentence. Ils appartenaient à la catégorie des prisonniers
de guerre russes dont neuf mille cinq cents furent fusillés, pendus
ou étranglés à Buchenwald.

— Au cours des deux ou trois premières semaines, les sujets
recevaient une meilleure nourriture, afin de se trouver dans un état
comparable à celui d'un soldat allemand. Aucun prisonnier survivant n'a reçu d'avantages; aucun ne lui fut d'ailleurs jamais promis. Ding me dit au début, alors que je travaillais avec lui, que
les ordres d'exécution des expériences, provenaient de Mrugowsky
à Berlin...

— Quelques jours avant la fin du camp, les S.S. brûlèrent
tous leurs documents. Ding me donna l'ordre d'apporter les dossiers du Block 50 au Block 46; le journal resta au Block 46; là
en ma présence, Ding et Dietzsch commencèrent à examiner les
fiches des malades du Block 46; Ding mit dans un sac tout dossier
qui lui parut dangereux, Dietzsch emporta le sac au crématoire, et
le brûla : pendant que les deux hommes se trouvaient dans la pièce
à côté, je pris un tas de dossiers, dont le journal, qui se trouvait
là, et les jetai dans une boîte. Le jour suivant, je dis à Ding que
je n'avais pas brûlé le journal; il s'en montra très surpris, et me
demanda si je ne pensais pas que cela constituerait une arme terrible contre lui; je lui répondis que s'il pouvait prouver devant
une Cour qu'il avait sauvé ce journal, cela prouverait amplement
que ses intentions étaient honnêtes. Ding me donna alors la permission de conserver le journal, ce que je fis, et je le remis au
Service de renseignements américains à Oberursel.

— Lorsque quarante à soixante personnes, quelquefois cent
vingt, avaient été désignées pour les expériences, un tiers était mis
de côté, et les deux autres tiers étaient, ou vaccinés, ou traités de
la façon qu'il convenait d'étudier. Les sujets protégés contre le
typhus restaient au Block 46 pendant plusieurs semaines, jusqu'à

leur infection par l'agent du typhus classique, les Richettsies; en même temps, le premier tiers était également infecté pour servir de contrôle, afin de comparer l'évolution de leur maladie avec l'évolution de la maladie des sujets vaccinés et infectés.

— L'infection était pratiquée de différentes façons : le typhus était donné soit par du sang frais, injecté par voie intraveineuse ou par voie intramusculaire, soit, au début, par des scarifications au niveau du bras. Au début, 2 cm³ de sang frais contenant le germe du typhus, étaient injectés par voie intraveineuse; plus tard, cette dose fut réduite à un vingtième de centimètre cube; même cette dose était suffisante pour produire un typhus grave. Au cours des années, les cultures du typhus utilisées à Buchenwald, avaient été cultivées d'homme à homme, leur force s'était accrue, leur virulence était devenue considérable, de sorte qu'une toute petite quantité était suffisante. En 1944, je suggérai au docteur Ding de réduire au minimum la quantité injectée, pour augmenter le con-trôle scientifique, et rendre l'infection artificielle comparable à l'in-fection naturelle; ma suggestion ne fut pas admise.

— Une troisième catégorie de sujets d'expériences servait à entretenir les cultures du typhus; c'était les sujets de passage, trois à cinq personnes par mois; ils étaient infectés uniquement pour s'assurer que du sang contenant le typhus serait toujours dispo-nible à tout moment. Je ne pense pas exagéré de dire que 95 % de ces personnes moururent. Je ne connais qu'un seul exemple d'expériences d'infection typhique avec des poux : ces poux avaient été apportés de l'Institut de l'armée à Cracovie, par courrier; ils se trouvaient dans des cages, qui furent appliquées sur les cuisses d'un certain nombre de sujets. Quelques-uns de nos camarades prétendirent avoir laissé échapper les poux, le dirent au Kapo Dietzsch qui rendit compte immédiatement au médecin du camp, Hoven, qui, à ce moment-là, remplaçait Ding; Hoven ordonna de détruire les poux infectés. Un deuxième envoi de Cracovie fut également brûlé. Les sujets infectés, pour conserver le virus vivant, ne sont pas mentionnés dans le journal de Ding; c'était, pouvons-nous dire, une chose qui allait de soi.

McH. — Pouvez-vous dire au tribunal si les sujets d'expé-riences ont beaucoup souffert?

K. — On doit être prudent et faire la différence entre la condition mentale générale de ces sujets, et leur condition phy-sique. Chacun savait que le Block 46 était un endroit terrifiant, mais peu de gens avaient une idée exacte de ce qui s'y passait. Tous ceux qui avaient des rapports avec ce Block étaient frappés d'une horreur mortelle; les sujets sélectionnés savaient qu'il y allait de leur vie. De plus, on savait généralement dans le camp, que le Kapo Arthur Dietzsch exerçait une discipline de fer; c'était vraiment le règne absolu du chat à neuf queues.

— Toute personne désignée pour le Block 46 s'attendait à la mort, une mort très longue et très effrayante qu'elle imaginait sans cesse, ainsi que les tortures et la privation du dernier reste de liberté personnelle. C'est dans ces conditions psychologiques que les sujets attendaient leur tour, c'est-à-dire le jour, ou la nuit, où on leur ferait quelque chose qu'ils ignoraient, mais qu'ils savaient bien être une forme de mort particulièrement effrayante. L'infection était tellement forte que le typhus se développait toujours sous une forme très grave; il survenait très souvent des scènes terribles avec le Kapo Dietzsch; les malades avaient toujours peur qu'on ne leur fasse une injection mortelle.

— Après un certain temps, lorsque la maladie s'était installée, les symptômes habituels du typhus apparaissaient, et chacun sait que c'est une maladie effrayante. Dans certains cas, les malades déliraient, refusaient de manger, et un fort pourcentage mourait. Ceux qui survivaient en raison de la robustesse de leur constitution et de l'efficacité du vaccin, étaient obligés d'assister à la lutte de leurs camarades contre la mort. Ils vivaient dans une atmosphère extrêmement difficile à imaginer. Les survivants ne savaient pas ce qui leur arriverait, si on ne les utiliserait pas au Block 46, à d'autres fins. Ou bien n'auraient-ils pas à craindre la mort, justement parce qu'ils avaient survécu, et avaient été témoins des expériences? Ils ignoraient tout cela, ce qui aggravait les conditions de ces expériences. »

— Chaque expérience effectuée au Block 46 de Buchenwald était rédigée d'une façon très exacte : les notes prises, les courbes de température, les données cliniques et les résultats, servaient à établir un rapport destiné au chef du Service d'hygiène des S.S. Des copies étaient également adressées à tout service s'intéressant aux expériences, les usines Behring, l'Académie de médecine militaire, etc. En ce qui concerne les contacts avec l'Académie de médecine militaire à Berlin, je me rappelle la troisième réunion de l'Académie, au cours de laquelle Ding fit un rapport sur les expériences du typhus. Il m'en parla en juin 1943, à l'occasion de la protestation du professeur Rose. Il fut dans un état de fureur extrême pendant plusieurs jours. A trois ou quatre reprises il me dit en blasphémant ce qu'il pensait du professeur Rose, qui avait osé s'opposer en public aux expériences; je ne désire pas répéter les expressions qu'il utilisa. Il me dit qu'il y a des situations que même un professeur devrait respecter, et qu'il devait garder le secret sur ces questions. J'ai eu l'impression que les objections du professeur Rose étaient aussi bien scientifiques qu'humaines. Environ un an plus tard, Ding me montra triomphalement un ordre du professeur Mrugowsky, au sujet de nouvelles expériences à effectuer au Block 46, avec le vaccin d'Ibsen obtenu à Copenhague, et provenant du foie de souris. Ce vaccin avait été fourni à des fins expérimentales au camp de Buchenwald par le professeur Rose, qui l'avait demandé à Mrugowsky. Le docteur Ding me dit en riant : « Vous voyez, Kogon, il y vient lui aussi. » Je dois dire que j'étais abasourdi, car la résistance du professeur Rose en mai 1943, m'avait paru constituer un bon symptômes de la survivance de l'éthique des médecins, et des hommes de science allemands...

— A la fin de ces expériences, il y eut six morts sur trente, ou plutôt vingt-six, car quatre des sujets furent retirés pour d'autres maladies. Lorsque ce résultat nous fut connu, au Block 50, avec un certain nombre de camarades médecins et savants, nous discutâmes longuement de cette affaire; cela nous déprima considérablement, en raison de leur rapport avec un savant aussi considérable que le professeur Rose.

McH. — Pouvez-vous dire au tribunal le total approximatif des détenus soumis aux expériences du typhus?

K. — Près de mille personnes, dont plus de la moitié étaient des sujets de passage; le pourcentage des morts variant avec chaque expérience. Je me rappelle que dans une expérience de thérapeutique chimique, plus de 53 % des sujets moururent; si on ne compte pas les personnes de passage, le nombre total des morts des expériences du typhus à Buchenwald est compris entre cent cinquante et cent soixante... »

— Ding était un homme doué, un téméraire sans aucun principe moral, sans convictions religieuses, sans aucune croyance métaphysique. A ma connaissance, il avait rallié les S.S. par ambition et pour faire une carrière rapide. Ses connaissances médicales étaient relativement faibles, mais il avait une certaine aptitude à résoudre les problèmes médicaux, lorsqu'il pensait en retirer des avantages personnels. Il désirait se faire connaître dans le monde médical, se faire rattacher à une université, et il utilisait tous les moyens d'agrandir sa réputation personnelle. Pendant qu'il était médecin du camp de Buchenwald, il commit quelques actions horribles ; d'autre part, comme médecin du camp, il améliorait les conditions d'hygiène, et il se montra parfois très bienveillant et agréable avec les prisonniers; mais je suis sûr, d'autre part, que Ding aurait sacrifié n'importe qui, si sa carrière avait été en jeu. Il était accessible à la persuasion, et à certains arguments. Au Block 50, il se sentait un peu chez lui, car il y avait là plusieurs hommes de science, et des universitaires; il parlait du Block 50 comme d'un enclos de la science, dans un camp de concentration, et il nous traitait, nous les détenus du Block 50, avec une grande bienveillance; il fit presque tout ce qui, parmi mes suggestions, lui paraissait raisonnable, mais il avait peur de prendre une responsabilité sérieuse. En même temps, il maintenait un contact très étroit avec le Kapo du Block 46 qui était un ennemi, pour la plupart d'entre nous; après des conversations avec moi qui s'étendaient parfois à des sujets très sérieux, il était capable d'aller trouver le Kapo Dietzsch, au Block 46, et ils parlaient alors comme des criminels le font entre eux... »

— Comme Ding nous demandait de grandes quantités de vaccin, nous produisîmes deux types; un qui était sans valeur et parfaitement inoffensif, que nous produisîmes en grandes quantités; ce vaccin allait au front : puis un deuxième type, en très petites quantités, qui était très efficace et utilisé dans des cas spéciaux, par exemple pour nous et nos camarades qui travaillaient dans des endroits dangereux dans le camp. Ding-Schuler n'entendit jamais parler de ces arrangements. Comme il n'avait pas de connaissances bactériologiques réelles, il ne pénétra pas le secret de la production. Il dépendait entièrement des rapports que les experts du Block 50 lui donnaient. En dehors de cela, c'est en raison de son audace qu'il obtint un succès extérieur visible; quand il voyait 30 ou 40 litres de vaccin à envoyer à Berlin, il était heureux. Cependant, il était très fortement préoccupé par la vaccination des troupes S.S., et la possibilité pour ces gens de tomber malades en Russie et de mourir. L'inefficacité de notre vaccin aurait pu se révéler, et des experts de l'extérieur, comme les S.S. en avaient à leur disposition, auraient pu enquêter et s'assurer que le vaccin réel était à peine produit. Rien de tel ne se passa, — et l'aventure continua jusqu'en mars 1945. »

REPORTAGES (!) CINEMATOGRAPHIQUES

— Au cours [1] de l'été 1943, je fus désigné avec Weber, l'autre Autrichien du Service photo pour un « reportage ». C'était bien la première fois que quelqu'un se préoccupait de nos véritables compétences professionnelles. Flanqués de deux gardiens sous-officiers, on nous embarque au petit matin dans une Mercedes conduite par un civil. Le matériel photographique nous serait confié sur place.

— A une cinquantaine de kilomètres du camp, au sommet d'une petite colline boisée, nous tombons sur un campement tsigane. Il y a là trois méchantes baraques en planches, une dizaine de roulottes, des chèvres, des chevaux, des moutons et même une vache. On nous désigne une place au pied d'un arbre en nous recommandant de ne pas bouger. Une heure plus tard un camion décharge des caisses grillagées bourrées de poules et de lapins et tout un bric-à-brac de campement : chaises, bancs, matériel de cuisine, literie, etc. Le camion est suivi d'une camionnette qui débarque les « cinéastes » : cinq hommes et une femme aux longs cheveux roux. Ils vont s'affairer plus d'une heure à préparer le « camp gitan » allumant des feux sur lesquels ils installent des marmites, disposant les chaises, mouillant et étendant du linge. Avec précaution, un « assistant » efface au balai les traces de pneus. Puis tout le monde dans un coin déjeune. On nous apporte, sans un mot, au pied de notre arbre, jambon, saucissons, fromage, pommes et bière. Nos deux gardiens, qui ne semblent pas plus comprendre que nous ce qui se passe, partagent le casse-croûte.

---

1. Témoignage inédit Herbert Haas. Linz, 1970.

— Deux bonnes heures plus tard arrivent dans la « clairière du cinéma » une trentaine de tsiganes. Des vieux, des vieilles, des plus jeunes, des enfants. Encore des chèvres. des poussettes rafistolées, des paniers, des tambourins, des violons, un accordéon. La plupart de ces tsiganes bariolés comprennent à peu près l'allemand. Ils sont plus vrais que nature, mais je ne pense pas qu'ils aient été maquillés ou arrangés. Au début j'imagine qu'il s'agissait de figurants mais à y regarder de plus près je dois reconnaître que je me suis trompé, trop de détails ne trompent pas : chaussures, vêtements, bijoux, peau d'origine tannée par des siècles de vagabondages, etc. Enfin quelqu'un s'intéresse à nous et nous demande d'aller chercher nos appareils dans la camionnette. Le « technicien » nous confie deux Kodak à soufflet 6 1/2-11, un pied. Il nous confie plusieurs rouleaux de pellicule et dit :

— « Nous allons tourner un petit film. Vous devez photographier l'ensemble de l'équipe au travail. Le reportage du reportage. » Puis le « metteur en scène » à son tour, nous donne d'autres détails.

— « Attention, on tourne! »

— Le petit monde s'est mis en action. Le camp s'éveille. Une vieille tourne la soupe. Une autre lave une fillette dans une cuvette en métal. Un homme tresse des paniers. Un grand-père ressemelle des chaussures... Ça dure plus de deux heures. On règle des mouvements, des entrées et sorties de roulottes. On éteint le feu, on le rallume. Encore une heure. Puis autour d'un autre feu, près des arbres, c'est la veillée (en plein jour, ce qui est pratique pour le cinéma). Musique, chants, danses. J'ai dû prendre une bonne centaine de photos. L'assistant récupère appareils et photos. Une dernière bière et nous retrouvons après dix minutes de marche la Mercedes au pied de la colline... Puis Buchenwald. Il nous avait été bien sûr recommandé de ne pas raconter à nos camarades ce que nous venions de voir mais ce tournage délia la langue de Weber. Six mois auparavant, il avait appris par ses amitiés du Bureau politique qu'un autre film avait été tourné par des militaires cette fois dans les bois même du camp, derrière la ménagerie, hors des barbelés. Cette fois rien à voir avec les « scènes de vie familiale » du campement tsigane. On avait entassé dans une petite baraque qui pouvait contenir tout au plus trente ou quarante personnes, deux cents hommes déjà mal en point. Il y avait beaucoup de tsiganes dans ce troupeau qui venait on ne sait d'où mais, en aucun cas de Buchenwald, des tsiganes, des prisonniers de guerre russes, et des déportés de plusieurs nationalités. On avait dit à

Weber que c'étaient pour la plupart des « musulmans » au dernier degré. Une fois entassés dans la baraque, portes et fenêtres calfeutrées à l'aide de planches, plus personne ne sembla s'intéresser à eux. Pour garder la baraque, une dizaine de sentinelles qui couchaient sous une tente de campagne. Dans cet entassement sans eau, sans nourriture, il est probable que chaque jour qui passait devait connaître son lot de morts. Au bout de huit ou dix jours, des cinéastes installèrent leurs caméras. Les sentinelles arrachèrent les planches et on fit sortir les quelques survivants. Le tableau était paraît-il assez hallucinant, surtout que pour agrémenter le tournage, les S.S. placés derrière les caméras, tiraient des coups de feu en l'air. Weber ne comprenait pas quel but poursuivaient ceux qui avaient ordonné ce reportage cinématographique.

La réponse, nous pouvons peut-être la trouver dans un témoignage recueilli par Germaine Tillion [1] dans le camp féminin de Ravensbrück.

— Dimanche 11 mars. Vu à l'appel la première femme de « Bêtes, hommes et dieux » qui me parle du film.

— Il s'agissait de Mme D., femme d'un écrivain polonais connu. Elle était non pas prisonnière mais « évacuée », elle appartenait à cette catégorie de femmes que les Allemands avaient emmenées en quittant Varsovie (avec toutes leurs valeurs et tous leurs bijoux) « pour les protéger contre les Russes ». Elles furent conduites à Ravensbrück, dépouillées de tout, tondues, numérotées, les jeunes bien portantes furent envoyées creuser des tranchées et les autres au Jugenlager où elles ont été assassinées par milliers. Puis l'ordre est venu de redescendre les survivantes dans le vieux camp et c'est à cela que la pauvre Mme D. devait d'être encore vivante. Elle osait à peine dire quelques bribes des choses qu'elle avait vues pendant les semaines qu'elle venait de passer dans cet enfer, et se décomposait littéralement en en parlant. L'authenticité de son témoignage me semble indiscutable et probablement en deçà, plutôt qu'au-delà de la vérité.

— Voici l'histoire de ce film, dans toute son étrangeté.

— Pendant l'hiver (janvier ou février 1945), les S.S., après avoir cloué les fenêtres et les portes d'un lavabo du Block (en style du camp « Waschraum »), y enferment, tassées les unes contre les autres, le plus de femmes qu'ils peuvent y faire entrer, puis ils bouclent la porte et les laissent ainsi. (Ici, il y a

1. Germaine Tillion : *Ravensbrück — Les Cahiers du Rhône*, Editions de la Baconnière, Neuchâtel, 1966.

quelques détails que Mme D. m'a donnés avec précision mais que je n'ai pas voulu noter pour ne pas risquer de la compromettre, et que par conséquent je n'ose affirmer aujourd'hui. Ils concernaient la date exacte de cette expérience, le nombre de jours pendant lesquels elle a duré, la ration alimentaire que ces femmes reçurent ou ne reçurent pas pendant les jours en question.)

— Quoi qu'il en soit, lorsque l'expérience prit fin, les S.S. firent rentrer toutes les autres prisonnières dans leurs Blocks avec des interdictions très sévères de sortir ou de regarder par les fenêtres (naturellement bien inutilement) puis ils ouvrirent la porte du Waschraum toute grande et s'installèrent avec une caméra pour filmer la sortie des misérables survivantes. Ces femmes avaient arraché les briques de la cheminée pour avoir de l'air, retiré tous leurs vêtements, plusieurs étaient mortes ou sans connaissance, et d'autres apparemment devenues folles...

— Ils filmèrent longuement et minutieusement la scène, puis le film pris, un camion vint charger le tout — les mortes et les autres — et se dirigea vers le Krématorium.

— Mme D. n'a pas su exactement à quelle nationalité appartenaient les victimes. Elle croyait qu'il y avait des Françaises.

— Selon toute apparence, c'est uniquement pour pouvoir tourner quelques mètres de film que toute cette mise en scène a été si longuement préparée. Mais qu'est-ce que c'était que ce film? Un film « d'agrément »? Un film de propagande? Pour le savoir, il faudrait collationner toutes les archives cinématographiques du IIIe Reich (à supposer qu'elles ne soient pas détruites). En attendant, et sans qu'on puisse parler de certitude, le terme « suspect » me semble convenir aux documents de la propagande allemande (dans l'histoire en question il semble bien que c'étaient des documents antisoviétiques qu'on élaborait ainsi sur la rive gauche de l'Oder) [1].

---

1. (Note C.B.) Malgré toutes nos recherches dans les différentes cinémathèques spécialisées dans la conservation et le classement de documents de guerre, il m'a été impossible de trouver trace des trois « films » évoqués.

DACHAU

Petite moustache rousse, cheveux lissés, costume gris clair à larges revers, Karl Holleinreiner fixe longuement la pointe de ses souliers avant de redresser la tête. Le 27 juin 1947, à Nuremberg, Karl Holleinreiner, le tsigane Karl Holleinreiner se retrouve face à face avec son « bourreau » le professeur Beiglbock, chargé des expériences sur l'eau de mer dans le camp de concentration de Dachau.

Le procureur Hardy procède à l'interrogatoire d'identité. Le témoin est nerveux. Des perles de sueur apparaissent sur son front. Il ne peut réprimer un tremblement de l'avant-bras droit.

— Je m'appelle Karl Holleinreiner; je suis né à Fürth en Bavière, le 9 mars 1914. J'ai été arrêté par la Gestapo le 29 mai 1944 parce que j'étais tsigane, et envoyé à Auschwitz où je suis resté quatre semaines, puis à Buchenwald, où je restai seulement quelques jours. J'ai été à ce moment appelé avec une quarantaine d'autres; on nous dit que nous allions partir à Dachau pour y travailler; arrivés à Dachau, nous avons été mis en quarantaine jusqu'au jour où nous avons été envoyés à un service d'expériences, où travaillait un certain médecin autrichien de l'armée de l'air. Ce médecin nous examina, et nous passâmes au pavillon de radiologie; puis nous fûmes transférés au Block d'expériences.

Hardy. — Pourriez-vous reconnaître ce professeur, si vous le voyiez aujourd'hui?

Karl Holleinreiner tourne légèrement la tête. Un pas à gauche. Lentement, en hésitant (ses yeux reviennent sans cesse sur le procureur Hardy), il avance en direction du box des accusés. Un dernier regard, cette fois vers la « tribune » du président, et les bras en avant, il s'élance, bouscule une sténo, agrippe la rambarde du box et d'un coup de reins, se retrouve à l'intérieur, pratiquement sur les genoux du professeur Beiglbock à qui il assène une volée rapide de coups de poing. Il est aussitôt maîtrisé par deux M.P. qui, stupéfaits, perdent dans la bagarre le premier son casque, le second sa longue matraque. Holleinreiner est traîné devant le président. Un photographe américain surpris par la rapidité de l'incident, appuie pour la première fois sur le déclencheur. Sur ce document on peut voir Holleinreiner de dos, encadré par quatre M.P., dont un seul a conservé son casque. Le président irrité réclame le silence alors que jamais l'enceinte n'avait été aussi silencieuse. Hardy, rageusement, referme son dossier.

— L'accusation s'excuse de la conduite de ce témoin, Votre Honneur. En raison de ce qui vient d'arriver, elle n'a plus de questions à poser.

Le président :

— Que le maréchal de la Cour amène le témoin devant le tribunal. (Il y est déjà.) Le témoin est puni de quatre-vingt-dix jours de prison. Avez-vous quelque chose à dire pour expliquer votre conduite?

Holleinreiner :

— Je suis très excité et cet homme est un meurtrier. Il a miné ma santé.

Trois jours plus tard le cobaye tsigane des expériences sur l'eau de mer sera autorisé à reprendre sa déposition.

De nombreuses expériences médicales se déroulèrent à Dachau dès 1942. Parmi les plus célèbres, celles qui intéressaient particulièrement l'aviation et la marine allemandes dans le domaine des hautes altitudes, du froid et de l'eau de mer. Si les essais de « survie » par absorption d'eau de mer furent pratiqués exclusivement sur des tsiganes métis (de sang mêlé), les deux autres séries touchèrent une vingtaine de détenus tsiganes. Deux participèrent et survécurent aux trois expériences, cinq aux deux dernières. Pour l'eau de mer, la totalité des « sujets » venaient d'Auschwitz et de Buchenwald. Pour le froid et les hautes altitudes ils furent choisis parmi les déportés du camp même de Dachau. Ces tsiganes étaient les derniers survivants des 2 000 ou 2 200 qui avaient été internés en 1938.

— Oui [1], je me souviens de ces tsiganes. De joyeux lurons. Ils sont entrés au camp à l'été 1938. Ils venaient surtout d'Autriche

---

1. Témoignage Otto Kohlofer recueilli par Bart McDowell : *Les Tsiganes*, National Geographie Society, Washington, Flammarion, 1979.

— environ 2 000. Ils étaient groupés dans les baraques 20 à 30. Je me souviens surtout de trois familles : les Horvath, les Scharkösi et les Baranai. Ils portaient presque tous le prénom de Joseph. Dans une pièce, il y avait cinquante Joseph Horvath. Grande confusion. La vie carcérale était plus difficile à supporter par les nomades que par les sédentaires. Ils étaient comme des oiseaux sauvages. Comment auraient-ils pu comprendre la réclusion? La liberté leur était nécessaire. Ils moururent les premiers, je m'en souviens. Tous les tsiganes portaient l'uniforme — un pyjama rayé avec un triangle brun sous le sein gauche et sur le pantalon. On leur avait pourtant laissé leurs violons. Bon. C'est ainsi que le dimanche, ils défilaient d'un bâtiment à l'autre et jouaient pour les autres prisonniers. Un acteur juif autrichien faisait un numéro comique avec eux. Ils nous remontaient souvent le moral.

— Au cours de l'hiver 1939-1940, les tsiganes durent travailler très durement en dépit du froid. De ces premiers 2 000, je n'en connais aucun qui ait survécu.

— Un [1] dimanche après-midi, Fabing réussit à nous faire sortir, Perrier et moi, du Block 15 où nous étions confinés depuis notre arrivée. C'était la premièer fois qu'il nous était permis de voir l'immense foule de Dachau. Des milliers d'êtres humains allaient et venaient, d'un air dégagé, à travers l'allée centrale, celle qu'on appelait par dérision la Freiheitstrasse, la rue de la Liberté, et les allées latérales. Spectacle imprévisible : un match de football se déroule sur l'Appelplatz.

— Le nombre de culs-de-jatte nous déconcerte. On les a donc tous rassemblés ici? Le pourcentage des manchots, unijambistes et autres infirmes nous déroute. Une horde de bohémiens, de romanichels achève de nous ahurir.

— « Ce sont donc là, demandions-nous, les ennemis du Grand Reich qui méritent l'honneur de la déportation dans un tel lieu?

— Les jours qui suivirent nous apprirent vite le sort qui attendait tous ces « noirs », tous ces asociaux du Block 22. Un immense transport d'« invalides », allait nous débarrasser d'eux. Direction Auschwitz. Des transports analogues, j'en ai vu quelques autres par la suite, jusqu'au dernier, en décembre 1944, celui de Jordery, le député d'Oullins dans le Rhône et de tous les vieux du Block 30.

— Ces transports d'invalides étaient la terreur des anciens.

---

1. Témoignage Edmond Michelet : *Rue de la Liberté*, Seuil, Paris, 1955.

On les craignait moins pour soi que pour les camarades à qui on tenait, ceux qui ne pouvaient plus travailler. Ces derniers se voyaient un beau matin retenus sur l'Appelplatz, un par un, sans que rien l'eût laissé prévoir. C'était fini : des S.S. les encadraient. Jamais aucun n'est revenu.

— Les tsiganes [1] ne quittaient Dachau pour Auschwitz qu'après avoir subi plusieurs contrôles médicaux effectués par des commissions étrangères au camp. Curieusement elles étaient composées en majorité de civils. Je pense qu'au cours de ces visites, on complétait les fameuses fiches raciales qui suivaient tous les tsiganes déportés, mais aussi que l'on repérait les tsiganes aptes à subir les différente expériences médicales. Il y eut un jour un beau remue-ménage à la porte du camp car un tsigane avait été autorisé par erreur à partir en convoi. Tout l'état-major de Dachau, commandant en tête, examina, papiers en main, l'ensemble des partants et le tsigane retrouvé, insulté, frappé — comme si c'était lui qui avait commis l'erreur — fut traîné au bunker. Je ne sais pas ce qu'il est devenu.

Le médecin général Karl Brandt, l'autorité suprême dans les domaines médicaux du Reich, a affirmé devant les juges qui le condamnèrent à mort à Nuremberg, qu'Hitler avait eu l'idée de ces expérimentations en 1935.

— Il avait émis cette opinion à l'occasion d'une opération subie à la gorge en 1935. Il avait déclaré à l'époque qu'il serait logique d'utiliser des criminels pour mettre au point des problèmes médicaux [2].

Devant les mêmes juges, le professeur Gebhart, ami d'enfance d'Himmler, médecin général et chef occulte des médecins S.S., confirma la déclaration de Brandt. Il alla même un peu plus loin :

— Les expériences de Rascher ordonnées par Himmler,

---

1. Témoignage inédit docteur Roche.
2. Karl Brandt n'avoua jamais qu'il avait été tenu au courant des différentes expérimentations. Né à Mulhouse en 1904, il quitta la France dès 1919. Durant ses études médicales il travailla sous la direction d'Albert Schweitzer, il eut même l'intention de s'embarquer pour Lambaréné mais il aurait dû effectuer son service militaire, sous le drapeau français. En 1933, il soigna une nièce d'Hitler blessée dans un accident automobile, il rencontra le Führer, devint son médecin d'escorte puis « presque » ministre de la Santé... Condamné à mort le 20 août 1947, il réclama le privilège de mourir au cours d'une expérience médicale. Les autorités américaines refusèrent. Avant son exécution, sur l'échafaud, il déclara :
— « Ce prétendu jugement d'un tribunal militaire américain est l'expression formelle d'un acte de vengeance politique. Abstraction faite de la compétence contestable de la cour elle-même, il ne sert ni la Vérité ni le Droit. On comprend la chinoiserie du procureur de la Cour de Nuremberg quand il dit : « Le procès a montré que Karl Brandt n'a rien su des expériences, mais il est coupable parce qu'il aurait dû le savoir. »

avaient été exposées au Führer et Hitler avait décidé qu'en principe, les expériences humaines étaient permises lorsque l'intérêt de l'Etat était en jeu. A ce moment elles étaient protégées par la loi, non soumises à des sanctions, et, au contraire, celui qui n'aurait pas accepté d'exécuter cet ordre militaire, aurait été puni. D'après Himmler, le chef de l'Etat pensait qu'on ne pouvait laisser intacts certains des prisonniers des camps de concentration, alors que les soldats combattaient et que des femmes et des enfants souffraient des raids et des bombes.

*
**

Expériences sur l'eau de mer.

Depuis 1935, les Services de recherche allemands de la Marine et de l'Aviation étudiaient l'eau de mer en laboratoire et procédaient à des expérimentations animales. Des travaux identiques étaient abordés à la même époque par toutes les grandes armées. Avec la Deuxième Guerre mondiale, les chercheurs furent pressés par les responsables militaires : les naufragés et les pilotes abattus devaient être obligatoirement dotés d'un appareillage simple ou de produits chimiques capables de rendre l'eau de mer potable.

Au printemps 1944, les Services techniques de l'armée de l'air adressèrent à Himmler (le seul qui pouvait décider d'une expérimentation humaine sur des condamnés à mort) un rapport précisant le point de leurs connaissances sur le sujet.

— Notre service a étudié deux procédés pour rendre l'eau de mer potable.

1. La méthode de l'I.G.-Farben, qui utilise principalement des nitrates d'argent. Ce procédé nécessite une vaste usine exigeant environ deux cents tonnes de fer, et coûtant environ 250 000 marks. La quantité du produit nécessité par l'armée de l'air et la marine, demande deux tonnes et demie à trois tonnes d'argent pur par mois. De plus, l'eau rendue potable par ce procédé, doit être aspirée par un filtre, afin d'éviter l'absorption des substances chimiques précipitées. Ces faits rendent l'application de la méthode pratiquement impossible.

2. Le deuxième procédé s'appelle la méthode Berka. D'après cette méthode, les sels qui se trouvent dans l'eau de mer ne sont pas précipités, mais sont traités de telle façon que lorsqu'on boit cette eau, ils ne sont pas désagréables au goût. Ils passent à tra-

vers le corps sans le sursaturer de sel, et sans causer de soif anormale. Il n'est pas nécessaire d'avoir des usines spéciales pour produire les préparations nécessaires, qui n'exigent pas de matériaux rares.

— On peut prévoir que cette méthode sera introduite dans l'armée de l'air et dans la marine d'ici peu de temps. Maintenant que la technique scientifique allemande a réellement réussi à rendre l'eau de mer potable, il n'est plus de première importance de savoir comment les pays étrangers essayent de résoudre ce problème. Naturellement, notre service est extrêmement intéressé par la façon dont les Etats-Unis en particulier, ont résolu la question, et il demande que cette information soit obtenue sans compromettre cependant qui que ce soit ou quelque service que soit. »

Himmler lança immédiatement la machine administrative de la S.S. et au mois de juillet, la décision définitive était prise :

— Le Reichsführer S.S. a décidé que, selon la suggestion du Gruppenführer S.S. Nebe, des tsiganes seront utilisés pour les expériences.

— Je [1] m'appelle Joseph Laubinger. Je suis né le 15 juin 1921 à Mitthaupten; j'ai été arrêté en mars 1943 par la Gestapo parce que je suis tsigane; j'ai été en prison à Heilbronn, à Stuttgart puis à Auschwitz; je n'ai jamais été jugé. J'ai été transféré ensuite à Buchenwald et envoyé à Dachau. Je pensais qu'il s'agissait de maisons endommagées à remettre en ordre. A Dachau nous avons subi un examen physique et un examen radiologique. Le docteur Beiglbock nous déclara que nous devions participer aux expériences de l'eau de mer. Nous répondîmes que nous n'étions pas venus à Dachau pour participer à une expérience; il répliqua que l'expérience n'était pas dangereuse, et que personne ne mourrait. Mais nous étions cependant très inquiets, car nous savions que nous ne pouvions faire confiance à personne dans un camp de concentration.

— Je demandai au professeur Beiglbock de ne pas me comprendre dans cette expérience, car j'avais subi deux opérations à l'estomac. A mon avis, le professeur ne demandait l'approbation de personne. Pendant sept à huit jours, je reçus des rations militaires, ensuite de l'eau de mer. Nous devînmes très faibles, nous pouvions à peine rester debout. Nous avons bu cette eau pendant onze à douze jours : on me fit une ponction du foie, ainsi qu'une ponction lombaire. Je ne fus pas examiné lorsque les expériences

---

1. Procès des médecins.

furent terminées. Nous avons reçu seulement pendant un jour de la nourriture spéciale. Le professeur Beiglbock nous avait promis des rations supplémentaires et un travail facile, mais nous ne le revîmes pas, lorsque les expériences furent terminées. Le régime ordinaire du camp était constitué par des navets, avec un pain pour huit; le dimanche, nous avions un peu de beurre ou de confiture, avec des nouilles et quelques petits morceaux de viande avec des légumes frais.

— A la fin des expériences, j'ai demandé à travailler à nouveau, car j'avais peur de recevoir une injection à l'hôpital pendant ma convalescence, mais je me sentis malade en travaillant et si le Kapo n'avait pas été bon pour moi, je ne serais probablement pas ici aujourd'hui.

Le 1er juillet, Karl Holleinreiner, qui avait « agressé » le promis de vous libérer après les expériences?

L. — Oui, un jour nous dûmes aller dans la cour, et Beiglbock demanda à chacun d'entre nous quels parents il avait dans l'armée : il écrivit les noms, mais rien ne se passa.

H. — Un des détenus n'essaya-t-il pas de s'opposer aux expériences?

L. — Oui, il nous dit que si nous buvions l'eau de mer, nous mourrions certainement, et que nous devrions nous entendre tous, et refuser de boire l'eau; Beiglbock en entendit parler, et lui dit que c'était du sabotage, et qu'il savait très bien ce qui arrivait aux saboteurs, qu'il serait pendu s'il n'arrêtait pas cette sorte de propagande. Il fut soumis par la suite aux expériences, et comme il vomissait après avoir bu l'eau deux ou trois fois, Beiglbock vint avec un tube de caoutchouc, et lui fit absorber ainsi de force une plus grande grande quantité d'eau de mer qu'à nous.

— Un autre qui avait bu de l'eau pure, fut découvert par Beiglbock, qui l'attacha à son lit, et lui ferma la bouche avec du sparadrap. J'ai vu cet homme avec sa bouche ainsi fermée, car il se trouvait deux lits après le mien. Beiglbock n'était pas brutal envers nous, mais il nous punissait en nous donnant davantage d'eau de mer à boire, ou en nous privant de certains avantages, des cigarettes par exemple...

**
***

Le 1er juillet, Karl Holleinreiner, qui avait « agressé » le professeur Beiglbock dans le box des accusés trois jours auparavant, est entendu par le tribunal.

— Après notre arrivée à Dachau, nous fûmes examinés, et le médecin nous dit : « On va vous donner de la bonne nourriture, ensuite vous ne mangerez pas, et vous boirez de l'eau de mer. » Un prisonnier, Rudi Taubmann, refusa : il avait été déjà dans une expérience avec de l'eau froide, et il ne voulait plus d'une autre expérience. Le médecin de l'armée de l'air lui dit que s'il ne se tenait pas tranquille, il le tuerait sur place : il portait toujours un revolver. J'ai bu la pire qualité d'eau de mer, la jaune. Je me rappelle que dans le deuxième lit de la première rangée, à gauche en entrant, l'homme aboyait comme un chien. Il avait de l'écume aux lèvres, c'est lui qui eut la première ponction du foie. Nous étions fous de soif et de faim, mais le médecin n'avait pas pitié de nous : il était froid comme glace : il ne nous prêtait aucun intérêt. Un tsigane qui avait mangé un petit morceau de pain et bu de l'eau, rendit le médecin de l'armée de l'air furieux : il fut attaché à son lit et sa bouche maintenue fermée avec du sparadrap.

— Un autre tsigane, qui se trouvait à droite, un gros et vigoureux garçon, refusa de boire l'eau, et demanda au médecin de l'armée de l'air de le laisser partir, mais celui-ci refusa. Au contraire, il lui fit avaler une sonde d'environ 50 centimètres de long, par la bouche, et il versa de l'eau dedans. Le tsigane s'agenouilla et le supplia, mais ce médecin n'avait pas de pitié. C'est lui qui faisait les ponctions du foie et les ponctions lombaires. C'était très douloureux, et comme je lui demandais ce qu'il faisait, il me dit qu'il devait faire une ponction pour faire sortir le sel du foie.

*
**

Le docteur Roche et les membres du Comité clandestin de Résistance du camp désiraient à tout prix savoir exactement ce qui se passait à l'intérieur du Block mystérieux. Plus tard si l'un d'entre eux quittait Dachau vivant, il pourrait témoigner... Le docteur Roche en insistant persuada le professeur Beiglbock de l'utiliser dans son équipe d'assistants.

— Il vous manque un spécialiste des yeux... Les observations que je pourrais faire au fond de l'œil seront précieuses pour vos études.

Beiglbock accepta et Roche découvrit alors :

— Le Radeau de la Méduse. Ils devenaient fous. Ils hurlaient comme des cochons. Des fous! Ils étaient fous! Ils se sentaient devenir fous. Ils étaient persuadés qu'ils allaient tous mourir. Ils somnolaient en râlant lorsqu'ils étaient épuisés. Un spectacle horrible : leur peau parcheminée se détachait en plaques, les artères temporales étaient sinueuses... Ils avaient vieilli de quarante ans en quelques jours. Toutes les chevilles étaient éléphantiasiques. J'ai réussi à convaincre Beiglbock de stopper l'expérimentation sur trois tsiganes en lui disant qu'ils allaient mourir certainement. Il m'a écouté.

Ces hommes furent couchés sur des civières et transportés à l'infirmerie. La première série d'expérimentation s'était déroulée alors que le camp connaissait une vague de chaleur inhabituelle. Soudain, le samedi après-midi, comme Beiglbock partait se reposer, le ciel s'obscurcit et la pluie transforma en boue la terre battue de Dachau. Roche, seul avec le personnel déporté, décida de prendre des mesures pour que les « prochains » cobayes n'aient pas à souffrir de la soif.

— Les poutres, juste au-dessous du plafond de la salle, étaient la meilleure cachette. Nous avons fait la chasse aux récipients et nous avons pu dissimuler sur les poutres plus de 40 litres d'eau. Je pus même, au cours des expériences, faire entourer la tête de plusieurs tsiganes de chiffons mouillés. L'expérience était complètement truquée et comme les résultats étaient sensiblement différents de ceux observés la semaine précédente, Beiglbock conclut :

— Il a plu cette semaine, les conditions atmosphériques ont une importance capitale.

Le docteur Roche ne fut pas recherché à la Libération pour témoigner à Nuremberg. Les juges et les experts palabrèrent plusieurs jours pour deviner ce qui se cachait derrière les résultats si différents entre les séries. Ils ne pouvaient se douter qu'au-dessus des lits, sur les poutres, étaient cachées des gamelles d'eau, vidées lorsque Beiglbock disparaissait et souvent remplies au robinet débloqué des W.C.

Témoignage Igraz Bauer [1].

— Interné à Dachau de juin 1944 à juin 1945, j'ai travaillé à l'infirmerie, où j'étais chargé de la physiothérapie et des électro-cardiogrammes...

— Les symptômes de mort de faim et de soif perceptibles à un profane, étaient les suivants : altération visible des malades; la nervosité et l'agitation se transformèrent dans quelques cas en

---

1. Archives Nuremberg et in F. Bayle.

folie. Les délirants étaient attachés à leurs lits. Quelques-uns des
malades montraient des signes d'apathie et d'inconscience. Dans
plusieurs cas, la faiblesse du cœur fut observée. Subjectivement,
les malades souffraient d'une faim torturante, et par-dessus tout,
d'une soif terrible, que l'absorption d'eau de mer rendit plus douloureuse encore. La soif était telle que quelques malades n'hésitèrent pas à boire l'eau sale utilisée pour laver le plancher. Je vis
un de ces pauvres diables tomber à genoux, et demander en vain
de l'eau. Le docteur Beiglbock était sans pitié. Un jeune garçon
qui avait réussi à se procurer un peu d'eau à boire fut attaché à
son lit en guise de punition, par Beiglbock ou par un autre, malheureusement, je ne sais pas. De toute façon, Beiglbock était le
chef responsable.

— La peur constante de la mort s'ajoutait à ces tourments
corporels, car ils savaient que dans d'autres expériences, au vrai
service de recherches, la curiosité sadique des S.S. avait provoqué
un sacrifice constant de vies humaines. C'est pour cette raison
qu'ils craignaient tous le même sort. Lorsque les malades gisaient
un par un, sur le point de mourir, le sérum était injecté et ils récu-
péraient. Mais je ne sais pas s'ils redevenaient complètement bien
après toutes ces souffrances corporelles et ces tortures mentales,
car je ne vis plus ces gens. Il est exact que j'ignore si, au cours
de ces événements, des détériorations durables ou des morts survinrent, mais je considère cela comme tout à fait possible.

Témoignage August Vieweg [1].

— En 1944, un service fut créé au Block 3, où se trouvaient
auparavant des paludéens, et préparé pour les expériences de l'eau
de mer. Quarante à soixante tsiganes furent enfermés, et la porte
verrouillée; j'ai vu moi-même qu'un certain désordre s'y produisit;
une mutinerie éclata presque, une fois, les sujets frappèrent leur
infirmier, qui fut remplacé.

A plusieurs reprises, des gens furent emportés de ce service
sur des brancards; ils semblaient être très agités. Je ne sais pas
ce qui leur est arrivé; à deux ou trois occasions, je crois pouvoir
me rappeler avec certitude qu'un brancard porté par des infirmiers,
et recouvert d'une couverture, fut amené à la morgue. L'expérience,
autant que je me rappelle, dura approximativement huit semaines,
et tout le service fut débarrassé à nouveau.

---

1. Audience tribunal Nuremberg, 13 décembre 1946.

Témoignage Joseph Worlizeck [1].

— Un jour, étant dans la chambre, j'ai vu un malade par terre entre deux lits, qui avait une crampe, et qui regagna son lit au bout d'une demi-heure. Sur l'ordre de Pillwein, je devais donner de l'eau de mer aux tsiganes. Par négligence, je répandis de l'eau par terre. J'allai chercher un chiffon pour l'essuyer, et quand j'eus fini, j'oubliai le chiffon : les tsiganes le prirent et en sucèrent l'eau. Beiglbock s'aperçut que les malades avaient bu de l'eau, et les tsiganes, menacés, dirent ce qui s'était passé. Beiglbock me le demanda, je le lui dis, et il me menaça alors, si cela se reproduisait, de m'utiliser dans les expériences.

H. — Aviez-vous très peur de cette menace?

W. — Certainement.

H. — Beiglbock jurait-il en parlant aux sujets?

W. — Fréquemment, oui.

H. — Etait-il extrêmement sévère avec eux?

W. — Pas toujours, seulement quelquefois.

H. — Ces sujets étaient-ils volontaires?

W. — Je ne le pense pas, je connais la langue slave et j'ai pu parler avec les tsiganes tchèques, qui venaient d'Auschwitz; on leur avait demandé d'être volontaires pour une bonne affectation à l'extérieur. C'est seulement en arrivant à Dachau qu'ils découvrirent ce dont il s'agissait : c'était des Tchèques, des Polonais, des Hongrois, des Autrichiens et des Allemands; je pouvais parler aux Polonais et aux Tchèques. Je n'ai pas vu mourir de sujet, mais après l'expérience, j'ai rencontré un tsigane, qui me dit qu'un de ses camarades en était mort.

H. — Des sujets d'expériences ont-ils été sévèrement malades à votre connaissance?

W. — J'ai eu l'impression que plusieurs de ces sujets étaient malades, et ne vivaient pas longtemps. Trois mois après les expériences, j'étais dans un autre Block, et je rencontrai dans ce **Block** un des malades, il me dit qu'un de ses camarades était déjà mort. Je ne puis me rappeler s'il a voulu dire que le sujet était mort à la suite des expériences, ou à cause de la typhoïde.

*
**

Le 6 juin 1947, le professeur Beiglbock fut entendu par le tribunal de Nuremberg.

— Je m'appelle Wilhelm Beiglbock, et je suis né le 10 octobre 1905 en Autriche. Mon père était médecin de campagne, et

---

1. Audience tribunal de Nuremberg.

j'ai étudié la médecine à l'université de Vienne, sous la direction du professeur Schwostek, de la vieille école viennoise. En 1936, je devins l'assistant d'Eppinger, et, en 1940, son chef de clinique médicale; je restai avec lui jusqu'à la fin de la guerre. Son nom était connu du monde entier.

— J'ai été chargé de cours en 1940 : en 1943, Eppinger me proposa pour un poste de professeur d'Université; je fus nommé en juin 1944; j'ai écrit un assez grand nombre d'ouvrages scientifiques.

— En mai 1941, je fus mobilisé dans l'armée de l'air allemande, et c'est à Treviso, vers la fin de juin 1944, que je reçus l'ordre d'effectuer les expériences de l'eau de mer. Je dus me présenter à l'Inspection du Service de santé de l'armée de l'air à Berlin, où je vis le docteur Becker-Freyseng, qui me mit rapidement au courant, et me conduisit au médecin-colonel Merz, qui me donna l'ordre formel d'effectuer ces expériences. Je demandai à les réaliser dans mon service de Treviso, sur des soldats volontaires, et je déclarai que je ne voulais pas expérimenter dans un camp de concentration.

— Le docteur Merz me déclara que la gravité de la situation sur tous les fronts ne permettait pas de conserver longtemps des soldats dans les hôpitaux, sans nécessité absolue; ceci se passait peu après le débarquement anglo-américain, et il me cita l'ordre formel du Führer, qui exigeait par exemple de faire sortir des malades incomplètement guéris. Nous n'agissions déjà plus en accord avec les principes médicaux, mais sur ordres dictés par la nécessité; c'est pourquoi j'acceptai les raisons du médecin-colonel Merz. Par la suite, j'appris que Eppinger avait lancé toute cette affaire; il m'avait proposé du fait que j'étais le plus ancien et que j'appartenais à l'armée de l'air. Il n'avait bien entendu rien à voir avec le choix de Dachau comme lieu des expériences.

— Becker-Freyseng m'indiqua l'urgence de la solution du problème, les difficultés insurmontables de la méthode de Schaefer, et la nécessité de connaître les conseils à donner aux naufragés en mer; c'est ainsi que je considérai de mon devoir d'effectuer ces expériences, dont la nécessité m'apparut. Il n'y avait pas eu, à cette époque, d'investigation systématique et scientifique des effets de l'eau de mer; on ne peut considérer de la même façon un problème résolu en 1947, et un problème non résolu en 1944; on ne saurait reprocher à Hippocrate de n'être pas au courant de la chirurgie cérébrale moderne. Le problème des naufragés avait été négligé en temps de paix; on s'y appliquait un peu partout, et jusqu'en Amérique.

— Il s'agissait de savoir si la consommation de l'eau de mer était bonne ou mauvaise, et s'il fallait y ajouter de la dextrose. Ce problème devait être résolu par des expériences humaines, et il n'y avait aucun autre moyen d'y parvenir. Il n'existe aucun animal de laboratoire dont le métabolisme du sel et de l'eau puisse être comparé au métabolisme humain. Les lapins du docteur Schaefer, vécurent pendant des semaines et des semaines, en buvant de l'eau de mer. De plus, je n'ai trouvé aucun rapport étranger, à l'époque, sur la question.

— Je n'eus rien à voir avec la préparation de ces expériences et je n'ai pas participé à la réunion du 25 mai, où elles furent décidées; on me donna l'ordre de suivre rigoureusement le programme fixé, à une conférence à laquelle participaient des hommes comme Eppinger et Heubner. La question principale était de savoir si la préparation de Berka pouvait diminuer l'effet nocif de l'eau de mer sur le système humain. Les expériences de Sirany à Vienne ne donnèrent pas de résultats clairs, car c'était les sujets qui décidaient de la quantité d'eau de mer qu'ils devaient boire. Sirany était peut-être un bon dermatologue mais il n'était certainement pas un spécialiste du métabolisme; il commit l'erreur impardonnable de ne pas découvrir comment l'eau de mer agissait par elle-même, et il rapporta tout à l'usage de la méthode de Berka. De plus, il n'établit aucun groupe de contrôle, de sorte que Berka alla trouver Eppinger avec les résultats des expériences de Sirany, à savoir que l'eau de mer est potable, et beaucoup moins dangereuse lorsqu'elle est traitée par la méthode de Berka. Comme beaucoup de charlatans, Berka avait un certain pouvoir de suggestion, qui agit sur Eppinger; Schaefer, qui était un chimiste, avait parfaitement raison de rejeter en bloc la méthode de Berka...

— Si les expériences m'ont paru nécessaires, c'est à cause du problème expérimental à résoudre : « Vaut-il mieux la soif ou l'eau de mer, et dans ce dernier cas, quelle quantité? » A cette époque, je savais des camps de concentration qu'il s'agissait d'institutions où des prisonniers politiques et criminels étaient gardés; à partir de 1938, rien ne transpira dans la presse autrichienne. C'est à Dachau que je découvris qu'il s'agissait de tsiganes porteurs d'insignes noirs; le S.S. qui les accompagnait me dit qu'ils n'avaient pas été arrêtés uniquement parce qu'ils étaient tsiganes.

Docteur Steinbauer. — Il ne s'agissait pas de persécution

raciale, mais de sujets asociaux emprisonnés pour d'autres raisons, et porteurs du triangle noir.

Le Président. — Pourriez-vous expliquer au tribunal ce que vous entendez par le mot « asocial »?

S. — C'est un terme bien connu, même aux Etats-Unis, où il est employé avec la même signification qu'en Europe. La méthode appliquée dans le IIIe Reich a, bien entendu, été beaucoup plus loin, et dans un sens beaucoup plus large que la loi américaine et française. Nous désignons sous le nom d'asocial, une personne qui commet sciemment des actes contre la société, un ennemi de la société.

Juge Sebring. — A votre avis, un acte criminel isolé peut-il faire entrer un homme dans la catégorie des asociaux, ou pensez-vous que ce type d'individus est constitué par des gens qui se montrent en permanence, coupables d'un comportement antisocial?

S. — Votre Honneur, si je puis vous donner mon avis sans que mon collègue d'en face, M. Hardy l'utilise contre moi, je désire dire qu'à mon sens, un seul délit ne fait pas un asocial, mais dans le cas des tsiganes, nous pouvons observer que très fréquemment, il s'agit de vrais asociaux, c'est-à-dire de gens qui éprouvent la plus grande peine à être inclus dans un système normal de travail. J'ai ici un livre publié par le gouvernement de la Bavière, en 1905 : il existe un livre identique à Vienne. Ce livre est destiné à la police allemande et autrichienne : il établit la citoyenneté, la nationalité et l'origine familiale des tsiganes...

— C'est un caractère social des tsiganes de renier leur nationalité et leur origine, pour vagabonder. C'est ainsi qu'on peut lire dans ce livre la description des activités asociales appelées « la peste des tsiganes ».

— On a la plus grande difficulté à les recenser; la plupart d'entre eux essayent de dissimuler leur identité par de fausses déclarations au moment des naissances et des décès.

Hardy. — Puis-je demander si l'avocat désire montrer au tribunal que le terme asocial veut simplement dire qu'une personne peut être asociale si elle est tsigane?

S. — C'est une interprétation erronée; j'ai simplement dit que les sujets d'expériences n'avaient pas été internés pour des raisons raciales, mais parce qu'ils étaient considérés comme asociaux.

Juge Sebring. — Docteur Steinbauer, si je comprends bien, vous rangez dans la catégorie des asociaux les crapules, les vagabonds, les fainéants, les errants, les paresseux, les flâneurs et les rôdeurs, qui errent sans maison, sans métier, et sans source visible d'existence?

S. — C'est une interprétation trop étroite, particulièrement aujourd'hui où des millions d'êtres humains ont perdu leur maison. En Autriche, nous ne poursuivons que ceux qui sont vraiment asociaux, les souteneurs, par exemple qui ont une maison, qui vivent bien, et qui sont cependant des asociaux.

Beigelbock. — **D**u point de vue médical, on entend par asocial, une personne qui présente d'une façon innée, parfois héréditaire, un défaut de sens éthique, qui ne raisonne pas, et qui, d'instinct, viole les lois de la société. En général, il n'aime pas travailler, et plus il devient criminel, plus il entre en conflit avec la société. Il se croit persécuté et innocent, et continue de violer les lois, de sorte que le terme asocial ou antisocial est plutôt un terme sociologique qu'un terme médical.

— Les oiseaux de même plumage ayant tendance à se réunir, il arrive fréquemment que deux asociaux se marient, et plus fréquemment encore qu'ils ont des enfants sans être mariés, ce qui constitue des familles entièrement asociales, particulièrement répandues aux Etats-Unis. Les unes se distinguent par la haine du travail, les autres par le vol, d'autres par le vagabondage, d'autres par le crime habituel, et les femmes, par la prostitution. Beaucoup ont des failles de l'intelligence, mais plusieurs, compte tenu de leur absence de sens moral, ont un certain degré d'intelligence.

S. — Retournons à votre arrivée à Dachau.

B. — Je commençai par rassembler tous les objets nécessaires aux examens de laboratoire. C'était particulièrement difficile en raison des bombardements intenses de Munich.

— Les instructions que je reçus s'appliquaient aux quatre groupes de sujets : la méthode à recommander devait avoir été étudiée pendant douze jours consécutifs sans dommage pour la santé des sujets. Je devais essayer d'atteindre cette limite maximum, et en prendre la responsabilité médicale; toute continuation dangereuse des expériences était hors de question, et bien entendu toute mort. Cependant, les expériences devaient être amenées suffisamment loin pour pouvoir enregistrer les réactions de soif, et établir des comparaisons entre les groupes. Les sujets devaient garder le lit; tout fut fait pour diminuer autant que possible la nature désagréable des expériences. Trois chimistes m'aidèrent dans le travail de laboratoire; j'avais également trois médecins de l'armée de l'air, deux infirmiers prisonniers, et trois étudiants en médecine français. De plus, je consultai des spécialistes prisonniers à Dachau.

— J'expliquai d'abord soigneusement à chaque sujet de quoi il s'agissait; j'avertis particulièrement le groupe qui devait jeûner sans boire, et celui qui devait boire de l'eau de mer, et je choisis les plus vigoureux pour ces deux groupes, dont je réduisis le nombre au maximum. Je dis aux sujets que je serais toujours près d'eux, qu'ils pouvaient avoir confiance en moi, et que je m'assurerais de l'exécution des promesses faites. Je leur demandai à tous s'ils étaient d'accord, et ils répondirent oui.

— Je commençai par faire sur moi-même une expérience qui dura quatre jours et quatre nuits; je bus 500 cm³ d'eau de mer par jour; je pus ainsi connaître personnellement les différentes sensations de la soif, la somnolence, les troubles du sommeil, la faiblesse musculaire, la lourdeur des jambes, et le besoin de repos. Je perdis plus de 9 livres, mais, après avoir bu de l'eau, je pus aller de Vienne à Munich sans peine. Par la suite, je bus encore de l'eau de Berka, ainsi que les étudiants en médecine français, pour bien montrer aux sujets que cette préparation ne contenait rien de caché.

— Je fis un examen médical détaillé de chaque sujet; j'en vis soixante, et éliminai immédiatement ceux dont la condition me sembla insuffisante; je fis un examen radiologique qui me permit d'éliminer encore deux ou trois pulmonaires, que j'envoyai à l'hôpital. Seuls, deux ou trois sujets avaient une maladie de peau superficielle au niveau des jambes. Au début des expériences, un sujet eut une pneumonie, et je l'éliminai aussi : pendant cette période, les sujets recevaient quatre mille calories par jour : les rumeurs sur la nature dangereuse des expériences étaient fausses : il s'agissait seulement de ce pneumonique transféré à l'hôpital, et non de sujets gravement malades qu'on envoyait mourir dans d'autres services.

— J'obtins deux remplaçants de Dachau, pour les deux éliminés du premier examen; il s'agissait de deux tsiganes allemands qui désiraient de cette façon être autorisés à enlever l'insigne indiquant leurs tentatives de fuite. La salle d'expérience était grande, située dans l'hôpital principal, et les sujets étaient confortablement installés.

— Avant l'expérience, tous les sujets reçurent chaque jour la nourriture des aviateurs, 3 500 calories environ, et en plus, une nourriture de travail de force, environ 4 000 calories par jour en tout.

— Tschofenig, qui critiqua la nourriture, était Kapo au service des rayons X, et n'est jamais entré dans la salle d'expériences. Les examens de sang, les analyses d'urine et les électrocardiogrammes, furent effectués ainsi que les examens des reins.

— Le premier groupe reçut de l'eau de Schaefer; il était composé de cinq sujets qui, pendant les quatre premiers jours, eurent une nourriture de naufragés en mer. Pendant les jours suivants, ils n'eurent aucune nourriture. Ce groupe resta dans l'expérience pendant onze à douze jours, et tous les autres moins longtemps. Dans ce premier groupe, il n'y eut ni plaintes ni accidents.

— Les deux groupes suivants étaient des groupes de faim et de soif; il existe des cas connus de personnes qui, pour des raisons politiques, ou religieuses, comme Ghandi, ont vécu pendant quarante ou cinquante jours sans nourriture, mais en prenant de l'eau. On estime que la tolérance à la soif est d'environ quatorze jours. La perte d'eau est décisive dans la question de vie et de mort : une perte de 22-25 % de l'eau corporelle, provoque la mort; on considère que le danger commence avec une perte de 20 %.

— L'eau de mer en tant que telle n'est pas toxique : elle ne contient pratiquement pas de germes pathogènes; nous avons employé de l'eau de mer bactériologiquement pure : son seul danger provient de la concentration salée relativement élevée; le sel a besoin d'eau pour être éliminé.

— Toute la question est de savoir jusqu'à quel degré la réserve d'eau du corps est atteinte par l'absorption d'eau de mer. La perte d'eau étant constamment contrôlée, les examens de sang et d'urine, du métabolisme, des poumons, étant effectués chaque jour, nous étions avertis de la limite de tolérance; aucun de mes sujets n'a été amené au-delà de cette limite. Je m'aperçus bien que plusieurs des sujets buvaient de l'eau fraîche, ce qui détruisit une bonne partie d'un travail soigneux : cela prouve d'ailleurs que les sujets étaient volontaires : car beaucoup d'entre eux n'en burent pas. La soif constitue un des instincts naturels les plus forts, auxquels il est difficile de ne pas céder, et c'est pourquoi ces expériences de soif doivent être réalisées dans un lieu fermé.

— Finalement, je demandai à maintes reprises aux sujets s'ils n'avaient pas bu d'eau fraîche, mais ils le nièrent toujours Au début, j'avais promis des cigarettes à ceux qui se comportaient bien, de sorte qu'ils pensèrent que plus l'expérience durerait, meilleure elle serait : ils buvaient de l'eau et obtenaient des cigarettes. Ceux que je pris à boire acceptèrent une deuxième expérience pour avoir encore des cigarettes; huit burent de l'eau, aucun ne fut puni, et aucun S.S. n'entra jamais dans la salle d'expériences.

— Les sujets du groupe de la faim, et ceux du troisième groupe, eurent d'abord une sensation de faim. A partir du troisième jour, cette sensation de faim fut remplacée par la soif, et disparut pratiquement. Avec la perte d'eau, une chute brusque du poids corporel survint, et modifia l'apparence des sujets, qui devinrent minces : un profane aurait pu penser qu'ils étaient beaucoup plus malades qu'ils n'étaient en réalité, alors qu'il s'agissait simplement d'un manque d'eau dans la peau et les muscles. La peau devient sèche; il n'y a plus de transpiration : les muqueuses deviennent sèches, la bouche et la langue également, les yeux perdent leur éclat, et brûlent légèrement. La sécrétion salivaire est réduite, et il est désagréable de manger. La perte d'eau musculaire provoque un durcissement des muscles.

— Il y a une sensation de fatigue des membres, d'incertitude des mouvements et de besoin de repos. La température reste normale, avec simplement de petites variations individuelles. Il y a de la constipation, avec parfois une toux sèche due au dessèchement du palais. Le sommeil est possible pendant les trois premiers jours, puis il s'interrompt, avec de courtes périodes de sommeil et de réveil. Pendant la journée, les sujets somnolent.

— Le groupe qui eut de l'eau de mer non salée, resta onze à douze jours dans l'expérience. Le troisième groupe six jours et demi, le groupe ayant bu 1 000 cm³ d'eau de mer resta quatre à cinq jours dans l'expérience. Les autres personnes sept jours, un sujet huit jours, et un autre neuf. Il était difficile de déceler ceux qui avaient bu de l'eau fraîche : lorsque je m'en aperçus, par la plus grande quantité d'urine, les sujets jetèrent la moitié de leur urine, ce qui provoqua des erreurs dans mes conclusions.

— Pour la plus grande partie du groupe qui ne but que de l'eau de mer, ce fut donc un échec complet. Quant au groupe qui but 500 cm³ d'eau de mer, la plupart amenèrent des résultats utiles, car plusieurs d'entre eux ne burent pas d'eau fraîche. Aucune expérience n'approcha de la zone dangereuse; j'ai tout calculé très soigneusement, et je suis persuadé que la déshydratation n'atteignit pas la limite dangereuse chez un seul de mes sujets. La plus haute température fut de 37,5° en dehors de deux cas de fièvre après l'injection intraveineuse de solution salée hypertonique. Les expériences furent arrêtées soit par injection intraveineuse d'une solution salée hypertonique, soit par l'absorption d'eau ou de lait.

— Dans le cas des injections intraveineuses, 150 à 200 cm³,

la sensation de soif s'arrêta immédiatement, et l'apparence extérieure changea d'une façon frappante. Lorsque le témoin Bauer dit qu'on arrêtait l'expérience seulement dans les cas où les sujets agonisaient, je pense qu'il s'agissait seulement d'une certaine apathie, avec somnolence; une fois, j'entendis un sujet supplier les infirmiers de lui donner de l'eau; je le fis retourner à son lit, où il fut attaché, et préparai l'injection pour terminer l'expérience. C'est ainsi qu'on a raconté que certains sujets étaient devenus fous, et que je les avais attachés à leur lit. En dehors de cela, je n'ai été le témoin que de crampes musculaires, et j'interrompis dans ce cas l'expérience par une injection de calcium. J'avais d'ailleurs donné l'ordre strict d'être appelé au cas où quelque chose d'inhabituel surviendrait, et il me fallait à peine quelques minutes pour me rendre dans la salle d'expériences.

— J'ai pratiqué également huit à dix ponctions du foie, sur le conseil d'Eppinger, pour étudier les changements survenus dans le foie, à la suite d'une augmentation temporaire de cet organe.

— Aucun de mes sujets ne fut transféré à l'hôpital pendant l'expérience. Lorsque les expériences furent terminées, je gardai les sujets du premier groupe pendant seize à dix-sept jours, ceux du deuxième groupe, au moins dix jours, et je demandai au commandant du camp de ne pas les faire travailler avant quinze jours, et de leur donner des rations supplémentaires, bien que la plupart aient repris leur poids antérieur.

— Je demandai également de réexaminer la raison de leur détention. A ma demande également, les étudiants français furent retirés des compagnies de travail, et employés à l'hôpital, mais dans leurs cas, il s'agissait de prisonniers politiques, et un nouvel examen de leur dossier était sans espoir.

— Personne ne mourut de ces expériences, personne n'en souffrit; tous les sujets furent renvoyés en condition satisfaisante. J'ai envoyé à plusieurs reprises des sujets à la salle de radiologie. Je les avais fait recouvrir, pour leur éviter de boir de l'eau; c'est l'explication des morts transportés sur des brancards. Eppinger vint une fois avec Berka, pendant une heure : je ne pense pas qu'il ait essayé pendant cette visite de convertir des prisonniers au national-socialisme.

— Ce témoignage a sans doute joué un rôle dans sa décision de se suicider; il avait perdu son fils unique pendant la guerre, et son petit-fils avait été tué par une bombe; son gendre avait été envoyé en Russie, sa maison avait été démolie par un raid aérien, il avait dû quitter la clinique, et on lui avait défendu de publier son travail scientifique; tout cela, pour un homme honoré dans le monde entier, le conduisit au désespoir, à la fin d'une existence aussi riche. Eppinger ne participa à ces expériences que pour donner son opinion scientifique, et dire si elles avaient été correctement réalisées, ou non.

— J'examinais tous les sujets à la fin des expériences, cliniquement, radiologiquement et aussi avec un électrocardiogramme et des analyses de sang : les seuls complications ultérieures peuvent provenir d'un refroidissement, comme une pneumonie ou une bronchite. Aucun de mes sujets ne se refroidit.

— Nos expériences montrèrent d'abord que de petites quantités d'eau de mer valent mieux qu'une absence complète d'eau; la perte de poids est plus lente, et la perte d'eau moindre dans ce cas; l'épaississement du sang est moindre, la perte d'azote également, et les nitrogènes du sang n'augmentent pas, alors qu'ils augmentent sans eau. Les expériences montrèrent qu'une grande quantité d'eau de mer n'améliore pas la soif, a même parfois des inconvénients, et que le pouvoir de concentration des reins est plus haut qu'on ne le pense généralement; n'importe qui a à peu près 2,5 %, et beaucoup, 3 % et davantage; ce pouvoir n'est pas considérablement influencé par les vitamines. L'eau de mer en quantité limitée ne cause pas de diarrhée; les symptômes subjectifs, comme la sensation de soif après absorption d'eau de mer, sont à peu près les mêmes qu'en cas de soif totale : objectivement, de petites quantités d'eau salée valent mieux que la soif. La méthode de Schaefer fournit de l'eau bonne à boire, et la méthode de Berka est inutile. Dans le sang, l'augmentation salée est causée par l'absorption d'eau de mer, et une légère perte de calcium; il est à conseiller de donner du calcium à une personne buvant de l'eau de mer pendant longtemps.

— Une personne qui a souffert de la faim et de la soif, montre une perte relativement élevée de sel, et on doit lui donner en conséquence une solution physiologique d'eau salée. Au bout d'une longue période de soif, il se produit une rétention aqueuse rapide, et le seul danger provenant de la soif et d'un liquide hypertonique, est constitué par la perte d'eau du corps. L'introduction de liquide provoque une récupération très rapide.

— Je sais que ces expériences n'ont pas donné autant de résultats qu'elles l'auraient fait si les sujets avaient coopéré complètement, mais elles étaient suffisantes sur le plan pratique, comme le montrèrent par la suite les découvertes anglaises et américaines.

Juge Sebring. — Est-il exact que la plupart des sujets d'expériences parlaient le dialecte tsigane, et étaient d'origine slave?

B. — Il y avait des Hongrois, ou de la frontière hongroise, peut-être trois ou quatre; il y avait un grand groupe de Bratislava, qui parlait slovaque : beaucoup d'autres n'avaient pas de résidence fixe; certains étaient allemands, d'autres autrichiens, et un autre roumain. Je n'ai pas vu leurs papiers moi-même, et je dois dire qu'à cette époque, je ne considérais pas que la question était importante.

Juge Sebring. — Avez-vous remarqué ce dont parle le témoin Fritz Pillwein, qu'il s'agissait de gens très primitifs, dont quelques-uns ne connaissaient même pas leur date de naissance?

B. — Certains d'entre eux appartenaient à cette sorte de gens qui courent la campagne en voiture sans avoir jamais fréquenté l'école. Ils avaient un niveau d'instruction très bas, mais ils n'étaient pas stupides.

Alexandre Hardy (contre-interrogatoire). — Vous ne vous êtes jamais préoccupé de la question du consentement à une expérience, d'une personne mineure?

B. — Au moment où une personne était admise à la clinique, elle signait son consentement.

H. — Et quand il s'agissait d'un enfant?

B. — Alors les parents signaient.

H. — Quelle est votre opinion sur l'aptitude d'un interné de camp de concentration à être volontaire dans une expérience médicale?

B. — A mon avis, tout prisonnier, dans une certaine mesure, est limité dans sa liberté de choisir. Mais, dans le cadre de cette liberté, il peut naturellement accepter une expérience, en supposant, bien entendu, qu'un refus ne provoquera de représailles d'aucune sorte : je ne me suis pas préoccupé de la sélection des tsiganes utilisés. Les affaires des camps de concentration regardaient seulement les S.S., sur lesquels je ne pouvais exercer aucune influence. Quant aux tsiganes, ils me déclarèrent d'une façon explicite qu'ils n'étaient pas enfermés parce qu'ils étaient asociaux : beaucoup d'entre eux avaient déjà été enfermés. Je ne me suis pas préoccupé du tout de la question de leur asociabilité.

H. — Avez-vous dit aux sujets en quoi consistait le problème expérimental et ce qu'on devait en attendre?

B. — Je ne pouvais pas leur dire ce qu'on devait en attendre, car je ne pouvais pas prophétiser les résultats. C'était tout le but de l'expérience.

H. — Voulez-vous dire que l'éthique scientifique est respectée dans une expérience sur un être humain qui ne possède aucune connaissance concrète des résultats possibles?

B. — J'ai pu garantir à mes sujets que rien ne leur arriverait. C'était la chose la plus importante pour eux.

H. — Les avez-vous avertis d'un danger possible?

B. — Je leur dis qu'ils auraient à endurer une soif intense, et qu'ils deviendraient probablement nerveux, car quiconque a soif s'énerve, et je leur dis que je serais près d'eux et les protégerais en cas de danger.

H. — Leur avez-vous dit qu'ils pourraient arrêter l'expérience à leur gré?

B. — Je leur dis qu'ils seraient soumis à la soif pendant quelques jours, mais je ne pouvais pas leur dire exactement pendant combien de temps, et j'ajoutai qu'ils n'auraient pas soif pendant une période plus longue que celle dont je pouvais prendre la responsabilité. Je leur dis que s'ils ne pouvaient pas l'endurer, ils devraient me le dire, et que je considérerais la question. Mais je ne leur dis pas, et je ne pouvais pas leur dire, que dès qu'ils auraient soif ils devaient venir me trouver, et que nous leur donnerions de l'eau, parce qu'après tout, il s'agissait d'une expérience sur la soif. Je sais que vous essayez de retenir ceci contre moi, la soif étant une des sensations les plus déplaisantes possibles, mais c'est l'accord que je passai avec eux.

H. — L'arrêt de l'expérience reposait entièrement sur vous?

B. — Oui.

H. — Quelle récompense leur avez-vous offerte?

B. — Je leur dis qu'ensuite on leur épargnerait la situation à laquelle ils étaient soumis, qu'ils viendraient me trouver en exprimant leurs désirs, et que je ferais mon possible; de plus, avant et après les expériences, ils recevraient des rations supplémentaires. Ils se reposeraient avant et après, pendant trois semaines; j'ai communiqué au commandant du camp tout désir qu'ils exprimaient, et j'ai reçu son approbation pour plusieurs de ces désirs.

— Très peu de sujets asociaux sont dangereux, c'est-à-dire, criminels; je suis persuadé que la plupart, et peut-être aucun des sujets d'expériences, n'étaient dangereux. Je ne sais pas pourquoi ils avaient été inclus parmi les asociaux, ni pourquoi ces asociaux se trouvaient dans un camp de concentration. Si j'avais été trouver Himmler, en lui disant qu'il gardait injustement ces tsiganes, j'aurais été fusillé, tué, ou pour le moins enfermé dans un asile...

H. — Quels documents le professeur Volhardt a-t-il utilisés?

B. — Les feuilles de clinique que vous avez.

H. — L'un de ces livres a-t-il une couverture noire?

B. — Oui, c'est sur cette couverture que se trouvent les noms des sujets d'expériences.

Docteur Steinbauer. — Ces documents ont été remis à l'accusation, et je désire qu'ils me soient retournés; je ne les ai pas introduits. Le professeur Volhardt n'a pas vu ces deux petits livres que j'ai montrés aux professeurs Alexander et Ivy, et j'objecte à leur utilisation contre mon client, tant qu'ils n'auront pas été présentés au tribunal.

H. — S'il plaît à Votre Honneur, l'accusation demande que ces documents soient pris par le tribunal, pour servir soit à l'accusation, soit à la défense. Ce sont les conditions réelles des expériences de Dachau, enregistrées par l'inculpé lui-même.

— A plusieurs endroits, il existe des altérations qui ont pu être faites à Dachau ou plus tard. L'accusation estime nécessaire que ces livres soient pris par le tribunal, et que si une étude en est nécessaire, soit par la défense, soit par l'accusation, elle ait lieu devant une commission du tribunal. Je désire utiliser aujourd'hui les documents pour contre-interroger l'inculpé Beiglbock. A cet effet, je demande au tribunal de bien vouloir venir jusqu'au premier rang de la défense : nous aurons trois microphones. Le défenseur de Beiglbock peut s'asseoir à côté de lui, et je ferai le contre-interrogatoire sur les documents de ce matin. Ces documents ne peuvent pas être reproduits, en raison des marques bleues et rouges au crayon.

— Je peux montrer des altérations à ce document, faites après le début du procès.

Le Président. — Le tribunal prendra les documents sous sa garde.

H. — Où ces documents ont-ils été pendant les deux années passées?

B. — Je les ai emportés avec moi à Treviso jusqu'à la fin d'avril 1945. Puis je les ai mis dans une malle confiée à ma famille, et c'est mon avocat qui les a apportés à Nuremberg. Les graphiques et les feuilles de cliniques proviennent de la malle, je les ai eu à Pâques; les deux petits livres, je les ai depuis Noël.

La discussion sur les feuilles de clinique se prolongera plusieurs jours. Convaincu de mensonge par les procureurs Hochwald et Hardy, l'accusé Beiglbock, au désespoir de son avocat Steinbauer, avouera avoir modifié notes et feuilles de cliniques avant le procès. « Comment après cela, pouvons-nous croire les témoignages favorables à l'accusé!... » marmonna l'un des procureurs en regagnant sa place.

H. — Vous avez eu le moyen, docteur, de réfléchir à votre interrogatoire d'hier, au cours duquel vous avez dit au tribunal que vous aviez modifié vos notes sténographiques, ici, à Nuremberg. Etes-vous prêt à dire pourquoi ces modifications vous ont paru nécessaires?

B. — J'ai fait ces modifications au retour de ces notes, après leur utilisation par le professeur Volhardt; j'en ai éprouvé immédiatement du regret.

— J'ai apporté ces changements, car cette description peut produire, sur une personne qui n'est pas au courant des signes cliniques de la soif, une impression plus forte que les faits réels ne le comportent.

H. — Passons au sujet n° 40, j'ai pu déchiffrer son nom : Ferdinand Daniel : quel âge avait ce garçon?

B. — Seize ans, d'après ce qui est marqué ici.

H. — Avez-vous eu le consentement de ses parents?

B. — J'ai déjà dit que je n'avais vu aucun parent, et je ne sais pas pourquoi il avait été déclaré asocial à cet âge.

H. — La Luftwaffe avait-elle des garçons de seize ans? Des pilotes?

B. — En 1944, il y avait beaucoup de garçons de quinze à dix-sept ans dans la défense anti-aérienne.

H. — Il était très improbable qu'un garçon de cet âge se soit trouvé naufragé sur un radeau en mer, du fait de son service dans la Luftwaffe?

B. — Oui, mais du point de vue médical, on pouvait supposer qu'il supporterait mieux les expériences que des sujets plus âgés.

*
**

Wilhelm Beiglbock fut condamné à quinze ans de détention. Il m'a été impossible de découvrir le lieu de retraite qu'il choisit après sa libération. Les questions que j'avais à lui poser ne concernaient pas l'expérimentation sur l'eau de mer; je voulais simplement approfondir le témoignage du docteur Roche que vous allez lire et qui apporte la preuve que la « Société pour l'Héritage des Ancêtres » poursuivait ses recherches à quelques semaines de la liquidation totale des tsiganes d'Auschwitz.

— Un « civil [1] » accompagné d'un photographe militaire et d'une secrétaire suivit la phase préparatoire aux expériences sur l'eau de mer. Sa présence irrita, semble-t-il, fortement, au moins les premiers jours, le professeur Beiglbock qui lui refusa l'entrée de la baraque 1-4. Puis les choses s'arrangèrent. Le « civil » revint trois fois pendant le déroulement des expériences. A chaque visite il demanda après le « spécialiste des yeux ». Comme tout le monde l'appelait professeur — mais tous les Allemands sont ou docteur en quelque chose ou professeur de je ne sais quoi — je l'appelai « professeur ». En tout cas, il n'était pas médecin et il s'en glorifia même au cours de notre première conversation.

— « Ces médecins sont les seuls à ne rien avoir compris à nos recherches... »

— Pourquoi le cacher, mon civil-professeur n'était pas antipathique malgré sa suffisance. Une seule chose le passionnait dans la vie : les tsiganes. Et comme il avait en moi un auditeur attentif — pouvais-je, simple déporté, adopter une autre attitude? — il était intarissable. Je vais essayer de résumer ses longs discours sans le trahir.

— Spécialiste des tsiganes depuis une dizaine d'années, auteur de nombreuses études sur la question, il dirigeait un service dans un institut entièrement consacré aux problèmes posés par les différentes races humaines. Après mon retour à Paris, j'ai en effet appris qu'il existait à Berlin un Institut pour la race et le peuplement. Il avait été chargé par le Reichsführer S.S. Heinrich Himmler en personne, de préparer la publication d'un dictionnaire des principaux dialectes tsiganes. « Vous comprenez, me dit-il, il n'existe aucun véritable dictionnaire de leurs langues : seulement des lexiques de quelques mots. Une équipe de dix personnes que je dirige, tous des spécialistes des questions tsiganes, s'acharnent sur ce travail depuis maintenant deux ans. Nous avons plusieurs dizaines de milliers de fiches. C'est une entreprise gigantesque car, rien que pour le Reich, nous avons découvert plus de quinze véritables langues. » Je ne suis pas spécialiste en philologie et j'ai oublié la presque totalité de ses explications. Et puis, à l'époque, j'avais bien d'autres préoccupations — ne serait-ce que de ne pas être assassiné — que l'étude des parlers tsiganes. Je demandai tout de même si à Buchenwald ou Dachau il avait appris de nouveaux mots.

— « Oh non ! me répondit-il, la langue des « malades » est

---

1. Témoignage inédit docteur Roche.

parfaitement connue. Ici nous complétons nos renseignements comment dire, d'anthropologie... de « raciologie ». Chaque tsigane connu, possède à notre Institut un dossier qui lui est réservé. Nous devons connaître ses origines, sa filiation complète, ses déplacements. Nous allons plus loin avec les tsiganes qu'avec les autres races. Cette étude comme le dictionnaire est unique. C'est la première fois que de telles observations, sont entreprises dans le monde. Nous devons tout connaître des tsiganes. Ici je suis venu compléter simplement nos fiches en profitant des différents relevés qui ont été effectués par le professeur Beiglbock au moment de l'hospitalisation des « malades ». J'avoue aujourd'hui ne pas avoir osé lui parler de ces expériences inhumaines et inutiles qui se déroulaient dans le Block 1/4. C'est très joli d'établir un dictionnaire, d'accumuler des archives sur un peuple que l'on assassine. Le tsigane sera bientôt une langue morte. Morte comme tous les tsiganes. Et vous, monsieur le professeur, vous n'étudiez pas le yiddish... c'est pourtant une langue judéo-allemande; ça devrait vous passionner? Je n'ai pas eu le courage. Les déportés seuls peuvent me comprendre. Et c'est pour moi le principal.

— Je lui remis une copie de toutes mes observations sur les yeux des tsiganes-cobayes. En cinq ou six jours de présence, le « civil-professeur » dut bien rafler trois ou quatre kilos de paperasses qui iraient s'entasser dans les archives poussiéreuses de l'Institut pour la race et peuplement. »

— « L'ambiance », « l'atmosphère », me permettaient tout de même des question.

— « Ces recherches sont limitées aux tsiganes, aux juifs, aux noirs? »

— « Nous avons un secteur pour les juifs mais rien de comparable avec ce qui a été entrepris, à la demande d'Himmler, pour les tsiganes. Les tsiganes, voyez-vous, sont différents des autres peuples. Beaucoup ont conservé leur pureté originelle, pureté raciale s'entend. Ils sont de véritables aryens. C'est pour cela que nous devons mieux les connaître. Un avenir important leur est réservé dans le Reich. Des villes leur seront réservées, des écoles, une université. Nous les intégrerons. Ils iront peupler les colonies en Afrique, peut-ête des îles. Himmler a de grands projets pour eux après la guerre. Ils deviendront des citoyens comme les autres et le temps des roulottes, des feux de bois et des chapardages sera terminé. Pour les juifs et tous les criminels asociaux, c'est différent. Il n'y a pas de place dans notre monde pour eux.

— Décidément je n'avais rien compris et « notre monde »

ne devait pas avoir de place, non plus, pour moi car pendant que le « civil-professeur » me vantait les mérites de la race tsigane qu'il admirait je crois sincèrement, dans la baraque expérimentale 1/4, quarante-quatre jeunes tsiganes devenaient fous. Ils hurlaient comme des cochons en regardant leur peau parcheminée se détacher en plaques. Ils ne devaient pas être reconnus assez purs pour jouir, enfin, après tant de siècles de malheur, du bonheur nazi.

*
* *

Expériences sur les hautes altitudes.

Sur les 180 à 200 déportés qui devaient subir à Dachau les expériences sur les hautes altitudes, les différentes commissions rogatoires du Tribunal international de Nuremberg ne retrouvèrent aucun survivant. Par la suite, des experts aéronautiques américains, médecins pour la plupart, reprirent l'enquête en offrant des primes importantes pour toute information qui pourrait les conduire à un « sujet d'expérience ». Nouvel échec.

D'après différents témoignages, les tsiganes furent largement minoritaires dans cette expérience particulière : peut-être huit, peut-être douze; tous d'origine allemande. Ces recherches voulues par Himmler et dirigées par le médecin capitaine S.S. Sigismund Rascher, firent quatre-vingts morts.

Le 1er mai 1947, l'un des expérimentateurs comparut à Nuremberg [1].

— Je m'appelle Hans Wolfgang Rombert, je suis né le 15 mai 1911 à Berlin, j'ai étudié la médecine de 1929 à 1935 aux universités de Berlin et d'Innsbrück. J'ai passé ma thèse en 1935, et c'est au cours de mon travail auprès du professeur Büchner, que s'éveilla mon intérêt pour les questions de médecine aéronautique.

— Le 1er janvier 1938, je fus accepté comme collaborateur scientifique au département médical du D.V.L. dirigé par le docteur Ruff. J'étais spécialement chargé d'évaluer théoriquement et pratiquement les accidents aériens. En plus, je reçus un certain nombre d'ordres de recherches, par exemple dans les expériences de piqués et de centrifugation. C'est en 1939 que je commençai de travailler aux recherches sur les hautes altitudes. Lorsque le

---

1. Rascher sera assassiné par les S.S. dans les dernières semaines de la guerre. (Voir *Les Médecins Maudits*. Même auteur, même éditeur.)

D.V.L. eut reçu sa propre chambre à basse pression, je me spécialisai dans ce domaine.

— En décembre 1941, Ruff me fit appeler, après la visite de Weltz, et me demanda si j'étais prêt à participer à des expériences de sauvetage en altitude sur des criminels condamnés et volontaires; je compris que ces expériences n'étaient qu'une partie d'un plan expérimental à grande échelle. A cette époque, la situation de grande urgence des soldats du front était parfaitement comprise à l'intérieur. L'effondrement du front de l'Est en hiver 1941-1942 menaçait; de plus, un nouvel adversaire s'était levé, les Etats-Unis d'Amérique, et nous étions particulièrement bien placés, dans un Institut de recherches aéronautiques, pour apprécier l'importance de cet événement.

— Les avions Boeing B 17 et Thunderbolt, qu'utilisaient les Américains, nous permettaient d'imaginer une forme de guerre aérienne entièrement nouvelle, spécialement dans le domaine des hautes altitudes.

— A cette époque, on avait construit des moteurs qui permettaient de voler à 16 000 mètres : les avions Junker, Arado et Henkel avaient déjà des cabines étanches. Le Messerschmitt 163 était déjà en cours d'essais. La question précise à résoudre était la façon de sauver un équipage en cas d'accident survenant à hautes altitudes.

— La participation de Rascher à Dachau était obligatoire du fait qu'il avait personnellement l'autorisation de Himmler de pratiquer les expériences. La preuve en est fournie par le fait que les expériences furent immédiatement arrêtées, lorsque des difficultés survinrent avec Weltz pour la désignation de Rascher.

— Le premier jour des expériences, je vis dix à douze sujets, et je pus leur parler. Ils me dirent peu à peu les raisons de leur condamnation, et qu'ils étaient volontaires. Je leur expliquai les grandes lignes de la question, ce qu'ils avaient à faire, les chiffres à écrire, la poignée du parachute à tirer. Je pris les électrocardiogrammes de chacun d'eux, ainsi qu'à la fin des expériences. Celles-ci durèrent en fait du 10 ou 12 mars, jusqu'au 19 ou 20 mai.

— A propos des morts qui survinrent, je puis dire qu'en plus de nos expériences communes de sauvetage en altitude, Rascher effectuait des expériences personnelles, sans me dire de quoi il s'agissait; c'st ainsi qu'à la fin avril, la première mort survint. Par la suite, je fus le témoin de deux autres morts; j'en fus très impressionné car au cours de nos innombrables expériences, aucune mort ne s'était produite.

— Au début d'avril, Rascher me dit pour la première fois qu'il travaillait à des expériences d'ascension lente, d'une durée de huit à dix minutes, mais je ne les vis pas; puis il pratiqua des tests d'adaptation à l'altitude, et je fus témoin de quelques-unes de ses expériences, qu'il conduisait d'ailleurs correctement; Rascher n'était pas du tout ponctuel : cela constituait un autre inconvénient. Les premières morts, apparemment inattendues, donnèrent sans doute à penser à Himmler que les expériences devaient être conduites avec l'aide de Fahrenkamp.

— Comme j'avais déjà assisté à des expériences personnelles de Rascher, je fus présent aux expériences fatales. J'avais l'impression que Rascher avait tendance à élargir autant que possible la question, et à surcharger nos expériences communes de questions spéciales qui n'avaient aucune nécessité pratique. Par exemple, il désirait examiner le liquide céphalo-rachidien; il m'avait confié son intention de devenir professeur d'université. Je prenais une part très active à nos expériences communes, et j'ai assisté parfois aux expériences de Rascher quand il m'arrivait d'être là, mais autrement, il les effectuait seul.

— Après la première mort, il y eut une autopsie à laquelle j'assistai; aujourd'hui, cela peut paraître différent, mais à l'époque, Rascher était un confrère qui avait eu, au cours d'une expérience, un accident fatal. Je portais un intérêt scientifique naturel à la cause de la mort; je l'admets franchement, bien que je me rende compte du danger que cela peut présenter ici; dans tous les hôpitaux, les médecins assistent aux autopsies. Je l'avais d'ailleurs averti qu'il vaudrait mieux s'arrêter, car l'électrocardiogramme montrait que le cœur faiblissait. Mais Rascher ne réagit point, il resta à cette altitude et la mort se produisit soudainement. C'était la première fois que je voyais une mort se produire à haute altitude, elle résulta certainement d'embolie aérienne.

— En raison de la situation de Rascher, je ne pouvais pas faire d'objections, mais je lui dis que ce genre de choses ne devait pas arriver; je me rendis alors à Berlin, et le dis à Ruff. C'est alors que nous nous décidâmes à arrêter des expériences, en prétendant que la chambre était absolument nécessaire au front.

— Quand je revins à Dachau, le baromètre était cassé; je le rapportai à Berlin, et au début ou au milieu de mai, je retournai à Dachau et terminai les expériences en les raccourcissant.

— La deuxième mort se produisit après mon retour, ainsi que la troisième, dans des conditions identiques à la première. Rascher arrêta net les protestations, en disant que c'était sur l'ordre formel de Himmler qu'il désirait clarifier la question de la maladie des caissons et des embolies aériennes. Je fis remarquer qu'il était le premier à pratiquer une autopsie sous l'eau, pour montrer la présence de bulles d'air dans le sang; il ajouta qu'il désirait également clarifier la question de l'électrocardiogramme au cours de la maladie de l'altitude, que Himmler lui en avait donné l'ordre, que Fahrenkamp devait venir l'assister à cette occasion, et qu'il désirait lui-même présenter un travail sur cette question afin de devenir professeur d'université. Il me montra alors une lettre qu'il me lut, en me faisant remarquer la signature de Himmler. A cette époque, Rascher semblait avoir réuni un matériel important sur les insuffisances cardiaques. Il avait pris des électrocardiogrammes de sujets fusillés. Il en avait pris à l'hôpital de Munich, et il désirait les comparer avec les électrocardiogrammes pris au cours de la maladie de l'altitude.

— Pour notre rapport final, j'avais trop de sens de ma responsabilité pour présenter un rapport devant servir de base à nos vols futurs, et être utilisé par l'armée de l'air, pour cacher des points aussi importants que les morts survenues au cours des expériences. D'ailleurs, à cette époque, il n'y avait aucune raison de craindre de rendre compte de ces morts, car personne ne m'aurait inquiété à ce sujet.

— En juillet 1942, Rascher vint à Berlin, et me dit que nous devions nous rendre au quartier général du Führer. Rascher me présenta à Himmler, qui le reçut très cordialement, et nous lui lûmes les comptes rendus de notre travail. Himmler nous dit que nous devions rendre compte au maréchal Gœring, et donna l'ordre de préparer les expériences du froid, puis il parla des soins populaires aux noyés et aux gelés : il cita la femme du pêcheur, réchauffant dans son lit, son mari à moitié gelé. Je déclarai que la principale question consistait à savoir s'il fallait réchauffer rapidement ou lentement les sujets refroidis; si on cherchait trop longtemps, on risquait d'avoir des morts. Un silence pénible suivit, et je compris que ce n'était pas un lieu favorable à la contradiction. Par la suite, Rascher me demanda si je n'étais pas devenu fou, et si je me croyais destiné à contredire le « Reichs Heini ».

— Himmler déclara que l'effort de guerre total rendait naturelle l'utilisation des détenus des camps de concentration pour les expériences, et que c'était le moyen pour eux de se réhabiliter; il ajouta que ceux qui ne pouvaient comprendre cela, ne pouvaient comprendre que dans cette guerre, c'était une question de vie ou de mort pour l'Allemagne. Puis le film fut projeté, Himmler en fut très satisfait. Il me demanda de participer aux expériences du froid, j'essayai de m'en tirer en déclarant que j'étais déjà surchargé à l'Institut; il m'offrit immédiatement de m'aider à me libérer du D.V.L., et je cessai d'objecter; je me décidai à disparaître sans bruit, et je réussis.

*
* *

Expériences sur le froid.

Quatre-vingt-dix déportés et parmi eux quinze tsiganes devaient mourir au cours des différentes expériences sur le froid dirigées par le capitaine Rascher.

Témoignage Walter Neff [1].

Procureur Hardy. — Quand commencèrent ces expériences?

N. — En août ou à la fin de juillet 1942 : elles furent pratiquées par le professeur Holzlöhner et par les docteurs Finke et Rascher. On peut les diviser en deux séries, une avec Holzlöhner et Finke, et une autre avec Rascher.

H. — Très bien, décrivez le bassin d'expérience.

N. — Il était en bois; il avait 2 mètres de long et 2 mètres de profondeur. Il dépassait le plancher d'environ 50 centimètres, et il se trouvait dans le Block n° 5. Il y avait dans la salle d'expérience et dans le bassin, un certain nombre d'appareils de mesure.

H. — Pouvez-vous dire approximativement au tribunal combien de personnes ont servi à ces expériences?

N. — Deux cent quatre-vingts à trois cents environ, mais en réalité trois cent soixante à quatre cents expériences furent effectuées, car certains sujets servirent plusieurs fois.

H. — Sur ces deux cent quatre-vingts à trois cents prisonniers, combien moururent?

N. — Approximativement quatre-vingts à quatre-vingt-dix.

H. — Et combien de sujets vous rappelez-vous dans les expériences de Holzlöhner, Finke et Rascher?

N. — Approximativement cinquante à soixante, dont quinze, peut-être même dix-huit, moururent.

H. — Quand les expériences furent-elles terminées?

N. — A la fin d'octobre. A ce moment Holzlöhner et Finke

---

1. Audience du 17 décembre 1946 devant le tribunal de Nuremberg.

arrêtèrent les expériences en disant que leur but était atteint, et qu'il était inutile d'en pratiquer d'autres.

H. — Alors Rascher continua seul?

N. — Oui, Rascher continua, disant qu'il devait établir une base scientifique, et préparer une conférence à l'université de Marburg.

H. — Combien de temps continua-t-il à expérimenter avec l'eau froide?

N. — Jusqu'en mai 1943.

H. — Les sujets des expériences de réfrigération étaient-ils choisis de la même façon que les sujets des expériences des hautes altitudes?

N. — Non. Rascher s'adressait à l'Administration du camp, et leur disait qu'il avait besoin de tant de sujets. Le département politique du camp choisissait alors dix détenus nominalement. La liste était envoyée au commandant du camp, qui la signait, et les sujets étaient alors envoyés au service de Rascher. J'ai pu utiliser la liste originale comme preuve, au premier procès de Dachau. Il y avait un certain nombre de prisonniers politiques, et aussi d'étrangers, mais il y avait certainement aussi des prisonniers de guerre, et des détenus condamnés à mort.

H. — Ces personnes étaient-elles volontaires?

N. — Non.

H. — Pouvez-vous décrire au tribunal comment se passaient les expériences?

N. — Le bassin était rempli d'eau, et on ajoutait de la glace jusqu'à une température de trois degrés. Les sujets étaient alors plongés dans l'eau, revêtus d'une tenue d'aviateur, ou complètement nus. Tant que Holzlöhner et Finke prirent part aux expériences, la plupart de celles-ci furent effectuées sous anesthésie, alors que pendant la période de Rascher, celui-ci n'utilisa jamais l'anesthésie; il déclarait qu'on ne pouvait pas connaître ainsi la condition exacte du sang, et que la volonté du sujet était exclue. Il se passait toujours un certain temps avant la perte de connaissance. La température était mesurée dans le rectum et dans l'estomac. L'abaissement de la température à 32° constituait une épreuve terrible pour le sujet. A 32°, il perdait connaissance. Les sujets furent refroidis jusqu'à une température corporelle de 25°; afin de vous faire comprendre la question, je voudrais vous dire quelque chose au sujet de la période Holzlöhner et Finke. Pendant cette période aucun sujet ne fut réellement tué dans l'eau. Les cas de mort survinrent seulement au moment de la réanimation, ou plutôt pendant le réchauffement. La température continuait de baisser, et causait une insuffisance cardiaque aiguë également favorisée par l'insuffisance thérapeutique; ainsi, par opposition aux expériences dans la chambre à basse pression, on peut dire que les victimes de la période Holzlöhner et Finke n'avaient pas toute leur connaissance dans le bassin, alors que dans la chambre à basse pression, chaque cas de mort pouvait être considéré comme un meurtre délibéré, et non comme un accident.

— Ce fut différent quand Rascher s'occupa personnellement des expériences; à ce moment, un grand nombre de personnes furent laissées dans l'eau jusqu'à la mort. C'est sur deux officiers russes qu'eut lieu la pire de toutes les expériences effectuées à Dachau. Les deux officiers furent amenés du Bunker. Il était interdit de leur parler. Ils arrivèrent dans l'après-midi, à peu près à 4 heures; Rascher les fit déshabiller et entrer nus dans le bassin. Deux heures après, ils avaient encore leur connaissance. Nos appels à Rascher, pour qu'il leur fasse une injection, furent sans résultat. Pendant la troisième heure, un des Russes dit à l'autre : « Camarade, dis à cet officier qu'il peut nous achever d'une balle. » A quoi l'autre répondit : « N'attends rien de ce chien! »

— Après ces paroles, qui furent traduites du russe par un jeune Polonais qui en atténua la forme, Rascher retourna dans son bureau. Le jeune Polonais essaya immédiatement de les chloroformer, mais Rascher revint, et nous menaça de son revolver, en disant : « Ne vous en mêlez pas, et ne vous approchez pas d'eux. » L'expérience se poursuivit pendant au moins cinq heures, avant d'aboutir à la mort. Les cadavres furent envoyés à Munich pour y être autopsiés.

H. — Combien de temps faut-il normalement pour tuer une personne par le froid?

N. — La longueur de l'expérience varie avec chaque individu, et bien entendu s'il est habillé ou nu; s'il est physiquement faible et s'il est nu. La mort se produit souvent au bout de quatre-vingt-dix minutes, mais un grand nombre de sujets restèrent dans l'eau trois heures avant de mourir.

H. — Pouvez-vous décrire au tribunal la méthode de réchauffement des victimes du froid?

N. — Pendant que Rascher et Holzlöhner opéraient ensemble, le réchauffement était pratiqué par massages, injections de tonicardiaques, chauffage électrique et bains chauds. A la fin de la période Holzlöhner, la méthode de réchauffement avec l'eau chaude fut pratiquée, à l'exception de quelques expériences de réchauffement par chaleur animale. Pour celles-là, dix femmes furent envoyées du camp de Ravensbrück, et furent obligées de se presser, nues, contre le corps des sujets gelés, afin de les réchauffer.

H. — Vous rappelez-vous un ordre de Sievers, de septembre 1942, de porter les poumons et les cœurs de cinq détenus qui avaient été tués, au professeur Hirt, à Strasbourg, pour étude scientifique ultérieure?

N. — C'est exact. C'est moi qui ai porté ces cœurs et ces poumons, j'ai remis personnellement la lettre au professeur Hirt, et il me remit une lettre fermée pour le docteur Rascher, ainsi qu'un paquet.

— Tous les quatre mois et tous les six mois, Rascher établissait des rapports détaillés destinés à la Société Ahnenerbe.

H. — Passons aux expériences du froid sec.

N. — Celles-ci furent effectuées en janvier, février et mars 1943 : une expérience fut d'abord faite sur un prisonnier étendu sur un brancard pendant la nuit, à l'extérieur du Block. Il était recouvert d'un drap, et toutes les heures, on versait sur lui un seau d'eau froide : il resta dans ces conditions jusqu'au matin, et sa température fut prise avec un thermomètre. Plus tard, Rascher déclara que c'était une erreur de l'avoir recouvert, et d'avoir versé de l'eau sur lui, car l'air n'était pas en contact avec son corps; c'est pourquoi les autres sujets ne furent pas du tout couverts. L'expérience suivante eut lieu avec dix prisonniers qui passèrent la nuit nus dehors. La température de l'un d'entre eux fut mesurée avec un galvanomètre, et celles des autres avec un thermomètre.

— Rascher assista à dix-huit ou vingt expériences de cette sorte; je ne peux me rappeler exactement combien de morts se produisirent, mais je pense qu'environ trois morts survinrent pendant cette période. Un des jours suivants, le docteur Rascher me téléphona, et me dit que le docteur Grawitz était là, et demandait qu'au moins cent expériences de ce type soient réalisées. Rascher nous donnait l'ordre de pratiquer dix expériences la nuit suivante. Je répondis que c'était impossible, et que je n'avais pas de matériel. Le docteur Grawitz prit alors le téléphone, et me dit de ne pas essayer de trouver d'excuses, et de faire les expériences. Je répondis alors que j'essayerais; je retournai au Block, et je discutai de la question avec mes camarades; ceux-ci me dirent qu'il valait mieux faire les expériences en l'absence de Rascher, car s'il était présent, ce serait plus dangereux.

— Nous donnâmes alors une anesthésie à l'évipan à dix prisonniers. Nous laissâmes seulement un détenu dehors jusqu'à dix heures du matin; nous aurions été prévenus par la lampe rouge des gardes, si Rascher était revenu dans le camp. Vers 6 heures du matin, nous plaçâmes les sujets dehors, mais nous rédigeâmes les feuilles indiquant que dix expériences avaient eu lieu, c'est pourquoi, dans les feuilles établies pour les expériences du froid par Rascher, on voit que des sujets d'expériences sont restés pendant toute la nuit dehors, nus, à des températures de 3 à 10° au-dessous de zéro sans aucun accident, et qu'ils purent être rétablis par un bain chaud. Un expert verrait tout de suite que c'est une chose impossible. C'est de cette façon, qu'en théorie, nous pratiquâmes une centaine d'expériences, alors que pratiquement, nous en fîmes seulement vingt, sans qu'aucun cas de maladie ou de mort ne se soit produit. Pendant les expériences de Rascher qui amenèrent trois morts, les sujets furent parfois laissés dehors de 6 heures du soir à 9 heures du matin; la température corporelle la plus basse obtenue fut 25°.

H. — Je suppose que ces sujets ont énormément souffert?

N. — Oui, parce qu'au début, Rascher avait défendu que ces expériences soient faites sous anesthésie. Mais les sujets hurlaient tellement qu'il fut impossible à Rascher de continuer sans anesthésie; il écrivit au Reichsführer S.S. pour suggérer que ces expériences soient pratiquées plus tard à Auschwitz, au lieu de Dachau.

Témoignage père Michialowsky [1].

— Je suis né en 1909 en Pologne, et je suis prêtre catholique. Interné à Dachau, j'ai été examiné le 7 octobre 1942 par le docteur Brachtel, puis convoqué à l'hôpital — et conduit à la salle d'aviation. Il y avait là un bassin dans lequel flottaient des blocs de glace, deux tables avec des appareils, et des vêtements d'aviateur. Le docteur Brachtel était là, avec deux officiers en uniforme de l'armée de l'air. On me dit de me déshabiller, puis on m'examina; on fixa des fils à mon dos, puis dans le rectum, et je dus remettre ma chemise et mon pantalon, puis un des uniformes, une paire de bottes fourrées, et une combinaison d'aviateur. On me plaça sous la nuque une chambre à air gonflée; les fils furent reliés aux appareils, et je fus jeté à l'eau. J'eus immédiatement très froid, et je commençai à trembler. Je dis aux hommes qui étaient là que je ne pourrais pas supporter ce froid plus longtemps, mais ils rirent et me dirent que cela durerait très peu de temps. Je m'assis dans l'eau, et gardai ma connaissance pendant une heure et demie approximativement. Pendant ce temps, la température

---

1. Audience Nuremberg, 17 décembre 1946.

s'abaissa lentement au début, plus rapidement ensuite : d'abord
37° 6, puis 33°, puis 30°, mais je devins à peu près inconscient;
à ce moment, toutes les quinze minutes, on me prenait du sang
à l'oreille. Au bout d'une heure et demie, on me donna une cigarette, et bien entendu, je n'avais pas envie de fumer. Cependant,
un de ces hommes me donna une cigarette, et l'infirmier qui se
tenait auprès du bassin continua de la mettre dans ma bouche et
de la retirer; j'en fumai la moitié, puis on me donna un peu d'alcool, puis une tasse de rhum tiède. Mes pieds devinrent durs
comme du fer, ainsi que mes mains, et ma respiration très courte;
je me remis à trembler, et une sueur froide perla à mon front. Je
me sentis sur le point de mourir, et je leur demandai encore de me
sortir de là.

— Le docteur Brachtel me donna alors quelques gouttes d'un
liquide inconnu, douceâtre, puis je perdis connaissance. Lorsque
je revins à moi, il était environ 8 heures du soir, et j'étais étendu
sur un brancard, recouvert de couvertures avec des lampes chauf-
fantes. Il y avait seulement dans la pièce le docteur Brachtel, et
deux prisonniers. Je déclarai que j'étais très fatigué, et que j'avais
faim, et le docteur Brachtel donna l'ordre de me donner une meilleure nourriture, et de me mettre au lit. Un prisonnier m'aida, et
je fus ramené à la salle du paludisme. Un médecin polonais prisonnier dont je ne connais que le prénom, Adam, me dit que tout
ce qui m'était arrivé était un secret militaire, dont je ne devais
parler à personne. Il ajouta que si j'en parlais, j'étais assez intelligent pour imaginer ce qui m'arriverait. Comme j'en avais parlé
à mes camarades, et qu'un des infirmiers l'avait découvert, il me
demanda si j'étais fatigué de vivre.

Témoignage Henreik Bernard Knol [1].

— C'était en février 1943 : le soir à 9 heures, je reçus l'ordre
de me déshabiller. Une ceinture de sauvetage me fut donnée, ainsi
que différents instruments que je ne connaissais pas. Himmler assistait personnellement à ces préparatifs, accompagné de son chien.
Brusquement, je reçus un coup de pied, et je tombai dans l'eau
glacée. Pendant que je m'y trouvais, Himmler me demanda si j'étais
rouge ou vert. Je lui dis que j'étais rouge, et il me répondit : « Si
vous aviez été vert, vous auriez eu une chance de liberté. »

— Je ne sais pas combien de temps je restai dans l'eau glacée, ni ce qui m'arriva, car je perdis connaissance; lorsque je revins
à moi, j'étais étendu dans un lit entre deux femmes complètement

1. Déposition au Bureau d'Investigation des crimes de guerre d'Amsterdam.

nues, qui essayèrent de provoquer un acte sexuel, mais sans succès.

— Quand j'eus complètement retrouvé mes sens, on me porta à l'hôpital, où je restai pendant trois jours bien traité, puis je repris mon travail. Peu de temps après, je présentai une inflammation des orteils, et fus envoyé à nouveau à l'hôpital. Lorsque je fus guéri, à peu près pendant l'été de 1943, on m'appela à nouveau, et on m'habilla d'une tenue complète d'aviateur; on me donna encore une ceinture de sauvetage, et on m'appliqua les mêmes instruments médicaux que lors de mon premier bain. On me jeta à nouveau dans un bain rempli de glace : je perdis rapidement connaissance et, quand je revins à moi, je me trouvai dans un bain d'eau chaude. Ma poitrine était très gonflée, on me plaça tout de suite dans une sorte de caisse horizontale, où il faisait terriblement chaud. Je suai abondamment. Je ne sais pas exactement combien de temps je restai dans cette caisse. On me mit ensuite au lit pour trois jours, et je repris mon travail.

*
* *

Expériences sur le paludisme.

— Douze cents déportés, au moins, du camp de Dachau, subiront les expériences sur le paludisme du professeur Klaus Schilling qui devaient entraîner la mort « directement de trente personnes » et « indirectement » de trois ou quatre cents. Les premiers sujets d'expérience furent tous des tsiganes allemands — au moins cent — qui seront remplacés par la suite surtout par des prêtres et religieux polonais dont certains avaient déjà subi les expérimentations de Rascher.

— Je [1] m'appelle Klaus Schilling, je suis né le 24 juillet 1871. J'ai dirigé le département des maladies tropicales à l'Institut Robert Koch depuis 1905. J'ai pris ma retraite en 1936. C'est le ministre de la Santé publique du IIIe Reich, le docteur Conti qui me rappela à l'activité et me fit comparaître devant Himmler en 1941 ou janvier 1942. A ce moment je venais d'Italie où j'avais entrepris des recherches sur un vaccin contre le paludisme et il me demanda de continuer ces recherches à Dachau... Il n'était pas possible de refuser d'exécuter l'ordre de Himmler. Je commençai

---

1. Interrogatoire du 7 mai 1945 à Dachau par le capitaine de l'armée américaine, Clayn L. Walker.

mes expériences sur les prisonniers du camp en février 1942 et je continuai jusqu'au 13 mars 1945... Je pense avoir expérimenté sur neuf cents à mille sujets... si j'avais refusé j'aurais peut-être été envoyé moi aussi dans un camp de concentration. J'essayais de découvrir une méthode qui aurait sauvé des millions d'hommes.

— Après [1] avoir survécu à différents camps de concentration, j'arrivai à Dachau le 25 mai 1944. Je fus utilisé comme médecin du Revier; en même temps, j'ai été nommé représentant du camp par les Hollandais, et plus tard, les Danois et les Norvégiens. En tant que chef du service d'expériences sur les prisonniers, le professeur Schilling en tuait des centaines et des centaines. Des prisonniers, particulièrement des Polonais, des Russes et des tsiganes, furent amenés là de force; on leur injecta du sang de paludéens, ils contractèrent le paludisme, et subirent tout un tas de traitements expérimentaux qui n'étaient pas basés sur la thérapeutique actuelle du paludisme.

— Lorsqu'ils devenaient trop malades, ils étaient transférés à la section de médecine, où je devais les traiter. Aucun malade n'avait le droit de mourir dans le service du paludisme. Pendant la dernière année, j'eus à m'occuper d'innombrables victimes du paludisme qui moururent des conséquences directes de cette maladie, et de nombreux malades atteints des complications du paludisme, pneumonies, maladies du foie et du cœur; ils en moururent, et aussi beaucoup d'autres, empoisonnés par les traitements expérimentaux. Je me rappelle entre autres qu'en vingt-quatre heures, je reçus quatre malades dans le coma, empoisonnés par une énorme dose de pyramidon. Lorsqu'on découvrait des cas de paludisme dans notre service, nous devions les transférer au service du paludisme, où nous savions que le traitement était pire que dans nos propres salles, et nous essayions de les garder avec un faux diagnostic. Le professeur Schilling a été l'assassin de centaines de prisonniers de différentes nationalités.

Le professeur Schilling fut condamné à mort et exécuté. Il venait d'avoir soixante-quatorze ans. Ses dernières paroles furent :

« Tous ces gens n'ont rien compris. Maintenant il est trop tard. Ce sont eux les criminels. »

Au cours de son dernier interrogatoire, Klaus Schilling livra sans doute son véritable visage en répondant ainsi aux questions du procureur Astor.

---

1. Témoignage docteur Johann Trost, ancien déporté de Dachau, devant la Commission néerlandaise des crimes de guerre.

Astor. — Quand les prisonniers arrivaient à votre service, leur disait-on qu'ils étaient libres de ne pas subir l'expérience, s'ils ne le voulaient pas?

S. — Non.

A. — Savez-vous docteur, que les prisonniers à Dachau, avaient appris, dès le premier jour, qu'ils devaient obéir à tout ordre donné par les S.S., les gardes, les Kapos, ou quelque supérieur que ce soit?

S. — Je pense que c'est une chose bien entendue dans n'importe quel camp de prisonniers.

A. — Vous pensez que ces prisonniers devaient obéir à l'ordre de subir cette expérience, ou alors qu'il leur arriverait quelque chose d'aussi grave qu'il vous serait arrivé à vous-même, si vous n'aviez pas obéi à l'ordre de Himmler?

S. — C'est exact, si j'avais refusé, j'aurais peut-être été envoyé dans un camp de concentration.

A. — Je vous demande maintenant, en tant que professionnel des règles médicales, en conscience, que serait-il arrivé à un prisonnier de Dachau qui aurait refusé de se soumettre à votre inoculation du paludisme?

S. — Il aurati été puni.

A. — Dois-je comprendre que vous ne vous intéressiez pas à la sélection de ces hommes; vous les preniez comme ils venaient, et vous pratiquiez vos expériences.

S. — Oui.

A. — Avant de venir à Dachau, avez-vous inoculé le paludisme à des Allemands?

S. — Oui, à des paralytiques dans les asiles. En plus de cela, j'ai eu l'occasion d'inoculer quatorze à quinze étudiants volontaires, à Berlin. Ce sont les seuls sujets d'expériences volontaires que j'ai eus.

A. — Connaissiez-vous la nationalité de vos sujets d'expériences.

S. — Je ne sais pas. J'avais besoin d'un interprète.

A. — Connaissiez-vous la profession de ces prisonniers?

S. — Non, je ne l'ai pas demandée.

A. — Savez-vous que vous avez fait des expériences sur des prêtres catholiques?

S. — Des prêtres? Je ne savais pas, je n'ai pas demandé, je le regrette. Je peux simplement expliquer que je me souciais aussi peu que possible des à-côtés; je faisais mon devoir tel qu'il m'avait été ordonné.

A. — Docteur Schilling, un grand nombre de ces prisonniers, non seulement n'acceptèrent pas les expériences, mais protestèrent auprès de vous.

S. — Il n'y en a eu trois ou quatre. Je leur ai expliqué ce qu'on allait faire d'eux, et je leur promis de les guérir.

A. — Comment pouviez-vous garantir la guérison dans ces expériences? Il ne s'agissait pas de traitement, il s'agissait d'immunisation, de vaccination.

S. — En ce qui concerne le traitement, nous avons eu près de cent pour cent de guérisons en deux ou trois mois. La meilleure méthode était constituée par deux séries d'atébrine, à raison de trois grammes pendant cinq jours, à intervalles de dix jours, puis un nouveau traitement avec l'atébrine.

A. — Pouvez-vous dire qu'il n'y a pas eu un seul cas de mort à la suite de vos expériences?

S. — Je ne puis pas le dire.

A. — Savez-vous que certains des prisonniers sur lesquels vous avez expérimenté sont morts?

S. — Oui, certains moururent, mais pas à cause du paludisme; ils moururent de tuberculose ou de pneumonie. J'ai chez moi une liste des causes de la mort de ces malades, après inoculation et traitement. Si un homme est tuberculeux, ou typhique, et présente un paludisme spontané; s'il n'est pas traité pour le paludisme, et qu'il meure d'une autre maladie, le paludisme n'est que la cause secondaire de la mort.

Ainsi donc, comme on vient de le voir, les « tsiganes de sang mêlé » furent un « matériel humain » digne d'intérêt pour les expérimentateurs du camp de Dachau. Aux quatre expériences principales abordées dans ce chapitre, il faudrait ajouter d'autres essais secondaires portant sur la nourriture, les phlegmons, les médicaments comme le Polygal ou différents poisons, qui se soldèrent par plusieurs dizaines de morts dont au moins vingt tsiganes. Un vieux médecin français déporté à Dachau à qui je demandais : « Mais pourquoi choisir des tsiganes pour ces expériences? », me répondit :

— « Tout le monde méprisait les tsiganes, les tsiganes en général de race pure ou métis, les déportés comme les S.S. Alors pourquoi se priver? Qui revendiquerait? Qui se plaindrait? Qui témoignerait? Les tsiganes étaient moins que les juifs. Les tsiganes n'avaient aucune représentation dans les Etats qui les avaient vu naître. Ils n'existaient pas au niveau national et international. A la limite nous avons assisté là à des crimes parfaits. Des crimes sans cadavres. Qui voulez-vous — encore aujourd'hui — qui réclame un tsigane?

NEGRO

La chronique de Mauthausen, l'une des mieux connues parce que parfaitement étudiée, complétée par des Amicales exemplaires en France comme en Autriche ou en Allemagne, reste pratiquement muette sur les tsiganes de ce camp : quelques notations rapides inutilisables pour une étude d'ensemble : quant aux témoignages de déportés ils s'attachent à la description d'un personnage « inoubliable », un Kapo tsigane, un de plus, dont la bestialité par son énormité fait oublier qu'à côté de lui vivaient des tsiganes ordinaires.

Matéo Aguerez s'est établi aujourd'hui en Italie. Raflé dans la région de Pamiers par la gendarmerie ariégeoise de Foix, il partagea l'internement des républicains espagnols du camp du Vernet avant de débarquer à Mauthausen. Il travailla « jusqu'à la presque mort » à la construction de la citadelle aux miradors coiffés de chapeaux chinois.

— « J'étais un tsigane espagnol. C'est tout. Personne ne s'est douté que j'étais tsigane parce que je ne l'ai dit à personne. Espagnol et pas tsigane. Nous étions peut-être dix ou quinze dans ce cas. Je sais qu'à Gurs ils étaient plus de vingt. On nous a toujours pris pour des Espagnols. Et les Espagnols aussi. Je vis en Italie et je ne veux plus entendre parler de la France et de l'Allemagne. C'est les Français qui nous ont arrêtés et qui nous ont donnés comme des paquets aux S.S. Je ne l'oublie pas. Ça a été dur mais je suis dur. On s'en est sorti par miracle. C'est tout. Même le Pape m'a interrogé. Je lui ai dit ça. Même sur les Français. Mauthausen, je n'en parle pas. Les républicains espagnols m'ont sauvé la vie. Avant de mourir je passerai par l'Espagne. C'est ma vraie patrie.

— Quatre-vingt-onze [1] tsiganes autrichiens arrivèrent en juillet 1941 à Mauthausen, et en les voyant défiler les S.S. devaient les appeler « marchandise de rebut ». Mauthausen devait être pour ce petit groupe de tsiganes le camp le plus dur. Seul pourrait survivre celui qui s'était entraîné, qui avait appris à travailler ou à tromper les S.S. et les Kapos. Mais il est facile de concevoir combien cela fut dificile à ce petit groupe de prisonniers. Outre les chicaneries supplémentaires que les gardiens ne leur ménageaient pas, ils n'étaient absolument pas prêts à accepter la discipline du camp et se tenaient généralement loin de toute communauté. Le lien de solidarité à l'intérieur de la famille était d'autant plus fort. Les oppositions affirmées encore avec force avant 1938 entre les tsiganes Rom et les groupes nomades Sinte disparaissaient d'elles-mêmes dans les camps.

— En été 1941 [2], nous fûmes envoyés à Mauthausen et de cinq frères nous ne restions plus que trois. A Mauthausen le taux de mortalité augmenta encore grâce à un procédé plus rapide : l'explosion. Là je fus un jour gravement blessé mais le S.S. me cria :

« Veux-tu rester debout, espèce de cochon! »

— Et je dus retourner à la carrière. Les médecins-prisonniers m'ont alors rafistolé. Quelques mois plus tard je suis arrivé à Lackenbach par la promenade Elisabeth. A Lackenbach se trouvaient ma femme et mes jeunes enfants, mais ce n'est que plus tard que j'ai eu la permission de les voir. J'ai pris part alors au travail dans la forêt. Combien de troncs ai-je scié! Puis j'ai travaillé dans les débits de vin et le soir cela s'appelait « faire de la musique ». Et les transports d'Auschwitz nous devions les accompagner en jouant, même lorsque ma belle-mère, ma sœur et ses enfants y étaient entassés dans les wagons... et nous ne les avons jamais revus... »

— Vers [3] la fin de la guerre, une unité de jeunesse hitlérienne fit partie de la garnison de Mauthausen. A cette époque, le camp abritait environ cinq cents enfants dont quelques-uns étaient des tsiganes allemands. Les membres des jeunesses hitlériennes avaient l'habitude d'emmener des groupes de ces gosses dans la cour, derrière le Bunker, non loin de l'endroit où se trouvait l'es-

---

1. Témoignage Selma Steinmetz (déjà cité).
2. Témoignage Robert Schneeberger. Manuscrit Archives du Centre de documentation de la Résistance autrichienne et monographie Selma Seintmetz.
3. Témoignage D. Piquée-Audrian recueilli par Evelyne Le Chêne : *Mauthausen*, Belfond, 1974.

calier conduisant au crématoire et à la chambre à gaz, pour jouer au ballon avec eux en leur offrant des friandises. Pendant que les enfants jouaient joyeusement, un ou deux membres des jeunesses hitlériennes se détachaient du groupe et, attrapant sous chaque bras un enfant sans méfiance, les emmenaient dans la chambre à gaz. A la fin du jeu il ne restait plus sur la place qu'un ballon et quelques bonbons tombés à terre.

— Dans [1] l'histoire de Mauthausen reviennent sans cesse les noms de certains Kapos meurtriers que leur bestialité a désignés au mépris de leurs propres compatriotes. On a la preuve qu'ils soulevaient même chez les S.S. un sentiment de dégoût. Durant diverses périodes, les Blocks 15 et 5 servaient moitié de baraquements pour les juifs, moitié d'infirmerie. Ces deux Blocks étaient dirigés par un tsigane de nationalité allemande surnommé Negro et qui avaient pour les juifs une haine pathologique. C'était délibérément qu'on lui avait assigné ces deux Blocks et son règne y fut impitoyable et extrêmement « efficace ». Les décès survenaient parmi les internés avec une régularité sans défaut, afin de laisser la place à de nouveaux arrivants. Un des rares juifs qui survécut au règne de Negro fut l'agent britannique Edward Zeff. Au moment où il attendait d'être installé dans son baraquement, Zeff entendit appeler « le juif ». Il ne répondit pas. Une des explosions typiques de Negro fit suite à cet incident : ses yeux devinrent vitreux, ses veines saillirent sur ses tempes, ses cheveux roux et son visage cramoisi se mirent à luire comme une torche, et il hurla : « l'Anglais! ». Zeff se présenta alors devant lui, comptant bien recevoir une pluie de coups. Mais il avait eu raison de ne réagir qu'en entendant appeler « l'Anglais », car cette conduite eut un heureux effet pour lui. En effet, après cela, Negro fit montre à son endroit d'un étrange respect. Negro était très renfermé et ne s'était certainement jamais confié auparavant à un détenu : or il s'adoucit suffisamment pour raconter à Zeff qu'il avait été naguère marin et qu'il purgeait une condamnation à vie pour meurtre.

— Ses tendances homicides se manifestèrent de façon terrifiante par une soirée tranquille et glaciale. Après avoir fait transporter aux juifs pendant toute la journée des rochers de la carrière sans leur donner ni eau ni nourriture, Negro se jeta soudain sur eux avec une hachette. On put entendre dans tout le camp les hurlements de terreur des victimes. Les internés avaient beau être habitués à l'horreur, ils en furent impressionnés au plus pro-

---

1. Témoignage Evelyne Le Chêne : *Mauthausen*, Belfond, 1974.

fond d'eux-mêmes. Quelques juifs étaient trop faibles pour lui échapper, tandis qu'il frappait à droite et à gauche. On sait que Negro a tué jusqu'à six hommes à la fois dans une de ses crises de folie.

— Negro avait l'habitude d'annoncer aux détenus de son baraquement le nombre de jours qui leur restait à vivre, à savoir le temps qui les séparait de l'arrivée prévue d'un nouveau contingent en provenance d'un autre camp. En apprenant cela, beaucoup de détenus se pendaient pendant la nuit aux poutres du plafond. D'autres devenaient fous et couraient en direction de l'entrée principale du camp, où ils étaient immédiatement abattus par les gardes en faction dans les miradors. D'autres encore se précipitaient main dans la main, vers les barbelés à haute tension qui se trouvaient juste derrière le Block 5. Certains se jetaient du haut de la falaise dans la carrière. Des survivants ont raconté l'histoire de deux frères bien connus et très aimés au camp, deux juifs français, qui mirent à profit la pause de midi pour dire adieu à tous leurs amis; puis ils sautèrent dans le précipice, en entraînant avec eux deux S.S. qui se trouvaient là en train de surveiller.

— Le soir, quand les détenus étaient affaiblis par leur journée de travail, Negro plaçait un juif sur un siège au milieu du baraquement. La tête entre les mains, ce juif était battu avec un fléau à blé qui lui arrachait la peau du corps comme une tapisserie qu'on arrache d'un mur. Les coups étaient donnés avec une telle force qu'il y avait des marques profondes dans le plancher : on peut encore les voir au Block 5, vingt-huit ans après la guerre.

— En [1] ma qualité de sortant du Revier, je fus classé dans les disponibles, troupe disparate où les Kapos des Kommandos déficitaires venaient chercher des hommes de renfort. Véritable marché d'esclaves où les acquéreurs, qui n'avaient aucun intérêt à nous ménager, jaugeaient d'un air dédaigneux nos aptitudes physiques apparentes et n'admettaient aucune protestation.

— « Komm! Du! Weg! »

— Mon aspect minable me fit successivement rebuter par les chefs de plusieurs équipes qui travaillaient dans le tunnel, à l'abri du froid et de la neige. Je fus enfin choisi par le tsigane, un tortionnaire célèbre, à l'aspect sinistre et qui se flattait d'avoir tué de sa main cinquante-deux prisonniers. Il venait d'avoir une mésaventure qui l'avait particulièrement ulcéré : convaincu d'avoir volé

---

1. Témoignage Maurice Delfieu : *Récits d'un Revenant,* Publications de l'Indicateur Universel des P.T.T., 1947.

de la soupe et trafiqué des rations de pain, il avait été déchu de son grade d'Oberkapo et remis au rang de Kapo. Il prétendait devoir cet avatar à la dénonciation d'un de nos compatriotes et avait juré d'en tirer, sur un Français, une vengeance éclatante. J'eus l'honneur d'être élu non point en raison de ma taille et de ma prestance (!), mais plutôt en raison de l'importance que l'on me prêtait au camp, où j'étais appelé der Herr Postdirektor, beaucoup plus par dérision que par révérence.

— Je me trouvai donc embrigadé dans le Kommando du tsigane qui avait, ce jour-là, la charge de la grande bétonneuse. Cet appareil, mû électriquement, débitait un mètre cube de béton toutes les cinq minutes. A cette cadence, une immense benne nous tendait, automatiquement, sa gueule insatiable et on se hâtait d'y jeter, à la pelle, des pierres, sans relâche, et des sacs de ciment qu'on éventrait, au couteau, au-dessus du tank. Le brassage et l'addition de l'eau s'opéraient ensuite et le mélange était transporté sur le chantier voisin, au moyen d'une courroie convoyeuse.

— Aucun répit ne nous était laissé, que nous fussions chargés de voiturer les wagonnets ou d'alimenter la benne. « Schaufeln! Schaufeln! Immer schneller! » « Pelletez! Pelletez! Toujours plus vite! », nous criait le tsigane, avec des sacrements invraisemblables et en faisant siffler sa cravache à nos oreilles. Nous nous agitions de notre mieux. Nos pelles étaient incommodes, avec leur plateau trop large et leurs bords d'attaque en dentelle et nous avions une peine incroyable à les enfoncer dans le tas de pierres concassées. Au bout d'une heure de cette besogne, j'étais fourbu : mes bras dépourvus de muscles et comparables à des bâtons de chaise, mes jambes tout aussi décharnées, mes reins cassés, mon corps en un mot, refusaient de m'obéir. Comment ai-je réussi à tenir une matinée entière devant une tâche pareille, je me le demande encore aujourd'hui. La perspective de la vacation du soir était bien faite pour me terroriser.

— Je m'y attelai néanmoins, n'ayant guère d'illusions sur ce qu'il fallait en attendre, et persuadé que le bâton du tsigane aurait le dernier mot de l'histoire. La réalité ne tarda pas à dépasser mes plus sinistres appréhensions.

— La pelle qu'on m'avait mise entre les mains était encore plus lourde et plus incommode que celle du matin et pour la manœuvrer, je devais prendre appui sur ma cuisse droite, la seule qui fût à peu près valide, ce qui me faisait travailler en gauche. Ceci ne fut pas du goût du Kapo qui, après m'avoir adressé quelques « Schaufeln! » impératifs, me décocha deux gifles retentissantes qui m'envoyèrent au sol. L'ordre de me relever : « Auf! Auf! » fut ponctué d'une douzaine de coups de pieds dans le ventre. Le dirai-je? La souffrance me parut supportable, grâce à ma vareuse molletonnée et peut-être aussi parce que le froid intense qui régnait alors m'avait engourdi et rendu presque insensible. Malheureusement, mes efforts pour me relever furent vains. Le tsigane, feignant de croire que je mettais de la mauvaise volonté à lui obéir, ou me croyant réellement simulateur, s'empara de ma pelle et m'en asséna, sur la tête et sur le dos, des coups extrêmement violents, d'abord avec le plat, ensuite avec le manche de l'outil. Il s'aperçut bien vite que je m'efforçais de protéger ma jambe malade déjà tout ensanglantée, et, ayant découvert le point vulnérable, il la piétina et la martela de coups de talons.

— Je rampais dans la neige fondue, tournant en rond dans l'espèce de piste que mon corps avait tracée, comme ces crustacés qui, avec trois pattes cassées, viennent mourir sur le sable des plages. Ma casaque, imprégnée d'eau et qui gelait sur moi, devenait rigide comme une planche et les coups pleuvaient toujours...

— J'entrevoyais, comme dans un rêve, le visage grimaçant de mon tortionnaire sadique, mes camarades apitoyés ou simplement curieux de voir combien je durerais encore, à l'arrière-plan, un S.S. impassible qui regardait la scène d'un air détaché, la bétonneuse géante qui tendait sa benne goulue comme le menton féroce d'un prognathe, les grues aux formes et aux gestes apocalyptiques et tout ce décor grandiloquent et inhumain des Alpes tyroliennes qui, pour moi, évoqueront toujours désormais, l'image de la mort...

— Alors, je fermai les yeux et je n'entendis plus bientôt que les imprécations ordurières du tsigane, le roulement sourd des wagonnets et les coups de sifflet des petites locomotives dont les mécaniciens saluaient, au passage, celui qui allait mourir!

— Ainsi, le vieux qui avait résisté si longtemps, le vieux qui avait vu passer, qui avait réconforté tant de camarades français et autres, le vieux allait partir à son tour! Ah! C'était bien la peine de s'être arc-bouté pendant un an, de toutes mes forces physiques et morales, pour agoniser misérablement sous la trique!...

— Enfin, tout s'éteignit.

— Ainsi, sous l'œil bienveillant du nazi, le tsigane triomphant, tenait — croyait tenir du moins — sa cinquante-troisième victime et pouvait escompter sa prochaine promotion au grade supérieur qu'il avait malencontreusement perdu.

— On me traîna dans une baraque en planches proche du chantier, ouverte à tous les vents et je fus jeté sans connaissance sur un tas de sacs de ciment éventrés, en attendant le recensement du Kommando, en fin de travail, et mon admission au rang des vivants ou des morts.

— Vers 17 heures, au moment du remplacement de notre équipe par l'équipe montante, le Kapo, tenu de présenter son détachement au complet, m'envoya chercher et ne fut pas peu surpris de me voir ramené, sur mes jambes, par deux camarades de bonne volonté. Je repris lentement contact avec ce monde et me trouvai bientôt, je ne sais trop comment, aligné à mon rang, soutenu, aux aisselles, par mes voisins de droite et de gauche.

— « Le voilà qui se réveille, dit à mon côté une voix chaude et bien timbrée, à l'accent méridional. Mon vieux, tu reviens de loin!

— « Qui es-tu, dis-je. Tu es du Midi?

— « Jean Campana, Corse, mais Marseillais depuis toujours! »

— Je murmurai quelques mots de reconnaissance.

— « Bah! C'est la moindre des choses. On va rentrer pour l'appel. Peux-tu marcher? Non? Alors on va te porter!

— Il m'empoigna par les épaules, un Russe s'empara de mes jambes et nous voilà partis, moi les pieds devant. Je voyais défiler, dans un balancement vertigineux, la neige, les pierres du chemin, les sapins et les cimes alpestres et je m'efforçais de garder ma connaissance et de ne pas laisser échapper à nouveau cette vie qui m'était si miraculeusement rendue; mais les efforts que je fis pour y parvenir étaient au-dessus de mes forces et je m'évanouis à nouveau...

— Campana ne considérait pas comme terminé son rôle de bon Samaritain. Alors que tous mes voisins de lit me considéraient comme à l'agonie, le brave Marseillais n'avait pas perdu espoir. Par faveur spéciale, il réussit à se faire délivrer ma ration de soupe, m'assit sur mon lit et me fit avaler le bouillon brûlant. Je sais bien que ma casaque en absorba la plus grande part, mais ce ne fut pas sans profit, car le liquide bouillant produisit sur ma poitrine sifflante l'effet de ventouses énergiques.

— Bref, la nuit s'écoula sans me laisser aucun souvenir, et, le lendemain matin, j'eus la surprise de m'éveiller au commandement d'Aufstehen. J'embrassai de bon cœur Campana triomphant. Le secrétaire du Block, un Polonais douloureux qui avait beaucoup souffert par les Boches et qui, en cachette, osait me témoigner de l'intérêt, vint me féliciter de ma résurrection et m'annonça qu'il m'avait inscrit d'office, comme consultant, pour la visite médicale.

— Le crématoire était frustré une fois de plus de ma sèche carcasse; mais je lui en promis, *in petto*, une beaucoup plus grasse... et cette promesse fut tenue, non point par moi, mais par d'autres Français, car le tsigane avait beaucoup d'amis...

— Les triangles [1] noirs marquaient des hommes qui, dans la vie courante, se tenaient en dehors des lois : presque tous vivaient en Allemagne, mais leur peau brune dénonçait une origine tsigane. Ils se caractérisaient en général par une bêtise assez rare et par leur nature excessive. Ou bien ils étaient d'une grande douceur ou bien d'une sauvagerie sans nom. Les premiers restaient simples détenus, n'ayant pas les qualités nécessaires pour jouir de responsabilités, mais n'étaient victimes d'aucun mauvais traitement, étant considérés comme allemands. Les seconds devenaient Kapos, jamais davantage, étant trop inintelligents pour devenir chefs de Block, poste où il fallait pouvoir tenir une conversation, savoir écrire et compter ses hommes. Parmi les Kapos tsiganes, l'un d'eux acquit à Ebensee une célébrité rarement atteinte. Il était connu sous la simple dénomination de Kapo tsigane. Il avait une souplesse et une force de tigre et fut responsable en moins d'un an de la mort de plusieurs centaines de détenus, particulièrement des Russes, des Yougoslaves et des juifs hongrois. Il eut une mort en parfaite harmonie avec le genre d'activité qu'il avait menée dans le camp. Le jour de la Libération, il n'eut pas le temps de s'enfuir et fut assommé à coups de bâton par ceux qu'il avait tant fait souffrir. Comme il était étendu sur le sol, un jeune Russe ramassa une pierre qui pesait de 30 à 40 kilos et la laissa tomber sur sa tête, qui fut écrasée comme une noix.

— Les nouvelles [2] se répandent, rapides comme l'éclair.

— « On a tué Karl!

— « Les Russes sont en train de noyer deux Kapos du Steinbruck dans la piscine! »

— Des hommes courent dans le camp, armés de bâtons. On entend des cris dans les Blocks. Deux fuyards sont massacrés sous mes yeux en quelques minutes. C'est l'ancien chef du Block 7 et le Kapo du crématoire.

— « Et Lorenz? et Lorenz? », crie-t-on de tous côtés.

— « Abattu à coups de revolver, derrière la boulangerie.

— « Ce n'est pas vrai. C'est la sentinelle qui a tiré sur lui au moment où il passait les barbelés.

---

1. Témoignage Paul Tillard : *Mauthausen*, Editions Sociales, 1945.
2. Témoignage Jean Laffitte : *Ceux qui vivent*, Les Editeurs Français Réunis, 1958.

— « Mais il est mort, au moins?

— « On ne sait pas. »

— Au bout de l'allée, quatre hommes arrivent en portant une civière sur laquelle se débat une masse sanguinolente. Une foule en délire l'accompagne en sautant de joie.

— Simon, en les voyant s'approcher, me dit avec une pointe d'inquiétude :

— « Je crois que ça risque d'aller trop loin.

— « Ils ne se trompent pas, sois sans crainte. »

— La civière passe devant nous. Le blessé, la tête ruisselante de sang, est assis, les jambes pendantes. Il pousse de petits cris plaintifs et demande pardon à ceux qui le conduisent.

— Un Belge accouru au passage, s'exclame à nos côtés :

— « Nom de Dieu! le tsigane!

— « Approchez! Venez tous! », crient les autres.

— Simon sourit :

— « Ça c'est bien! »

— Eh oui! c'est le tsigane. L'homme qui, à lui seul, en a tué ou fait mourir des milliers d'autres. L'homme de l'épouvante et de la terreur. L'homme qui rit et qui, maintenant, avec ses yeux arrachés et ses jambes cassées joint les mains comme un lâche dans un geste de suprême supplication. Près de moi, un jeune Russe, qui se traîne péniblement, saisit une énorme pierre et, de toutes les forces qui lui restent, la lance sur cette tête rouge que le pavé vient frapper d'un bruit mat. Un Tchèque, au passage, trempe sa main dans le sang. Il rit. Les porteurs ne s'arrêtent pas. Ils poursuivent leur chemin vers le crématoire.

— « Ne le tuez pas, crie une voix. Il faut le brûler vivant. »

— Derrière le Block 18, un groupe de Polonais, les bâtons levés, se lance à la poursuite d'un homme qui s'enfuit en hurlant de peur. Nous le voyons s'abattre un peu plus loin comme un cerf sous la curée.

— L'heure de la justice a sonné. Simon et moi regardons sans broncher. Sans un mot.

— Cinquante-deux bandits ont été tués sur environ quatre cents. La justice populaire ne s'est pas abattue injustement. Les plus effroyables tueurs ont payé leurs crimes...

— Le sang [1] doit couler. Ne sens-tu pas que c'est nécessaire? Immense soulagement, après toute cette sauvagerie. Il faut se ven-

---

1. Témoignage François Wetterwald : *Les Morts inutiles,* Les Editions de Minuit, 1946.

ger. C'est bon, la vengeance, et puisque les S.S. nous ont échappé, payons-nous du moins sur leurs valets.

— En place, donc, pour le spectacle; il sera fastueux. Il en vaut la peine; et pour te mettre dans l'ambiance, tu n'as qu'à réfléchir, oh! une petite minute, à tout ce que tu as enduré ces derniers mois, et à tout ce que tu as vu. Pas besoin de répétition.

— Première entrée de ballet : les pantins rouges. Quelques chefs de Block imprévoyants, attaqués par surprise et saignés négligemment; sang dégoulinant sur les vêtements, sur nos vêtements, ceux qu'ils nous ont volés. Voyons un peu ce que peut faire un bon couteau, manié avec énergie, Messire Otto le sait maintenant.

— Deuxième entrée : la danse du tomawak. Que les matraques entrent en danse. C'est infaillible; que les cervelles sautent contre les parois de bois, magnifiques fioritures! Et si tu es un raffiné, un connaisseur, il n'est pas besoin de bâton; les talons suffisent, bien appliqués sur le crâne. Tiens, comme cela, sur Paul Friedl, le chien entre les chiens.

— Troisième entrée : les jeux d'eau. Réunion autour du bassin de la place de l'Appel. On verra bien qui fera le plus beau plongeon. Celui-ci? Essayons donc avec cet autre-là. Tiens, il nage : allons, messieurs, qui veut une pierre? C'est le tir, à la fête de Neuilly, montrez votre adresse et faites voir ce que vous savez faire. Tiens, il coule. Non! Si! Mains crispées et bulles.

— Finale : embrasement général. Je n'avais encore jamais vu le crématoire. Alors, c'est là-dedans qu'on a failli aller. Celui-ci n'est pas encore tout à fait mort, cela va le réveiller. Ah! le tsigane, eh bien! qu'en dis-tu? Ah! non, ne sors pas du four, attrape un bon coup de barre de fer, mais pas sur la tête, il faut que tu savoures bien...

— Secrète : on tue un peu partout, ce soir. Vous ne pouvez pas lire, cela vous fait horreur? Nous, on ne vous en veut pas, vous ne pouvez pas savoir.

— Moi, n'est-ce pas, je ne suis pas un sanguinaire. Et peut-être, après tout, ai-je moins souffert que les autres. Alors, je ne savais pas trop que faire.

— Je connais tous ces hommes que l'on supprime, ce soir. Je sais leurs crimes. Ils ont égorgé, pendu, assommé, envoyé au fil électrique, noyé. Je sais bien tout cela. Mais l'atmosphère, ce soir, n'est guère différente des autres jours et je voudrais la paix, enfin la paix, et le silence. Les machines se sont tues, là-bas, aux tunnels. Il n'y a plus que de vagues rumeurs dans le camp. Mais là, tout près, un incendie ravage les baraques des S.S.

— Que faire? Ils ont raison, c'est sûr. Il faut bien laisser s'échapper comme par une soupape, le trop-plein des impatiences, des souffrances, des haines refoulées. Et l'on pourrait tout juste leur en vouloir, s'il s'agissait d'hommes normaux. Le plus grand crime des S.S. a été justement de tuer dans ces hommes tout ce qu'il y avait de spécifiquement humain. Le sang est bon à voir couler pour les hommes primitifs.

— J'ai erré du côté des fosses; ces fosses que nous sommes peu à connaître, celles où l'on a enfoui, par milliers de kilos, les cendres des corps brûlés au crématoire. Justement il y en a une d'ouverte, au bord de la route qui conduit au bâtiment du four. Elle bée, là. Elle contient les restes de huit cents camarades, au moins, et cela ne fait pas beaucoup de volume... Débris informes, comme de petits cailloux d'os, où l'œil du médecin reconnaît de-ci, de-là, une tête de fémur, un bout de côte.

— Innocemment, les malades se serviront de cette fosse comme d'une feuillée, dans les jours qui suivront; et, par ordre des Américains, on la refermera bien vite, après y avoir entassé tous les détritus du voisinage.

— Je n'ai rien dit. Cela a-t-il une telle importance, les formes dont en entoure la mort.

— Voyez, moi non plus, je ne suis plus tout à fait un homme civilisé.

LES CAMPS DU NECKAR

Dans les camps du Neckar également, ce sont les Kapos tsiganes qui ont marqué le souvenir des déportés. Et pourtant, dans ces Kommandos du camp de Dachau, certainement plus de cinquante déportés tsiganes ont vécu le quotidien des condamnés à mort par le travail. Le docteur Roche a rencontré à la libération de Dachau un des survivants tsiganes des expériences sur l'eau de mer.

— C'était l'un des plus jeunes. Il m'a raconté qu'eux, les tsiganes, étaient particulièrement surveillés par les Kapos tsiganes qui ne leur passaient aucune faiblesse. Ils n'étaient pas de même tribu, c'est ce qui explique ce comportement inhabituel. On pourrait même dire raciste. Dans les camps du Neckar, les groupes nationaux vivaient en communauté, ignorant les autres « étrangers ». Les Français entre eux, les Allemands entre eux, les tsiganes entre eux.

— On [1] ne sait pas au juste ce qu'on reproche à quelques Français dans un Kommando, toujours est-il que l'Oberkapo tsigane, « le Négus », nous en veut sérieusement. Tandis que nous attendons la soupe, il ordonne, toujours armé de sa trique :

— « Français, rahousse! »

— Nous nous rassemblons à part.

— Quoique les commandements soient donnés en allemand, nous finissons par les comprendre. Pendant une demi-heure, pas de gymnastique! Couchez-vous! Debout! Pas de gymnastique! Couchez-vous! Debout!

---

1. Témoignage Robert Masset : *A l'ombre de la croix gammée,* Promotion et Editions, 1967.

— Alors que nous sommes étendus dans la boue, la brute passe dans les rangs pour nous bastonner le dos. Inutile de dire qu'il ne faut pas décomposer les mouvements pour se coucher ou se relever. Les retardataires ont droit à une ration supplémentaire de gourdin.

— Quand la « pelote » est terminée, nous sommes vidés, mouillés et boueux. Nous ne disposons plus que d'un petit quart d'heure pour ingurgiter notre modeste repas.

— Deux Français qui se sont perdus dans les galeries de la mine arrivent tout essoufflés au rassemblement avec quelques minutes de retard. Le Kommandoführer nous fait savoir que les deux fautifs vont être punis. Il les fait mettre à genoux, par terre, les coudes appuyés sur le coffre qui sert à transporter les casse-croûte, et Négus, l'Oberkapo tsigane, après avoir relevé les vestes, administre à chacun de nos camarades, avec son gros bâton, les « vingt coups sur le cul » réglementaires. Un pauvre vieux à cheveux blancs gémit lamentablement. Tous ces messieurs allemands se réjouissent de cette scène qui nous fend le cœur. L'autre Français, un jeune, subit plus stoïquement la torture.

— Nous [1] travaillons sur le bord du Neckar, en aval du pont. Déchargement d'une péniche de ciment. Les sacs par centaines s'entassent sous les hangars. La péniche a encore deux cales à vider. Nous sommes une vingtaine à porter. En file indienne, nous nous approchons sur les planches, recevons notre sac et, chancelant, remontons vers la rive et le hangar. Les sacs sont lourds. Penché en avant, ils m'écrasent et je ne puis retrouver ma respiration, trop droit, ils me renversent ou m'échappent. Ils fuient, le ciment entre dans notre dos de chemise. Le casse-croûte est long à venir. Le Vorarbeiter est tsigane : les grosses rations sont pour les amis tsiganes, mais pas pour les Français...

— Un Polonais rit avec le tsigane Vorarbeiter; il parle, il montre un Français. Qu'y a-t-il? Le tsigane appelle le Français et lui fait sortir un paquet de sa poche... Ce sont quelques pissenlits enveloppés dans un morceau de papier. Ce soir, ce sera une salade sans huile ni vinaigre. Le tsigane rit, rit aux éclats et... jette le paquet dans la rivière. Il menace le Français de l'y jeter s'il repêche la salade qui s'en va lentement au fil de l'eau.

— Comme le malheureux proteste, il est emmené par un autre Vorarbeiter tsigane au poste allemand, au « bulldog » la

----

1. Témoignage J.H. de La Teyssonnière : *A la mémoire de...*, La Pensée Universelle, 1972.

brute S.S. Et quelques minutes après, nous le voyons revenir, se tenant les reins suivi du tsigane qui rit. L'explication a été simple; une volée de coups de bâton.

— D'ailleurs, peu après, le « bulldog » arrive lui-même avec son éternel gourdin. Nous bousculant, il saute dans la cale et du fond du bateau s'échappent les bruits sourds et mats du bâton, les cris des hommes que l'Allemand poursuit.

— Décidément, demain, je changerai encore de Kommando!

HOULI, L'OBERKAPO TSIGANE DE MELK

— C'est [1] un matin d'hiver en janvier 1945. Il fait encore nuit. Nous sommes rassemblés dans la cour de l'ancienne caserne des pionniers et nous attendons le départ au travail.

— A 5 heures moins le quart, un des Espagnols chargés de la police de nuit à l'intérieur des barbelés, sonnait la cloche primitive faite d'un tuyau de fonte pendu à une chaîne. A ce signal, il n'a pas fallu traîner pour s'habiller, boire le « café » et manger le huitième de boule de pain. Ce matin encore, nous n'avions pas d'eau aux lavabos du Block et c'est le troisième jour que je ne me suis pas lavé.

— Soudain, Houli, l'Oberkapo chargé de la discipline des deux mille cent détenus qui vont sortir, arrive, accompagné du Feldwebel. Il compte chaque rangée de cinq, et si, par malheur, l'un d'entre nous s'affaisse et tombe d'inanition, à grands coups de poings et de pieds il saura ce qu'il en coûte de déranger ces messieurs en plein travail. Houli est un détenu tsigane, de taille moyenne et particulièrement bien musclé si l'on en juge par la facilité avec laquelle il casse un manche de pelle sur la tête d'un retardataire ou d'un malade. Sa mâle figure aux yeux noirs n'a rien des traits caractéristiques du criminel, mais plutôt de ceux d'un sportif aventurier et sympathique. Alors que nous sommes misérablement vêtus et chaussés de sabots rafistolés, lui s'habille avec une élégance des plus recherchées. Il porte tantôt des bottes, tantôt des chaussures de marche confortables ou des sandalettes de repos. Sa canadienne est barrée de traits rouges soigneusement peints de haut en bas, et en largeur, des fenêtres en tissu rayé

---

1. Manuscrit inédit rédigé par Pierre Pradales en avril 1946.

sont aussi découpées dans le dos de ses confortables pardessus, pour faciliter les recherches en cas d'évasion. Houli porte des complets ajustés et cintrés, taillés dans les meilleurs tissus rayés dont dispose son ami Kapo tailleur qui ne lui refuse rien, car Houli satisfait une de ses passions majeures en lui apportant du schnaps.

— Ce précieux schnaps ouvre toutes les portes des puissants responsables de l'intérieur : que ce soit aux Blocks, aux bureaux, à l'infirmerie, aux magasins, au tailleur ou aux cuisines. Mais il n'est pas facile de se le procurer et Houli, à ce titre, est un précieux intermédiaire. Les dents en or, arrachées aux cadavres de l'infirmerie sur les ordres des S.S., ne sont pas toutes récupérées par ces messieurs. Avec la complicité du Kapo de l'infirmerie, certaines sont utilisées justement par notre Oberkapo qui les échange contre de l'alcool à des travailleurs civils de la mine. Et c'est pour cela qu'Houli, bien vu par le commandant S.S. d'une part, possesseur de monnaie, d'autre part, jouit à l'intérieur du camp d'un standard de vie bien supérieur à n'importe quel Kapo. Houli est un criminel, un droit commun jugé et condamné. Il porte le triangle vert à côté de son matricule. Quant à nous, nous sommes des politiques au triangle rouge, nous n'avons été ni jugés, ni condamnés. Les otages ramassés dans les villes, les campagnes et les maquis forment la majorité du prolétariat international du camp. Les autres sont des patriotes appartenant à la Résistance et des militants politiques. Nos camarades ont quelques responsabilités, aux bureaux surtout, et s'emploient, non sans succès, à améliorer notre régime.

— Mais voilà que les lumières du poste de garde viennent de s'allumer. Nous allons sortir. Le long serpent de détenus en guenilles s'allonge sur la route. Houli contrôle la sortie. C'est la vingt-troisième fois que nous sommes comptés ce matin; je me suis amusé à vérifier : ce fut d'abord par le Schreiber, puis par un aide bureaucrate du Block; ensuite par le chef du Block, enfin par le Kapo qui nous prit en charge. Chacun recommença plusieurs fois avec force coups de gueule... et de poings...

— Houli est à la tête de la colonne. Il plaisante en allemand avec les quelques « beaux jeunes gens » qu'il protège. La différence entre eux et nous s'établit immédiatement à l'aspect physique : le poids, le teint, le pardessus confortable. Le chaud bonnet fourré avec oreilles, les bonnes chaussures. Ils auront des places de choix, surveillant d'une dizaine de détenus ou « planqué » aux compresseurs qui fournissent l'air comprimé à toute la mine, ou encore comptable au magasin d'outillage.

— Sur le côté de la route passe un « Posten » avec un chien policier dressé pour la recherche des évadés.

— Nous attendons une heure notre train qui vient de la direction de Linz... Enfin, notre vieille locomotive apparaît suivie des vingt wagons de marchandises que nous connaissons bien. Nous montons deux par deux. Nous devons nous tenir par le bras pour faciliter le comptage. Nous sommes entassés de chaque côté de la porte centrale à laquelle nous devons tourner le dos, et surtout ne pas chercher à tourner la tête, la schlague du Kapo veille. Nous sommes tellement serrés les uns contre les autres sans autre bagage que notre fidèle gamelle en forme de cuvette accrochée à la ceinture, qu'à plusieurs reprises j'ai pu lever mes deux pieds en même temps sans m'affaisser pour cela. Cette performance est irréalisable dans le métro à Paris où pourtant les compressions sont à un tel point sérieuses que les vitres en sont parfois cassées. Des paroles de mauvaise humeur se font entendre en même temps que des poussées et un peu de bousculades dans le fond du wagon. L'explication est dans cette exclamation de Carette : quelle odeur? La soupe aux choux déshydratés et de betteraves sucrières travaille étrangement les intestins... et il n'est pas toujours facile de se retenir...

— Comptés à nouveau sur le quai, nous regardons le soleil rouge qui apparaît au-dessus de l'horizon vers le petit bois de pins, là-bas sur la colline qui couve l'usine souterraine creusée dans son flanc. C'est là que nous allons travailler.

— Nos camarades de l'équipe de nuit sont alignés sur la gauche de la route cimentée. En tête, trois cadavres sur des brancards. Au passage, les camarades que nous relevons nous demandent : « Est-ce du café ou de la soupe ce matin? » Ainsi chaque équipe au retour, quête les informations alimentaires de l'équipe qui arrive : « Quart ou huitième de boule de pain? Margarine, fromage? Salami? Marmelade? »

— Nous nous divisons en équipes pour les différentes galeries : A, B, C, D, E, F. Les contremaîtres des firmes allemandes chargées des travaux sont là. Chaque Kapo prend son compte d'hommes en accord avec le Meister civil.

— La « A » est la plus ancienne galerie déjà bétonnée sur 100 mètres de long. Là, il ne fait pas chaud, mais au fond, où nous allons avec Carette, il fait bon.

— La « B » a des Kapos français; avec eux on peut s'arranger. C'est la plus longue galerie. Elle atteint presque l'autre côté de la colline.

— La « C » est la galerie la plus chaude.

— La « D » a un Kapo grec et beaucoup de ses compatriotes préfèrent aller avec lui.

— La « E » est surveillée par un assez chic Kapo italien mais elle est humide; avec la « F » c'est la plus mauvaise galerie.

— A la « F », l'eau suinte partout et les pompes n'arrivent pas à assécher les grandes flaques d'eau. Beaucoup de nos camarades ont attrapé là les derniers coups nécessaires pour abattre leur fragile carcasse. Les Kapos y sont de cyniques assassins.

— Carette et moi, nous nous dirigeons vers les « spécialistes ». C'est un des meilleurs Kommandos qui n'a pu nous embaucher qu'après des mois de travaux divers : poseurs de rails qui se disputent, accusent « l'autre » de ne pas porter, boiseur et porteur de tronc d'arbre, pousseur de wagonnets, à la chaîne, sous les coups, en équipe avec des gars épuisés et amorphes, brouetteur dans les galeries basses, cela vous brise les reins, mineur travaillant au marteau pneumatique. Nous connaissons tout ça. Nous avons tout fait, sauf le Kapo. Beaucoup de nos camarades qui se trouvaient avec nous au début des travaux sont morts d'épuisement. Les « anciens », dont nous sommes, ont pris les meilleurs places disponibles avec le développement des travaux.

— Je vais chercher ma lampe à carbure au magasin pendant que Carette se débrouille à la forge pour trouver des colliers indispensables au raccordement des tuyaux d'air comprimé.

— Equipés, nous nous dirigeons vers le fond de la « A ». Les galeries latérales bétonnées et claires sont équipées industriellement avec de grosses machines qui tournent des roulements à bille. L'entrée nous est interdite. Nous allons plus loin, au fond. Là où l'on attaque le sable au marteau piqueur, où l'on élargit des galeries creusées primitivement, où l'on monte les carcasses de fer qui enchâssent les panneaux de bois destinés à maintenir le béton et une voûte invulnérable aux bombardements.

— Je suis électricien, chargé du prolongement des lignes au fur et à mesure des avances, chargé également des réparations de toutes sortes : court-circuit dans les armatures de béton et surveillance des tapis roulants qui portent le sable au déversoir à l'extérieur. Que la lumière s'éteigne, que le tapis s'arrête, c'est le branlebas, il faut trouver la casse et réparer en vitesse. Si la réparation tarde, le Meister civil n'hésite pas à donner une volée de coups de canne ferrée et le surveillant S.S. ira de ses vingt-cinq coups sur les fesses, si à ce moment-là, occupé au fond d'une galerie, je ne m'aperçois pas rapidement de la panne.

— Carette est « Schlosser ». Il est chargé du bon fonctionnement et des réparations de la tuyauterie qui distribue l'air comprimé aux marteaux-piqueurs. Etudiant en droit, il a su s'adapter parfaitement et il se débrouille suffisamment bien pour ne pas avoir trop d'ennuis.

— Nous montons sur une plate-forme de sable où l'on peut surveiller les arrivants et répondre si l'on appelle : « Electrika » ou « Schlosser ».

— Je profite d'un moment de liberté pour essayer de crever une phlegmon qui m'embête au pied droit et mettre sur mes plaies un peu de ce papier propre qui enveloppe les ampoules électriques. Avec un clou j'essaie en vain de crever cette boule noire. Mais c'est seulement deux jours après que le soulagement arrivera, quand un camarade me marchera dessus au retour du travail.

— Tiens, voilà Germain! C'est un électricien civil français, requis à Figeac dans le Lot où j'ai de la famille qui'l connaît. Pour une autre firme, il surveille l'électricité de la galerie « A ». Je lui laisse d'un commun accord le travail le plus difficile. Il nous donne quelques informations recueillies à Vienne, où il a été dimanche. Il nous parle des effets des bombes au phosphore, les nouvelles militaires ne sont pas celles que nous attendons. Ça ne va pas vite. Le V.1? Moi je n'y crois pas. C'est de la propagande allemande. Je suis persuadé d'autre part qu'Hitler est mort au cours de l'attentat de juillet.

— Il nous parle de son amie, une Russe dont il est emballé. Elle est infirmière pour les ouvriers requis au chantier. Il faut parler avec des « civils » pour aborder une telle conversation. En enfer, l'amour n'a pas d'attrait.

— Mais des cris attirent notre attention, Germain va voir en éclaireur. Il nous raconte à son retour : c'est l'Oberkapo tsigane Houli qui assomme à coups de bâton un Russe surpris à échanger ses vêtements contre ceux d'un civil. D'après la description, la victime d'Houli est touchée à mort. Carette nous raconte alors que tout à l'heure il a vu Houli arriver aux cabinets construits de quelques planches à l'extérieur de la mine. Il était furieux de voir autant de monde, la culotte baissée, assis sur la barre de 5 ou 6 mètres derrière laquelle, sur la même longueur et sur 1 mètre de large, une fosse se remplit lestement des défécations des malades. Un Italien maigre ne s'est pas levé comme les autres s'enfuyant la culotte à la main sous les coups de bâton. Houli l'a attrapé par les pieds et l'a balancé dans la fosse. Le malheureux s'en est tiré difficilement pour aller se laver à l'eau glacée qui suinte de la mine et arrive canalisée jusqu'à l'extérieur. Il fut obligé de remettre des vêtements tout humides sur lui. Il mourut deux jours après au Revier.

— Houli jouit physiquement quand il frappe. A côté de ça, le même Oberkapo, le jour de l'incendie de la mine, est rentré dans les galeries enfumées et a sauvé l'un de nos camarades français qui était Kapo. Un bon Kapo. Il le traîna alors qu'il était évanoui au risque d'y rester lui-même.

— Un jour où nous prenions le train, je trébuche sur la première marche du wagon; mes lunettes tombent je suppose entre le quai et la voiture. Houli était le seul à avoir le droit de descendre sur la voie. Pendant plus d'une minute à coupetons, il cherche mes lunettes. Ne les trouvant pas il a vraiment l'air désespéré. Mes lunettes avaient sauté sur le plancher du wagon et mes camarades les avaient piétinées...

— A midi, c'est la soupe. La lumière coupée trois fois de suite prévient tout le monde jusqu'au fond. Chacun arrive sa précieuse gamelle à la main. C'est, paraît-il, de la soupe aux haricots.

— Les bouteillons sont là, alignés, et nous, derrière attendons en colonne. Le Kapo hongrois sert à droite, le Kapo polonais à gauche. Le Hongrois a un meilleur coup de louche, tout le monde le sait. Et tout le monde est de son côté. Mais le bouteillon du Kapo polonais est incontestablement plus épais. Sa file va se renforcer sans qu'il ait besoin de schlaguer. Carette passe avec lui, moi avec le Hongrois. La soupe est vite savourée, elle n'est pas mauvaise, mais beaucoup trop liquide; je compte combien d'haricots sont au fond de ma gamelle : dix-huit. Carette arrive tout fier en effet, la sienne est beaucoup plus belle; il a bien cinq ou six cuillerées de haricots.

— C'est fini, les gamelles sont léchées. Il faut regagner le travail et les surveillants nous chassent à coups de bâton. Nous montons sur notre observatoire et nous voyons, la faim tirant notre estomac, les Kapos et les surveillants happer de pleines cuillerées de haricots. Il y a toute une science pour distribuer la soupe, et les Kapos l'apprennent vite. Voici la tactique : ne pas trop remuer, servir le liquide qui se trouve au-dessus, quand on arrive à la fin, passer au bouteillon suivant en gardant le fond pour soi. Quand, repus, il reste encore de la bonne soupe, ils vont la vendre deux ou trois cigarettes à un camarade affamé et non fumeur.

— Mais le temps passe vite, encore quelques réparations à effectuer et c'est la fin du travail à 14 heures.

— Au rassemblement, il manque deux camarades : Houli est déchaîné. Il frappe les uns et les autres sans regarder les nationalités, lui qui, généralement, ménage les Français. Les Kapos sont lancés à la recherche dans les galeries. Ils reviennent une demi-heure après. Ce sont deux malheureux juifs hongrois qui se sont endormis dans une galerie désaffectée. Houli se précipite sur eux et leur casse successivement deux bâtons sur la tête; ils retombent tous deux. L'Oberkapo leur lance de grands coups de pieds dans le ventre et en pleine figure. Le sang gicle. Ils ne poussent plus de cris. Il faudra les porter jusqu'au camp. En arrivant, il n'y aura plus qu'à les transporter au Revier, à la salle basse, avec les cadavres. Le Posten et les Feldwebel ont assisté au drame. Un Feldwebel leur a donné également quelques coups avec rage. Impuissants, nous ne pouvons marquer notre désapprobation qu'en tournant un peu la tête de l'autre côté. Les Posten, dans l'ensemble, sont assez dégoûtés. Tout à l'heure, dans le train, l'un d'entre eux donnera la moitié d'une boule de pain au plus jeune d'entre nous, un juif hongrois.

— La relève est arrivée. C'est l'équipe d'après-midi. Elle nous confirme la nouvelle : oui, ce soir ce sera bien la soupe sucrée.

— Maintenant Houli est calmé : il marche la casquette relevée. Il est un peu fatigué. Il a envie de se changer les idées, aussi demande-t-il qu'on lui chante quelque chose. Nous n'aimons pas beaucoup chanter sur commande et les premières chansons que les Kapos entonnent ne sont guère appuyées. La troisième est la marche des bataillons d'Afrique, nous nous y mettons tous, pour nous changer les idées, nous aussi.

— A l'arrivée au camp, c'est la fouille. Heureusement que je n'ai pas de morceau de caoutchouc pour mon ami l'Espagnol, sans ça j'aurai pu avoir chaud. Je glisse la lame de scie qui me sert de couteau dans une fente aménagée dans le bas de ma veste et je passe sans encombre après avoir jeté des clous, de la ficelle, des chiffons qui me servent de mouchoirs. Tout ça, c'est interdit.

— Carette me fait remarquer qu'il y a trois de nos camarades au « piquet » face aux barbelés électrifiés. Qu'ont-ils fait? Nous essayerons de le savoir ce soir.

LE CRIME DE GROSS-ROSEN

— Le 5 [1] février 1945, lors d'un rassemblement vers cinq heures du matin, un ordre :

— « Les quarante plus vieux cons du Block, sortez des rangs! »

— Naturellement silence, immobilité. Le Stubendienst Ortner intervient :

— « Quels sont ceux qui ont plus de soixante ans?... Plus de cinquante-cinq ans?... Plus de cinquante ans? »

— Il « pique » ainsi trente-deux déportés, les rassemble et les emmène dans la cour d'entrée. C'est fini. Aussitôt encadré par les S.S., le groupe sort du camp.

— Quatre chariots attendent, sans chevaux, bien entendu, et l'on fait alors comprendre aux trente-deux élus que ce sont eux qui vont être les chevaux. Attelés à huit par chariot, ils prennent le chemin de la gare de Gross-Rosen, où ils trouvent une rame de quatre wagons à bestiaux : les chariots arrêtés près de la voie ferrée, on essaie d'ouvrir les portes des wagons. Grosse difficulté : elles semblent coincées de l'intérieur; enfin, elles cèdent, s'ouvrent brusquement et des grappes de cadavres qui les bloquaient, dégringolent sur la voie. A l'intérieur, on aperçoit, s'agitant sur d'autres cadavres, quelques hommes, beaucoup de femmes et des enfants, certains très jeunes, des bébés. Une odeur épouvantable se dégage de cette masse grouillante : odeur de sueur, d'excréments, de cadavres, de pourriture de toutes sortes. Il s'agit d'un convoi de tsiganes, la plupart de race très pure; d'ailleurs, malgré leur état pitoyable, certaines femmes sont encore d'une remarquable beauté.

---

1. Témoignage Ernest Gaillard. (Archives Les Nouvelles Littéraires.)

— Heraus!

— Tous ceux qui ont encore un souffle de vie sortent des wagons, descendent, trébuchent, se raccrochent. Alors a lieu la scène la plus horrible de la journée. Sur un ordre, les S.S. s'emparent des enfants, même les tout-petits, qu'ils arrachent des bras de leur mère, et les tuent en leur claquant la tête sur le ballast. Après quoi les petits corps sont jetés en tas sur le bord du chemin.

— Il faut ensuite monter dans les wagons et en sortir les cadavres. Gros travail, car la plupart, couverts d'excréments, sont comme pétrifiés, raidis, crispés, enchevêtrés les uns dans les autres; et si bien agglutinés que, lorsqu'on en tire un, il en vient une grappe. Enfin, tout est jeté sur le ballast.

— Les survivants, tenant à peine debout, doivent alors charger les cadavres sur les quatre chariots. Par-dessus les tas, les S.S. lancent les corps aux têtes éclatées des petits enfants. Un ordre, des vociférations, des coups de « gummi », des cris de douleur, des râles, et le convoi reprend le chemin du camp, les « anciens » toujours à huit par voiture, tirant les chariots, les « nouveaux » les poussant, ou, trop épuisés, s'y accrochant et se laissant traîner. Quelques-uns tombent. Ils sont aussitôt achevés d'une balle dans la nuque et vont grossir le tas sans pour cela arrêter le convoi qui chemine péniblement, laissant derrière lui, dans les traces de sabots ou de pieds nus, une longue traînée de sang et d'humeurs diverses qui dégouline des chariots.

— Au moment où nous entrons dans le camp, un « Posten » nous arrête :

— « Gaillard.

— « Présent.

— « Zum Kommandants! »

— Les S.S. s'agitent, s'interposent. Le « Posten » exhibe un papier : l'ordre est formel. Gaillard est donc cueilli dans les brancards et, tandis que la colonne se dirige vers le fond du camp, il est conduit au bureau.

— Le commandant l'attend.

— « C'est vous Gaillard?

— « Oui.

— « Vous êtes architecte?

— « Oui.

— « Alors, vous savez dessiner?

— « Oui.

— « Pouvez-vous faire un portrait?

— « Oui.

— « Voulez-vous faire le mien?

— « ...

— « Alors, commencez tout de suite, je vous ai préparé ce qu'il faut. »

— Sur une table, du papier à dessin, d'ailleurs de bonne qualité, des crayons, de diverses duretés, tous taillés. Et la séance commence immédiatement.

— Au bout d'une heure on apporte une collation : pain et margarine, frugale et légère, mais quand même aubaine inespérée. Une heure de travail encore, et le portrait est achevé. Le commandant est enchanté du résultat, et pour témoigner sa satisfaction à l'artiste lui fait apporter son cachet : en l'occurrence quelques victuailles : deux pains, un saucisson, un morceau de fromage.

— Serrant précieusement ces trésors inestimables, qu'il désire partager avec ses compagnons de misère, Gaillard regagne son Block, mais à peine y a-t-il fait quelques pas que des camarades se précipitent vers lui, affolés, les yeux exhorbités.

— « Gaillard!

— « Surtout n'entre pas! Fous-le camp! vite! et cache-toi! Ils te cherchent! »

— Sans comprendre, Gaillard s'enfuit, gagne le Block voisin, qui est prévenu. Vite, on le cache, et c'est là qu'il apprend la suite de la tragédie.

— Dès son entrée dans le camp, le convoi s'est dirigé vers le « Vestiaire » où les tsiganes encore vivants furent poussés. Les malheureux ignoraient l'horrible euphémisme : c'était en effet un vestiaire, mais un vestiaire où l'on ne faisait que se déshabiller, car la salle contiguë était la chambre à gaz.

— Pendant qu'on exterminait la fournée, les trente et un chevaux restants, toujours traînant les chariots, contournèrent le bâtiment et en gagnèrent la sortie. En face, c'était le four crématoire. Ils y déchargèrent les cadavres entassés sur les véhicules, et y ajoutèrent bientôt les autres, fraîchement sortis de la chambre à gaz.

— Quand tout fut terminé, les S.S. voulurent effacer toute trace du crime. Pour cela, il ne devait rester aucun témoin. Les « chevaux » furent donc rassemblés, et ils subirent le même sort que les malheureux tsiganes : chambre à gaz, puis four crématoire. Mais il en manquait un, qu'il fallait à tout prix retrouver pour préserver le secret de l'opération. A partir de 19 heures, une impitoyable chasse à l'homme fut organisée. Appels, contre-appels, fouilles, tout fut mis en œuvre. L'ingéniosité et le dévouement des camarades rivalisaient avec la nervosité et la sauvagerie des S.S.

car tous sentaient que la fin approchait. Des signes indéniables annonçaient qu'il fallait à tout prix gagner du temps. Ce fut une véritable course contre la montre... contre la mort.

— Enfin, à 23 heures, rassemblement général, mais cette fois, il n'est plus question de Gaillard. On entend le canon. L'armée russe approche. Un grand branle-bas. La libération? Non, hélas! mais seulement l'évacuation du camp, nouveau calvaire, vers une destinée inconnue [1].

---

1. Après embarquement dans les gares de Gross-Rosen et Waldenburg, le convoi fut acheminé sur Dora-Nordhausen où il arriva le 11 février 1945.

D'AUTRES CAMPS, D'AUTRES KOMMANDOS

Il sufit de feuilleter les registres matriculaires des départs en Kommandos ou les obituaires des camps (lorsqu'ils ont été conservés — totalité ou fragments épars) pour constater la présence de tsiganes dans le moindre centre de regroupement ou de travail. Cette ventilation anarchique correspond aux directives de l'Inspection générale des camps (Oranienburg) chargée de faire respecter les instructions du Reichsführer S.S. relatives à « l'extermination par le travail » des tsiganes qui n'avaient pas été regroupés à Auschwitz en attendant qu'une réponse soit trouvée aux questions que posait leur survie dans ces « autres » camps ou Kommandos. Toute étude d'ensemble est impossible et nous devons nous contenter de quelques bribes de récits. Comme toujours, ces témoignages sont subjectifs et s'ils ne décrivent pas la réalité du phénomène concentrationnaire tsigane, du moins nous permettent-ils, au-delà des informations, de comprendre l'état d'esprit de certains déportés face à ce véritable mystère que constituait derrière les barbelés la « nature tsigane ».

— Enfin [1] il y avait les tsiganes. Que pouvait être un tsigane, nous demandions-nous? L'existence de ces êtres que notre souvenir chargeait complaisamment de folklore et de légendes, était pour nous des plus douteuses. Comme si l'administration des camps avait voulu souligner leur marginalité et un destin promis à l'effacement, elle leur avait imposé une couleur d'écusson plus discrète que toutes les autres : le marron. A moi, elle parlait de grandes étendues de terre, sous des crépuscules dont les ors virent au noir,

---

1. Témoignage Michel Ribon : *Le passage à niveau*. La Pensée Universelle, 1972.

de ces plateaux fangeux d'Europe centrale menacés par des forêts décharnées et battues par les vents d'un perpétuel automne; elle faisait aussi lever l'image de tribus entières qui, dans l'espoir de rameuter les démons de la terre, font cercle autour d'un feu pour faire reculer l'abandon et la nuit — avant de repartir, ailleurs...

— Je me souviens de Karesk; trapu, osseux et d'un âge avancé, il se tassait sur sa solitude et, de son silence, il s'était fait une citadelle. Sur son épais visage de couleur bistre aux traits d'Asiate, l'éclat noir de ses yeux plissés se nourrissait de rêveries que je me plaisais à croire semblables à celles qui me venaient à son sujet. C'est par un après-midi d'hiver où, sur les collines givrées des alentours, un soleil rougeâtre allumait des éclats de joaillerie, que Karesk se laissa glisser à terre. Cet homme de la steppe, qui n'avait guère connu que des demi-clartés jouant sur des horizons vides et monotones, cet homme avait-il attendu ce jour d'une beauté minérale pour emporter avec lui, à six pieds sous terre, cette vision étincelante et glacée? Ses voisins le relevèrent mort, et déjà presque raide.

— De Karesk, j'ai connu aussi le compagnon inséparable, en âge d'être son fils : Radzek. Il était dégingandé et démesurément filiforme : son corps, qu'il balançait en marchant et même lorsqu'il restait sur place, se terminait par une tête chiffonnée et pleurnicharde aux narines palpitantes d'où pendaient deux filets de morve qui exaspéraient le chef de Block tout autant que ses plaintes et ses récriminations. Par crainte des coups, il avait appris à geindre de façon discrète et supportable pour les autres; une complainte sourde et nasillarde, aux limites du sanglot, s'échappait de ses lèvres. A cette mélopée, lancinante, Radzek qui grelottait toujours, se réchauffait un peu. Cette chaleur, il paraissait l'emmagasiner dans ses yeux que des paupières mi-closes réduisaient à un trait de feu. Parfois, Emil, pour se distraire, lui demandait de chanter et de danser. Radzek, d'abord, avait du mal à se secouer; puis une belle voix rauque lui revenait; elle parcourait des plages, s'y étalait et s'y reposait un peu; puis, c'était des gémissements grondeurs; elle descendait et remontait des gouffres où un instant, elle se suspendait en surplomb; tout d'un coup, il s'en servait comme d'un fouet; alors son corps, qui n'avait fait jusque-là que se balancer, cédait brusquement au charme, et virevoltait. Radzek se dégageait enfin de la fange, de toutes fanges; allait-il partir en lévitation? Mais il avait déjà décollé et atterrissait maintenant dans une prairie, pour offrir, sous le soleil de Pâques, ses mains tendues à toutes les fleurs de la Résurrection. Lorsque Radzek fut incapable de danser et enfin de chanter, Emil, le chef de Block, n'hésita pas : il le fit partir en transport.

*
**

Treblinka.

On [1] amena une fois un convoi de soixante-dix gitans de la région de Varsovie. Ces hommes, femmes et enfants étaient dépourvus de tout. Ils ne possédaient que des sous-vêtements crasseux et des vêtements en guenilles... Quelques heures plus tard, tout était silencieux et il ne restait que des cadavres.

— Un [2] contingent de bohémiens arriva de Bessarabie : environ deux cents hommes et huit cents femmes et enfants. Ils avaient fait la route à pied, suivis de leurs roulottes; on les avait trompés, eux aussi, et ils n'étaient escortés que de deux gardiens qui ne se doutaient pas que ces gens allaient à la mort. On rapporte que les bohémiens battirent des mains d'admiration devant le bel édifice des chambres à gaz, sans deviner jusqu'au dernier moment le sort qui les attendait, et que cela amusa beaucoup les Allemands.

— Ils [3] étaient gentils. Ils disaient que nous aurions une grande maison où l'on serait bien avec les parents et les enfants. Pendant tout le chemin ils ont donné du pain, de la soupe chaude, des couvertures. On a marché au moins dix jours. Il a plu deux jours. Beaucoup de femmes avaient des sabots qu'elles ont enlevé pour marcher dans la boue. Le dernier jour on a mangé un cheval. Il avait glissé. Les hommes n'ont pas voulu qu'un soldat lui tire dessus. Un homme l'a saigné. Les Allemands riaient. Ils n'ont pas voulu manger de viande. Plusieurs fois au début on a chanté, on a dansé. Après c'était fini. On s'est chauffé pour sécher les vêtements. Des enfants pleuraient toujours. On a marché la nuit. On est arrivé. On nous a donné à manger. Un médecin faisait sauter les enfants sur ses genoux. Il a donné des médicaments, du sucre, des piqûres. Puis c'était la maison. Une grande maison. Il y avait de la musique. Des femmes ont dansé. On m'a mis de côté avec deux femmes. Les autres sont restés là. Des soldats ont crié. On ne comprenait rien. Après on était dans une grande cuisine.

---

1. Témoignage Y. Wiernik : *A Year in Treblinka*, New York, 1945.
2. Témoignage Vassili Grossmann : *L'enfer de Treblinka*, traduit du russe, Arthaud, 1946.
3. Témoignage inédit Vannia Qworlaska. Budapest, 1965.

On a travaillé un mois à nettoyer le sol, la vaisselle. On épluchait des pommes de terre tout le temps, le jour, la nuit. Toujours. On mangeait bien. Mais on ne pouvait pas dormir. On n'avait pas de couverture. Un grand Allemand nous tapait dessus. Des grands coups. J'avais une blessure à l'épaule. Le lendemain (après notre arrivée), on a raconté que tous les tsiganes avaient été tués par les gaz dans la grande maison. On les avait brûlés après. On tuait tous ceux qui arrivaient. Après on les brûlait. Des fois on les brûlait et ils étaient vivants. Des fois on tuait les enfants en dehors de la grande maison. On les jetait dans les fours avec les parents. Personne n'échappait. Ils les tuaient tous. Nous on a eu de la chance. Ils nous ont gardés en vie pour travailler. Après ils voulaient nous tuer. On a pleuré. On pleurait tout le temps. Après on a suivi des soldats dans des camions. L'autre camp [1] était plus grand, plus sale. Après j'ai perdu mes amies et j'ai trouvé des femmes de chez moi dans une usine. On travaillait sur des moteurs.

Schlieben (Kommando de Ravensbrück).

— La veille [2] du 1er août, on appela les équipes disponibles de Leipzig-Hasag et quatre-vingts femmes solides furent choisies pour aller, disait-on, faire la moisson. Ce jour-là j'eus vraiment l'impression d'être vendue comme esclave sur la place publique. On nous embarqua le lendemain dans trois camions qui nous menèrent via Torgau, dans une localité nommée Schlieben dans la région de l'Elster, aux confins de la Saxe et du Brandebourg. Au-dessus de la petite ville, sur un plateau désolé, nous fûmes versées dans le camp le plus sordide que j'aie jamais vu. Nous y retrouvâmes, à notre grande horreur, les gitanes de Ravensbrück. Nous étions quatre-vingts « civilisées » livrées à un millier de sauvages. Je connaissais les théories des Allemands sur les tsiganes : race à détruire, comme les juifs. Nos gitanes, raflées en Hongrie, en Autriche (surtout dans la région de Graz) et dans tous les cirques et boîtes de nuit de Berlin, avaient été ramenées d'Auschwitz et portaient leur matricule tatoué sur l'avant-bras. Je n'augurais rien de bon de la corvée qui nous attendait en leur compagnie.

---

1. Ravensbrück.
2. Témoignage Elisabeth Will : *Témoignages strasbourgeois*, Les Belles Lettres, 1947. Publication de la Société des Lettres de Strasbourg.

— Derrière le plateau s'étendaient d'immenses bois de pins. On avait camouflé là-dedans une succursale de la Hasag qui fabriquait des « Panzerfaust » (grenades antichar). Usine montée de façon rudimentaire, sans aucune protection contre les vapeurs sulfureuses délétères qui empoisonnaient les travailleuses. Celles-ci étaient prises de vomissements, de crampes d'estomac et mouraient rapidement. J'eus la chance, une fois de plus, de travailler au grand air : nous chargions la marchandise finie dans les wagons, à raison pour une équipe de vingt femmes, de trois wagons de trois cent soixante-quinze caisses par séance de travail. Puis je me spécialisai dans le déchargement des énormes camions de la « Reichsbahn » qui amenaient des caisses de soufre de 80 kilos. C'était terriblement dur, mais nous avions l'avantage de former une équipe volante et de glaner de-ci de-là quelques nouvelles. Je leur expliquai ce que nous étions, et ils nous confirmèrent la prise de Paris et le débarquement à Toulon. Des prisonniers de guerre français transformés en travailleurs libres, espèce méprisable à nos yeux de « politiques pures », faisaient fonction de chauffeurs. Ils nous glissèrent quelques vivres, parfois un journal et finirent par adopter certaines d'entre nous à titre de filleules. Tout cela était bien entendu strictement clandestin. La vie au camp était un combat perpétuel. Il fallait se battre avec la Blockowa (une asociale allemande), pour avoir sa maigre part de nourriture. La policière en chef avait été condamnée pour brigandage. L'infirmerie était un pandémonium de gitanes hurlantes et miaulantes. L'une d'elles, qualifiée du titre de reine, déguisée en infirmière mais ignorant le premier mot du métier, traitait les blessées avec une grossièreté et une cruauté sans pareilles. J'appris plus tard, de la bouche du médecin civil de Schlieben, un nazi convaincu, qu'appelé pour un accouchement difficile et épouvanté de l'état sanitaire du camp, il avait proposé de faire chaque semaine une consultation gratuite. Le commandant lui avait répondu : les S.S. se soignent tout seuls. Le soir après le travail, les appels étaient interminables : les gitanes constituaient une faune mobile et fantasque, et notre commandant, jeune « Untersturmführer », fort satisfait de sa personne, ne possédait pour exécuter ses ordres qu'une demi-douzaine de souris et cinquante vétérans à moustache blanche. Cet état-major d'opérette était totalement débordé par les mille diablesses dont certaines, pour comble, étaient fort séduisantes. On n'en finissait pas de les compter, de battre les buissons à la recherche des évadées. Les Françaises, pendant ce temps, faisaient le piquet; lorsque enfin l'on tombait sur sa paillasse terrassée par le sommeil, les gitanes, souples comme des chats, entraient par les fenêtres et volaient jusque sous notre tête les derniers débris de nos richesses.

— Le camp de Schlieben eut bientôt, lui aussi, son affaire policière.

— « J'avais [1] passé la journée à charger les lourdes caisses de « Panzerfaust » sur des wagons. Il pleuvait. J'étais trempée jusqu'aux os. A l'arrivée au camp (deux kilomètres de marche), je quitte robe et chemise afin que ma chemise soit au moins sèche pour le lendemain. J'avise avec une camarade un tas de couvertures qui n'étaient pas en très bon état, mais elles étaient sèches : nous en prenons une et la partageons. Ainsi nous avons pu dormir au sec.

— « Le lendemain matin j'ai eu le tort de glisser ce morceau sous ma paillasse afin de le retrouver le soir car la journée s'annonçait « pluvieuse ». Hélas! il fut découvert, le lendemain matin donc, à 5 heures, deux tsiganes polonaises qui remplissaient les fonctions de Stubowas, pénètrent dans le Block, me font lever... et en route pour la place du camp où un bureau était installé avec des officiers et une vingtaine de soldats en armes. C'était le jugement. On m'interroge. Une interprète traduit demandes et réponses. Je suis condamnée pour sabotage.

— « Une gardienne polonaise vient me prendre et m'entraîne dans une cave avec une prisonnière tchèque. Là, la gardienne commence à nous attacher les bras derrière le dos et ensuite nos deux corps dos à dos. A grands coups de pied, elle nous fait rouler sur un tas de charbon. Un moment après, cinq officiers arrivent et nous font lever, toujours à coups de bottes (se lever n'est guère facile pour deux personnes attachées dos à dos et encore moins marcher, surtout que la tchèque était plus petite que moi). On nous conduit devant un cercueil. Je n'ai pas su pourquoi, car je ne comprenais pas l'allemand. Nous sommes restées là, debout, quelques heures. Ensuite, toutes les heures environ, nous avions la visite de deux déportées tsiganes munies d'une schlague. Ces séances de coups furent terribles. Dans la soirée, ma compagne réussit, à force de remuer les bras, à desserrer un peu les cordes. Je ne pouvais rien lui dire puisque nous ne parlions pas la même langue et ce qui devait arriver arriva : une de nos tortionnaires s'aperçut du desserrement des liens. Elles s'acharnèrent sur nous : coups bien sûr mais aussi cheveux arrachés par poignées, prothèse dentaire cassée : les cordes replacées pénétraient dans les

---

1. Manuscrit inédit Germaine Coupas, novembre, 1970.

chairs. La peur sans doute me provoqua une crise de dysenterie. La nuit fut hallucinante. A l'aube, nouvelle visite des geôlières accompagnées des S.S. venus assister au spectacle. On nous détacha. J'ai cru tomber évanouie lorsque le sang a pu gicler des plaies ouvertes par les cordes. Mes mains étaient noires. J'avais envie de pleurer, mais je me suis contenue ne voulant pas verser des larmes devant les Allemands.

— « On nous poussa ensuite sur la route de la forêt, sans boire, sans manger, sans se laver. Là, ce qui m'attendait était pénible; jointe à des tsiganes dont les jambes étaient couvertes de plaies d'avitaminose, il a fallu décharger une wagon de briques, ensuite un autre de sacs de 50 kilos de ciment. A 11 heures, l'Aufseherin a vu que je n'en pouvais plus (c'était une Alsacienne). Elle me fait asseoir sur un arbre coupé en me disant : « Bientôt manger. » Les dernières forces m'ont abandonnée et j'ai pleuré. A midi, retour au Kommando où une soupe nous attendait. Elle était la bienvenue comme vous devez le penser. Je n'avais rien eu depuis le café de l'avant-veille. Après ce frugal repas : déchargement de wagons de charpentes de bois. Là encore, cruauté allemande : on avait choisi un ancien de la guerre 14-18 qui disait parler français pour m'annoncer ma condamnation : « Forçat, travaux forcés, toujours, plus jamais revoir France, Arbeit pour le grand Reich. » Pendant un mois je fus condamnée aux plus durs travaux : dans les carrières de sable, déchargement des wagons, etc. A la fin d'août, je n'étais plus que l'ombre de moi-même. Si ce régime s'était prolongé, je ne serais pas rentrée. Heureusement il est arrivé l'ordre de remplacer toutes les femmes de ce Kommando de « travailleurs de force » par des déportés hommes. Quelle joie pour moi de quitter ce lieu maudit. Notre petit groupe a rejoint le Kommando de Halle près de Leipzig. Les camarades retrouvées ne m'ont pas reconnue tant j'avais maigri et vieilli.

Sachsenhausen-Oranienburg.

— Je [1] suis né en 1908 en Haute-Silésie, et j'ai été marchand de chevaux à Stettin. En juin 1938 j'ai été arrêté par la police pour avoir eu des relations avec une aryenne. J'ai été emmené à Sachsenhausen et placé dans la section des juifs. Mon père étant

---

1. Témoignage Eichwald Rose. Documents du procès de Nuremberg — N.G. 552 — cité par Donald Kenrick et Grattan Puxon. *Destins Gitans* (déjà cité).

gitan, ma mère moitié juive et moitié gitane. Je suis resté à Sachsenhausen jusqu'en décembre 1940 et très maltraité. Je me suis alors porté volontaire pour la recherche de bombes non explosées. En récompense pour mon travail, j'ai été libéré et renvoyé avant Noël à Stettin, sous condition que je me ferais stériliser à l'hôpital de Wendorf. J'ai été contraint de signer un papier déclarant que je me soumettais volontairement à la stérilisation. Si je n'avais pas signé, on m'aurait renvoyé dans un camp de concentration. L'opération eut lieu en mai 1941. J'ai été séparé de ma femme et de mes quatre enfants et envoyé comme ouvrier agricole en Poméranie. En septembre 1942, j'ai été à nouveau arrêté, en même temps que mon père, quatre frères et deux sœurs. J'ai été emmené à Sachsenhausen et les autres ont été envoyés à Auschwitz. Des sept, seule une de mes sœurs est revenue. Alors que j'étais à Sachsenhausen pour la deuxième fois, l'aînée de mes filles, Martha, alors âgée de douze ans, a été emmenée à l'hôpital et stérilisée. J'ai travaillé à l'atelier des tailleurs jusqu'à la libération du camp en mai 1945.

Ohlsdorf - Kommando de...

— Fritz [1] est remplacé par Willy, le petit tsigane autrefois Kapo du Kommando patates, et dont j'ai alors constaté la méchanceté foncière et la haine envers les Français. Il ne tardera pas à démontrer l'exactitude de ce jugement, et, très vite, se révélera au surplus un ennemi des intellectuels, raison supplémentaire pour nous d'en être mal vus. Dès son arrivée, il réduit notre ration de soupe et cherche par tous les moyens à nous créer des ennuis : chose plus grave, il brutalise les malades, contrôle avec hargne nos faits et gestes, crée de la place au Revier en freinant les admissions et en accélérant les sorties.

Dora.

— Dans [2] cette vie quotidienne à Dora, l'ignominie des Kapos

---

1. Témoignage docteur Paul Loheac : *Un médecin français en déportation*, Bonne Presse, 1946.
2. Témoignage Jean Michel : *Dora*, Jean-Claude Lattes, 1975.

tenait un rôle déterminant. Nous étions surtout sous la coupe des droit commun. Hommes de sac et de corde, corrompus et pervers, sadiques, malfaisants jusqu'à l'inconcevable : l'impunité libérait les monstruosités qu'ils portaient en eux.

— L'un s'appelait Richard Kuhl. C'était celui qu'involontairement Pierre Rozan avait sauvé en entrant aux chiottes de Buchenwald pendant qu'un déporté le frappait, l'étranglait et s'apprêtait à l'achever. Rozan, voyant le massacre, s'était borné à dire : « Qu'est-ce qui se passe? » Le déporté s'était arrêté un instant, un S.S. arriva et Kuhl put s'en tirer. Rozan ignorait alors que Kuhl était un Kapo destiné à la suite de l'évacuation d'un camp. Il avait tellement martyrisé de détenus que l'un d'entre eux se vengeait.

— Fort, souple, le teint basané, les cheveux bruns, Kuhl avait été surnommé le Kapo tsigane. Il considérait Rozan comme son sauveur. Il lui parlait, lui racontait sa vie. Il disait qu'il avait été dans la Légion étrangère. Il vouait aux Français une haine sans pardon. Kapo à Netzweiller, il avait persécuté un colonel français. Il regrettait de ne pas avoir eu sa peau. Avec jubilation il expliquait à Pierre qu'il obligeait le colonel à remplir une brouette de pierres, puis le faisait courir. Sans arrêt. Le supplice dura trois jours. Le colonel tint bon. A ce point du récit, la mine de Kuhl se renfrognait. Une tristesse inhumaine s'inscrivait sur son visage. « Malheureusement, on m'a changé de camp, disait-il, je n'ai pas pu l'achever. Je ne me le pardonnerai jamais! »

— De temps en temps, il criait à Rozan : « J'aurai ta peau. » Il oubliait l'histoire de Buchenwald. Sa férocité, son besoin de tuer prenaient le dessus. Sans discernement. Il avait volé un pyjama dans le colis d'un déporté. Il demandait à Pierre si ça se portait sur ou sous la chemise.

— Les Russes de son Kommando se vengèrent de lui. Sous sa direction, ils déchargeaient des sacs de pomme de terre. Un des Soviétiques eut l'idée d'en cacher un sous le lit de Kuhl. Puis ils avisèrent adroitement les S.S. Ceux-ci vérifièrent. Richard Kuhl protesta de son innocence, mais la preuve du délit était là : le sac sous le lit. Ce jour-là, Gummi et coups de pied changèrent de direction. C'est Kuhl qui prit la trempe.

— A la Libération, il fut inscrit sur la liste des criminels de guerre recherchés. On l'arrêta dix ans après. Le procès eut lieu en France. On demanda des témoignages à des déportés. Lorsque Pierre Rozan l'apprit, il se rendit au tribunal et accabla Kuhl de

faits précis. Dans son box, l'ex-Kapo écumait. Il déclara au tribunal :
« Ah! si j'avais eu sa peau à Dora!... Au moins aujourd'hui il ne
serait pas là pour témoigner! » Richard Kuhl accomplit une partie
de sa peine. Aujourd'hui il vit en liberté. Qui martyrise-t-il?

— Ils (les S.S.) font demander par haut-parleur que les anciens
musiciens d'Auschwitz se rendent immédiatement à la porte du
camp. Rozan voit arriver un troupeau de vagabonds, en guenilles,
pellagreux, plus morts que vifs, les pantalons à mi-mollet, des
chaussures dépareillées. L'impression de détresse, de misère qui
se dégage de ces épaves bouleverse Pierre. Parmi eux se trouvent
des tsiganes, des musiciens qui jouaient, naguère, à l'Opéra : tous
sont dans un état de délabrement physique qui confine de l'état
de cadavre. Rozan se demande comment ces malheureux tiennent
debout.

— Ils sont arrivés à Dora, avec ceux d'Auschwitz, par trains
de marchandises successifs. Ces convois possèdent des wagons dits
spécialisés; exemple : le wagon de lunettes, le wagon de bottes
d'enfants, le wagon de chaussures d'adultes, etc. entre autres, un
wagon d'instruments de musique. C'est comme ça; on ne pourra
jamais délimiter les bornes de la folie nazie! Organisation! Organisation!

— Commes les invités du commandant du camp et le commandant lui-même éprouvent le besoin d'entendre de la musique,
un officier S.S. demande à un soldat d'accompagner au magasin
les musiciens, afin qu'ils choisissent leur instrument et qu'ils reviennent jouer, là, sous leur fenêtre.

— Ainsi fut fait.

— L'orchestre se forme et voilà les gueux, minables, hâves,
crasseux, agoniques, les doigts gourds, qui jouent à la demande,
pendant que les officiers S.S. boivent, gueulent, rient grassement.
Le contraste dépasse tout ce que le cinéma expressionniste allemand a pu inventer. Parfois un officier hurle : « Jouez mieux,
bande de salopes, sous-hommes, Stücke. » Les loqueteux s'appliquent davantage, essayant d'éviter que les menaces ne soient mises
à exécution. C'est un spectacle de désolation que la musique,
quand elle est gaie, dramatise plus encore!

— Ce concert en plein jour, ce concert qui durera des heures
est demeuré dans la mémoire de Pierre Rozan... Avoir assisté,
atterré, à cette mascarade et n'avoir rien pu faire.

Bergen-Belsen.

Dans tous les coins [1], derrière chaque baraque, dans les fossés gisent des cadavres. Les morts-vivants qui croupissent en attendant leur heure, sont chassés chaque matin à 5 heures, dans la nuit et le froid, pour l'appel. Ils y restent facilement quatre heures de rang. Quand l'épreuve est terminée, nombreux sont ceux qui gisent sans vie dans la boue...

— Un jour nous voyons arriver des femmes venues de Ravensbrück, presque toutes « aryennes », évacuées en raison de l'avance russe. Parmi elles nous voyons des femmes tsiganes, une trentaine environ, formant les derniers rangs et portant dans les bras leur bébé mort de faim pendant le voyage. Les S.S. qui les comptent à l'entrée de la section, demeurent perplexes :

— « Faut-il compter les bébés morts ou non?

— « Pas la peine, dit l'un avec un rire gras, ils ne s'évaderont pas! »

— D'ailleurs beaucoup de ces femmes tsiganes arrivent avec de nombreux enfants de tout âge.

— Avec tous ces transports qui confluent sur Belsen, ce camp devient une véritable tour de Babel. On y voit de tout : Espagnols, Russes, Grecs, Italiens, Français, Belges, Hollandais, Norvégiens, Mongols, Usbeks, des gens du Grand Nord russe, un Chinois de Canton, des Arabes, des Tchèques, des Hongrois, et même un Sénégalais et un Martiniquais!

— Le ravitaillement devient de plus en plus mauvais et l'on commence à découvrir des cas de cannibalisme. Les premiers sont pendus par les S.S. Il en est un, un jour, qui, trouvé avec un foie d'homme dans sa musette, déclare tranquillement :

— « Es war mir Schade dass ein so gutes Fleisch verbrannt wurde. » Pour ceux qui comprennent l'allemand, la saveur de cette réponse sera bien meilleure. La traduction française ne peut la rendre aussi puissamment :

— « Cela me faisait de la peine qu'une si bonne viande soit brûlée. » C'était un docteur, juif polonais!

— Par la suite, ceux qui sont découverts sont pendus par les détenus eux-mêmes à une poutre dans le coin de quelque baraque.

— Il me faut citer ce Russe pris alors qu'il dépeçait un mort,

---

1. Témoignage Michel Fliecx : *Pour délit d'espérance*. Imprimerie Herissey. Evreux, 1947.

que les S.S. laissèrent à genoux devant le poste de contrôle pendant plusieurs heures avec entre les dents l'oreille du cadavre qu'il était en train de découper.

— Puis on n'y fait même plus attention. Nombreux sont les morts dont le ventre a été incisé pour enlever le foie. Le foie et la fesse sont les morceaux les plus prisés par les anthropophages. J'ai vu un cadavre rester quatre jours dans la cour avec tout l'os de la cuisse, du genou au bassin, gratté au couteau.

— Mais à ma connaissance, dans les deux à trois cents cas de cannibalisme qui ont été révélés à Belsen, jamais un Français n'a été compromis.

« Seulement 240 000 morts. » J'ai raconté ce livre à Ernest Rinaldo, le tsigane de Salamanque déporté à Buchenwald.

— 240 000 morts, c'est beaucoup quand même. On m'avait dit à la fin de la guerre un million de morts. Bah! 240 000 c'est beaucoup! Et les tsiganes ne le savent pas. Mais les choses changent aujourd'hui? Beaucoup veulent savoir leur histoire. Les enfants vont à l'école. Le nomadisme ce sera fini dans cinquante ans. Alors les autres écriront l'histoire de notre peuple. De nos souffrances.

— 240 000 morts, c'est beaucoup mais c'est rien depuis le départ de l'Inde. Un jour mes enfants iront en Inde. C'est rien car on nous a toujours tués. Et sans punition. Les Allemands ont été punis parce qu'ils avaient perdu. S'ils avaient gagné, tout le monde aurait applaudi. Personne n'aime les tsiganes. Personne ne s'intéresse aux tsiganes.

— Aujourd'hui, ça va mieux mais on nous regarde toujours de travers. Peut-être s'ils savaient nos morts, nos 240 000 morts ou un million, ça ne fait rien, ils nous regarderaient autrement. Ils oublient que l'on est des hommes. C'est ça, il faut leur dire que l'on est des hommes, comme eux. Simplement. Avec tout ce qui s'est passé, on a le droit de vivre comme les autres. En liberté. Comme des tsiganes. Vous, vous ne savez pas ce que c'est la liberté. Et vous ne le saurez jamais. Ecoutez, une fois, les tsiganes.

ANNEXE

En dehors des travaux de Donald Kenrick et Grattan Puxon, dont il a été largement question dans ce dossier, rares ont été les études, les publications, les témoignages consacrés à la « Solution finale » du problème tsigane. Tout s'est passé comme si le massacre, ce génocide, n'avait été qu'une conséquence logique de la « liquidation juive ». Et les procès (absence de tsiganes ou de questions concernant leur déportation à Nuremberg), aveuglés par l'importance de la question juive ou des déplacements de leurs « seuls » nationaux ont en général oublié les tsiganes. Ainsi, la malédiction des vieilles peurs, le « mauvais œil », se sont-ils acharnés sur ce peuple au-delà de la mort dans les Kommandos de travail des camps de concentration, les Blocks d'expériences, ou les chambres à gaz.

Déportés, journalistes, écrivains et même enquêteurs chargés de préparer les actes d'accusation des différents procès, ont en général ignoré ou négligé ce phénomène tsigane. Comment dans ces conditions, et devant l'absence d'archives complètes ou organisées, évaluer « le massacre des tsiganes »? Les chiffres avancés par divers auteurs qui ne s'étaient livrés à aucune recherche globale sont pour la plupart fantaisistes et ne méritent pas d'être retenus. Disons qu'ils évoluent dans une fourchette de 100 000 à 1 250 000 ou même 1 500 000 morts. Plus sérieuses les différentes estimations « officielles » des spécialistes gouvernementaux chargés d'établir les livres blancs des crimes de guerre, affirment dans une parfaite unanimité (qui semble confirmer une consultation préalable) que 500 000 tsiganes ont disparu dans les différents camps de concentration.

Kenrick et Puxon ont étudié avec rigueur et compétence ces différents chiffrages et établi pour la première fois un tableau général qui peut servir de base à toute nouvelle recherche.

PAYS	POPULATION en 1939	MORTS	SOURCE DES CHIFFRES DES MORTS
Autriche	11 200	6 500	Steinmetz
Belgique	600	500	Estimation
Bohême	13 000	6 500	Horvathova
Croatie	28 500	28 000	Uhlik
Estonie	1 000	1 000	Estimation
France	40 000	15 000	Droit et Liberté
Allemagne	20 000	15 000	Estimation (voir Sippel, Spiegel)
Hollande	500	500	Estimation
Hongrie	100 000	28 000	Nacizmus Uldzötteinen Bizottsaga
Italie	25 000	1 000	Estimation
Lettonie	5 000	2 500	Kochanowski (1946)
Lituanie	1 000	1 000	Estimation
Luxembourg	200	200	Estimation
Pologne	50 000	35 000	Estimation
Roumanie	300 000	36 000	Commission roumaine des crimes de guerre
Serbie	60 000	12 000 [1]	Estimation
Slovaquie	80 000	1 000	Estimation
U.R.S.S.	200 000	30 000 [1]	Estimation

Ce tableau — qui aboutit à un total de 219 700 morts — était précédé d'un avertissement :

— Il faut se rappeler que ces chiffres ne donnent pas la pleine mesure des souffrances des gitans pendant la période nazie. Parmi ceux qui n'ont pas été tués, il y a les milliers qui furent internés dans des camps ou des prisons, ou qui eurent à souffrir d'autres restrictions à leur liberté. Beaucoup ont perdu la raison, par suite de ces privations de liberté, peut-être plus dures pour des gitans nomades que pour des citoyens sédentaires. D'autres furent contraints au travail forcé dans l'agriculture, dans des mines, dans des usines. Un grand nombre des survivants portaient encore la marque des expériences faites sur eux, d'autres étaient dans

---

1. (Note Kenrick-Puxon.) Ces chiffres pourraient être bien plus élevés, quand on pourra disposer de nouvelles sources d'information.

l'impossibilité d'avoir des enfants par suite d'opérations de stérilisation irréversibles. Le taux des naissances a baissé non seulement comme conséquence d'interventions directes, mais aussi par suite de la séparation entre les jeunes hommes et leurs familles.

J'ajouterai : ces chiffres ne tiennent pas compte des tsiganes qui ont réussi à dissimuler leur origine, ceux qui sont morts dans des camps d'internement ou de rassemblement avant leur déportation, ceux enfin massacrés par les groupes d'extermination qui, parfois, pratiquaient l'amalgame juifs-tsiganes et négligeaient de tenir une comptabilité. Il faut donc ajouter au total proposé par les deux spécialistes britanniques au moins 10 000 personnes, soit : total 229 700 morts.

L'enquête que j'ai voulu mener sur cette « estimation globale » modifie peu les données de base du tableau :

Autriche	Plus 300
Belgique	Moins 50
Bohême	Moins 500
Croatie	Moins 1 000
Estonie	Sans changement
France	Moins 1 000
Allemagne	Sans changement
Hollande	Sans changement
Hongrie	Plus 4 000
Italie	Plus 500
Lettonie	Sans changement
Lituanie	Sans changement
Luxembourg	Sans changement
Pologne	Sans changement
Roumanie	Moins 3 000
Serbie	Plus 4 000
Slovaquie	Plus 2 000
U.R.S.S.	Plus 5 000

Ne figurent pas dans ce tableau :
— Espagnols (camps d'internement français et Mauthausen-Gusen) : plus 150.
— Grèce : plus 50.

Ce total de 240 150 morts tsiganes n'est pas très éloigné des conclusions de Kenrick et Puxon (219 700). Pour les modifier, il faudrait d'autres données qui, malheureusement, aujourd'hui, ne semblent pas exister. Disons que 240 150 morts est le plus près possible de la vérité. 240 150 morts pour un Holocauste oublié.

Table des matières